好莱坞爱情

1闺蜜情事

[美] 杰姬·柯林斯 著
Jackie Collins

李娟 译

中国出版集团
现代出版社

图书在版编目(CIP)数据

好莱坞爱情.1 / (美)柯林斯著；李娟译. —北京：现代出版社，2015.1

ISBN 978-7-5143-3115-8

Ⅰ.①好… Ⅱ.①柯… ②李… Ⅲ.①长篇小说－美国－现代

Ⅳ.①I712.45

中国版本图书馆CIP数据核字（2014）第287896号

好莱坞爱情.1

作　　者	【美】杰姬·柯林斯
译　　者	李　娟
责任编辑	赵海燕
出版发行	现代出版社
通讯地址	北京市安定门外安华里504号
邮政编码	100011
电　　话	010-64267325　64245264（传真）
网　　址	www.1980xd.com
电子邮箱	xiandai@cnpitc.com.cn
印　　刷	北京嘉业印刷厂
开　　本	710×1000　1/16
印　　张	31.5
版　　次	2015年3月第1版　2015年3月第1次印刷
书　　号	ISBN 978-7-5143-3115-8
定　　价	50.00元

献给特蕾西、蒂凡妮和罗里，
给你们我全部的爱！

在贝弗利山庄酒店两英里半径范围内，任何人不允许失败。

——戈尔·维达

楔　子

　　他站在这间费城小屋的客厅里。他就这么站着，盯着那三个家伙看。三头猪。三张可笑的脸。从牙齿到眼睛，再到头发，全都如此。三头猪！

　　他身上有股被压抑的愤怒。这股愤怒从他的体内直冲上脑门。

　　房间里的电视机开着。亚奇·邦克①在电视上说着一些不太好笑的笑话，演播室里播放着预先录制好的笑声。

　　对他而言，房间里也充满了笑声，愚蠢的大笑。

　　他的母亲。棕灰色的头发，身体佝偻，脑袋也不太灵光。

　　他的父亲。秃头，一副皮包骨。满嘴假牙在嘴里欢快地咔嗒作响。

　　乔伊。他曾认为她不同俗流。

　　就是他们这三头猪。

　　他走到电视机旁把声音开大了。

　　而他们并没有察觉到。因为他们只顾着笑。是的，笑他，他们在笑他。

　　愤怒在他头脑中流窜，而表面上他却故作镇静。他知道怎样才让他们停止，他知道……

　　动作流畅而迅速，他们来不及止住笑并做出反应……

　　动作流畅而迅速，他手中的刀划出了一道致命的弧线。

　　动作流畅而迅速，血喷涌而出。一刀致命，他的父母倒下了。

　　除了乔伊，因为她比他父母年轻，动作更敏捷。她用手抓紧手臂上的伤口，双眼暴突，眼里充满恐惧，跌跌撞撞朝门口跑去。

　　你现在可算笑不起来了，乔伊。你总算笑不起来了！

　　他又一次挥起了手中的刀，她来不及跑远，刀便砍倒了她。

　　他们都没有叫，谁都没有。

———————

　　①　美国著名节目主持人。

　　他像接受过了杀人训练的士兵一样攻其不备。只不过，他可不是个士兵，对不对？当然，他不是……

　　他的身体在哭泣中猛烈地摇晃起来。他一边挥舞着刀，一边在奇怪、无声的哭泣中抽搐着身体。在三人身上平均剁。沉浸在一阵可怕的致命击打中。

　　电视里发出的声音掩盖了这一场大屠杀。亚奇·邦克，演播室里预先录制好的笑声。

　　刀似乎被某种魔力掌控，继续挥舞。

第一部

.1.

在位于贝弗利山庄的豪宅里，伊莱恩·康迪从奢华大床上醒来。她按下开关，打开了电控窗帘，却恰巧看见一道优美的弧线落入她那铺满马赛克瓷砖的游泳池里，一个穿着白 T 恤和脏牛仔裤的年轻男子居然在朝她的游泳池撒尿。

她挣扎着想坐起来，打电话叫她的墨西哥女仆莉娜，与此同时，她飞快地穿上一件鹳毛装饰的真丝长袍，把脚塞进一双灰粉色的无跟拖鞋里。

那个年轻男人完事后拉上裤子拉链，大摇大摆地走出了视线。

"莉娜！"伊莱恩尖叫道："你到底在哪儿！"

女仆总算出现了，却出乎意料的平静，对女主人的尖叫置若罔闻。

"有人闯进来了，就在泳池旁，"伊莱恩激动地说，"把米格尔喊来，打电话给警察。再确保所有的门都锁上了！"

莉娜依旧镇定自若，开始收拾伊莱恩床头柜上凌乱的杂物。用过的舒洁纸巾，半瓶没喝完的酒，还有被翻得乱七八糟的巧克力盒子。

"莉娜！"伊莱恩咆哮道。

"别激动，夫人，"女仆淡然说道，"没有人闯进来，只不过是米格尔叫来清理泳池的男孩。米格尔病了，这周他没来。"

伊莱恩气得面红耳赤："那你为什么之前没告诉过我？"她冲进自己的浴室，重重地摔上了门，墙上的面框都被震脱落了，掉在了地板上，玻璃摔得粉碎。蠢仆人，笨女人。根本不能为她提供任何良好帮助，他们来来去去，压根儿就不在乎你是否在自己家里被人强奸或蹂躏。

每当罗斯外出拍电影，这种事情就会发生。但凡罗斯在镇上，米格尔从没胆子装病。

伊莱恩甩掉身上的长袍，走到淋浴头下，她咬了咬牙，想来个爽快刺激的冷水澡。冷水对她的皮肤是最好的，能让身体的各个部位紧致起来。天知道是怎么回事，尽管健了身，练了瑜伽，还参加了现代舞蹈课，她的身体仍然不够紧致。

倒不是说她胖。不可能。她身上没有一块多余的赘肉。这对 39 岁的年纪来说，已经相当不错了，简直棒极了。

我 13 岁时是学校最胖的女生。他们都叫我大象女埃塔。对于这个外号，我确实也名副其实。只是，一个 13 岁的女孩怎么会懂得营养、饮食、锻炼等这些东西呢？面对斯坦伯格奶奶狂塞给她的蛋糕、土豆饼、熏鲑鱼、贝果、点心、鸡肉团子，一个 13 岁的女孩子又怎么知道如何是好呢？

伊莱恩冷冷笑了笑。后来在布朗克斯区，大象女埃塔让他们刮目相看。大象女埃塔，纽约市前文员，现在可修长苗条着呢。她的名字叫伊莱恩·康迪，现在住在有六间卧室、七间浴室的贝弗利山庄豪宅中。而且是在平地上。不是卡在半山坡上或布伦特伍德偏远地带。是在平地上。是真正值钱的房产。

大象女埃塔再也不是尖鼻梁、棕发、缺牙齿、戴着镶边眼镜的"太平公主"了。

这些年来，她改头换面。可爱的朝天鼻，一副完美的波姬·小丝模样。灰棕色的发色也变成了深棕色，剪短了，发梢也烫了金色条纹。皮肤光洁、雪白、顺滑，这多亏了日常的美容保养。她的牙齿也补好了，洁白整齐，这得归功于《霹雳娇娃》①。不雅观的眼镜也早就被柔软的蓝色隐形眼镜所代替。没有这些，她的眼睛是石灰色，必须眯着眼睛看东西。这可不是因为她读了很多书。当然，是看杂志弄成的。她喜欢看《时尚》《人们》《我们》，她通常是瞟一眼娱乐版面、《综艺》和《好莱坞记者报》，专注于阿曼德·阿彻德②和汉克·格兰特的独家爆料，她最热衷的是"女士每日穿衣指南"专栏，但她并没有真正读懂那些她认为严肃的新闻。罗纳德·里根被选为总统那一天是她唯一浏览了政治版面。如果罗纳德·里根能当总统，罗斯为何不能卷土重来？

伊莱恩的胸围是完美的 36B。当然，在拉蔻儿·薇芝③一族面前就相形见绌了，不过，这得归功于她的第一任丈夫——约翰·索尔特伍德医生。她和罗斯紧密团结，勇往直前，坚不可摧。如果真有，那好吧……那就再回到老好人约翰身边去吧。她是在纽约遇见约翰的，那时他正在一家城市医院里浪费自己的才华，当一名外科整形医生。他们在一次派对上邂逅了，她认为他是一个像她一样寂寞的朴实男人。一个月后，他们结婚了，随后的一年里，她把自己的鼻子和胸部都整形了。然后，她劝他去贝弗利山庄开一家属于自己的私人诊所。

三年后，他成了恋胸癖，她和他离了婚，成了罗斯·康迪夫人。情况怎么会变

① 上世纪 80 年代电视剧。
② 阿曼德·阿彻德昵称"阿米"（Army），他爆出了数不清的独家新闻和电影报道。
③ 拉蔻儿·薇芝是好莱坞女星，并且是上世纪 60 年代性感的象征。

成这样？真是滑稽。

她的丈夫——罗斯·康迪是一位电影明星，一流的电影明星。

她应该明白。他们结婚已有十年之久，日子并非一帆风顺，而且变得越来越艰难，她深知罗斯·康迪不为人知的一面，这可能让那些始终爱着他的小老太婆伤心欲绝，因为他毕竟即将迈入 50 岁，他的影迷不再是小青年。随着一年年过去，情况变得越来越糟糕，只有上帝知道他们的经济情况已经大不如从前，他接的每一部电影都可能是他的最后一部。

"夫人，"莉娜敲了敲浴室的门，"那个男孩子现在要走了，他想要自己的报酬。"

伊莱恩走出了淋浴室。她简直要发狂了。他想要报酬？在她的泳池里撒尿还想要报酬？

她在身上裹了一件毛茸茸的毛巾布袍，打开了浴室门；"告诉他，"她大声说，"叫他立即滚！"

莉娜茫然地望着伊莱恩："20 美元，康迪夫人。他会在三天内再来干一次。"

罗斯·康迪在心里暗骂。天哪！他到底是怎么了？他怎么就记不住自己那部分该死的台词呢？已经试过八次了，他仍然会搞砸。

"放轻松点，罗斯，"导演平静地说，一只手则傲慢地搭在他肩上。

该死的导演。充其量不过 23 岁。头发像万圣节女巫一样披在后背。身上的李维斯绷得太紧，勾勒出他阳具的轮廓，看上去就像个老远就能望见的灯塔。

罗斯抖掉了这只冒犯的手："我很轻松。是周围这些人，他们让我分心了。"

"好吧，"导演安抚道，同时向场边第一助理示意了一下，"看在上帝的分上，让他们安静下来吧，他们是背景，可不是来参加林肯合唱团试唱的。"

第一助理点了点头，然后用扩音器把刚才导演的指示做了通告。

"准备好了没有？"导演问道。罗斯点了点头，导演则扭头向一个肤色古铜的金发女子说道："再来一次，莎朗，对不起，宝贝。"

罗斯怒火中烧。对不起，宝贝？这小白痴说"对不起，宝贝"的意思是我们来逗逗罗斯这个老东西，他曾经可是好莱坞最炙手可热的人物呢。

莎朗笑了笑："一切准备就绪，导演。"

好吧，一切准备就绪，导演。我们又要来耍耍这个老东西了。我妈曾经很喜欢罗斯。凡是罗斯的电影她都看过。每一回在电影里看到他，她都会弄湿内裤。

"给我上妆，"罗斯要求道。随后又加重语气，语带讽刺地说，"是不是没人帮我上妆？"

"当然不是，你想要怎样就怎样。"

是的，我想要怎样就怎样。因为这个所谓名导需要罗斯在他的电影里出现。罗斯·康迪可是票房的保证。谁会排着队去看莎朗·里奇曼？谁又曾听过她？几百万电视观众中，只有那么两三个怪胎会去收看女子滑水指导节目。一派胡言！莎朗·里奇曼不过是无名小卒！就算她匍匐着爬到我的房车里来求我，我也他妈的不愿意上她！好吧……如果她真愿意来求我的话……

负责化妆的女孩悉心伺候他。她现在才像样。她总算知道谁是这部电影的角儿了。她在罗斯周围忙得团团转，用一个特大号粉扑来擦掉罗斯鼻子周围冒出来的汗水，还用一个小梳子把他的眼睫毛弄翘一点。

罗斯放肆地在她臀部上掐了一把。她感激地一笑。等会儿来我的房车吧，宝贝，我会让你学会其他的东西的。

"好了，"马屁精导演说，"准备好了吗，罗斯？"

笨蛋，我们都准备好了。他点了点头。

"OK，那就让我们开始吧！"

一切又恢复正常。这次不过是一场很简单的戏，罗斯有三句台词，而莎朗则有六句，然后两人再冷漠地闲晃出镜头。但是，问题是莎朗。她总是茫然地盯着罗斯，搞得罗斯每次总是在说第二句话的时候掉链子。

贱人。她是故意这么做的，她想让我难堪！

"我的老天爷啊！"导演总算忍不住了，"这可不是哈姆雷特那种该死的独白！"

对了，就是这样。他总是用对一个小龙套说话的态度来跟我说话。

罗斯转身就走，昂首阔步，头也不回地离开了拍摄点。

导演对莎朗扮了个苦相："和没有天赋的人一起干活就会碰到这种情况。"

"我妈过去很喜欢他。"她傻笑道。

"所以，你妈比自己女儿更傻。"

她闻听此言咯咯大笑。并不为导演这些冒犯话烦恼。因为，在床上，他完全在她的掌控之下，那才是真正重要的。

伊莱恩·康迪开着自己浅蓝色的梅赛德斯奔驰车穿过拉辛尼伦吉大道。她开得很慢，这样才不至于弄坏她不久前在一家名叫"美甲亲吻生命"的美甲店新做的指甲。那家店可真是个好地方，他们把伊莱恩坏掉的指甲包裹得那么好，甚至使她都看不出来。伊莱恩喜欢发现一些新地方，这能给她的生活注入一点活力。她把一盘芭芭拉·史翠珊的磁带放进车载音响，脑袋里想着一件她曾想过无数次的事情：为什么芭芭拉·史翠珊没有把她的鼻子整一下呢？在这个如此看重相貌的小镇里。天知道她有的是钱……但……这肯定对她的职业生涯没有害处，对她的感情生活亦是如此。

伊莱恩皱起眉头，想起自己的感情生活。罗斯好几个月都没有近她身了。就因为他感觉没心情。

伊莱恩在他们的这段婚姻里曾有过两段婚外情，但没有一次让她觉得满意。她讨厌红杏出墙，因为这太费时间。高潮，低谷，起起落落。值得吗？她曾经认为不，现在却开始动摇。

最近一次是两年前发生的。她想起这件事时脸红了，她为此承担了多么荒唐的风险。那个男人对她来说除了修补她的牙齿毫无用处，可她的牙齿早就完美无缺了。这个男人就是弥尔顿·兰里，她的牙医，也可能是贝弗利山庄里每个有钱人的牙医。她挑中他是多么不明智，可事实上是他相中了伊莱恩。那天，他差使自己的护士走开，爬到伊莱恩坐的椅子上，和伊莱恩快速激烈地做爱。

伊莱恩想到这里不由得咯咯大笑，尽管当时她没有笑。弥尔顿把漱口水倒在她那件弄脏的衣服上，又叫自己的护士过来，让她去萨克斯百货买一件新的。后来，连着两个月炎热的天气，他们每周都会在圣塔莫尼卡一些糟透了的汽车旅馆里幽会两次。直至有一天，伊莱恩突然决定不去见面，才结束了这段关系。

还有一段情事则不值一提。是曾和罗斯一起演过一场电影的演员。伊莱恩和这个男人睡过两次，但两次都充满悔意。

每一次她提起他们贫乏的性生活，罗斯都会大发雷霆："你到底认为我是个什么，一台机器？"罗斯会这么咆哮："我有兴致的时候自然会想，而不是因为你读的几本垃圾色情杂志上说女人每天该有十次高潮！"

概率是件有趣的事情。如果她每年能有十次高潮就算幸运了。多亏了她那可靠的振动器，否则她一定会坐立不安。

如果罗斯参演的电影能够再次大热，说不定他又能重新勃起了。没错，一部叫好又叫座的电影才是罗斯真正需要的。这对他们两个人都有好处。在男人的生命里，没有什么东西能像成功一样让他们重振"雄风"。

伊莱恩小心翼翼地离开了梅尔罗斯。在芭堤雅酒店享用午餐是每周五的固定安排。小镇里有头有脸的人总是在此如期出现。伊莱恩也在这家酒店长期预定。

伊莱恩将车右转进小停车场，然后把车交给停车场的服务员。

帕特里克·特瑞尔是芭堤雅酒店的老板，他在这家户外酒店的入口处欢迎伊莱恩。他在伊莱恩的左右脸颊上各喀了一下，然后跟着侍者来到了自己的桌旁，一路上敏锐地搜寻认识的人。

玛瑞丽·格雷，伊莱恩最亲密的朋友之一，已经坐在那等着伊莱恩了。她手里攥着一杯酒，一脸闷闷不乐。尽管玛瑞丽已经 37 岁，但她过去青春可人的影子仍然清晰可见。在她那个年代，她曾被选为高中最受欢迎的女生，以及 1962 年的赛车小姐。这些都是在她与电影导演尼尔·格雷遇见、结婚、离婚之前的事了。她的父亲是桑德森工作室的所有人，现已退休。玛瑞丽从来没被经济问题困扰过。唯一让她烦恼的只有男人。

"亲爱的，我没迟到吧？"伊莱恩和她这位好友碰了碰脸颊，一脸焦急地问道。

"才没有呢。我想是我来早了。"随后，她们互相说了些"你看上去真漂亮"之类的恭维话，又互相欣赏了一下对方的妆饰。而与此同时，两人的眼睛却也不停地在酒店里搜寻。

"好吧，罗斯在片场可有偷腥？"玛瑞丽一边询问，一边从一个扁金匣子里拿出一根黑色的长雪茄。

"得了吧，你知道的，罗斯哪一回出去拍片不偷腥啊？"

两人哈哈大笑。罗斯可是出了名的浪子，这是好莱坞长久以来的笑谈。

"事实上，他对什么东西都挑剔，"伊莱恩吐露道，"他对剧本、导演、演员、食物、气候，以及任何漏洞百出的计划都会吹毛求疵。但是，玛瑞丽，相信我……"她朝她的好朋友亲密地贴过身去说，"他在这部电影里会火起来的，老罗斯·康迪要全力出击了。"

"我当然相信，"玛瑞丽低声说，"我可从来没把他忽视掉，这你是知道的。"

伊莱恩点了点头。玛瑞丽是她真正的、为数不多的好朋友。在好莱坞，一个演员要想受到追捧，就必须有最新的成功作品，而通常两次成功作品会间隔很久。

"我想去把眼睛整一下，"玛瑞丽突然宣布，"我只告诉你，你可不能告诉任何人。"

"好像我会似的！"伊莱恩相当不满，"你想让谁来做？"

玛瑞丽笑了起来："当然是棕榈泉①的情人，我会在那儿待上几周，然后回来，没人会发现异样。别人会以为我去那里度假，毕竟我在那里有栋房子。"

———————

① 美国加利福尼亚州南部的游览城市。

"这主意可真不赖。"伊莱恩说，但是她心里却嘀咕着：玛瑞丽是傻了还是怎么着？没人会去棕榈泉度假，就算在那里有房子，但只有去度周末或退休者才会去那里。"什么时候去呢？"她又问道，两只眼睛却不停地在酒店里张望。

玛瑞丽耸了耸肩："越快越好，如果他有时间的话就下周。他太忙了。"

突然，两人停止交谈，看到西尔维斯特·史泰龙走了进来。伊莱恩向他客套地一挥手，但他却像没看见一样。"看来他需要戴一副眼镜了，"伊莱恩嗤之以鼻，"我上一周还和他在派对上碰过面呢。"

玛瑞丽拿出一个金色的小化妆盒，瞧了瞧脸上的妆容："他火不了多久了，"她边擦掉口红留在牙齿上的印迹，边轻蔑地说，"让我们拭目以待——他可不是克拉克·盖博①。"

罗斯把电视机打开，正巧是《今夜秀》节目播出时间。他知道他应该给远在洛杉矶的伊莱恩打个电话，但是他不想给自己添麻烦。伊莱恩要是知道他今天说错台词，在拍片现场拂袖而去，肯定会气炸。然后，她又会喋喋不休地怪罪罗斯总是制造些大众喜欢看的绯闻。他已经违背伊莱恩的意愿，接了上一部电影，而那部电影在票房上惨败。上帝啊，那部电影算是毁了他了。明明是一个好好的爱情故事，一个老道的导演，他的搭档是一位纽约舞台女演员。"一部老掉牙的垃圾电影，"伊莱恩却没好气地评价，"性，暴力和喜剧，这三样是现在的票房保证。罗斯，你得赶紧赶上潮流，否则就太迟了。"

伊莱恩是正确的。他真的必须加入这个行列，因为他早已不是票房先生，甚至连票房号召力的前十位都排不进。他正在走下坡路，在好莱坞，人们能感觉到这些。

电视里强尼·卡森②正在采访安吉·迪金森③。她在银幕上打情骂俏，一双长腿交叉着，看上去充满诱惑。

罗斯突然拿起电话。"给我接领班。"他狠狠地说。

在他早些时候离开拍片场后，导演曾卑躬屈膝地来到罗斯面前对他说："没什么问题是我们不能解决的，罗斯，如果你今天不想拍，我们可以改到明天一大早来重拍。"

---

① 美国著名演员，代表作《乱世佳人》。
② 美国著名深夜访谈节目主持人。
③ 以美腿闻名的性感女星。

罗斯同意了。至少他们现在知道和他们打交道的是一位明星，而不是什么明日黄花。

"好的，康迪先生。我是领班，请问有什么能为您服务的？"

罗斯稳了稳夹在下巴上的电话听筒，拿起了那瓶龙舌兰酒："你能保守秘密吗？"

"当然，先生，这是我的职责。"

"我想要个娘们儿。"

"当然可以，康迪先生。您是想要一位金发的、黑发的还是红发的呢？"

"管他什么五颜六色的。只要给我保证上来的女人胸围一定要大，我的意思是乳房一定要够大就行。"

"好的，先生！"

"噢，对了，你可以把这女人的费用算进我的户头上，就记作客房服务吧。"为什么他要付钱呢，还是让电影公司来埋单吧。罗斯把听筒放回电话机座，走到镜子前。50 岁了。他即将迈入 50 岁的门槛。这很伤人，太伤人了。

罗斯·康迪在好莱坞已经生活了 30 年。而在这 30 年里，他当过 25 年的明星。1953 年，他第一次来到这个小镇，那时的他在一家位于日落大道的食品超市里负责升降物品，但是没多久，他就被一位年迈的经纪人的老婆发现了。她被他金发碧眼的好皮囊迷得神魂颠倒，想方设法让她丈夫把罗斯签了下来。同时，她也和罗斯打得火热，两人每时每刻都想厮混在一起，一天缠绵两次。

然而，就在环球公司决定要签下他手头的这位年轻客户时，她的丈夫发现了他们的奸情。冲动之下，这位老经纪人做了他有生以来最糟糕的一笔生意，等到合同一签完，他当即就雪藏了罗斯，并在镇上到处诋毁他，说他毫无表演天赋，是个只会乱搞男女关系的大种马。

罗斯可不在乎这些。他在纽约的布朗克斯区长大。他在纽约流浪了三年，东蹭一点，西蹭一点。一份好莱坞的合同对他来说堪称完美，他才不在意合同条款有多苛刻呢。

女人们爱慕罗斯。他在一家工作室里干了两年，最终还和工作室总监的漂亮情人勾搭上了，也就是这个女人帮罗斯迅速解除了合约。

两年里，罗斯只在一些海滩派对电影里出演过一些不起眼的戏份。然后，突然就沦落到没合同、没前景、没钱用的境地。

　　一天，罗斯在施瓦布药店附近闲逛，和一个名叫莎蒂·莎乐的女孩子搭上了话，这个女孩在他所见过的最吹毛求疵的人身边做秘书，工作十分辛苦。她不漂亮。体重超标，长着点可疑的小胡子、短腿，但她却有一对傲人的双峰！和她交谈片刻后，罗斯都不敢相信自己居然会约她。而莎蒂很乐意地接受了罗斯的邀请，随后他们去了意识小旅馆，点了些健康的汉堡吃，然后谈起了他自己。罗斯享受和莎蒂在一起的每一分钟。有几个女人能在足足五小时里自始至终只谈论他呢？

　　莎蒂非常聪明，这一优点罗斯从未在别的女人身上见到过。她拒绝初次约会就和他上床，当罗斯伸手想要碰一下她那对傲人的双峰时，她把他的手挡开，却总能就他的事业给他良好的建议。他们第二次约会时，她为罗斯做了一顿他觉得有生以来吃过的最美味的大餐。

　　在六个月的交往中，他们始终保持着柏拉图式的恋爱关系。两人一周总要见上几次，每天都要通电话聊天。罗斯很喜欢和她交谈，因为她能回答罗斯的每一个问题。噢，天哪，罗斯这样的男人，怎么会有什么真正的问题呢？他只不过是在向莎蒂讲他求而不得的那些女孩，或因为找工作到处碰壁而向她吐苦水。辗转于一场又一场的面试，毫无进展的结果让人沮丧，更别提罗斯那要命的自负。莎蒂是个再好不过的倾听者，再加上她还能给罗斯每周弄上两顿好饭，包下他的清洗工作。

　　一天晚上，罗斯去一位已婚女友那里偷欢。那晚形势千钧一发，她身在外地的丈夫比预料中提前回家了，罗斯不得不抓住自己的裤子，不顾一切地从卧室的窗户跳了出去。落荒而逃后，罗斯想给莎蒂来个不期造访，然后把刚发生的事告诉她，他确信莎蒂一定会喜欢听这个故事。

　　当罗斯来到莎蒂位于奥利弗大道的小公寓时，他震惊地发现莎蒂正在款待一个男人。他们俩坐在烛光摇曳的餐桌旁，餐桌上摆着一份看上去十分诱人的炖肉。桌上还摆着酒，刚剪下来的鲜花，以及她最好的餐具。而莎蒂则穿着一袭低胸装，满脸慌张地看着罗斯。

　　罗斯从没有想到莎蒂居然有男朋友。突然，不知为何，他感到极其愤怒。

　　"罗斯，我想给你介绍一下伯纳德·乐福特科威茨。"她严肃地说道，同时打量着衣服皱巴巴、头发杂乱、臭不可闻的罗斯。

　　罗斯轻车熟路给自己找了把椅子坐下，然后沉默地朝着伯纳德·乐福特科威茨的方向简单地点了下头。"给我来点喝的，亲爱的，"他对莎蒂说道，伸手在她的屁股上拍了一下，"要威士忌，多加点冰。"

　　莎蒂对罗斯怒目而视，但还是照着他吩咐的去做了。终于，伯纳德·乐福特科威茨坐了一个小时之后离开了，而罗斯依旧坐在那儿。

"真是太感谢你了！"莎蒂在关上罗斯身后的门后开始咆哮。

罗斯咧嘴笑道："怎么了？"

"怎么了，你心里明白，你就这么大摇大摆地走进来，好像你是这里的主人，你还他妈的把我当成你……你那些女人！"

莎蒂气急败坏，充满了愤怒："我恨你！罗斯，你知道为什么吗？我真的恨你！你以为你是个什么稀罕玩意儿！好吧，那我现在就告诉你……"

没等她说完，罗斯就迅速抓住了她，好像要杀了她一样。罗斯知道这会是什么样子，是一个杀手要动手的场景。罗斯紧抱着莎蒂，她那迷人的大腿，身体的热量，还有那一对傲人的双峰紧紧包裹着他。

莎蒂推开他："罗斯……"她开始反抗。

罗斯并不打算听为什么他们不能这么做的理由。莎蒂·莎乐将会是他的女人，也只能是他的女人，去他妈的什么伯纳德·乐福特科威茨。

她还是个处女。24岁的年纪，住在好莱坞，却居然还没破身……

罗斯简直不敢相信这个事实。但他又感到非常高兴。他玩女人足有十年了，莎蒂还是他上过的第一个处女。

第二天，罗斯就收拾好自己的东西，搬过去和莎蒂同居了。此时，他已经有两个月没交过房租，钱变成了他需要认真考虑的问题。搬去和莎蒂同住是个不错的主意，何况莎蒂高兴生活里有他。莎蒂也毫不犹豫地和伯纳德分了手，然后把她所有的时间都用在悉心照顾罗斯身上。"必须要给你找个经纪人。"莎蒂焦虑地说，因为她知道罗斯十分沮丧没能在某部电影里获得个角色，只不过他不愿意承认而已。不幸的是，所有罗斯找过的经纪人都像是得到了同一条信息：罗斯·康迪就等同于是坏消息。

一天，莎蒂做出了一个重大决定："我要做你的经纪人。"她十分严肃地宣布道。

"你想做什么？"罗斯吼道。

"我要做你的经纪人。这是个好主意，你就走着瞧吧。"

接下来的一周，莎蒂辞去了工作，去银行取出了全部积蓄，而且很快在好莱坞大道一座破烂的建筑里找了间小得不能再小的房子做办公室。她在房门上钉了块牌子，上面写着：莎蒂·莎乐——明星经纪人。随后，她又牵了条电话线进来，便正式开始营业。

罗斯觉得这整件事滑稽可笑。莎蒂怎么可能会知道怎么做一名经纪人？

凡是莎蒂不懂的东西，她总有办法迅速弄明白。她在一家专事娱乐业的大型法律公司当了六年秘书。她先办妥了法律相关部分，接下来其他的就没那么难了。她现在手里有好货，这就是罗斯·康迪。美国的女人只要认真看看罗斯就一定会买账。

"我有一个很棒的主意，"莎蒂有一天跟罗斯说，"并且，我不需要你提什么意见，因为我知道这主意一定奏效。"

正如她所料，尽管这主意有点疯狂，而且花费昂贵，罗斯还是爱死了她的这个主意。莎蒂向她的前任老板借了所需费用，这家伙就是个混蛋，他名叫杰瑞米·梅德，罗斯一直怀疑他对莎蒂有非分之想。然后，她在《太平洋》杂志上刊登了一幅罗斯身着褪色齐膝牛仔裤微笑的照片。莎蒂把这照片放大，然后贴在全美国所有她能付得起费用的广告牌上，再给这幅照片配上一行话：谁是罗斯·康迪？

神奇的时刻降临了。短短几周内，每个人都在问："谁是罗斯·康迪？"强尼·卡森开始在他的节目上谈及此事。信件开始一麻袋一麻袋地寄来，上面都写着：寄给罗斯·康迪，地址好莱坞（莎蒂之前谨慎地通知了邮局该如何投递这些信件）。罗斯走到大街上开始会被人拦下来，一大群爱慕他的女人围着他，不管他去哪儿，都会被人认出来。整件事情的发展不出莎蒂所料，如火箭发射一样迅速。

形势发展到巅峰之际，莎蒂带着她现在这位"著名的客户"一起飞到了纽约，罗斯受邀去那里做《今夜秀》的嘉宾。为此，莎蒂和罗斯两人都狂喜不已。在纽约，罗斯算是体会到了身为明星的感受。莎蒂更是兴奋不已，因为是她造就了罗斯现在的身份。

罗斯在《今夜秀》的表现堪称惊艳！他风趣、性感，具有磁力般的吸引力。当罗斯回到好莱坞时，邀请函堆积如山。莎蒂从中筛选，最终定下了一个不错的合约，是和派拉蒙公司签订一份三部电影的合同。罗斯从不追忆往昔，成为一名电影明星也不过是眨眼工夫。

六个月后，罗斯甩掉了莎蒂·莎乐，和一家更大的经纪人公司签了约，还和温迪·沃伦结了婚，她可是一个冉冉升起的年轻新星，更拥有一对让人过目难忘的39寸巨乳。他们同住在一栋被频频曝光的豪宅里，就在穆荷兰大道尽头，离马龙·白兰度的公寓只有五分钟的路程。他们的这段婚姻只维持了短短两年，也没有生儿育女。此后，罗斯成为了好莱坞有名的钻石王老五，围绕他的总是狂野的故事、狂野的打扮、狂野的聚会。

当1964年罗斯再次步入婚姻殿堂时，大家都欢喜雀跃。这一回是和一个初涉影坛的瑞典姑娘，年方十七。无一例外，她也拥有傲人的胸围。这次算得上是闪婚，只维持了短短六个月。最后，这个女人以精神虐待为名要和罗斯离婚，并要分他一半财产。而罗斯对这整件事不以为意。

那时，罗斯的演艺事业正值巅峰，每一部他露脸的电影都是票房赢家。直到1969年，他连接了两部烂片。

罗斯从超级明星的位子上跌落，许多人都不感到遗憾。莎蒂·莎乐就算是其中之一。罗斯背叛了她充满关怀的爱后，她消失了一段时间。但是当她重新露面时，她慢慢地、稳健地建立起了一个属于自己的王国。

罗斯是在他去向伊莱恩的丈夫做咨询时遇见她的。39岁，罗斯想着这个年纪是应该做些面部保养了。可结果呢，他没从医生那里得到什么好建议，却把伊莱恩给弄到了手。伊莱恩也毫不犹豫地和罗斯同居了，罗斯那时候正需要她这样的女人。

罗斯发现伊莱恩能同情支持他，同时也是个非常不错的倾听者。虽然她的胸部没什么好让罗斯感到兴奋的，但在床上她却很体贴、温暖。在经历了那位平庸的好莱坞小明星的一番折腾后，罗斯喜欢这种体贴与温暖。他认为和伊莱恩的婚姻才是他真正需要的。罗斯也没花上多少时间来劝她和前夫离婚。一个星期之后，他们就在墨西哥结婚了。同时，罗斯的事业也急转直上。这种劲头持续了五年，之后又开始慢慢逐渐下滑。他和伊莱恩的婚姻也是如此。

49岁，全力加速奔向50岁。罗斯看上去最多不超过42岁，他那金发帅哥的面容也变老了，他只能靠染发来遮掩逐渐变白的头发，那双犀利的蓝眼睛下也开始出现深深的凹痕。

他依然保持良好身材。身体也几乎如新，没有衰老。他凝视着镜子里的自己，几乎没听到那谨慎的敲门声。

"谁？"当敲门声再次响起时他喊道。

"客房服务。"门外一个女人轻声说。

来客房服务的是个25岁、身材丰满的女人。罗斯很开心，心里默记下要多给领班一点小费。

.2.

"他从来就不是个普通的孩子，迪克·安德鲁斯从来就不是，他素来奇怪。"

"哦？怎么说呢？"

"你知道的，从来对电视、电影、女孩子不感兴趣。也不像这条街上其他孩子，甚至在他长大后还是如此。"

"那他都对什么感兴趣？"

"折腾汽车。在他找到第一份工作后，他就跑去分期付款买了一辆老款的野马车。那辆车可真是他的心肝宝贝，一天到晚不停地擦，不停地调试。"

"最后呢，怎么样了？"

"把车卖了。不知道什么原因。从那之后再也没买过另一辆。"

"你对此确定？"

"确定什么？"

"他从那以后就再没拥有过其他车？"

"当然啦，我很确定。我对友谊街上的每件事都了如指掌。我坐在这同一扇窗旁往外看了30年。我有没有跟你讲过我出事故那档子事？重机械掉落在我腿上。从那以后我就无法行走。赔偿？你以为我拿到了钱吗？我在那个污秽不堪的工厂里工作了大半辈子，却一无所得。你在想些什么……"这个老男人的分贝越来越高，他面红耳赤，气得浑身发抖。

侦探莱昂·罗斯蒙特摸了摸他那大鼻子的鼻梁，眼睛盯着墙上一幅廉价的装裱画。谁能摸透人们的心思？相比几个小时之前发生在街对面的事，这个老家伙对这30年来发生在他自己身上的事情更感兴趣。作为目击者，他毫无用处，他什么都没听到，什么都没看见，什么也不知道。

很快报纸就会在头版头条登出这条耸人听闻的新闻：**血腥大屠杀。三人在郊区被恐怖杀手凶残杀害。**新闻媒体多么喜欢这种连环凶杀案啊，因为他们可以从中渔利。三个人在一间小宅里被残忍杀害，而且还是费城郊区体面的友谊街。上帝啊！他多么希望能从脑子里擦掉今晨这场惨剧的记忆。正想着，一股苦涩的胆汁涌向他的喉咙，他赶紧忍着咽了下去。

一级侦探莱昂·罗斯蒙特，五十岁出头，身材魁梧，宽胸粗膀，孔武有力，一头浓密的灰发，粗眉毛，一双锐利但却充满慈善的棕色眼睛。他看上去就像一名健康不佳的足球运动明星。事实上，他在学生时代的确是一名驰骋赛场的英雄。他在警队效力已有29年了。29年来，他一直和各种凶杀案、性杀案、暴力屠杀案打交道。

他讨厌这些让人头疼的案件。

但是偏偏大家都喜欢把它们塞给他，而这起算是这一段时间里他碰到的最棘手的案件了。三个受害者在没有明显原因之下都被剁成了碎肉，没有遭到性侵犯，也没有被抢劫，什么都没有。除了迪克·安德鲁斯，宅子主人失踪的儿子之外，没有一丁点线索可供侦破。

那么，这次会不会又是一次老套的家庭谋杀案呢？

迪克·安德鲁斯不会主动告诉他答案。他可能外出出差去了，也可能和他的朋友们待在一起。要么，就是在哪个鬼地方和女人厮混，毕竟，现在只不过是周六下午。根据法医的鉴定，案发时间可能是在星期五晚上 11 点至周六早上 4 点之间。

迪克·安德鲁斯。26 岁，喜欢独来独往。

"是那些黑人干的！"那个老男人激动地陈述，"他们总是到处惹是生非！"

"你说什么？"

"就是那些搬到街上住的黑人干的。如果是他们干的，我一点都不会感到惊讶，"他嗤之以鼻，"不像过去，我现在都把门紧锁着。我还记得以前不需要锁门的日子。"

罗斯蒙特侦探简短地点了点头以示同意，但他嘴里却有股苦涩的味道，今天早晨的那些恐怖画面还在他的眼前晃动。他感到头疼、嘴唇发干、双眼凹陷干涩。他多希望此刻是在家中，和他那黑人宝贝米莉躺在床上，而不是在和这个偏执的老头讨论这些东西。

"他们应该待在南街，那才是他们该待的地方，"老男人不祥地嘀咕，"不能让他们和我们这些体面人住在一起，这不对，应该制定一项法律……"

罗斯蒙特侦探用力把自己沉重的身体挪出那把填充过度的扶手椅，径直朝门走去。真糟糕，他开始感觉要窒息了一般。"谢谢您，布伦先生，"他绷着脸说，"我们需要一份正式口供。我的一名手下过一会儿会来——"

"是那些黑人！"这个老男人歇斯底里地尖叫道，对自己的观点越说越来劲，"应该把他们留在非洲光着屁股跑。这就是我的想法，也是我们所有正经人的想法。"

莱昂·罗斯蒙特气恼地离开了那栋小房子。外面下起了雨，阴冷无情的小雨。电视采访车被堵在了街尾，一大群无情的围观者聚成一团站在警察设置的路障外。他们来这是干什么？这间刚发生了暴力谋杀案的房子外面有什么好让人激动的？他们这群人到底期待看到什么？

他摇了摇头。人们啊，他永远也搞不懂他们。

他厌恶地拉起身上那件旧英国雨衣的领子，匆忙穿过大街。

在他多年痛苦不堪的工作里，他还从未处理过这样一桩案子，其中的一位受害者居然是他认识的，这是最令人恶心的。他恐惧地想着，这件案子是否是他的……

.3.

在冷水峡谷的房子里，梦塔娜·格雷盯着自己的丈夫尼尔，他正对着更衣室的镜子研究着装。他痴迷于自己的外表，总是打扮得正儿八经来取悦梦塔娜。而梦塔娜则耐心地等着那个不可避免的问题。

"我看上去如何？"尼尔没让她失望地问道，事实上他心中早已有了确定的答案，偏偏就是焦急地想听到梦塔娜的赞同。

梦塔娜露齿一笑："为什么总是不确信呢？你明明知道自己看上去棒极了。"

"我？不确信？从来没有过，"他回复道，他这话听上去可真像理查德·伯顿[①]说的，"我只是喜欢听到你的赞美。"

梦塔娜喜欢尼尔的英国口音，这通常能激起她的性欲，"嗯……"她满脸疑惑地看着尼尔，"等一会儿……在床上……我会一直表扬到你头发根根竖起。"

"就只是头发吗？"他嘲弄地说。

"凡是你能想到的其他地方都是。"

"噢，好吧，我会考虑考虑。"

梦塔娜大笑起来："我确信你一定会的，你可不仅是这里最棒的电影导演，你的想象力也不赖。"

尼尔一把抓住她，二人开始亲吻。

梦塔娜 29 岁，尼尔 54 岁。结婚四年，共同生活了一年，这五年时光里，25 年的代沟从来没给他们带来过障碍，可是却给其他人带来了不少烦恼，包括尼尔的前妻玛瑞丽，以及尼尔的一些朋友和这些朋友的妻子们。

"嘿，"梦塔娜温柔地把尼尔推开，"在酒店，可有一大堆的嘉宾焦急地等待着我们华丽出场呢。我们得赶紧挪挪屁股动身了。"

尼尔夸张地叹了口气。

"今晚你可别给我板着个脸。整个庆祝活动可都是你的主意，尼尔。"

---

① 英国著名演员。曾经是好莱坞身价最高的演员。

尼尔假意鞠了一躬，把梦塔娜领到门口："好吧，夫人，既然你都发话了，那就让我们开始挪动屁股出发吧。"

梦塔娜。身高五英尺十英寸，一头黑发长及腰身，瞳孔呈金色斑纹，好似虎眼，性感的双唇充满诱惑。她美得非比寻常，摄人心魄。

梦塔娜。本来指的是美国的州名——蒙大拿，也是梦塔娜出生的地方。换句话说，这点可以说明她的父母是多么反传统。她的父亲是一个地质学家，母亲则是一位民谣歌手。他们两个人都酷爱旅行。到梦塔娜 15 岁时，她已经环游世界两次了，并且已经经历过两段露水情，能说一口流利的法语和意大利语，会滑水、滑雪，还能像牛仔一样骑马。

她的父母都是性格坚强、独立的人，给他们的独生女注入了良好的自信与自我价值观。"相信自己，你无所不能。"她母亲经常这么说。

"在生活中不要害怕，"这是她父亲的格言，"自尊、坚强地面对到来的一切。"

这对他们而言是没有问题，因为他们拥有彼此，然而尽管他们很爱她，她却时常感到自己像个入侵者，所以当他们一家最终决定要在亚利桑那州的一个大农场定居下来时，她明白是离开父母，独自闯荡世界的时候了。在父母的祝福下，梦塔娜带着一小笔足以维持生计的钱离开了。那是 1971 年，她年方十七，很年轻，充满了活力与热情。

她先来到旧金山，和一个年长的表兄住在一起。后者给了她性、毒品以及摇滚乐的启蒙，而且任由她自由发展。她如饥似渴，迫不及待地学习。从餐厅服务生到制作银饰拿到大街上去卖，梦塔娜尝试过各种工作。

她一直忙得马不停蹄，直到遇到一位摇滚乐手，后者说服了她去印度学习冥想。他们最终到达了浦那①，在那里，他们成了拉杰尼希·古鲁②的信徒。只可惜，她先于同伴厌倦了，独自一人回到了伦敦。她和自己的朋友们待在伦敦的切尔西③，和一大群摄影家、模特、作家混在一起。她什么都尝试了一点儿。最终，她跟一位激进的记者来到了纽约，开始做一件她最感兴趣的事，那就是写作。她写出来的作品总是既讽刺又充满现代气息。没过多久，她就变得小有名气了，开始在前卫的《世界》

---

① 印度西部的城市。

② 古鲁，指印度教等宗教的宗师或领袖。

③ 切尔西，伦敦自治城市，为文艺界人士聚居地。

杂志上写固定专栏。而她第一次遇见尼尔则是在去巴黎的一次差旅途中。

左岸咖啡在举行一场派对。拥挤、吵闹，梦塔娜带着她的临时男友莱尼出席。尼尔早已到了，在杰克·丹尼[1]和阿卡普尔科黄金[2]调制的鸡尾酒的作用下，已经酩酊大醉。他虽然醉了，双目却炯炯有神，脸上神采奕奕，头上灰发凌乱，他坐在角落里的一张桌旁，被一大群爱慕者包围，他们全神贯注地听着他讲的每一句话。

"你知道吗，我真想去和那个男人结识一下，"莱尼说，"他可比奥特曼[3]还厉害呢。"

"得了吧，没人比奥特曼更厉害了。"她不屑地答道，朝朋友的方向走去。

几个小时后，她终于朝那群依然围在尼尔身边的人走去。莱尼把她向大家做了介绍。

此刻的尼尔已经醉得不行，话都说不出来了。但是，他还是勉强说了句，"蒙大拿？！这是什么狗屁名字！"

她没理会他，而是甜甜地笑对着莱尼说："我们走吧。"

两天后，当梦塔娜在香榭丽舍大街的一家美国杂货店里浏览杂志时，一个声音从她背后传来，"蒙大拿，这是什么狗屁名字！"

她转身一看，一时间无法认出这个男人是谁。但是，他呼到她脸上的威士忌气味让她立马想起了那场派对。

"想喝上一杯吗？"尼尔问道。

"不是特别想。"

他们的眼睛锁定了对方，刹那间，火花四射。她被他迷得七荤八素，改变了心意，尽管老男人从来入不了她的眼。

尼尔把她带到一个酒吧，很明显，尼尔是那里的常客。他在那里把事情全搞砸了。在那之前，尼尔靠着敏锐、渊博、妙趣横生的谈吐给梦塔娜留下了深刻的印象。她开始好奇为什么尼尔现在要自毁形象。

梦塔娜不辞辛苦想要多了解他。尼尔是个复杂的男人，热衷于自我放逐。是一位极具天赋的导演，却因为酗酒如命和古怪的行径让人敬而远之。同时，他也开始拒绝为了丰厚报酬拍电视广告，他曾靠此来维持前妻玛瑞丽在贝弗利山庄的奢靡

---

① 威士忌品牌。

② 阿卡普尔科，墨西哥南部港市。阿卡普尔科黄金，一种类似大麻的植物。

③ 奥特曼，全名罗伯特·奥特曼，美国著名导演。

生活。

　　他在巴黎似乎更受欢迎，他每天开始一天生活时都是清醒的，但是一到下午便又无可救药地变得醉醺醺的。

　　梦塔娜延迟了回纽约的行程，开始花越来越多的时间来陪尼尔。尼尔对她来说是一个挑战，这让她感到兴奋。梦塔娜的父亲可能会说，梦塔娜有尼尔渴望的热情。性，在梦塔娜成长的过程中一直都是一个非常开放的话题，她父母在这个问题上给梦塔娜的建议只有一条，那就是只要她感觉对了就去做。有一种感觉在告诉梦塔娜，尼尔就是她想要的那个男人，尽管尼尔还未做出要和她上床的举动，这反而更刺激了她。最终，她不请自来，结果却因尼尔饮酒过度无法勃起而作罢。

　　梦塔娜可不觉得这很有趣。她觉得是时候为尼尔·格雷做点什么了。于是，她租来了一辆汽车，还向朋友借了乡下的别墅，然后说服尼尔去那儿过周末。尼尔答应了，满心期待着两天的狂饮和作乐。

　　别墅位于偏远地带，无人居住。梦塔娜早已确定别墅里没有酒。她把汽车钥匙藏了起来，扯掉了电话线，把尼尔关在那里一起度过了疯狂的三个星期。好吧，在头几天里确实很刺激。梦塔娜让他冷静了下来，阻止了他的胡言乱语，最终在他清醒的状态下，把他弄上了床。没有酒精造成的疲软，他在床上是个魅力超群的情人。不是一匹年轻的种马，而是一个让她真正感到在一起很舒服的男人。

　　待到他们一起回到巴黎时，两人已经决定在一起，这才是这场游戏的实质。他们在巴黎只待了短短数月。在这段时间里，梦塔娜设法说服了尼尔不要浪费自己的才华，最后，尼尔决定返回美国。话一出口，尼尔就变得头脑清醒、思想坚决了。在他们共同生活的第一年年末，尼尔就复出在纽约大街上，拍摄了一部低成本的惊悚电影。这部电影不温不火，但是好莱坞却再一次向尼尔发出了召唤。于是他们决定西行前往好莱坞。"你会痛恨贝弗利山庄的，"尼尔提醒梦塔娜，"那里每一平方英寸的含屎量比一座污水场还要多。"

　　梦塔娜咧嘴一笑，继续忙着自己的项目。她想出来一部电视剧的构思，她还想写一本关于30年代好莱坞的书。尼尔自始至终都鼓励梦塔娜，也坚持要和梦塔娜结婚。梦塔娜喜欢让事情维持本来的模样，但尼尔不想冒失去她的风险。梦塔娜是特别的。她帮助尼尔戒了酒，让他重新振作回到了工作上，给了他一种全新的生活理念。

　　他们在夏威夷结婚了，此后，两人往返位于贝弗利威尔希酒店的长期套房与纽约的公寓之间。

梦塔娜写的电视连续剧大获成功。她还和人合著了关于好莱坞的书。随后她又转向电影，自编自导，制作了一部关于洛杉矶瓦茨地区儿童的另类电影短片。这部短片为她赢得了两个奖项。

尼尔对梦塔娜的成就感到自豪，在梦塔娜接下来涉足的一个项目里，尼尔不仅是给予鼓励。这是一个刚强的电影剧本，名叫"街头路人"，是梦塔娜花了六周顺利完成的。当尼尔第一次读这个剧本时，他震惊了。他以一个导演的直觉认定这个剧本有潜力拍成一部激动人心的重量级电影。他立马就决定要拍这部电影。归功于前两部电影取得的票房成功，尼尔再次火了起来，有好几家工作室随时准备为他想做的事提供支持。但是，他想要控制权，在和梦塔娜讨论过后，他把剧本拿到了奥利弗·伊斯特恩制片公司。奥利弗是个奸诈之徒，但是尼尔知道，只有他能满足他们需要的交易。

现在一切都谈拢了，就在当天上午他们签订了合同。

这是一项绝佳的交易。完全由艺术掌控——意即，没人能糟蹋梦塔娜的剧本，也没人能扰乱尼尔计划要搬上银幕的东西。只要他们把开支维持在预算之内，并且按照日程完成，就没有任何人会打扰他们的拍摄。为此，两人都非常开心。

最终的剪辑、完全的控制、神奇的台词，现在是时候开办一场特别的晚宴，把这个项目向他们的朋友宣告了。

三个小时后，在他们开车回家的路上，梦塔娜闷闷不乐地凝视着窗外。对她而言，整个晚上简直就是在浪费时间。那些朋友，多谢了，没有他们，她也能干得漂亮。只要她拥有尼尔，因为尼尔对任何人都不屑一顾，在这样一个满是溜须拍马者的小镇里，她很钦佩这种品质。事实上，这也是尼尔最初能够吸引她的品质之一。

"香烟？"尼尔一边驾驶着红色玛莎拉蒂穿过圣塔莫妮卡，上了贝弗利朝日落大道开去，一边从烟盒中抖了一根出来。

梦塔娜默不作声地接过香烟，又想起尼尔那些所谓的朋友听见他们的消息后的反应。他们都说"太棒了！""恭喜！"，实际上，他们在心里暗自挖苦。

碧碧·萨顿，贝弗利山庄社交领头人。是位时髦的法国女人，老公名叫亚当·萨顿，堪称电影界最重量级的明星之一。"宝贝？尼尔？他要拍的电影真是你写的吗？"惊讶之情溢于言表，难以掩饰。

切特·巴尔内斯，一位颇具天赋的电影编剧，有两次奥斯卡的赫赫战绩。"为电影进行剧本创作是一项十分特别的艺术，梦塔娜，这可和电视节目创作不同。"

去你妈的！巴尔内斯！

吉娜·杰曼，30多岁的性感演员，总想被人认真看待，看上去就像一个发育过度的芭比娃娃。"梦塔娜，你是不是有枪手？你尽管相信我，我可不会告诉别人。事实上呢，我也会写点东西呢……"

诸如此类。一个接一个的讽刺，他们不过是赤裸裸的嫉妒，美貌的女人在生活里有固定的角色，人们总是期待她们扮演好自己的角色。她们可以是电影明星、模特、家庭主妇、妓女，但是上帝不允许穿短裙子的女人踏进完全属于大男人的领域。为一个重量级的导演写一部重量级的电影剧本可算是大男人的领域。每一个人都想用自己漂亮的小方法让梦塔娜明白这个道理。梦塔娜因为他们的嫉妒感到恶心。然而，她还能期待什么？

"有时候，我真恨死这些人了！"她爆发了。

尼尔哈哈大笑："不要浪费你的力气了，亲爱的。"

"但是，他们全都这么——"

"嫉妒。"

"你也注意到了？"

"我也感到无能为力。凯伦·兰开斯特不停地问我，想要我承认那该死的电影剧本是我写的。"

"这个被宠坏了的婊子！"

"然后，切特不断地告诉我，我这是在自毁事业。噢，甚至亚当·萨顿都想要知道为什么我要用这样的方式来帮你。"

"天啊！这就是朋友！"

尼尔把手从方向盘上拿开，拍了拍梦塔娜的膝盖："我当初带你来这里的时候我就告诉你了，别把他们看得太重。好莱坞是秉承滑稽规矩的滑稽小镇。而你完全不按规矩出牌。"

"我有吗，嗯哼？"

"当然啦，大部分是！"

"怎么违反了？"

"好吧，让我们来瞧瞧。你不去罗迪欧大街购物，你不举办讨好人的聚会，你不和那些女孩子们共进午餐，你没雇一个女用人，你没有完美无瑕的指甲，你不八卦，你不花钱如流水，你也不一"

梦塔娜举起一只手，笑个不停："够了，够了！让我们回家再——列举吧。"

"而且你不等人家问就会主动开口。"

她的手滑过变速杆，停在了尼尔的档部："你不就是那幸运儿吗？"

玛莎拉蒂转弯穿过街道："谁说不是呢？亲爱的。"

一大早，尼尔轻手轻脚地从床上爬起来时梦塔娜还在呼呼大睡。他发现自己年纪越大，需要的睡眠时间越少。于是，他洗了个澡，敷衍地做了几个俯卧撑，然后走到庭院里欣赏晨间美景。没有雾的日子里，能目视数英里，有时甚至能看到远处的海洋。这是他们几个月前买这套房子的主要原因之一。许多人不喜欢洛杉矶，但尼尔却打心底里喜欢这座城市。在英格兰出生长大，尼尔发现自己从未思念过故乡。美国是他的家，他在这里生活了20多年。

尼尔·格雷于1958年第一次来到好莱坞。那时的他还是个自以为无所不知的莽撞年轻导演。在他的第一部英语电影使得他名声大噪后，一家工作室雇用了他。自此，贝弗利山庄酒店的一间小屋子里云集了一大群美艳的电影新秀，当然也带来了数不清的开销。

尼尔不仅为这家工作室拍摄的电影在票房上惨败，一个女人还对他提起一桩生父确认诉讼，他对此强烈否认，在遭到适当处罚后，他逃回了英格兰。

然而，美国人的狂热残存在他的血液里，他渴望获得更多成功。60年代初，他重返好莱坞，而这次没有任何工作室在背后支持他。他在马蒙特旅馆租了个房间，那是一家位于商业街的朴素老式酒店。在那里，他尝试着继续进行他曾经选择过的一个剧本。这个过程很艰难，直到有一天，他在水池旁无意间遇到了玛瑞丽·桑德森。她是个被宠坏的美少女，14岁时便丧母，由他的父亲迪龙抚养长大。而他的父亲正是桑德森工作室的创始人。那时的玛瑞丽正和纽约的一位方法演技派演员纠缠不清，但是她立马喜欢上了尼尔，移情别恋于他。尼尔别无选择，只要是玛瑞丽想要的，没有她得不到的。此外，尼尔也很得意，玛瑞丽年轻貌美且富得流油。同时，他的老爸还拥有一家电影工作室。还有什么是他这样一位待业中的电影导演想要的呢？

"我爸爸会为你的电影投资的，"玛瑞丽一天突然随口说道，"更确切地说，如果我开口要求他的话。"

"那你还在等什么？"尼尔喊道。

"在等一种名叫婚姻的小玩意儿。"她天真地说。

婚姻。这两个字可把尼尔吓坏了。19岁时他曾经尝试过一次，发现婚姻索然无味。如今……在历经 17 年后……在接触了许多女人之后……在品尝了无数美酒之后……

婚姻。尼尔足足想了一个星期。然后决定为什么不呢？这是他东山再起的好时机。而且，这似乎是唯一能确保自己的电影顺利进行的方法。

他内心里的一个声音在不断地重复："诚实哪儿去了？靠自己获得成功？爱情？"

去他妈的——他想。我一定要做成这部电影，我想要在这个小镇混出点名堂。该死的！

"好的，我们结婚吧。"尼尔告诉玛瑞丽。

"太好了。"她回复道，"我爸爸想见你。"

迪龙·桑德森能取得如今的成就并不是靠着魅力。他是个身材矮胖的男人，爱抽大号雪茄，喜欢相貌出众的小明星。此外，他还急于把他这个宝贝女儿嫁出去。玛瑞丽已经和好莱坞一半的男人睡过，但尼尔是头一个让她表现出持久兴趣的。

"你想拍一部电影，那就去做吧。"迪龙在他们的第一次见面时就大声喊道。

"我这里有一个剧本请您过目……"

"有什么好读的？直接拍。"

"难道你对剧本的内容一点都不感兴趣？"

"目前，我感兴趣的是你和我女儿的婚事。"

两周后，玛瑞丽和尼尔在迪龙的贝艾尔庄园外的草坪上举行了婚礼。好莱坞绝大多数的大腕与明星都出席了婚礼。他们在阿卡波克①度的蜜月，回国后定居在罗迪克大街，玛瑞丽的父亲给他们在那里买了一栋房子作为结婚礼物。随后，尼尔立马投身到工作中去。

尼尔的第一部电影大获全胜，既具有艺术性，又取得了好的票房成绩。一开始只被人当作个女婿的他开始成为小镇里令人瞩目的天才，每个工作室都在追逐他。因为迪龙·桑德森并没有和他签订合同，所以，尼尔可以随心所欲做任何他想做的事情。

"你必须继续跟着我父亲，"玛瑞丽坚持道，"是他给了你第一次机会。"

"让你父亲见鬼去吧，"尼尔说，"是我自己争取来的第一次机会，他从来没有给过我任何东西。"

后来，尼尔又接连拍了一系列的热门电影，玛瑞丽则沉迷于各种火热的男女关

---

① 墨西哥南部港口城市，旅游胜地。

系中。尼尔不停地酗酒，玛瑞丽则不停地烧钱。

失败不期而至，尼尔突然间就成了票房毒药。他和玛瑞丽大干了一架，直到玛瑞丽将她的父亲叫到房子里来才罢休。随后，他就飞回了欧洲。"如果你把他带进我们的生活里来，我们俩就玩完。"他威胁道。

"那就再见！"玛瑞丽破口大骂，"你——这个愚蠢的——令人讨厌的英国佬！"

梦塔娜的出现恰是时候。

和玛瑞丽离婚并不是件易事。尽管她不想再和尼尔在一起了，可也不想失去他。

这场离婚闹剧混乱又昂贵，但为此花的每一分钱都值得。

尼尔凝视着户外空旷的视野，脑子里想着梦塔娜。她坚强、智慧又性感。他自己都没想到能对她忠诚那么久。但是在过去的一年里，他偶尔也和几个毫无头脑的女人上床，完完全全的低智商金发美女。这令他自己感到恶心。

一旦梦塔娜发现他的丑事，她 定会离开，就是这样。他了解自己的妻子。

那尼尔为什么要这么做呢？老实说，连他自己都不知道。也许是冒险的成分让他感到刺激，又或者，事实上他只是需要一个依附于他而不是和他平分秋色的女人。一个胸部丰满的女人，只要胸部够大就够了，不需要什么对话，也不要心灵的睿智交流。只当个性伴就行了。

不是因为梦塔娜在这方面不够好。在床上，她总是那么撩人。但是，她总是与尼尔关系平等，尼尔有时候感到心里有一种燃烧的渴望，他想上一个不如他的女人。有时候，他需要的只是一种没有任何人格情感介入的激烈性爱。毕竟，他已经54岁了。生活依旧在继续，你却什么都学不会了。

他离开庭院，走进屋里，来到厨房给自己沏了一杯茶，冲了一碗麦片粥。

吉娜·杰曼。肤浅、金发碧眼，麻木不仁，更糟糕的是，她还是个电影明星。

尼尔已经和她上过两次床，他还想要来更多次。这很疯狂，但是他却控制不了自己。

.4.

对迪克而言，在纽约城里迷路并不算什么麻烦事。他把自己的愤怒埋葬在了乡村的那间小屋里。他思考着、琢磨着，想着解决的办法。

找一份工作，再换个名字。

不能是体力活。

改变自己的外表，这很简单。一把剪刀剪掉他那披肩长发就够了。一个理发师帮他完成了这项工作。剃刀刮着头皮，直至仅剩一点发根，不像是在剪平头，而像是一次除虱。

可惜没办法改变眼睛。他那一对天生的黑色怒目长在一张苍白的大众脸上。

迪克身材高瘦，和其他几百万穿着李维斯牌上衣、衬衫和短夹克衫的年轻人没什么两样。

他患有严重洁癖。他房间里的每样东西都很整洁。当他离开费城时，除了一个旅行提袋，他什么都没带，所以房间里没有被弄得乱七八糟。

他在苏荷区①一家简陋的酒店工作。他上的是午班，中午 12 点一直上到晚上 6 点。他就坐在前台后，把房间钥匙拿给各种各样的顾客。包括明显缺钱花的观光客、妓女、怪人，以及不愿意被人瞧见自己下午和秘书幽会的商人们。

在头六周里，他总是固定去一趟时代广场的报亭，因为那里有费城的报纸。回到房间，他会贪婪地把报纸从头到尾看个遍，无一遗漏。看完报纸后他把所有关于友谊街谋杀案的新闻整齐地剪下来，然后再仔细地研究。最后，当他满意地确定没有漏掉案件调查的任何细节后，他会把所有剪下来的新闻夹在一本赛车杂志的页面之间，再藏到床垫下。

渐渐地，关于这起谋杀案的报道越来越少。毕竟，这个案子没什么轰动的地方。一对普通的中年夫妇，威利斯·安德鲁斯先生与他的夫人。谁会关心呢？乔伊·克拉韦茨。一个倒霉的街边流浪女，自 14 岁开始就从少管所进进出出。谁会关心呢？

警察想见迪克·安德鲁斯。安德鲁斯夫妇 26 岁的儿子，自案发之日起就失踪了。

多么礼貌的用语。

侦探们在急切寻找迪克·安德鲁斯，被屠杀夫妇的长发儿子。

没那么礼貌了。

凶手一定会落网。

这一定是出自某个女记者的手笔。

迪克·安德鲁斯下落不明，警察调查受阻。

---

① 曼哈顿西南的一个区，以各种商店、餐馆、杂货店出名。

看到这条标题，迪克笑了笑。

纽约实在完美。这里的街道把他当作自己的一部分接受、吸纳。在这里，他能轻松自如地去做自己的事。

要不了多久，他就会准备着手自己的下一步动作。

.5.

位于圣塔莫妮卡大道的喜互惠超市十分拥挤。安琪儿·哈德森挑了一个购物车，望了一眼排在每个收银台后长长的队伍，轻轻叹了一口气。

一个男孩忙着把食杂往结实的棕色袋子里装，却没法把眼神从她身上挪开。安琪儿对异性的吸引力是致命的，就算是同性恋也会忍不住看她一眼。

安琪儿毫无疑问是个尤物。年方十九，身高五英尺五英寸，肌肤雪白柔滑，长长的睫毛映衬着一双宝蓝色眼睛，笔挺的小鼻子，丰满的粉唇，天然的金色长发，浑圆的胸部，细细的腰身，翘臀，修长的美腿。她惊艳的美貌没有任何明显瑕疵。

她和往常一样化了点淡妆，穿着一件简单的粉红色毛线衣，和一条宽松的白色工装裤。但这却没能减少别人对她的关注。

她缓慢地推着自己的购物车穿过拥挤的通道，偶尔停下来查看一下购物车里某些物品的价格。嗯……喜互惠并不是每一样东西都很贵嘛，她想着。她全身上下仅有 35 美元，这些钱是计划要让她和巴蒂维持一个星期的。她想到巴蒂时忍不住笑了。想到今天早上他们躺在床上，巴蒂的手在她全身游走……舌头探索着她那隐秘的部位，她的脸就红了。

想着巴蒂，她全身为之颤抖。他那么棒，那么贴心，那么英俊，她又一阵颤抖。他是她的丈夫，他们度过了重要又美好的两天。

"嗨，"一个声音说道。

她抬头望去，看到一个穿着红色开领衬衣和平整短裤、肌肉结实的男人。

"我们是不是在某个聚会上见过？"他问道，靠近安琪儿的购物车，凑得很近。

"对不起，"她迅速说道，"我昨天才来镇上。"

为什么她要道歉？巴蒂早就告诉过她无数次，不要到处对人说"对不起"，必须学会在生活中强势一些。

"好吧……"那个男人说道，"如果你真是昨天才到，那我今晚想请你共进晚餐，怎么样？"

"对不……"又来了，她飞快地阻止了自己。

"我已经结婚了。"她一本正经地答道。

那个男人却暗示性地笑道："我可不在乎你结婚了没有……"

为什么这些男人总是喜欢和她搭讪？自打她记事起，在大街上、电影院里、公交车上，总有陌生的男人走过来和她搭讪。她坚定地推着购物车往前走，希望能甩掉这个跟屁虫，但是他紧随其后，嘴里还是嘟囔个不停。

她停了下来，愤怒地盯着他："请离我远点，"她轻声说，"我告诉你了，我已经结婚了，我的丈夫不会喜欢你这样跟我说话，他一点都不喜欢这样。"

她并不是想故作威胁。但是，这似乎奏效了，那个男人走了。

她没有撒谎。巴蒂痛恨别的男人这样看她。如果他知道别的男人不停地靠近她，他会发疯。但这不是她的错对不对？她没有引诱他们。她从不穿紧身衣或短裙，总是把自己的身体保留给自己，不记得曾给过任何男人一丁点儿"鼓励"。巴蒂是唯一做了比晚安吻更深入事情的男人，而且这还是他们结婚以后才发生的。她本能地认为这种等待是正确的，巴蒂对他们新婚夜的珍视使得他过去遭到的所有拒绝与失意都变得值得。她是多么幸运地找到了巴蒂，他是万里挑一的男人。

"对不起，小姐，"一个身材瘦长、穿着旧棒球衣的男孩低声说，"我想你掉了这些。"

她茫然地看着男孩手中递过来的一盒饼干。"对不起，这不是我的东西。"她抱歉地说。

"不是？我想我刚才看见它们从你的购物车里掉出来的。"

"对不起。"

他紧张地抓了一下脸上的青春痘："如果我排在你前面，我可以帮你把买的所有物品都搬到车上。"

"不，谢谢你了。"她沿着通道快速前进。喜互惠超市充斥着这种下流坏子，也许下次巴蒂该跟她一起来。

弗朗西斯·卡文迪什坐在那张铬合金现代办公桌后，倚靠着椅子，贪婪地吸着一个巧妙连接到大麻烟嘴上的管子。她把大量烟吞入肺中，闭住十秒，然后十分满足地将烟深深呼出。她并没有把这个奇妙的装置递给桌对面的巴蒂·哈德森，他坐在一张直背的小椅子上，浑身不舒服，闷闷不乐。

"你把怨气带到我这儿来了。"她说道。

"嗯哼？"

"不要假装不明白我在讲什么。是我让你上了电视节目，拜你同居的那个老女人所赐，你把整件事情都搞砸了。"

"嘿，弗朗西斯，那都是过去的事了。我现在需要一份工作。我真的需要，我刚结了婚。"

"对不起，巴蒂。"她不以为意地挥了挥手，"但是，你必须知道如今情况。最近很吃紧，我帮不了你。"

如果她愿意就能帮巴蒂。她是小镇里最具权力的明星经纪人之一。

"嘿，弗朗西斯，"巴蒂老调重弹，"你是要告诉我你什么办法都没有吗？现在和你说话的可是巴蒂，我想我们的关系和别人不同，不是吗？"

弗朗西斯拿起了一副镶着人造钻石的眼镜，把它们架在了自己的鹰钩长鼻上，"你刚才告诉我你结婚了？"

"对，我刚才跟你说了。"

"好吧，亲爱的孩子。我想这让我们的……关系有了那么点不同，你说呢？"

什么关系？巴蒂曾经护送过她去参加几次活动。而她曾经帮巴蒂找过工作。巴蒂可没有跟她上过床。

"为什么？"他郁闷地问道，真希望自己没有告诉她。

她盯着巴蒂："我已经有八个月没见过你了，然后你就这样大摇大摆地站在这里，随意宣布自己结婚了。是什么让你认为我该给你特殊待遇的？"

他站了起来："那就算了。"

她摘下眼镜，眯起冷酷的双眼。巴蒂·哈德森是她几个月来见过的相貌最英俊的男人，让他就这样走掉着实可惜，"我可以给你介绍一份商业广告的活儿。"她叹了口气。

"该死，我可不想再拍什么商业广告了。在夏威夷的六个月，我可是混得风生水起——那里还需要我。我现在想要的是在一些电视节目上当高级嘉宾。来点儿表演、唱唱歌，在他们面前好好秀上一把，让他们大吃一惊。"

弗朗西斯拿起一支笔，不耐烦地敲打着桌子："你到底拍还是不拍？"

巴蒂仔细想了想目前处境。他只有200美元，一辆年久失修的庞蒂亚克牌汽车，还有一间远离商业街、从朋友那借来的单间公寓。

还有什么呢？就是一位刚结婚两天，名叫安琪儿的妻子。她美丽、温柔、天真，并且完全属于他。他像一位凯旋英雄一般把她从夏威夷带回来。她认为巴蒂是一位成功的演员，有大把的工作排队等着他去完成。巴蒂可不想他们刚结婚就让她的幻想破灭。

"好吧，我做。"巴蒂决定了。

弗朗西斯在一张卡片上草草地写了些什么，然后递给他："明天 4 点，可别迟到。"

巴蒂瞟了一眼卡片，然后又还给了她。"弗朗西斯，"他说，"你是不是至少要让我也吸上一口？"

安琪儿一边轻声哼唱一边打开零食。她简直不敢相信自己有多快乐。短短时间里发生了许多事，每一件事都完美就位。

回想一下，就在一年半前，她刚从肯塔基州的路易斯维尔高中毕业，在一家美容院找了份接待员的工作。无聊的某天，她参加了一个电影杂志举办的选美比赛。就算是在她做过的最疯狂的梦里，她也从未想过自己能赢得冠军，但是她确实办到了，奖金是 1000 美元，还有一个可带一名伴侣前往好莱坞免费旅行一周的机会。

好莱坞，安琪儿只读到过这个神奇的地方。好莱坞，一个美梦成真的地方！

她毫不犹豫地打包好一包行李，和她最好的闺密苏安一起奔向了西部。这次出行并没有带来多大麻烦，安琪儿是一个大家庭的养女，一大家子人住在一栋小房子里，如今她要走，其他人就能享受到多余出来的空间，他们别提多开心了。

在好莱坞的一周里，她们都住在著名的日落大道上的凯悦酒店。这段时间里她们都没松过一口气，从游玩迪士尼公园到和伯特·雷诺兹① 共进午餐，杂志社安排全程拍摄她们做的每一件事。

天啊，伯特·雷诺兹！安琪儿觉得她自己一定会昏过去，但事实上他却非常友好，逗得她开怀大笑，还抱着她和苏安一起拍照留念。

一个星期很快就过去了，整个旅行结束时，安琪儿却不想回到那个毫无生气的路易斯维尔去了。那里没有什么让她眷恋的。尽管她所在的那个大家庭从未虐待过她，但是她总是感觉自己像个外人，是个侵入者。甚至，有时候她不过就是个女佣。随着她日渐长大，大家自然而然地使唤她。青春期随之而至，她出落得愈发漂亮，

---

① 好莱坞著名影星。

一大家人似乎越来越憎恶她。

自打记事起她就想离开这个家庭，而这次似乎就是绝佳机会。"我要留下来，"她告诉苏安，眼神因改变想法而灼灼生辉，"我属于这里，我要成为一名女演员！"

苏安反对她这位朋友做出的决定，但却徒劳无功，因为安琪儿已经下定了决心。毕竟，安琪儿在好莱坞遇见的每一个男人都跟她说她应该去拍电影，那为什么不去尝试一下呢？她现在可有1000美元的奖金，如果她省着点用，至少能撑几个月呢。

首先，她得找个地方住，她可没打算住在宾馆里。那个摄影师知道有个女孩子正要出租房子，于是把她的号码给了安琪儿。"给她打电话，"他眨了眨眼说，"另外，别忘了，美女，如果她那没有床铺给你睡，我那里随时都有地方给你住。"

安琪儿不理会他话里有话，给那个女孩打了电话，一个小时内，她就住进了费尔法克斯附近一栋布局凌乱的大房子中的一间里屋。

"去五月公司①只要两分钟，距离农贸市场只有一个街区。你还能比这更走运吗？"那个长着红发的庸俗房东问道，"你是新来的吗，亲爱的？"

安琪儿点了点头说："我要成为一名演员。"

"你一定会，教皇昨天还结婚了呢。"

"什么？"

"没什么，忘了吧。"

成为一名女演员不容易，可谁知道会这么艰难？第一步，安琪儿发现她需要拍照，然后再找个经纪人。达芙妮，那个红发女人告诉她："你得加入些傻拉吧唧的协会，可你真想这么麻烦吗？还有更轻松的赚钱方法，特别是像你这样的小妞……"她说话的声音逐渐减弱，最后只是看着安琪儿。

找个专业的摄影师得花100美元。尽管那个摄影师建议她可以用别的方式，而不是用现金来支付，安琪儿假装根本没听懂他的话。但她当然明白。

在找过几个经纪人后，安琪儿决定和一位年龄较大的男人签约，他的办公室就位于日落大道。这个男人看上去比其他年轻的经纪人更可靠，出于本能，她觉得年轻的经纪人会给她带来许多麻烦。

六周里，他安排安琪儿参加了四次面试，都没能给她赢得工作，但是却得到了许多建议。然后，这个男人对她说能给她在一部色情电影里找一个女二号的工作，她含泪离开了他的办公室。

_____

① 美国著名百货公司。

"肮脏的老混蛋，"达芙妮同情地说，"这么跟你说吧，我可以带你去夏威夷玩，全部费用我包了。"

"那你的工作怎么办？"安琪儿试探地问。达芙妮曾告诉安琪儿她干着类似销售代理之类的工作，一天到晚都忙着应酬。

"让工作见鬼去吧，我需要度个假。"

安琪儿简直不敢相信，她是如此幸运能碰上像达芙妮这样的朋友。达芙妮喜欢化浓妆，穿得花枝招展，但这又有什么关系，她是个好人。况且，光是脑子里想着要去夏威夷，她就抵抗不住诱惑了。

在经历了颠簸的飞行后，她们在深夜抵达了夏威夷。20分钟的的士车程直接将她们从机场带到夏威夷村宾馆。达芙妮在五个小时的飞行旅途中偷偷喝了不少酒，早就醉醺醺地睡着了。安琪儿付了的士费，摇醒了达芙妮，四处观望，一双大眼睛将每一点新景象收进眼里。

"该死的！"达芙妮嘟囔道，"我们已经到了？"

安琪儿瞟了一眼的士司机，想瞧瞧他是否听见了达芙妮的话，但只见他却无动于衷地盯着前方。

她们走进宾馆大厅，朝接待前台走去。"你先去找个地方坐，我去登记房间。"达芙妮指示道。

安琪儿耐心等待，希望她的朋友没有喝太多，这样或许就能少骂两句了。毕竟……她不再是在路易斯维尔……达芙妮也不是苏安。如今能走出家门，能自由出来看世界是多么棒的事。

"全部搞定！"达芙妮朝安琪儿猛冲过来，"甜心，我很累，让我们赶紧把行李都放下吧。"

房间很整洁，配有彩色电视机，双人床，还可以看见游泳池。安琪儿真的无法接受要和人分享眼前的这一切。即便达芙妮喷了浓重的香水，也遮不住她散发出来的体臭。

"给那个男人一点小费。"达芙妮命令道，她指的是帮她们两个把行李放好在地板上的侍者。

安琪儿在她的钱包里找了找，她的钱并没有如她想象的维持那么久。1000美元的奖金如今只剩下400了。她给了那个男人一美元，这似乎没有给他带来一丁点儿兴奋。

那个男人一离开房间，达芙妮就脱掉了红裙子，只穿着一条紫色内裤走向浴室。

　　安琪儿不知道该怎么拒绝睡双人床又不伤害彼此感情。于是，她微微叹息一声，打开了自己的行李箱，拿出了在五月公司买的一套绘有蓝色玩具娃娃的睡衣。这是一件奢侈品，但它如此漂亮，她没法抗拒购买它的诱惑。

　　达芙妮赤裸着身体从浴室走了出来，双手放在臀部，抖动着她那对硕大的乳房："不赖吧？我的胸部，宝贝。"

　　安琪儿赶紧跑进达芙妮刚才洗澡的浴室，沉思着到夏威夷来也许压根就不是什么好主意。

　　安琪儿回到卧室，房间里悄无声息。达芙妮躺在被子下，灯关掉了。她慢慢钻进被窝里的另一边，闭上了眼睛，想着要成为一名女演员自己还要做哪些努力。为了维持生计，她必须找一份工作。也许她能做接待员……在一家电影工作室……也许伯特·雷诺兹或者理查德·基尔①需要一个秘书，又或者是……

　　一开始，她只不过对那只在自己大腿上慢慢移动的手有点烦恼。直到那只手伸进了她两腿之间，达芙妮突然压在她身上，她才意识到正在发生什么。她那对巨乳垂落在她的脸上。"啊，不！"她恐惧地惊叫，"你到底在干什么！"

　　"好吧，我可不喜欢男人的那玩意儿。"达芙妮说道，试图把手指放进安琪儿紧绷的内裤。

　　"停下来！你给我立马停下来！"安琪儿反抗道。

　　"噢，真是个有趣的小妞，嗯哼？实话告诉你吧，宝贝，我可不反对玩点小游戏。"安琪儿内裤的松紧带断了，达芙妮的手指迅速地侵入了那温暖又茂密的三角地带。

　　"你能不能停下来！"安琪儿尖叫道，混乱地爬下了床，"你到底怎么了？"

　　"你问我怎么了？真见鬼，你以为我为什么带你来夏威夷？"

　　"不是……不是为了度假吗？"安琪儿颤抖着身体，结结巴巴地说道。

　　"是为了上你！宝贝。是为了找个柔软的阴户来代替男人那硬邦邦的老二。为了来点新感觉，难道你就不明白？"

　　安琪儿突然用手捂住了嘴："我的上帝，我感到恶心，想吐。"

　　"要吐就给我滚到别的地方去吐，"达芙妮愤怒地说道，"你不想玩这个……那就拿上你的包，他妈的给我滚出去！"

　　"但是……但是我没别的地方去了。"

_____

①　20世纪70年代，美国著名演员。

达芙妮无动于衷。"真是个倔小妞。"她气势汹汹地说。

15 分钟后，安琪儿孤苦伶仃地站在宾馆大厅里恳求粗暴的前台店员，但是却被再三告知已经没有多余的空房间了。

巴蒂·哈德森那时刚和一位澳大利亚游客火热聊完，情不自禁注意到安琪儿这位迷人的金发美女。他总是自动检阅女人，而眼前这位可真是不同凡响。安琪儿离开前台时，他立即走了过去，"遇到麻烦了吗？"他充满同情地问道。

安琪儿看着他，着实感觉到自己双腿发软，"噢！"她喃喃道。

"噢什么？有麻烦还是没麻烦？"巴蒂决心要拿下这位美女。眼前的她简直就像是提起六个月到来的圣诞节。

"哦，我……我在这里订不到房间。"她忍不住盯着巴蒂看。巴蒂·哈德森是她见过的最英俊帅气的男人，简直就是她最喜欢的两位电影明星理查德·基尔和约翰·特拉沃尔塔①的混合体。但又比他们两人更帅，长着一头密实的黑色鬈发，黑檀木般烟熏的眼睛，身材既结识又修长。她上下打量他；身高超过六英尺，他靠得是如此之近，让她感到自己变得愈发渺小和无助。

"嘿，嘿，这可不好，你没有提前预定房间吗？现在可是旅游旺季。"

"我订了房间……可是……"安琪儿一双大眼里盈满了泪水，"我刚刚经历了最恐怖的事情。"

看来攻坚并不难，"愿意说一说吗？"

"我说不出来！"

"你可以的。倾诉总是有助的。来吧，我请你喝一杯。"巴蒂将她带到附近一间休息室，那里的女服务员直呼其名地招呼他。"想要来杯什么？"他问道，心里则想着要花多少时间才能把她弄上床。

"一杯混合果汁，谢谢。"

"要喝点朗姆酒振奋下精神吗？"

"不要。"

巴蒂看上去很吃惊："你不喝酒？"

她摇了摇头。

"抽烟呢？"

她再一次摇了摇头。

---

① 20 世纪 70 年代舞王，90 年代东山再起成为票房明星。

他开始怀疑自己是否敢……不……为什么要开玩笑呢——别人都这么做。

"那么……"他开始了自己的计划,"告诉我发生了什么,有混蛋让你不好过了是吗?"

安琪儿不知道自己为什么相信他,但是她就是相信。很快她就向巴蒂吐露了一切,从她踏上好莱坞的那一刻到刚才和达芙妮在一起的肮脏场景。"我感到如此的……如此的肮脏。你能想象一个女孩想要做那样的事吗?"

他能想象吗?噢,天啊,如果他只有一美元可以花在小妞身上,那他会把这钱花在看这些女人乱搞上。眼前的这只小狐狸到底是在骗他呢,还是真的如此天真?"我那里有地方给你睡。"他随意地说道。

安琪儿猛的意识到他是个男人。所有男人都只想干一件事,"不,谢谢你了。"

巴蒂没有强求。只是温和地说:"你总得找个地方过了今晚吧?"

"不,我不需要。我会去机场,在那等去洛杉矶的飞机。"

"我再没有听过比这更蠢的话了。"

"为什么?"

"因为,宝贝,你现在可是在世界上最美丽的岛屿上。在我带着你逛完整个岛前,我可不会让你溜掉。"

"但是……"

巴蒂把一根手指贴在她唇上:"没有但是,我有一个朋友拥有一家小旅馆,我们会在那里给你找个房间住下。"

"但是……"

"第一条规定:永远不要和巴蒂我争辩。"

三个星期过去了,巴蒂信守了诺言,他带安琪儿参观了小岛。他不仅带她玩了檀香山,他的另一个朋友还驾旅游飞机带他们去毛伊岛、拉奈岛还有莫洛凯岛上玩了一天。

他们探索荒凉的白沙滩,生长着异域热带鱼的珊瑚礁,热带雨林,还去了令人印象深刻的天堂公园。

安琪儿从未感到如此开心和充满活力,巴蒂给她带来了从未体验过的感觉。住在巴蒂朋友旅馆的一间惬意的房间里,她每一天都焦急地等着巴蒂来带她出去玩。巴蒂曾尝试过几次让她留在自己那里过夜,但是每一次她都十分小心地解释道:"我不是那种女孩。"

每当她这么说时,巴蒂总是哈哈大笑。尽管她私下也承认想要巴蒂,她渴望他坚实的身体把她全部占有。但是，他的大笑并没有融化她坚定的决心。每当巴蒂跟她晚安道别，安琪儿总是需要用尽每一点意志力才能推开他。

巴蒂在一家钢琴酒吧里唱歌。"我真的是一名演员。"他解释道，"但是我需要休息——于是我离开了洛杉矶——我在这里待了几个月了。在好莱坞我可真是忙个不停。嗯——电影，还有电视秀，凡是你说得出的，我都曾参加过。"

"真的吗？"安琪儿睁大双眼。

"当然，难道你第一次遇见我时没有认出我来吗？"

安琪儿摇了摇头："我不怎么看电视……"

"哈！我还以为你认识我才容许我跟你讲话的。我可有名了，小鬼头。"

巴蒂只有一次容许她待在自己工作的地方。她坐在吧台那儿深情地凝望着他婉转歌唱，从《我的路》一直唱到《芝加哥》。

"大家喜欢听这种老掉牙的歌。"他非常羞怯地解释道，"我真正喜欢的是比利·乔①，还有摇滚乐。但是，我也要挣钱。"

一天，两人躺在安静的沙滩上，巴蒂突然翻身压在安琪儿的身上，然后开始亲吻她，比之前任何一次亲吻都用力、凶猛。"你知道吗，你要把我逼疯了。"巴蒂低声说道，"我再没有办法这样下去了。"

安琪儿能感觉到他坚硬下体探进她的两腿之间，而她的身体也本能地靠近巴蒂。

"噢，宝贝！"他嘟囔道，把自己的头埋进了她金色长发里，"噢，宝贝，宝贝，宝贝，我想要你。你明白我在说什么吗？我想进去。"

她对巴蒂的渴望一如巴蒂一样热切。他是她所梦寐以求的一切，甚至比自己想得更好。他能给她一个从未真正拥有过的家庭，他会关心她，照顾她，是她真正的归属。

"我们可以结婚。"安琪儿胆怯地在巴蒂耳边轻语道。

巴蒂迅速后退。他又重新考虑了一下。娶这位世界上最漂亮的女人有什么不好的？"你说对了，小鬼头。"他告诉安琪儿。一个星期后，他们俩就步入了婚姻的殿堂。婚礼仪式很简单，巴蒂穿着一套借来的套装，而安琪儿则穿着用自己最后一点钱买来的白色蕾丝裙。

"你知道吗？"婚礼之后的一天，巴蒂兴奋地宣布，"我们要回到好莱坞去。我和你这小鬼头，我们俩要在那儿干出一番成绩，杀他们个措手不及！"

———————————

① 美国歌手，比利·乔生平总计获得 23 次格莱美奖提名。

安琪儿怡然自得地取出各式各样的食物，有汉堡、青豆、烤马铃薯，还有苹果派，希望巴蒂会喜欢她为晚餐准备的食料。

安琪儿轻声一笑，然后想着晚餐之后的事情。她和巴蒂独处一室……躺在床上……做爱。

谢谢你，达芙妮！你改变了我的生活，还让我成为了世界上最幸福的女孩！

在巴蒂离开弗朗西斯的办公室前，他总算让她和颜悦色了一点，至少让她露了个笑脸。她甚至还让他尝了几口大烟呢。但这却不足以让巴蒂亢奋起来。有了安琪儿，谁还需要大烟？只要看她一眼，巴蒂的肾上腺素就猛往上蹿，哪怕维持一整天也没问题。

谁会想到巴蒂·哈德森会心甘情愿被一个女人束缚？连他自己都未曾想过。

巴蒂·哈德森。每个女人的梦中情人，他是帅哥，是英雄，还会是超级巨星。哎呀，如果巴蒂不乐观，谁还能乐观？总有一天……总有一天他会成功的。

巴蒂·哈德森。26 岁。从小在圣迭戈由母亲带大。他母亲非常喜欢他，也许喜欢得过头了。她总是把巴蒂拴在身边，只有在他去上学的时候，才肯放开他。

巴蒂 12 岁时，他父亲死了。尽管他们母子二人经济状况良好，他母亲还是心烦意乱。"你现在必须要照顾好妈妈。"她哀叹道，"你必须成为我的男子汉。"

虽然巴蒂年纪尚幼，但是他母亲的这些话还是吓坏了他。他母亲对他的亲密已经令人窒息。如今，随着他父亲去世，情况只会变得更糟糕。

的确如此。他母亲坚持要巴蒂晚上和她同床睡。"我感到很害怕。"这就是她的理由。

巴蒂讨厌她死死地缠着自己，总是期待去学校和一个同样有家庭问题的朋友见面，那个朋友叫托尼。他们两个人总是幻想着能够得到一点自由。"不如我们离家出走？"托尼有一天突发奇想。

这个主意吸引了巴蒂。他已经 14 岁了，长得很高，身材又棒，强烈地渴望走出去，看看这世界。"好啊。"巴蒂同意道，"那我们这就行动吧。"

几天后，巴蒂从他妈妈的钱包里"借"了 20 美元，然后趁着午餐休息时间，和托尼逃出了学校。他们在大街上狂奔，舒心地大声欢呼。

"我们该干点儿什么呢？"巴蒂问。

托尼耸了耸肩："我不知道，你认为我们该干点什么？"

巴蒂也耸了耸肩："我也不知道。"

最终，他们决定去海滩，还要去看电影。海滩很热，他们看的电影是《天罗地网》，巴蒂爱上了电影里的菲·唐纳薇^①，还觉得如果史蒂夫·麦昆^②都能成为演员，为什么他不能？雄心勃勃的种子开始深植巴蒂心中。

两个人在看完电影后，不清楚该怎么度过整个晚上。他们不知不觉朝海港漫步。巴蒂想到他母亲独自一人躺在那张大床上，他没有感到丝毫愧疚，只为自己成功逃离开心不已。

他们二人在一家酒吧门外徘徊，向往来的海员讨烟抽。最终，一个穿着便服的男人靠近了他们。"你们想参加派对吗？"他问道，小眼睛诡诈地瞄来瞄去。

巴蒂看了看托尼，托尼看了看巴蒂，然后两个人都兴奋地点起了头。

"跟我来。"那个男人说。他沿街走到一辆巨大的进口车边。

两个男孩十分顺从地跳进了后车位。

"我想这是宾利。"托尼悄悄地说。

"更像是劳斯莱斯。"巴蒂也悄悄地回答。

男人把两个孩子弄进车后就不再搭理他们，转而安静而飞快地开着车。大约十分钟后，巴蒂倾身向前，轻拍了下那个男人的肩膀："对不起，先生，派对到底在哪儿？"

那个男人急刹车："如果你们想退出，那现在就说，没人会强迫你们去什么地方。请记住这一点。"

这些话让巴蒂感到很不安，他推了推托尼。"我们溜吧。"他轻声说道。

"不，"托尼争辩道，"我们没有别的地方可以去了。"

这倒是实话。一时间，巴蒂希望自己是在家里。只是他不愿意丢脸让托尼知道。

又开了十分钟左右，车驶入了一条私家车道。在一栋灯火通明的大楼前停了下来。车道上停满了各种名车。

"哇！"托尼打了个呼哨，"真是个好地方！"

"跟我来。"那个男人说道，带着他们从前门进入了一个宽敞的大厅。"你们叫什么名字？"男人压低声音问道。

---

① 菲·唐纳薇是好莱坞有名的性格演员，素以饰演性格怪异、叛逆而又精明的女性著称。
② 好莱坞演员，向来以硬汉形象出镜。

"我叫托尼，他叫巴蒂。"托尼好脾气地回答道，"我们两个都快饿死了，有没有什么吃的？

"当然有了，别急。这边走。"

他打开一间阴沉的客厅的双开门，里面挤满了人。整个客厅里充斥着交谈声和酒杯碰撞声。他们三人站在门口，直至其他人注意到他们，嘈杂声才逐渐变弱。

"先生们，"送他们来这里的男人十分正式地介绍道，"我想让你们见一下托尼和巴蒂。"

顿时，房间里的每一双眼睛都聚焦在他们二人身上，随之而来的是死一般的短暂沉默。"不是水手吧，弗雷迪？"一个柔弱的男声打破了宁静，随即整间房子都充满了笑声。一个穿着土耳其长袍的矮胖男人走出人群，朝着他们走来，伸出一只戴满宝石的手："欢迎来到我举办的派对，男孩们，我能为你们做些什么呢？"

托尼握了下胖子的手："我要吃的！"他说着咧嘴大笑，对自己和巴蒂这次冒险中的每一刻都感到欣喜。

而巴蒂仍感觉不妙。之前他就想逃，而现在这种感觉更加倍了。但是他还是跟着托尼一起走进了房间，意识到要想逃跑已经为时已晚。而且，当他看到眼前一桌丰盛的美食时，他也不太确定自己是否真想逃跑了。

有人给他们送来了酒。不是什么烈酒，而是装在高脚玻璃杯里，喝起来像奶昔之类的泡沫混合物。他们还吃了好几大盘油腻的食物。一大堆人围着他们忙活，并没有把他们当成孩子看，而是非常友好地问这问那，咨询他们两个人的意见。每当杯子里的酒只剩一半时，他们就给酒杯满上，还拿香烟给他们抽。

巴蒂没一会儿就感觉好极了。

"来，尝尝这个。"胖子递给他一种不同的香烟。

巴蒂只尝了一小口就被托尼从手中抢了过去，还问道："这是大麻吗？让我试试。"

胖子笑了笑，露出了他那像白鼬一般尖利的牙齿："那就试试吧。"

托尼撅起嘴唇，深深吸了一口，然后开始疯狂地咳嗽。

胖男人放声大笑，就连那个带他们来的男人也得意地笑了。

托尼眯了眯眼睛，又大口地抽了一口。这一回，托尼尽量不让自己呛着，把烟吸到肺里停留了一会儿，然后再得意扬扬地呼出来。

"你学得可真快。"胖子低声说。

"那是当然。"托尼自夸道，"你还准备了别的什么要给我试的？"

胖子的眼睛一亮："你的年龄够不够尝点可卡因？"

"我的年龄够大了，任何东西都可以尝试！"

这一回，巴蒂感到非常恶心："我想去一趟洗手间。"巴蒂含糊地说道，然后蹒跚地离开了房间。没有一个人注意到他的离开，托尼才是所有人关注的焦点，此时的他正准备要吸白粉，胖子把它们倒在玻璃桌上，排成了长条。

巴蒂找到了尿池，撒了一泡长长的尿。这种释放很棒，可是巴蒂仍然觉得很不舒服。他晃晃悠悠地来到大厅，发现在大厅的后方有一扇打开的窗户。现在他急需的是大口大口地呼吸新鲜空气。他把整扇窗户打开，探出身体，结果他动作失调，还没来得及反应，就失去了平衡，整个人掉了下去，重重地落在了一块大草地上。

直到第二天早上的强烈阳光刺痛了他的双眼，他才醒过来，脑子里什么都不记得了，只感到浑身僵硬疼痛。他完全不知道身在何处，只觉得恐惧侵袭全身。他的脑袋抽动了一下，嘴里的味道让他觉得恶心。他从一个杂乱不堪的花园里站了起来，环顾四下，努力想回想起什么来。

托尼、我和托尼、逃跑、电影、港口、车里的男人、同性恋、食物、酒。

我妈妈会杀了我，她一定会。

巴蒂拍了拍自己的衣服，绕到房子前面，车道上没有一辆车。整个地方荒无人烟，在白天阳光的照耀下呈现出一片衰败和荒废的场景，根本就不像是昨夜里气势恢宏的大楼。

巴蒂皱了皱眉。前门上了锁，但是他通过一扇窗能看见里面，当他看见屋子里几样布满灰尘的家具时，他大吃一惊。整个地方好似数月无人居住。

巴蒂又在周围逛了一小会儿，期待托尼能够出现，他绕着整栋房子转了一圈，想找个地方进去。但是，每个地方都锁得死死的。托尼肯定逃走了——为什么不呢？他很可能认为巴蒂抛下他一个人走掉了。

顿时，离家出走不再是一个聪明的主意。尤其是在你只身一人，觉得又冷又累又饿的时候。他妈妈会杀了他，回家似乎的确是唯一选择。于是，他朝着他认为正确的方向出发了。

接下来的24小时内发生的事到现在还是他挥之不去的噩梦。有时，他会在半夜惊醒，发现自己冷汗淋漓，脑子里的记忆栩栩如生，清晰如昨。

终于到家了。巴蒂的母亲已经歇斯底里，警察……则不停地盘问……

托尼的尸体于早上5点在湾区从一辆车上丢出来。他很明显遭到了虐待、性侵犯，死相惨不忍睹。

警察一把抓住巴蒂，认为一切都是他干的。他被带到警察局足足拷问了七个小时，最后是他母亲在家庭律师的帮助下才设法把他弄出来的。

巴蒂被带回了家，吃了点镇静剂，又睡了整整十个小时。然后，警察又来了，要求巴蒂带他们去那栋举办派对的房子。他坐在巡逻车上转了几个小时，可是却怎么都记不清那地方在哪儿了。

"你真的确定有过一场派对？"一名侦探怀疑地问道，"你确定有那么一栋房子？"

在经过毫无收获的三个小时后，警察把他带回了警局，在那里他被要求看了一本又一本罪犯的面部相集。可是，他一个都认不出来。

最后，那名侦探决定让他看托尼的尸体。他们一起来到了一间铺着瓷砖的冰冷房间，房间里充斥着甲醛和死亡的气息。这可怕的味道让他的鼻子不停抽动，胃里翻江倒海。

而那名侦探则冷淡平静地叫一个病理助理把尸体给他们看。

从墙上推出一副钢铁冷藏柜，里面躺着死去的托尼，浑身一丝不挂，毫无生气的身体上布满了紫色的擦伤和鞭痕。

巴蒂看了一眼，不敢相信自己正在看的一切。然后开始哭了起来，号啕大哭。"我快要吐了。"他咕哝道，"让我离开这里——请——让我离开这里。"

侦探没有做出任何反应："好好看看，这事本来也可能发生在你身上，你可别忘了！"

巴蒂吐了一地。

侦探抓住巴蒂："带我们去找那栋房子。也许看了你朋友后你能回想起些什么来。"

他真的再也找不出那栋房子的位置了，也没办法认出派对上任何一个人。托尼被下葬了，在经过一阵义愤填膺的报道后，整个案件从头条新闻变得鲜有人问津。这不过是又一宗无解的谋杀案。

只不过这个离奇的无解谋杀案改变了巴蒂的生活。在这之前，和他妈妈在一起的生活是令人窒息的。而如今，则更是让人无法忍受。她不让巴蒂离开一秒，总是不停地理顺他的头发、抚摸他的脸，紧握着他的手不放。

巴蒂睡在她的床上感到十分不自在，尽可能地远离他母亲那爱抚个不停的手。

她不停地问巴蒂："那些男人有没有拿着他们那玩意儿靠近你？""他们把你脱光了没有？""你知道这可不正常，两个男人在一起。"

　　她认为他有多蠢？他当然知道这不正常，事实上他也知道什么是正常的。他已经开始在班里瞄女孩子了，而且光是想到自己想对她们干什么，他下面就变硬了。

　　可惜他毫无机会，他根本逃脱不了他母亲的控制。他甚至没机会在家里"打飞机"。为了满足自己的欲望，他只好偷偷摸摸定期去看锁在学校柜子里的那张褪色了的花花公子裸体插页来满足自己。

　　当他年满15岁时，他看上了一个名叫缇娜的女孩。他想和她约会，但却没有可能。他母亲不给他自由，每当他为此而抱怨时，她母亲就摆出一副受伤的表情盯着他，然后悲哀地对他说："还记得托尼吗？"

　　于是，他不得不抓住一切可能的机会。缇娜并不反感他的关注。巴蒂毫无疑问是整个学校里最帅的男生。他们两个人在午餐休息时间总是纵情地摸来摸去。巴蒂喜欢摸她波涛汹涌的胸部，而她则拿着一叠纸巾抚摸巴蒂的下体，让他驶入高潮。这一切都是在科学实验室里发生的，每天这个时候，科学实验室没有人。

　　"我想，我爱你，巴蒂。"在这样持续数月后，缇娜轻声说。

　　"我想，我也爱你。"他忠诚地回答道，希望这意味着缇娜终于肯让他做那件事了。他脱掉她的衬衫跟胸罩，然后忙活着解掉她裙子上的扣子，而她则热情地凝视着他的双眼。

　　她的裙子落在了地板上。她焦急地说："我从未做过这种事，你呢？"

　　"我也没有。"巴蒂真诚地回答道，并赶在她改变主意前，快速地脱掉了她的内裤。

　　"噢！"她颤抖了一下，"你也把衣服脱掉吧。"

　　她不必问他两遍。巴蒂是如此兴奋，他感觉自己可能会在进去之前就射在裤子里了。他脱掉了裤子，然后扒掉了自己的衬衣。

　　……

　　他们两个人都没听到校长带着两队参观学校的家长走进来的声音。

　　在饱受责骂之后，他母亲来学校领人了，嘴巴气得抿成了一条线。她和校长交谈了几句，然后一声不吭地开车把巴蒂载回了家。

　　一回到家，他就躲进了自己房间。至少今天晚上他母亲不会再要他和她一起睡了。他从没见过她这么生气过。

　　他赤裸着身体钻进了那张他很少有机会使用的小床铺。他感到胃很疼，脑子里想着缇娜，一只手则在被子下面摆弄着自己勃起的阳具。

　　房间的灯突然亮了，他的手一下就僵住了，他那勃起的老二也是。

他母亲站在房间门口，身上裹着一件长袍。她脸颊通红，两眼放光，"那么，"她哑声喃喃道，"你想看一个女人身体真正的样子是吗？那就来看吧。"只一个动作，她就剥去了身上的长袍，赤条条地站在巴蒂面前。

这可是他的亲生母亲！他吓得魂飞魄散，但更糟糕的是他还是勃起了。

他的母亲走向床边，掀开了被子。而他再一次的勃起无处遁形，她开始轻轻地爱抚他的老二。

他感到无比困惑。他想哭或逃，但，在她的触碰下，他却一动不动地。整个过程像他已游离出体外，只不过是一个观看整个过程的旁观者！

她爬上了他的身体，把他的阳具放进了自己温暖的潮湿里。那儿是如此温暖，如此的……湿润……如此美妙。他知道自己随时都会高潮，这可比之前看《花花公子》，还有缇娜用舒洁纸巾抚摸他要舒服得多。啊……哦……哦……

"你现在除了妈妈之外，再也不需要任何人了，是吗，巴蒂？"她柔声呢喃道，声音里充满了心满意足。

第二天一大早，当她还在床上熟睡时，他偷偷溜走了。这一次，他很聪明。他扫光了他母亲的钱包，整整有200美元，还拿走了她藏起来的几件贵重首饰。

这一次，他真的走了，再也不会回来。

走出弗朗西斯的办公室，巴蒂从口袋里掏出了一块口香糖放进嘴里，观察一个正在走进大楼的红发高个男人。又一个待业演员，他能分辨出来。因为待业演员的眼睛里都流露着一点同样的绝望神情，似乎可以为一个角色赴汤蹈火。他们中的大部分都是这样。

他把嘴里的口香糖卷到另一边，慢慢走向大楼后面的停车场。巴蒂拥有完美的好莱坞帅哥步姿——有点像《周日狂热夜》里的特拉沃尔塔，又有点像《美国舞男》里的基尔。他知道自己看上去很棒。理应如此，他努力学习过慵懒性感地用力扭动双臀。他能让《美国舞男》里的那个家伙出局。上帝啊，他模仿得很逼真。在过去十年里，他用自己的方式把绝大多数人都模仿得惟妙惟肖。

"嘿，巴蒂，你最近怎么样？"巴蒂的一个黑人演员朋友奎因斯问道。他们两人擦身而过时击了下掌，"弗朗西斯今天的心情如何？"

巴蒂耸了耸肩："她就那副样子，但是我没有被她吓到。"

"哥们儿，你什么时候回来的？"

"一两天前吧。"

"那就留下来吧，我们可以一起喝杯卡布其诺。今天早上我和一个狂野的小妞一起吃了早餐饼干。你可一定得会会她，真是个漂亮妞，而且她还有个姐姐。"

"改天吧，我得去见个人，和电视剧有关的。"

"没问题，那就晚些时候再见吧。记得给我打电话，我们很快见面，找个晚上一起去迷失酒吧聚聚。"

"好的，我没意见。"

他们两人又击了下掌，随后分道扬镳。

巴蒂把身上穿的皮夹克的领子立了起来，朝着自己的车走去。为什么他不告诉奎因斯自己已经结婚了？为什么他又希望自己没有告诉弗朗西斯他结婚了？他没有后悔，是吧？

该死，他才不会不后悔！但一个男人得提高自己形象，而他的形象就是个性感伟岸的帅哥，可以随时随地做任何事情，去任何地方。

有个妻子好像有点煞风景。

他发动了那辆"老爷"车，把车载收音机调到了摇滚频道。安琪儿可不是个拿不出手的妻子，她是如此年轻、貌美、纯洁。纯洁，多么有趣的词，但是还有什么词能比这更好地形容像安琪儿这样的女孩呢？好莱坞的纸醉金迷无处不在，对于那些上了20岁的人来说更是无孔不入。安琪儿却与众不同，但她又该如何在这样一个充满虚伪小人的小镇里洁身自好呢？

现在，安琪儿的事情并不是问题，迫在眉睫的问题是要去挣钱。安琪儿认为他是个成功人士，他决不能让她发现真相，哪怕是要故技重施。当然，这只是权宜之计。

巴蒂狠踩了一下油门，朝贝弗利山庄奔去。

.6.

米莉·罗斯蒙特在睡梦中喃喃自语，左手不安地搭在丈夫身上。

莱昂则平躺着，茫然地盯着天花板。他小心翼翼地挪开妻子的手，转过身去看她，希望她会醒过来和自己说说话。但她却纹丝不动。

莱昂悄悄滑下床，走进厨房打开了冰箱，闷闷不乐地望着里面的东西。有六个鸡蛋、一盘苹果、一点脱脂牛奶，还有一碟白干酪。真是斋戒。但是，他马上又想起了自己本来还在节食减肥中，米莉只是在帮他坚持而已。

在过去的三个月里，他体重增加了 24 磅，稳定在平均每周增加两磅的状态。他感到自己身躯庞大，行动笨拙，更别提因腰围膨胀，不得不把裤子放大三次这一事实了，他的夹克和衬衣也都被撑开了缝。

这都是米莉的错。她的厨艺太好了。

这都是莱昂的错。他吃起来像头猪，尤其是在他心里有事的时候。

他拿出些白干酪，又从抽屉里拿了一个勺子，坐在了厨房的桌旁。不可否认，他的确有心事：友谊街的凶杀案。三个人不知为何在一间郊区小屋中被人用刀砍死。其中一个人是乔伊·克拉韦茨，可怜的小乔伊。

新闻报纸把她形容成"一位美丽的少女模特"。但他们知道什么？如果受害者是年龄小于 30 岁的年轻女性，报纸就会自动称她们为美女。这样标题就更引人注目。

模特儿，该死的。他应该知道的。一时间，他感到一股怒气往上升。当他想到乔伊那残缺不全、满身是血的尸体时，他觉得既愤怒又伤心。乔伊，她还只是个孩子啊……

莱昂依稀记得他们初次见面时的情形。

"想找点乐子吗，先生？"

莱昂不敢相信有人在跟他求欢。他环顾四周，确定是那个长着娃娃脸的妓女在跟他说话，她穿着黑色仿皮革迷你裙，脚蹬一双高得离谱的高跟鞋。

此时，大街上空旷无人。

"你多大了？"莱昂怀疑地问道。

"我够大了！"她眨着眼，厚着脸皮说道，莱昂注意到她的左眼明显斜睨了一下。她最多不过十五六岁。

"那，怎么样，帅哥？"她把手贴到双臀上，笑容满面地看着莱昂，"我能把你带进天堂。"

"那我就给你看看我的身份证吧，我是侦探。"

女孩脸上的笑容消失了："条子？噢，该——死！"她把脑袋歪到一边，"你不会要把我抓起来吧？我想说的是，我们只是聊了几句，我什么都没有跟你做。"

"你住在哪儿？"

女孩不确定莱昂是在接受她原先的提议，还是打算把她记录在案："我得走了。"

她呜咽道。

"你和父母住在一起？"

"我没父母，老兄。我已经 18 岁了，我想做什么就做什么。"

"如果我想，我可以把你带到警察局，告你揽客。"

女孩瞄了一眼街道，想逃之夭夭。但是，她面对的是一个高大的男人，很可能会被抓回来。于是，她把一根手指塞进嘴里，咬起了指甲："听我说，我可以给你来个免费服务。"隔了一会儿后她说。

莱昂想着他要不要把她拘留起来，抓捕未成年妓女可不是他的工作。但是，天啊！你可是个警察。你得有点责任感，她只不过是个孩子。

"我想你最好还是跟我来。"莱昂疲倦地说，抓住了她瘦骨嶙峋的手臂。

"你这王八蛋！"她狠狠地踢了莱昂一脚，使劲挣脱了他的手臂，跑了。

他揉了揉脚踝，看着女孩噼里啪啦地疯狂冲到街上。他一瘸一拐地回到车里，若有所思地坐在方向盘后。他会汇报给少管所，他们会立刻将她拘留。

愤怒的莱昂往自己的嘴里塞了一勺清淡的白干酪。乔伊，真是可惜了。

他在脑海中回顾了一遍这个案子中不知所踪的迪克·安德鲁斯。警察已经问过许多人。但是，人们记忆中的迪克·安德鲁斯却各不相同，有人说他聪明，有人说他愚笨；有人说他有礼貌，也有人说他粗鲁；还有人说他好斗，老是制造麻烦，也有人说他性格孤僻……

这个单子可以列得很长很长，但是却没有哪两个人的意见能够统一。

事实一：他是个车迷。

事实二：他有一头齐肩长发。但是这没什么大不了，他很可能在逃跑的时候剪掉了。

事实三：他面色萎黄，身高六英尺二英寸，瘦却结实。

事实四：他在女人方面很失败。莱昂找到四个曾与之约会的女孩，却没有一个承认和他上过床。事实上，都没有一个人愿意和他出来约会第二次。

"为什么？"他问。

"我不知道。"那些少女耸肩道，"他就是有点……古怪。"

女孩们对同一个人的描述也各不相同。所以要在迪克·安德鲁斯"突出特点"这一列表上要加上"古怪"一词。一个身体健康的年轻男人，警察却不能找到一个和他上过床的女人。由此可以得出一个合乎逻辑的结论：他要么就是跟妓女搞在一起，要么就是同性恋。乔伊一定就是这样才卷进来的……但是，为什么迪克·安德鲁斯要把乔伊带回家呢？为什么他又会如此疯狂地大开杀戒？

时间一天天、一周周、一月月地过去。莱昂尝试着在自己的脑海里勾勒出一副迪克·安德鲁斯的形象。但是，仍然有太多矛盾的地方，他没有办法想出他的模样。只知道一些清楚的事实：20 多年前，安德鲁斯一家搬到友谊街，住进了那栋房子。他们一家的背景是一个谜团，不知道从哪儿冒出来的。

迪克上过初中，高中毕业后在一家汽车修理厂上班。直至案发前，他一直都在那里工作。随后，他就消失了，除了一个手提包和导致他暴力屠杀的谜团，什么都没带走。

新案件不可避免地接踵而至。友谊街的凶杀案变得不那么重要了。媒体也不再提此事，因为这些都已是旧闻。

在警局总部，这个案件的档案仍然摊开着，却不如从前那般引人注目。其他案件来了又去，但他不想让这起案子就此消逝，成为另一个尘封文件。这主要是因为，他没准备要忘记乔伊。

米莉走进了厨房，脸有点睡肿了。她立马冲向桌上的那盘白干酪，仿佛那是非法物品一样："你认为自己这是在干吗，莱昂·罗斯蒙特？"她严厉地问道。

米莉是裸睡的，她到厨房来前都懒得给自己漂亮黝黑的身体套上衣服。莱昂感到了几周内唯一的勃起。他笑了，站起身离开了餐桌。

米莉的眼睛立马就注视到了他的勃起。"噢，天哪！"她吞吞吐吐地说，"我就是要让你感'性'趣，给我拿一点白干酪到床上去吧！"

他和米莉一起大笑起来，跟着她来到卧室，开始云雨，他一点都不为自己肚子上的脂肪感到尴尬。和米莉在一起，一切都很自然，她是他遇见过的最温暖的人。

他还记得第一次见到米莉时的情形。她当时是名教师，带着一大帮少年去他所在的警察管辖区郊游。这次郊游还真是大开眼界：妓女尖叫着污言秽语、一两个正在做记录的扒手、几个头破血流的黑帮分子，还有皮条客、推销员、便衣警察、抢劫犯、偷车贼、吸毒仔、强奸受害人。

这只是莱昂工作中正常的一天。

米莉皮肤黝黑，声音轻柔，棕色的眼睛透着和善，嘴唇宽大性感……那时，莱昂已经 50 岁了，和前妻海伦离婚多年。他没有理由不去问她要电话号码，然后打电话给她。一个月后，他们结婚了。三年来他们真的过得很幸福。

米莉翻了个身，叹着气说道："这真是太、太、太、太棒了！"

"但是这也真的太快了。"莱昂道歉道。

"这可不是我的问题!"

这是事实。莱昂怎么就控制不住了呢?但米莉看上去并不感到失望,没过多久,她的呼吸深重均匀,进入了梦乡。

莱昂躺在床上,十分清醒,他的思绪又回到了迪克·安德鲁斯身上。迪克·安德鲁斯就在某处,在黑夜里的某处……

而他,莱昂·罗斯蒙特,必须要找到他,为了乔伊。

.7.

"伸……展……这就对了,女士们。加点儿力度。再来一次,加油,伸……展……"

伊莱恩觉得她这样做也许会给自己带来永久性损伤。她正和其他 30 个几乎都拥有完美身材的女人在一家健身工作室里肚皮贴地,右手拼命地抓住左脚踝。她身上的每一块肌肉都像是处在"空军一号"的警戒状态。这种感觉实在太痛苦了。

"好的,现在大家松手,放轻松。"教练说。伊莱恩边脸朝下瘫倒在地上,边想着这家伙是不是个同性恋。他毫无疑问很喜欢折磨人。她俯卧着抬头向上盯着他看。他穿着一件黄色紧身衣,黑色的袜套,还系着一条条纹围巾。而他的裆部则窘迫地膨胀着。"他是个同性恋吗?"她小声问躺在自己身边的凯伦·兰开斯特。

"我想是吧。"凯伦回答道,"这年头长得漂亮的男人都是。"

"好。"教练说,"现在,我想你们和我一起来做个叫'蛇步'的动作。"

"还真是千篇一律。"凯伦愁眉苦脸地嘟囔道。

迪斯科音乐迸发而出,30 个近乎完美的躯体同时开始用肚子在地板上蠕动。

伊莱恩也加入了进去,却不知为何突然感到欲火中烧。阴蒂是唯一的受力点。只有上帝知道罗斯已经多长时间没有碰她了,他今天下午就要从片场回来了,也许……她会非常非常幸运……能当一回完美的妻子。

我想要现在就地驶入高潮。四周音乐高声咆哮,欢乐、雅诗兰黛和毒药等各种气味浓重的名牌香水中渗透着一股轻微的汗味。她盯着教练那巨大无比的裆部,浑身发抖、扭动了起来,迎来了一次畅快淋漓的高潮。

"噢,我的天!"她大叫道。

"怎么了？"凯伦问道。

"没什么。"她傻傻笑道，感觉自己得到了全然的释放。

"好了，女士们。今天就到此结束，你们练得嗨吗？"

他一定是在开玩笑吧。她会每天都来这里"嗨"的。这个双关让伊莱恩大笑出声，随后她非常开心地站了起来，走向洗浴室。

罗恩·哥迪诺的健身班是最新最棒的。是碧碧·萨顿发现了这个地方，只要是碧碧去的地方，大家都紧随其后。

伊莱恩在一个小隔间里脱掉了衣服，然后，赤裸着身体大胆地走进了公共淋浴室。这可有违贝弗利山庄的作风。但是，现在非常时兴。任何一个害怕在罗恩·哥迪诺健身班展现全部身体的人，会立马被别人怀疑，还不如索性脱个精光，痛痛快快地潇洒一回。

按浴室墙壁上的按钮，墙上的龙头就会渗出香皂。伊莱恩用香皂涂满全身，她的眼睛则在四处瞄来瞄去，观察其他人展露出来的身体。凯伦的乳头是她见过的最大的，像巨大的棕色纽扣，又像晶体管收音机上的巨大转钮。伊莱恩觉得，如果她是个男人，她一定会很排斥它们。

"你听说过尼尔·格雷的新电影吗？"凯伦问道。她长得很高，被晒黑的身躯很轻柔，拥有一头淡铜色的长发，面容整得精致立体。她在好莱坞的人脉最广，她认识每个人，知道每一件事，谁叫她的父亲是乔治·兰开斯特呢。五年前，这位超级巨星退休去跟美国第三富婆帕梅拉·伦敦结了婚。现在他住在棕榈滩，凯伦经常去看他。她三十出头，离过两次婚。

"不知道，他拍的是什么电影？"伊莱恩用肥皂涂抹腋下，努力不去看她这位朋友可怕的乳头。

"拍一部他老婆写的电影，你能想象得到吗？"

伊莱恩困惑了片刻："玛瑞丽？"

"不，那是他前妻，傻瓜。是他现任老婆，梦塔娜。一个极其讨厌的女人。"

"噢，是她啊。"伊莱恩沉默了一会儿，消化这个消息。她一直认为玛瑞丽才是尼尔·格雷的妻子，尽管他们已经离婚多年。伊莱恩从未见过梦塔娜，尽管她的传闻如雷贯耳。

"尼尔把剧本送到我爸那儿，希望他能够出演。"凯伦继续说道，"我爸告诉我剧本很棒。当然，没人相信这真的是梦塔娜写的。尼尔一定是自己写的，然后记在梦塔娜头上。"

"乔治感兴趣吗？"伊莱恩好奇地问道，想着凯伦会怎么说。

"当然不，老爸他是不会再拍电影了，就算是这部电影铁定会成为另外一部《乱世佳人》。如今我老爸已经混够演艺圈了，喜欢无所事事。和帕梅拉·伦敦结婚简直太适合他了，我指的是整个棕榈滩都是他们的。"

两人一起走出淋浴室，各自用一条蓬松的大浴巾把身体包裹了起来。

"问题是，"凯伦尖锐地指出，"老爸说那个角色很适合罗斯，你知道的，我老爸一直很欣赏你老公。"

这对伊莱恩来说可是新闻。罗斯从来只说乔治·兰开斯特的坏话，从蹩脚演员到流氓，什么难听的都骂尽了。她和罗斯两人甚至都没有受邀参加他和帕梅拉在棕榈滩举行的婚礼，那可是年度社交盛会。凯伦曾满怀歉意地解释说："不能请太多演艺圈的人，这是帕梅拉下的令。"可是，为什么从露西尔·鲍尔①到格力高里·派克②这些人都出席了？伊莱恩为此恼火了好几个星期。

"谁是罗斯的经纪人？"凯伦直白地问道。

伊莱恩看着眼前她这位朋友，纳闷她怎么突然对她丈夫的事业有了兴趣："是扎克·谢弗。"

凯伦皱了皱眉头："你知道吗，我就弄不明白为什么罗斯没和莎蒂·莎乐合作，她可是最棒的经纪人。"

伊莱恩对此也苦思不得其解。但是，每一次提起这个问题，罗斯总是含糊其词，说他和莎蒂合不来。在派对上，他们总是故意忽略对方，罗斯还否决了伊莱恩邀请有权势的莎蒂·莎乐女士来他们家的提议。众所周知，是莎蒂多年前发掘了罗斯，但显然他们俩都对此不屑一提。这让伊莱恩很气愤，因为正如凯伦所言，莎蒂·莎乐毫无疑问是最棒的。

"我听说他们正在考虑托尼·柯蒂斯③或者科尔·道格拉斯。"凯伦继续说，"为什么不马上联系下扎克呢？我想那部电影叫'街头路人'，制片人是奥利弗·伊斯特恩。你认识奥利弗吧？"

是的，她认识奥利弗。他凭着《是什么让萨米跑》这部电影获得了新生，是一个运气不错又炙手可热的电影骗子。罗斯同样无法忍受他。但如果乔治·兰开斯特

---

① 因《罗马丑闻》出名，上世纪 60 年代，成为美国电视剧一代女王。

② 美国著名演员，代表作有《罗马假日》。

③ 美国偶像男明星。

认为罗斯很棒，那他为什么不推荐罗斯呢？

"事情排着长队等罗斯去做呢。"伊莱恩含糊地嘟囔道，"如果他们正在考虑柯蒂斯和道格拉斯，这电影很难获得成功。"

凯伦柔声笑道："得了，伊莱恩。别跟我花言巧语了，这镇子里每一个人埋在哪儿我都知道。罗斯现在很需要一部好电影，而机会就在眼前。"

"92、93、94"巴蒂嘴里蹦出一个个数字，手臂撑着他的身体一上一下，一上一下。俯卧撑，每天 100 个。这让巴蒂保持着全镇最棒的身材。"98、99、100。"巴蒂从地板上一跃而起，差点儿接不上气。

安琪儿在一旁崇拜地拍着手。每天，她都看巴蒂做俯卧撑，这可是她每天早上最激动人心的时刻，当然是在他们没有做爱的前提下。甜蜜的性爱每一次都让他们感觉像是坐上了云霄飞车般快乐。"巴蒂，我爱你！"她大声地喊出来，"我完完全全地爱你！"

"嘿……嘿，"巴蒂咧着嘴笑道，"是什么让你这么兴奋？"

"我只是感到很开心！"

她说着跑向巴蒂，巴蒂也展开双臂接住了她。安琪儿喜欢拥抱胜过世界上任何其他事情。虽然，和巴蒂在一起总是会做得比拥抱更多，但她对那儿也不在意。

这一次，巴蒂轻轻地推开了她，把自己的手高举过头："我要去游一下泳，然后我有个很重要的面试，记得吗？我昨天告诉过你。"

她不记得了。也许是因为巴蒂总是这里那里的忙来忙去。他们到好莱坞已经有两个星期了，她很少能在白天见到巴蒂。"工作，"他解释过，"你知道的，小鬼头，我离开了这里一段时间，现在得花好几个星期才能让一切各就各位。"

她希望一切能尽快恢复原样。这样，她就能看到电影杂志上的报道：巴蒂·哈德森的妻子今天探班新片拍摄现场，多么甜蜜的一对夫妇！安琪儿·哈德森，一位志向高远的女演员，说巴蒂和他们的家庭生活永远是第一位的。

她想象着她和巴蒂的四开彩色宣传合照。照片里有穿着运动服一起慢跑的，有互相喂吃冰激凌的，还有在热水浴缸里嬉笑的。

巴蒂朝大门走去。"巴蒂？"她在后面追，"你觉得你很快就能拍上电影吗？"

巴蒂看着她那张抬起的脸，大大的眼睛，一副充满崇拜的神情。也许，他让她太过相信自己在好莱坞炙手可热了，可他没想到她会如此彻底地相信他。"嗯……我当然希望如此，宝贝。但就像我跟你说过的一样，我离开了一段时间，而这个小镇的记性却总是不好。"

"噢。"她脸上笼罩着失望之情。

"但巴蒂帅哥肯定会马上拿下一个大片，然后肯定会挣个钵满盆满，就像我刚刚还拒绝出演电影《出租车》里的一个特邀角色，因为这个角色不够重要。我要拍点与众不同的东西，让自己卷土重来。不是吗，甜心？"

"对，巴蒂。"她又一次面露喜色。

巴蒂本来考虑推迟去游泳的，因为跟安琪儿做爱就好像去了趟天堂。但是他想了想还是不行，必须振作，必须要把肌肉练得有形，必须要游走那些开始侵入身体每一个毛孔的愤怒和挫折。

巴蒂回小镇的两周里都很不顺，一无所获。不管他怎么尝试，都没得到一个该死的演出机会。广告、电影、电视，一个都没有，全是零。

六个面试。

六次失败。

他可是巴蒂·哈德森啊。所有的事情都得绕着他转啊，为什么他们这些人就不举白旗乖乖就范呢？

他跑下两层阶梯，来到那个被称为"泳池区"的可笑地方。这儿有 22 套公寓，每个房间至少住着两个人。每天 44 个人在这仅有 20 英尺的小池子里戏水，而且水池子似乎从来无人清理。住在这里唯一的好处就是公寓不要钱，这还多亏了巴蒂的朋友兰迪·菲利克斯，他现在在棕榈泉和一个寡妇以及她的女儿同居。

时间还很早，泳池里空无一人。水池的表面漂着一层薄薄的浮油，可巴蒂想都没想就跳了进去——如果你停下来想，就会打退堂鼓。然后，他开始在水里上下翻腾，就像一只被困在小地方的发狂海豚一样。如果他有一天出名了，他就给自己造一个城里最大、最棒的泳池：广阔宽敞，池水洁净，还配有跳水板、意大利瓷砖、过滤器……

"早上好。"一个女孩站在池边看着他。她那橘色的头发在头顶上盘成紧紧的小卷，还穿着他见过的最小的捆带式比基尼泳装，几乎没有裹住她的巨乳，下半身也只是遮住了裆部。

他接着游。

那女孩坐在一块毛巾上，开始往自己身上抹油。

在遇见安琪儿之前，他肯定会去搭讪。他从不缺美女相伴，而眼前这一位虽不及安琪儿，却很有自己的风格，是个不错的选择。

"我叫雪莉。"她说道,"你呢?"

巴蒂把身体从水池里拽出来,开始做屈腿运动,"我叫巴蒂,巴蒂·哈德森。"

"你一个人住在这儿吗?"她尖锐地问道,同时解开了比基尼前面的扣子,然后脱了下来。

巴蒂忍不住去看她那大而浑实的乳房:"不,我和妻子一起住在这里。"

那女孩大笑道:"你结婚了?"

这又有什么好笑的呢?"是的,我结婚了。"巴蒂用力运动着腿,每只腿又拉伸了四下。接着又径直跳进泳池里继续惩罚自己。他游了30个来回才从泳池里出来。

雪莉平躺着,双腿展开,油涂得恰到好处,乳房朝天,就像是两个抛光过的圆茄。树荫映在她眼上,旁边一个晶体管收音机正在调频收听 KIIS-F.M. 电台。

巴蒂抓起他的毛巾,走进了大楼里。在上楼的路上,他查看了一下邮箱,里面有三张兰迪的账单,一张是鼓励大众信奉耶稣的传单,还有一份狂热的除鼠宣传册,上面写着:"老鼠找你的麻烦,我们找老鼠的麻烦!"

单间公寓里,安琪儿正忙活着用真空吸尘器吸尘。当巴蒂走进房间时,她立马关掉开关,笑了起来:"对面房间住的女士借给我的,她说我随时可以用,怎么样,很棒吧?"

"当然很棒。"安琪儿真是傻,为什么要浪费时间给这个破地方吸尘呢?巴蒂脱掉了湿透的内裤,把它丢在地板上,然后走向那个他们称之为浴室,其实是壁橱的地方,巴蒂要用一只手抓着淋浴喷头冲澡——这样洗澡可不轻松。

当他洗完出来,安琪儿正站在那个既是厨房又是吧台的地方后面忙着为他榨果汁。整间公寓完全可以毫不费劲地塞进两个中等大小的手提箱。

巴蒂打开了衣橱,挑了一条黑色便裤,他唯一的真丝衬衣,和一件轻便的伊夫·圣·洛朗牌夹克。幸好,就他而言,人不必靠衣装。不管他穿什么都会很好看,他知道。这也让他很困惑,既然他看上去一如既往的帅气,那为什么就不能成为一个明星?

他穿好衣服,狼吞虎咽地喝掉了安琪儿递给他的果汁:"我会在六七点钟回来。你今天想要干点什么呢?"

"也许会去超市吧,我想……但是,我需要点钱才行……"

"噢,对,那是当然。"他感到很尴尬。他没有什么钱,只剩下最后 100 美元。他慢慢地从自己的钱包里掏出了几张钞票,给了安琪儿 20 美元,开了个老掉牙的玩笑："可别立马就发完喽。"有时候他讨厌自己。

她微微一笑："我尽量啦。"

巴蒂搂住了她，双手在她曼妙的身躯上抚摸，亲着她的双唇："再见，小甜心。"

电影的前期制作正在全力进行中。因为《街头路人》这部电影将主要是实地拍摄，所以要做很多准备。和尼尔经常共事的那些人是否有档期是重中之重，至少到目前为止一切都各就各位，没出什么大岔子。大多时候，尼尔一大早就带着他的灯光摄影师、首席助理出去寻找拍摄场景。有一些导演喜欢雇用别人帮忙取景，但是尼尔喜欢亲力亲为。

梦塔娜则忙着选演员。她搬进奥利弗·伊斯特恩公司位于日落大道上的一间办公室，然后就立马开始了整个选角工作。她本可以找个经纪人来负责成百上千演员的筛选，甚至是雇用个像弗朗西斯·卡文迪什这样的星探来负责。但她想亲自过目每一个人，最后再把自己精心挑选的人呈现给尼尔来获得他的首肯。这是属于她的电影，她想让这部电影保持原貌。

真正启动并进入前期制作阶段让她陶醉在兴奋当中。她知道自己很幸运，因为她嫁给了尼尔。尼尔很喜欢她的剧本，愿意把剧本拍成电影。不过，就算尼尔不喜欢，她仍然对剧本非常有信心，她可以把剧本拿给其他工作室或个人，引起他们的兴趣。这个剧本是她写过的最好的，她可不想让那些伪君子来拍。《街头路人》之所以很棒，就在于它很真实。她是根据身边发生的真实生活来编写的，主要是根据她在洛杉矶街边拍儿童电影时观察到的那些人物。尼尔对剧本的热情无疑是一个有利因素，但内心深处她忍不住想——如果尼尔没有获得这个剧本，也许，仅仅是也许，她可能会有机会自己来当导演。

见鬼。什么时候女人也有机会拍电影了？开窍点吧，孩子，你要庆幸是你的男人在拍，你现在至少有 50% 的话语权。

整部电影总共有三个主角，外加 32 个有台词的角色，他们中有一些仅有一句台词，但他们仍然很重要。梦塔娜可不想看见那些老在那些沉闷电视节目中露脸的演员，她想要起用一些新人。她享受着为每一个角色寻找完美演员的过程。

来试镜的人成百上千。有的人笑容满面，有的人脸色阴沉，也有的人急于求成，老少美丑不一而足。他们个个都拿着文件袋，里面装满了照片、一叠叠荣誉证书和简历。

各路经纪人围着她狂轰滥炸，这其中有好的，也有坏的。

"你想要找个玛丽莲·梦露类型的吗？我手上有个女孩足以让整个加利福尼亚

州的男人为之倾倒。"

"我介绍给你的这个男孩像詹姆斯·迪恩①，我想说他就是迪恩，而且只会比迪恩更好。"

"一个年轻的白兰度……"

"年纪大一点的波姬·小丝……"

"性感版的朱莉·安德鲁斯②……"

"高个儿版的达德里·摩尔……"

"美国版的迈克尔·凯恩③……"

各个类型的演员让她忙得不可开交，但是她渐渐开始挑选，她的每一个发现都让她愈发兴奋。

晚上，她就忙着修改剧本，增加里面的场景，改台词。尼尔告诉她自己找到的外景，而她则告诉尼尔她面试的一些演员。他们俩虽住在一起，私生活却被搁置一旁，两个人的呼吸、饮食都离不开《街头路人》。电影成了他们生活的中心。

偶尔他们也会争吵。三个主角还没有定下来。奥利弗·伊斯特恩希望三个角色里至少有两个由叫座的大明星来出演，尼尔则极力推崇邀请退休的超级巨星乔治·兰开斯特："如果我们能请到乔治，"尼尔指出，"其他两位主角可以由不知名的人出演。"

"要是能请到这个混蛋就好了。"奥利弗表示同意，"但现在这似乎不太可能。"在他眼里，不管是大明星还是小龙套，他们都是混蛋。

"我这周末会飞到棕榈滩去。"尼尔决定道，"他喜欢剧本，我想我能说服他。"

"我希望如此，时间很紧，我自己有些想法……"

尼尔知道奥利弗的想法，但让不够格的演员出演只会酿成大错，他对那些人压根儿就不予以考虑。

梦塔娜并不热衷于邀请乔治·兰开斯特："他不会演戏。"她直截了当地说。

"他会。只要有我在。"

这没能说服她，但她足够理智，她知道要做一定的让步："你怎么想呢？要我和你一起去吗？"

---

① 美国著名电影演员。英年早逝，一生仅主演过二部电影。
② 演艺演员、歌手和作家，曾获得奥斯卡金像奖。
③ 著名演员，奥斯卡获奖者。

尼尔飞快地摇了摇头："不，这里已经有够多事情需要你照料。我能搞定乔治。"

她点了点头，脑子里装满了各色面孔："有几个演员我认为可以来试试温尼这个角色。"

"如果我们请不到乔治·兰开斯特，我们就得想办法再找个大腕儿。"

"我不明白。"

"你会明白的。这就叫作玩票房游戏。"

"我从来都不喜欢玩游戏。"

"学吧。"

"滚你的。"梦塔娜亲切地说。

"噢，如果有时间的话，我想和你在床上滚……"尼尔回答道。

她咧嘴一笑："那好，你回来后，我会抽出时间的。"

伊莱恩的一天。

在参加完罗恩·哥迪诺的健身班后，伊莱恩去了一趟"亲吻生命"美甲店，又去了伊丽莎白·雅顿①给腿上了蜡，画了眉，做了个面部美容，还洗了头，又吹干了。随后，在罗斯从片场回来之前，她及时回到家里，换上了一身绿色的洛维尔牌休闲睡衣。就连她自己都想说她看起来是如此漂亮。"你看上去漂亮极了！"她对着镜子里的自己说，*你很嫉妒吧？大象女埃塔。*

她大摇大摆地走进客厅想给自己找点儿喝的，一边往巨大的玻璃窗外望去，感到惊恐不已，她又看见了那个男孩！他在往她的泳池里撒尿！

"莉娜！"她咆哮道，大步走向玻璃门，踏出门外，继续喊，"莉娜！"

那个男孩懒散地拉上裤链，好像对世事毫不关心："下午好，夫……人。"他吞吞吐吐地说。

"你这头肮脏的猪！"她大骂，"我看见你干的好事了！"

男孩弯折了一下往池子里注活水的管子："啊？"

"别跟我装！你知道我是什么意思。"

此时，莉娜正巧出现了。往牢牢系在腰间的围裙上揩了揩手，皱着眉头："怎么了，夫人？我正在做晚饭呢。"

伊莱恩用修剪得整齐漂亮的手指指着那个男孩："我再也不想看见他了。你明

---

① 护肤品品牌。

白我的意思吗，莉娜？再也不想看见了。"

那男孩继续摆弄着手中的管子，而莉娜则深深地叹了口气："米格尔……他……病了。"

"我才不管米格尔。"伊莱恩尖叫道，"我才不管他是不是死在工作上。请听清我的话——我不想再看见这个……这个……人了！你明白了没有，莉娜？"

莉娜再次深叹了一口气，抬头望天："好的，"她说道，"我明白了。"

"好，那就立刻把这家伙赶出去。"伊莱恩阔步走回房间，径直走向吧台，给自己连着来了两杯加冰的伏特加。简直难以置信！这些鬼日子！太让人难以忍受了！

一辆轻型旧货车从房后掠过，与此同时，一辆加长豪华轿车停在了房前。是罗斯！伊莱恩在吧台后的一面古董镜前飞快地检查了一下妆容。她看上去很棒。要是罗斯能够注意到哪怕一次该有多好啊！

可是罗斯并没有注意。他穿着一双沾满厚厚泥土的靴子，一条褪色了的李维斯牛仔裤，格子衬衫搭着一件旧皮夹克，大步地走进了房子。随后，他换上了一身年轻的打扮，可这并不适合他，他看上去就像个青春已逝的牛仔。

"亲爱的！"她温顺地亲了一下罗斯的面颊，却被报以一脸的硬胡楂儿。

"真他妈的热死了！"罗斯大叫道，"离开那个该死的鬼地方真让我开心。"说着，罗斯一屁股瘫坐在伊莱恩刚刚花大价钱保养过的白色织锦沙发上，还把自己的脚、靴子还有全身都摊在了上面，"我真他妈的累坏了！给我来点喝的，要不然我就要晕过去了！"

大明星终于回家了。

巴蒂吹着口哨从公寓跑下楼梯，安琪儿的眼神中充满了信任，她从来都不烦巴蒂，也不抱怨公寓条件太差，或是钱不够花。她从不在巴蒂回家之后问个没完，也不要求巴蒂告诉她一天里都干了什么。她是如此完美。简直就是"黄金女郎"。总有一天，巴蒂会为她买一大堆名贵皮草、珠宝首饰、立体音响和名车。不管她想要什么，他都会满足她。

可什么时候才能实现呢？这是个问题。巴蒂什么时候才能发迹呢？他来好莱坞已有十年了，十年真的是很长一段时间，真的非常长……

巴蒂第二次从母亲身边逃出来轻松了很多，尤其是有那200美元帮他上路。16岁的他如狐狸般谨慎，决心不要被抓获。他尽自己所能地匆忙离开圣迭戈，跳上了开往洛杉矶的大巴车。然后搭便车前往海滩，在那里他风餐露宿，到处交朋友。那里有许多和他处境差不多的孩子。他们离家出走，无所事事，每天就忙活着五件大事：冲浪、游泳、晒日光浴、睡觉，还有性。只要他们钱够，就会抽点儿毒品。巴蒂毫不犹豫，他尽情地享受性。他可不缺少这方面的伴侣，一大把的女孩爱慕他，甚至还有男孩，但这绝无断袖之癖。

他到手的第一个女人是一个大个子雀斑女。她喜欢狂野的做爱方式，喜欢在沙滩上打滚，让沙子渗入她身体的每一条缝隙。在她跟一个开着凯迪拉克、还许诺要带她去阿卡普尔科玩的胖男人跑掉之前，巴蒂每天都要和她做两三次。接下来的是一个红发女人，十分擅长"吸茎"，这说法是她自己起的。他不喜欢这样，这让他感觉自己很脆弱，她锋利的牙齿好像要对自己施暴，毁了他的命根。后来，他又移情别恋，和一个来这个健美海滩锻炼胸肌的瑞典小明星勾搭上了。她教巴蒂开她淡粉色的雷鸟汽车，还教会他如何跟女人口交。这两样巴蒂都很喜欢。

巴蒂在沙滩上经常出没的地方找了一份送汉堡的工作，这些钱仅够他付房租。他的一个朋友教他弹吉他，他学得还不赖。他忙于练声，收集了许多歌曲。偶尔他也会漫不经心地弹奏吉他登台献唱，这对他的经济状况很有帮助。

日常的五件大事仍然保持不变。他把全身都晒黑了，冲浪让他变得愈发强壮，健身让他的肌肉也变得发达了。他得到了所有他曾经想要的性爱，和许多女人睡过，可是他从没有一次想起自己的母亲。对他而言，她等同于死了。

巴蒂是个孤独者，他想要这样。

他和一个想要成为演员、名叫兰迪·菲利克斯的人结成了朋友。他会偶尔搭兰迪的便车去好莱坞，还去兰迪上课的地方逛了逛，那地方叫作乔伊·拜伦演技培训学校。乔伊·拜伦是个声音像钢锯一样粗哑的英国老女人。她总是穿着花裙子，拿着一把阳伞，即便在室内亦是如此。她的学生都非常喜欢她、崇拜她，为此还每周固定在威尔榭大道的逆行道上一个废弃仓库里聚会两次。当兰迪不再对表演感兴趣，转而继续追求其他东西时，巴蒂仍然坚持自己的想法。他非常享受那两小时表演课上的每一分钟，没过多久他就会演从《欲望号街车》里的斯坦利·科瓦尔斯基到《了不起的盖茨比》里的杰·盖茨比等各种角色。

乔伊·拜伦说巴蒂很棒，她说他棒那就是真的，因为她在事业巅峰时期曾和顶尖的演员合作过，比如奥利维尔、吉尔古德，以及所有英国大腕儿明星。反正她是这么说的，巴蒂对她深信不疑。

对表演的狂热让巴蒂对沙滩失去了兴趣。搬家也变得势在必行，正好兰迪和另外两个女孩子一同住在西好莱坞的一幢房子里。而兰迪说他那里永远有位子留给第四个人。于是，在即将步入 20 岁时，巴蒂搬了进去。

那房子简直就是个垃圾场，而那两个女孩子是一对同性恋。但是住在好莱坞就是不一样，不一会儿工夫，巴蒂就混得如鱼得水。唯一的问题是没钱、没车。在镇子上过活跟在海滩上勉强度日完全是两码事。可兰迪似乎总是挺有钱的，于是巴蒂就问他怎么办到的。

"用你白白射出去的东西来挣钱。"兰迪解释道，"我给自己找了个中间人，他只拿 20%，所有的事情都由他来安排。没任何麻烦事，也不辛苦。我出卖自己的'老二'……给那些女人，没什么大不了的。"

"你说你卖什么？"

"试试吧，巴蒂。我每带一个小伙子入行，都能得到佣金。"

他们两人都笑了起来。"真的？"巴蒂在阵笑间隙问道，"真的吗？"

兰迪点了点头。兰迪身长 5.5 英尺，长相普通，没什么特别之处。大鼻子，小眼睛，没长白齿。他笑起来的时候这一点非常明显。

"好吧，我就做个婊子养的吧！"巴蒂叫道，"谁会相信呢？"

兰迪带着巴蒂去见他的中间人，一个从头到脚都穿着紧身白色皮草的黑人同性恋。

"不……嗯……不接男客。"巴蒂低声说，简直不敢相信自己正在干什么。

"不接男客？"中间人哼了一声说道，他手下干活的那一群活力四射的年轻种马亲切地称他为格来朱赖格斯。接着他又说，"怎么，你是个怪咖？"

就这样，巴蒂开始了自己的男妓生涯。

他第一回接客时，无法确信自己能否勃起。他和一个女人预约好的时间在格来朱赖格斯安排好的一套公寓内见面。那个女人迟到了 20 分钟，她正值中年，穿着一套剪裁严肃的职业装。"你是新来的。"她随口说道，好像对格来朱赖格斯手下每一个男孩都很熟悉。"我不脱衣服。"她边说，边把自己的裙子提到腰部，脱掉宽大的白内裤，"但是你必须全裸，快脱。"然后，她就躺在床上，看巴蒂笨拙地脱掉自己的衣服。

天啊！他感觉就好像在看牙医。最后要不是他使劲地回想兰迪的建议"闭上眼睛，运用你的想象力"，他恐怕怎么都无法勃起。很快，他就开始回想最近上过的一个女孩，一个 19 岁的漂亮妞。

这么想确实有效。很快，他就不断接活。

巴蒂从不回顾过往。为了钱替女人服务对他来说不成问题。她们付钱给他，这为他继续追寻演艺生涯提供了资金。乔伊·拜伦给他找了个经纪人，他搜罗了几张照片，开始参加各种面试。几乎是一眨眼的工夫，他就得到了《警界双雄》里一个两句话的角色，接着在伯特·雷诺兹主演的一部大片里出演了一个小角色。他总算踏上正轨了！他将要成为明星了！

然而事与愿违。《警界双雄》播出时进行了精简，他的戏份被剪辑掉了。伯特·雷诺兹的那部电影虽然上映了，可是电影里也没有他！

连续两次在剪辑室的台阶上跌倒，这真是奇耻大辱。

"别放在心上。"乔伊·拜伦安慰道，"还有别的机会。"

她可真是个有趣的老东西，她喜欢邀请巴蒂去她家来点"额外指导"。她的房子位于好莱坞山庄，他们就在一间布满灰尘的客厅里进行表演，尽管有时候她靠得是如此之近，以至于让巴蒂感到有点不舒服。但巴蒂还是感到受宠若惊，因为他喜欢和乔伊·拜伦一起把所有伟大剧本里的场景表演出来。他是经常靠为女人服务挣钱没错，但是一想到自己勾搭上了乔伊·拜伦，他觉得很不是滋味。首先，她至少有70岁了。其次，他尊重她，她是位伟大的演员。天啊，她可是他的老师啊。

一天晚上，她对他说："巴蒂，我有个很棒的主意。有个电影工作室想上演一次《欲望号街车》的特别演出。我会请一些经纪人、星探和工作室总监。我认识这些人，如果我请他们的话，他们一定会来。你——当然——将要出演斯坦利·科瓦尔斯基。这可是一次展示你自己的绝佳机会。"

"嘿……棒极了……"他开始说道。

还没等说完整句话，她就把巴蒂搂住了。

这感觉不太糟糕。

这感觉也不太好。

他开始放弃卖淫，搬进了乔伊那栋古怪的房子，而乔伊则包下了他的所有开销。

他开始没日没夜，每夜每日地表演。乔伊也总是随时都准备好配合他。于是，他飞快地把所有伟大的戏剧和一大堆旧电影都表演了一遍，一直表演到脸红脖子粗。

乔伊·拜伦教了他许多关于电影这一行的知识。她什么都教，从化妆到灯光、再到最佳摄影角度无所不有。她指导他模仿、发音和摆姿势。她总是让巴蒂处于忙碌之中，也兑现了承诺，让他出演了一部《欲望号街车》的学生作品。

试镜的时候确实来了几个重要人物，弗朗西斯·卡文迪什就是其中之一。眼神犀利的她可是镇上最好的星探之一，因为她从不错过任何一个可以考查新人的机会。

巴蒂看上去很性感。他穿着一件扯开的T恤衫，还有一条修身牛仔裤，马龙·白兰度都要给他让路。他在电视上看过许多次这部1951年的电影《欲望号街车》，还把马龙·白兰度这位伟大演员在这部电影里的每一个表演细节和动作都研究了个透。现在他表演得完美无瑕，他也知道自己做得很棒。所以，当弗朗西斯·卡文迪什给他送来一张便条，希望他有空能来拜访一下时，他一点儿都不感到惊讶。

为了不想表现得操之过急，他等了一个星期。然后，他才从容地走进了弗朗西斯·卡文迪什的办公室，他坐在她的办公桌边沿上咕哝道："我听说你想让我成为一位电影明星。"

她扶了下眼镜，看着巴蒂："把你的屁股从我的桌子上挪开，小伙子。环球公司正在拍摄一部惊悚片，我想应该适合你，你赶紧过去吧。"

他获得了这个角色，拍了三天，没有一句台词。随后，他又接了一系列类似的小角色。在一部黑帮电影中拍了一星期，随后在《无敌女熟星》剧组待了两天，接了个剃须膏广告，又在《维加斯》这部电影里演了两个桥段——是目前为止他演过的最好的角色。终于——轮到他当主角了。

"我想你适合出演一部新电视剧中的男一号。"弗朗西斯笑着说道，"就这么着了，巴蒂。"

他感觉自己快要飘了起来。制片方喜欢他。他飞快地跑回了家，把剧本拿给乔伊看，心里翻来覆去地静不下来。他要在一部新的电视剧里成为男主角啦，他将要成为明星啦！

乔伊·拜伦读完了剧本，"狗屎！"她宣判道。从一位年老的女士嘴里来说出这两个字真是有点儿辛辣。"我们可以把这部剧塑造成一点儿有价值的东西。"她意味深长地对巴蒂说。

然后，他们开始了长时间的辛苦准备。乔伊给予巴蒂动力，她精确地告诉巴蒂该做什么，什么时候去做。她甚至陪着巴蒂去片场，就为了确定巴蒂完全没有违背她的指导。

拍摄的第二天，就在制片人看完了前一天的拍摄之后，巴蒂被开除了。

"那又怎么样？"乔伊·拜伦讥讽道，"我告诉过你，这部剧就是狗屎！"

巴蒂半夜趁着她睡着时离开了那栋房子。他厌倦了失落、愤怒和挫败感。什么时候巴蒂才能成为明星呢？

他又立马回归到了过去的生活方式里。不同的是现在他开始拼命地酗酒，大量地吸毒。他的一位女朋友介绍他认识了马克辛·索尔托，一位声名狼藉的经纪人，热衷于组织各种好莱坞派对——就是那种被雇用者需要为观众表演的聚会。不管怎样，他至少有机会被人观看了。就算是两个妓女缠在他身上又如何？他这是在表演，派对上的女人们爱死他了。

一天，他撞见他的朋友兰迪："你就快成为这个小镇里的垃圾了，如果你再不留神点儿的话。"兰迪警告道。

巴蒂感觉却很棒："我在挣大钱呢，你想加入吗？"

"你挣的大钱给你带来了什么？我看到的是你变成一个吸白粉、抽大麻的瘾君子，赶紧改邪归正，否则你得完蛋。"

他很快就改邪归正。就在三天后的一个晚上，他正处在一阵狂欢中，他从一面镜子里看到了自己的模样，他也发现了一架摄像机正在拍他，这惹恼了他。

他推开身上的女人，砸掉了摄像机，暴打了一顿摄像师，冲出了那个地方。他是巴蒂·哈德森。他是将要成为明星的男人，没人能阻止他。

第二天，他就搭上了去夏威夷的飞机。他在那里戒了毒，在一个钢琴酒吧里找了一份唱歌的工作，随后遇见了安琪儿。

现在该怎么办呢？巴蒂边爬进自己那辆破车边暗自思忖。和新婚妻子一起回洛杉矶，让整个镇子都为他们发狂？想法是一回事，现实生活又是另一回事。他需要钱，而他知道唯一可行的方式。

尼尔·格雷环顾整个 VIP 包厢。他手里拿着一大杯加冰的杰克·丹尼尔斯酒，这已经是他的第二杯了。

包厢那头坐着吉娜·杰曼，她是个澎胸翘臀、性格热情奔放的金发美女。一大群崇拜她的航班乘务员把她围了个水泄不通，争先恐后地服务她每一个需求。当她进包厢时，尼尔和她简单地打了个招呼。他们互相并不熟识，天啊，尼尔的睾丸却为她而蠢蠢欲动。他迫不及待地想就在飞机上跟她干上，也许在飞机的厕所里就可以把她给上了，如果她愿意的话……

她当然会愿意！如果尼尔跟她说他想要的话，吉娜·杰曼会让他在某个周末晚上在垂德维客酒店跟她共度春宵。

上帝啊！他这么做是老糊涂了吗？为什么这么迷恋这个金发电影明星呢？毫无

疑问，他一定有毛病。带她一起去棕榈滩简直就是疯了。如果被发现的话……这太冒险了……

然而这种铤而走险的感觉让他获得了一整年里最棒的一次勃起。

.8.

如果你没做好准备，纽约可以让你患上精神分裂症。

这指的是纽约的街道。到处都布满灰尘、污秽不堪，还有卑微肮脏的生物。大街上爬满了老鼠、蟑螂，当然还有人类。在城里逛上一圈，保证你能不停地碰到让人抓狂的东西。

迪克独来独往。他果断地阔步往前走，总是低着头，黯淡的眼睛半开半闭，随时保持警惕。

有一回，在第 7 号和第 39 号大道的转角处，有两个孩子突然扑向他，其中一个手里还拿着把匕首。那时天还没有暗，大街上还有不少人，但是在他与那两个疯狂少年搏斗时，却没有一个人向他伸出援手。

迪克奋起反抗，身上被刺伤、划破了几处。他夺过了刺过来的匕首，将其捅进了对手的胸口。鲜血从男孩身休溢出，他冷漠的眼睛中流露出惊讶之情。

另一个袭击他的孩子跑了，迪克若无其事地缓慢离开了打斗地，周边的路人行色匆匆，刻意不看眼前的一切。

这让他感觉好极了，一股力量在他的身体里汹涌澎湃。这让他想起了……费城……那个夜晚……那个特殊的夜晚……

他边回想，边加快了步伐……

那把弯刀是他在一家当铺里用 20 美元买来的，因为他喜欢那把刀的形状。他把刀挂在自己的卧室里两年了，虽然有时他会把刀拿下来，在梳妆镜前摆摆造型，却从来没有想过有一天它会真正派上用场。

他想起了乔伊，想起了她矮胖的身体，刺猬头，还有她宽大的红唇。

乔伊·克拉韦茨……

"嘿……嘿，哥们儿，你是在想找点乐子吗？"

迪克试着走过去，但是她却挡住了路，把身子死死扎在他的道上。她歪着头，眼睛挑逗地朝迪克眨巴着，"我可不是想抢劫你，没那么回事。我就是想伸进你的裤子里，给你一整年最快活的体验。你能明白吗？"

迪克盯着她，她还算得上漂亮，就是鼻子有点儿歪，一只眼睛有点儿斜，厚鼓鼓的嘴唇上涂着红色口红。"多少钱？"他咕哝道。

"一分钟一美元，没有比这更公道的了。"她抬眼斜睨着他，毕竟迪克要比身高5.3英尺的她高得多，"你不会为你花的一分钱感到后悔，帅哥！"

帅哥！他可从来没听过有人这么叫他。这让他感觉很棒。"好的。"他含糊地说道，知道这最多也就五分钟的事，"去哪儿？"

"我自己有一个漂亮得要命的小宫殿。"她挽住迪克的手臂，"离这里就两个街区，你可以在路上和我说说你生活中的故事。我叫乔伊，你叫什么？"

他真的从未碰见像她这样的女孩。当然，他见过许多眼神空洞、讲话尖酸刻薄的妓女，还有那些他曾约过的女孩，那些女孩都彬彬有礼地微笑着，从不让他碰她们的身体。乔伊却不同，当他们走在被雨水浸湿的大街上时，她似乎很愿意和他待在一起。

她所谓的"宫殿"只不过是位于两层楼上的一间小屋，房间角落里配有一个水槽，一只白色的肥猫懒洋洋地躺在床上，还有一盏灯，上面罩着一条烧焦的粉色薄丝巾。

她把床上的猫嘘走，脱下雨衣，说道："不错吧，嗯哼？这可比我上次住的破地方好多了。"

他迟疑地站在门口，想着这一回是不是和往常一样，先给钱，然后就偷偷摸摸地和一块不会说话的肉身搏斗。

乔伊拉开了紧身黑裙的侧边拉链，扭动着将裙子脱掉。裙下她穿着一条比基尼内裤，上面还绣着红色的"星期二"字样。可那天是星期五。

迪克从自己的口袋里摸出一些钱。

"先放一边吧，你都不知道你会在这里待多久呢。"她咯咯笑道，"你确定你不想换个交易方式？一次性给50美元，你想玩多久就多久，怎么样？"

他摇了摇头，没有同意。

"随便你，哥们儿。"她说道，把自己的套衫从橘色刺猬头上脱下，丢在了地板上。

她胸部非常小，乳头上涂着廉价的胭脂。上面的颜色已经花了，她慵懒的眼睛下涂的睫毛膏也花了。

她抬起双手，玩着自己的乳头，直到它们都硬了起来。"这值不值一块半啊？"她咯咯笑道，"我可懂不少这样的鬼把戏，帅哥。"

他干咳了一声。

"你看上去真棒。"她说着，依然把玩着她涂了胭脂的乳头，"我喜欢你，我想我们也许能做朋友——你懂的——真正亲密的朋友。我喜欢你这样淫荡的眼神，我只需要看着你的眼睛就飘飘欲仙了，帅哥，只是看着哦。"

他足足在那儿待了两个小时，花费了 120 美元，但是每一分钱都很值得。

从远处传来熟悉的警铃鸣叫声，迪克加快了脚步。该是前进的时候了。纽约是一个不错的休憩之地，是一座令人迷失自我、让杀人者悄然消失的城市。过一两天他就会离开，他还有事情要做，还有地方要去。

.9.

就这样，大电影明星到家了，不停地牢骚、无一不抱怨。

罗斯和伊莱恩躺在床上，罗斯背靠着四个枕头，眼睛牢牢地黏在电视上，伊莱恩觉得是时候提凯伦·兰开斯特告诉自己的那部电影了："我想你应该立马让扎克去帮你争取这部电影。"

"哈！伟大的乔治·兰开斯特不拍的东西，你认为我应该叫自己的经纪人去捡过来。"罗斯冷嘲道，"上帝啊，伊莱恩！有时候你可真懂我啊。"

"如果这个角色是给乔治演的，那一定很不错。"她固执地坚持道。

"胡说八道！乔治拍的电影都是屎，比泻药厂制造的还多。"他气鼓鼓地用遥控器换了个台，"而且，该死的乔治·兰开斯特比我还大 15 岁呢，你可别忘了！"

"12 岁。"伊莱恩纠正道。她知道每个人的年龄，能精确到具体出生日期。

罗斯从床上抬起屁股，放了一个响屁。

伊莱恩发怒了。天啊，要是他的粉丝看见现在的他该怎么想！"如果你想放，可以到浴室去放！"她厉声喝道。

作为回应，罗斯又放了一个屁，然后再次换了个台。

"为什么我们结婚前，你总是会试着去管好自己的身体功能呢？"她冷冷地问道。

罗斯模仿着她的声音："为什么我们结婚前，你从不唠叨呢？"

"上帝啊！你真是太不可理喻了！"伊莱恩离开了他们睡的特大号床，穿上了一件蓝绿色真丝睡衣。

"你去哪儿？"他询问道。

"去厨房。"

"给我拿些冰激凌，要香草和巧克力味的，再加点热巧克力汁。"

"你该控制一下饮食了。"

"我才不要。"

"不管是谁，只要是超过了25岁，都要控制饮食。"

他气势弱了下来："给我拿冰激凌，我就给扎克打电话。"

"说好了？"

他露出标志性的康迪式笑容："我什么时候骗过你呢，甜心？"

梦塔娜坐在自己的办公室里，看着坐在房间那头的年轻演员。她知道他正在勾引自己。她垂下眼睛研究他递过来的履历，上面罗列的不过是些很一般的垃圾电视剧跟电影烂片。

"我从没想到过今天会走进这间办公室，还遇见一位像你一样的女考官。"他用低沉沙哑的声音说道。

他又用自己的眼睛勾引她。这具有穿透力的注视让她感到很不舒服，因为从这双眼睛里，她看到的是赤裸裸的绝望，她太了解这种表情了。"上面写着你才22岁，但我真正要找的是年纪大一点儿的人。"她迅速说道。

"要多大呢？"他反问道。

梦塔娜犹豫了一下，要婉言谢绝他，拒绝别人可不是一件容易的事。

"嗯……额……二十五六岁吧。"

"我可以扮老相，我实际上有24岁了呢。"他的面部激烈地抽搐起来，一下子毁掉了他清秀的漂亮脸蛋。

"好吧，"她说道，把简历还给了他，"我会记着这个的，谢谢你能来面试。"

"这就完事了？"他惊奇地问道，"你就不想让我给你朗读点儿什么，或是来点儿别的什么吗？"

"今天不用。"

"意思就是说我可以改天再来？"

梦塔娜用她认为是模棱两可的表情笑了笑："谢谢，克劳奇先生。"可老气，这是个什么鬼名字？"我们会和你的经纪人联系的。"

他站了起来，慢悠悠地走向梦塔娜："我是否能改天再见见你？"他问道，眼睛里充满了渴望，脸上的抽搐彻底爆发了。

梦塔娜为他，也为成百上千和他一样的年轻演员感到遗憾。"你瞧，"她耐心地说道，"你可别小瞧了你自己。"

"啊？"

"你也许是名非常棒的演员，只不过这部剧不适合你，不要再咄咄相逼了。"

他满脸通红，使劲咬着自己的下唇，但依然不死心："你和我一起能创造些美妙的东西出来，能再给我个机会吗？"他暗送秋波道，"我可是受到过很高的评价，你知道我指的是什么，是吗？"

梦塔娜开始觉得有点烦了："你为什么不走？"

"女士，你恐怕不知道你现在正错过什么。"他抱怨道。

梦塔娜的耐性终于崩溃了："嘿，我当然感觉得到我错过了什么。"

他垂头丧气不情愿地离开了房间。

梦塔娜一声叹息。好莱坞，一个充满野心的城市。在这个小镇里，成功才是游戏的实质。如果你拥有成功，你就站在顶峰。如果你没有……那就再见了，伙计，你什么都不是。

好莱坞，若你想在这里成为一名演员，你就真的得让自己变成受虐狂。这一点是毫无疑问的。

想成为一名作家也并非易事。梦塔娜想起了当初为自己电视剧的原稿大纲付出过的努力。起初，没有一个人认真对待她。她在一群经纪人和所谓的网络总监之间来回奔波。你是谁？你有什么拿得出手的成绩？宝贝，有两条不利于你的因素。第一，你来自东海岸；第二，你是个女人。

噢，真的吗？

想上床讨论讨论这个事吗？

她从来没有利用尼尔的影响力来为自己达成任何事。那个关于电视剧的主意很棒，最终还是卖出去了。随后是创作那本关于旧时好莱坞的书，她很开心，因为不再受雇于人，也就无须讨好任何人。拍摄那部孩子电影是最具有挑战性的，她完全靠自己拍完了整部电影。这可不是个小成就，尤其对一个女人而言，她自嘲地想道。

她按下铃，示意下一个面试者进来，然后给自己点上了一根烟，深深地吸了一口。尼尔在棕榈滩和那个了不起的乔治·兰开斯特谈得怎么样了？不管结果如何，她都不在乎。如果乔治·兰开斯特加入，肯定有好票房；如果他不加入，就再找一个真正的演员，找一个真正能把剧本里那个老警察演活的人。她更喜欢这种结果。

她打开了摊在桌子上的剧本，快速地翻阅了一遍。这会是一部好电影，由尼尔坐镇担当导演，她十分确信会是这样。

一个男人该有怎样的担当呢？让他的新娘忍饥挨饿？如果他再不想办法挣点儿钱，这一天很快就会到来。

巴蒂发愁地坐在车子方向盘后，再一次在脑中理清思绪。最近他想得很多，他感觉自己的脑袋都要爆裂，脑浆四溢了。

他是一名演员，这是他的职业。没戏演该如何是好？还有什么工作能让他维持生计，同时又能去参加试镜呢？他可不愿意靠帮人停车来糊口，绝不。

答案很简单。你要真想想就觉得没什么大不了的。和一些不认识的女人在床上躺一个半小时，100美元就进口袋了，剩下的时间还能陪安琪儿。做爱就像撒泡尿一样简单，安琪儿不会知道……

他下定了决心。他对着后视镜检查了一下自己的容貌，他揉乱自己的头发，遮住了迷离的黑眼睛。对自己的外表满意后，他跳出车，疾速朝格来朱赖格斯开在圣莫妮卡大街上的男士店阔步走去。六年前，那儿只不过是墙上开了个洞，卖些皮制饰品。后来，格来朱赖格斯把两边的大楼都买了下来，然后把店面扩张。到如今，这家店的玻璃窗足足延伸了四分之一个街区，卖的东西各式各样，不论是塞露迪外衣，还是羊绒护身三角绷带裤。巴蒂对此感到惊叹。他想着自己是否能得到折扣。

店里，一个喷了香水的异装癖匆忙过来欢迎他。

"哈喽，"这个穿着女性的生物发出了一个令人不舒服的雄性声音，"我能为你做点儿什么呢？"

巴蒂不由自主地后退了一步。同性恋总是让巴蒂感到不舒服。

"你老板在吗？"他问道。

异装癖眨了眨长长的假睫毛："你指的是杰克森先生吗？"

"你指的是格来朱赖格斯？"

"你说的是谁？"

"一个黑人，高个子，浑身穿着皮草。"

"听上去像是杰克森先生。"

"告诉他巴蒂在这里。"

"我当然很愿意为您效劳，但是，杰克森先生从来不会在 1 点之前来这里。"他把一片修剪过的指甲放在下巴上做沉思状，"也许，你会愿意等他来。"

"嘿，"巴蒂厉声说道，"我可等不了，我还有事要做。"

"我肯定你有事要做。"异装癖春心荡漾，琥珀色的眼睛里爱意绵绵。

"我现在去哪儿能找到他？"

"我真的不能说。"

"那就强迫你自己说。"

"噢，亲爱的，你看，杰克森先生有严格的规定，不能泄露他的住址和电话号码。"

巴蒂眯起眼睛，露出硬汉眼神："我也有严格的规定，那就是我必须得到我想要的。"

异装癖挥了挥纤纤玉手："那你认为我该怎么做才好呢？"

巴蒂眨了眨眼："把地址给我，除了我们两个之外没人会知道。这是我们之间的秘密，好吗？"

异装癖紧张兮兮地笑了："好吧，既然你这么说了。"

不难理解为什么乔治·兰开斯特喜欢住在棕榈滩。在贝弗利山庄和棕榈泉，他只不过算是又一名退休的超级明星。这种老明星多了去了，有辛纳特拉、凯莉、侯普，只要一出家门，或是去高尔夫球场都能碰见他们。而在棕榈滩，乔治·兰开斯特拥有绝对的权力，他在这儿是国王。或者说，至少是他女王老婆——美国第三富婆帕梅拉·伦敦的丈夫。

在一次为欢迎尼尔而举行的特别午宴上，尼尔·格雷小心翼翼地打探着他们两人。帕梅拉这个女人需要小心应付，她可是出了名的尖酸刻薄与聪明机智。她结过四次婚，乔治是他的第五任丈夫。"每十年一个丈夫。"她津津乐道，"没有一个人能超过十年。当然，乔治除外。"

她今年 54 岁，是个身材魁梧的女人，身高 6 英尺，长着一头狂野的红色鬈发。

乔治 62 岁，保养得极好。曾结过两次婚，第一次是和儿时的青梅竹马的一段维持了 32 年的婚姻，这段婚姻的结晶就是他的女儿凯伦。第二次婚姻是和好莱坞的一个娘们儿，仅仅维持了九个月三天零两分钟。

帕梅拉和乔治在一起真可谓是绝配。在过去五年的婚姻生活里，他们彼此之间形成了一种友善的憎恶。尽管他们俩成天吵架，但就是密不可分。

"那么，"帕梅拉说，浅蓝色的眼睛扫着尼尔，"你是要乔治动一动他的大屁股又去拍电影咯？"

尼尔微笑地瞟了一眼长桌对面，乔治正和一位皮肤晒得黝黑的浓妆女王聊得火热。帕梅拉真是有意把尼尔安排在尽量远的位置，因为她知道尼尔是为了乔治而来的。"如果他愿意拍的话。"尼尔简短地说道。

"如果他愿意拍。"帕梅拉冷笑，"其实，你是想说如果我愿意让他拍吧。"

尼尔认识帕梅拉很多年了。她曾经嫁给了尼尔的一位电影制片人朋友，她和尼尔都住在贝弗利山庄，两人有共同的社交圈子。她无意威胁尼尔，尼尔也只是一直笑容满面。"乔治喜欢这个剧本，他也乐意与我合作。暂时从现在舒适的生活中离开一小会儿有什么坏处呢？你也可以一起来，陪乔治。"

她嘶声笑了起来："你是知道我有多'喜欢'待在贝弗利山庄的。那些小明星们喜欢炫耀他们拥有的一切，可怕的老男人们戴着金链子，皮肤晒得开裂。穷人，尼尔，亲爱的，我讨厌那些穷人！"

"那你就别过来陪乔治。"尼尔温和地说道，"乔治可以每周五飞回来陪你，我们会给他安排一架私人飞机。"

"我自己有私人飞机。"帕梅拉笑道，"确切地说有两架。"

"我知道，但既然剧组会满足乔治的所有要求，也没必要用你的飞机了。"

她抬了抬眉："他所有的要求？"

"只要你说得出的，都能满足。"

"嗯……"帕梅拉看上去在思考。

到此，尼尔算是取得了一个小胜利。富得流油的人总喜欢不劳而获。"怎么样？"他追问道。

"我正在想呢。"

"你到底要怎样才能下定决心让乔治去拍电影？"

她指着尼尔盛着毕雷矿泉水的杯子："你为什么不喝酒？"

"别转移话题。"

"我讨厌不喝酒的男人，这让我感觉不舒服。"

尼尔随即转身招呼一个在旁服务的侍者："一杯双份的加冰杰克·丹尼尔斯。"然后，他转过身面对帕梅拉，"我可不想让你感到不舒服。"

帕梅拉搔首弄姿地笑道："你看上去棒极了，尼尔。也许我们是该去洛杉矶，去贫民窟过点苦日子。"

此时的他们，正在棕榈滩的乡村俱乐部里享用午宴。这是一次私人宴会，有30位来宾，大多数都超过了50岁，但是尼尔不认识他们中的任何一个。

周围充斥着一群同龄人让他顿感压抑，他一时想起梦塔娜，还有她那令人兴奋的年轻活力。他们在一起时，他从未感觉到年龄的差距。此时，身边围绕着一群拉过皮、穿戴着昂贵珠宝、手上长满老年斑的家伙，然后他想起了正在宾馆里耐心等待他的吉娜·杰曼。今天早些时候，他们两人入住两间毗邻的宾馆套房。她同样也未曾让尼尔感到过苍老，她让尼尔感到年轻，至少可以说让他的身体感觉年轻了，让他的老二感觉年轻了。

"你每一丁点儿肮脏小想法都会像硬币一样，在你脑中叮当作响。"帕梅拉突然说。

"什么？"尼尔大为吃惊。

帕梅拉笑道："当一个男人正在想那事时，我就能感觉到。"

"我可不一样。"

她扬起一条眉毛："你不是？你有什么不同的地方？亲爱的尼尔，难道你下面长的不是睾丸，而是两团棉花球吗？"

尼尔笑了："你在这儿太屈才了，帕梅拉。你应该去写色情小说。"

"你怎么就知道我没尝试写过。我可是什么都试过呢。"她对尼尔暗送秋波。就算拥有全世界的钱，她还是一口黄牙，"除了你之外，尼尔，亲爱的。这么多年了，我们俩从未搅和在一起过。你不觉得我们应该为失去的时间做些弥补吗？"她亲密地拍着尼尔的膝盖，"而且，我一直对英式口音情有独钟。多优雅，多么像理查德·波顿。事实上，我觉得你长得还和理查德有那么点儿像呢，都是一副饱经风霜的模样，一样的……"

"帕梅拉，"尼尔移开了她的手，"别再绕弯子了，有话直说吧。你到底想不想让乔治拍我的电影？"

"该死的！"罗斯尖叫起来，甩掉了手里的电话。这些经纪人，去他妈的，真该把他们拿去喂鱼。该死的寄生虫！

嗨，罗斯……好的，罗斯……办不到啊，罗斯。

他们这些人知道什么？他们什么都不知道。他们就知道把事情都办砸。不扯掉十分之一的厕纸，他们甚至连屁股都不会擦。

罗斯整个职业生涯都在为这些经纪人制造财富。给福克斯公司打电话，给派拉蒙公司打电话，给怀尔德打电话，给扎努克打电话。就这么简单，罗斯就有了工作。可是从来没有一个经纪人曾为罗斯·康迪四处奔波。

现在，在帮他们不劳而获 25 年之后，罗斯想要采取行动。

"那尼尔·格雷的电影呢？"他问扎克·谢弗，"我听说这部电影很适合我。"

不太清楚啊，罗斯……我会调查一下，罗斯……我等会儿再打回给你，罗斯……

去他妈的。为什么他会不知道？这可是他的工作，他应该知道的。莎蒂·莎乐就总是会知道这些，应该要她来当他的经纪人，打理他的事业。

"伊莱恩！"他叫道。

女仆莉娜把头从门探进房间："夫人去上健身课了，您是想要来些咖啡吗？"

他暗地里狠狠地咒骂了一番。伊莱恩在他需要她的时候不出现，却总是在不需要她的时候出现。

"是的，来点儿咖啡。"他咆哮道。

莉娜离开了。他一个人坐在电话旁生闷气。

莎蒂·莎乐。是她让罗斯的星途起航。他虽不情愿，但也不得不承认，如果没有莎蒂和她的广告牌计划，他绝没可能一炮而红。

可是，他又是如何回报莎蒂的呢？在遇见第一对指向他的漂亮奶子时他就跟她私奔了，接着又和一家大经纪公司签了约。没说再见，没留下个便条，也没打一通电话，只是趁她某天不在的时候匆匆离去。

如果一切都按照计划进行，莎蒂·莎乐本该从他的生活里消失，从此杳无音信。莎蒂·莎乐确实也消失了一段时间。在他事业上升期间，他从未听过关于她的只言片语。当他开始听到她的名字时，却不是什么值得高兴的事。她想要成为一名经纪人。那简直是异想天开。没有罗斯，她手里一个客户都没有。

后来，她找到了一个不知名的喜剧演员，名叫汤姆·布朗尼，她把他造就成了自莱德·斯科尔顿以来最有名的喜剧演员。接着，她又捧红了一个名叫梅洛迪·费恩的有些神经质的歌手，把她变成了新一代朱迪·嘉兰①。亚当·萨顿刚加入她旗下时还在 B 级片②中苦苦挣扎。没过两年，他就成为了占据票房首位的演员。乔治·兰开斯特也背叛了美国音乐公司 M.C.A 皈依她的旗下。所有人都跑来投靠她。这些年来，她已经拥有了整个好莱坞最棒的客户群。

———————

① 美国著名女歌手。
② 粗制滥造的二流电影。

莎蒂·莎乐。长着小胡腮，身材矮胖的莎蒂。

偶尔他们俩也会在一些派对和电影首映式上碰面。高价的电子除毛手术让莎蒂的小胡子不见了。她瘦了 30 磅，身上穿着剪裁精良的昂贵服饰，头上也不再是乱糟糟的黑色鬈发，取而代之的是时髦的波波头。她虽不是个美女，但的确比以前光鲜靓丽了不少。

罗斯也尝试过友好，但她只是冷冷地点头回敬。他也试过搭讪，但她却走开了。

在 70 年代初，罗斯曾决定重新找她做经纪人。于是，他给她打电话，却只联系到她的秘书，还被告知莎蒂女士也许改天会留心顺道拜访他。

但她从没回复过电话，罗斯为此气得不行。她这是哪门子的怨恨啊？

于是，在他们两个人共同出席的又一场派对上，罗斯把她堵住了。陪她出席的是一位同性恋服装设计师，有谣言称莎蒂是女同性恋。但是罗斯知道情况并非如此。

"莎蒂，"他轻声说，"我想你真是太走运了，你猜怎么着？"一个招牌的康迪式微笑闪过他的面庞，"我现在想找个新的经纪人，很可能就是你。"

她愤怒地盯着罗斯："我现在不需要更多的客户了，罗斯。"

这话让罗斯既伤心又意外。罗斯用他那招牌式的蓝眼睛注视着她："都过去 15 年了，我的宝贝，现在这是谈生意呢。"

"去你的生意。"她厉声说，"如果我要指望你混口饭吃的话，我肯定会活活饿死。现在我们互相明白对方的想法了吗，罗斯？"

婊子！同性恋！瘦身成功的贱人！从此以后，罗斯就再也没有和她说过一句话。

也许，现在是时候再尝试一次了……现在他已经和伊莱恩结了婚……而且一晃又过了十年……也许……

"康迪先生。"莉娜一动不动地站在门口，她树桩一般粗壮的大腿从雪白的制服下露出来，是伊莱恩坚持要她这么穿的。

他抑制住了自己的愤怒，勉强露出微笑，绝不能让自己的粉丝失望："嗯，莉娜，怎么了？"

"米格尔生病了，我叫个男孩儿来代替他，行吗？"

为什么这点儿小事也要来烦罗斯？家务事由伊莱恩操持。天晓得他掏了多少钱才让一切井然有序。"什么男孩儿？"他生气地问道，因为他本想叫米格尔清洗一下他的劳斯莱斯险路 ①。

―――――――――

① 劳斯莱斯车的一个品牌。

"一个好男孩儿，人非常不错。我让他清洗泳池可以吗？"

"他会开车吗？"

"当然会。"

"那就好，把他带过来。让他开着我的劳斯莱斯险路出去洗一下，我希望最好能在一个小时内搞定。"

莉娜点着头，脸上绽出鲜有的笑容。

"我的咖啡呢？"罗斯问道。

她傻傻地摇了摇头："我忘了。"

"那就去拿来吧。"

"好的，我就去。"

当她从房间退出去时，电话铃声正好响起。罗斯立马拿起听筒，尖声说道："你好。"

"欢迎回来，宝贝。"一个低沉沙哑的声音说道。

"你是谁？"

"我？你真健忘，那天下午我们在沙滩上的经历那么容易让人遗忘吗？我知道事情过去好几个星期了，但是，罗斯真的……"

他大笑起来："凯伦！"

"答对了。"

"我什么时候能见见你呢？"

"你说个时间、地点吧，最好确定你能到。"

"就去你的海滨别墅吧，3点半。"

"我等着你。"

"我会来的。"

"噢，我知道，我知道。"

说到这儿，两人哈哈大笑。

伊莱恩上网球课迟到了。她的教练是一位皮肤黝黑的纽约人，偏偏长着两排炫目的白牙，握拍方式颇像一个日本武士，看上去他不太高兴："你迟到了十分钟，康。这就浪费了十分钟。"

那又怎么样？她不耐烦地想着。我可是付了钱的，或者说是罗斯付了钱。

在连续三年只能软弱无力地将球拍过网之后，她痛下决心一定要提高。这和碧碧·萨顿开始宴请女士们参加在她的贝尔艾尔豪宅内举办的奢华网球午宴无关。伊莱恩也曾被邀请去参加过一次，却表现得像一个业余选手一样。此后，她再也没有收到邀请。

她呆板地站在球场的另一端，小腿肌肉痛得要命，这是连续两天在罗恩·哥迪诺健身班上苦练的结果。每天都去健身班是行不通的，这也太痛苦了。她可以缩减到每周三次。但是该选哪三天呢？这可是个问题。这几天的时间里又该练些什么呢？什么时候碧碧·萨顿会来呢？网球从她的球拍边飞过，她三心二意地挥了下拍，但却没有击中。

"康！"她的教练抱怨道。

她真希望他不要这样叫自己，这听上去未免太过亲密了，她可不是那种想和网球教练发生关系的女人。"是康迪，不是康。"她犀利地说。

"我知道，"他回答道，一点儿也不感到害臊，"现在，你可以集中精神了吗，康？"

她怒气冲冲地瞪着他。眼前的他穿着一条清爽的白色短裤，包裹着他那长满毛、肌肉结实的大腿。她突然好奇他的老二会是什么样子？她使劲地摇了摇头。她干吗要想他那个呢？她可忍受不了他。于是，她赶紧摆起一副运动员的姿态，优雅地回击了一球。

"这一球好多了！"他赞许道。

受到表扬后，她又截了一个球过去，在场上敏捷地来回奔跑。

三刻钟后，练习结束了。她大汗淋漓，急急忙忙地跑进更衣室，洗了今天的第三个澡。可笑！她的皮肤都快晒得像李子皮了。必须记住以后不能把健身班和网球课安排在同一天。她从钱包里拿出一个卡地亚皮质便笺本，在上面写上了一排简短的话：网球健身不行！然后，出于周全考虑她又加上了"问凯伦"几个字。凯伦一定知道什么时候上罗恩·哥迪诺的健身课比较好。

她慢慢穿上衣服，感觉身体有点儿疲惫。她寻思着不知道营养师推荐她吃的那些维他命片是否真给自己带来了点儿好处。罗斯一开始在发现她吞这一大堆药片时嗤之以鼻。但是，当她说这些药片可以让他更有活力，还具有抗寒、抗癌、美肤、提高视力等功效后，他立马就改变了主意。现在罗斯除了吃这些药片外，还吃高丽参，据说可以提高性能力。但是，他吃了好像没什么效果。都过去三个星期了，罗斯都没看过她几眼。每次都睡得死死的，就像一匹死骆驼，还整晚打呼噜。

她希望罗斯已经给扎克·谢弗打电话问过尼尔·格雷电影的事。只要是找乔治·兰开斯特拍的角色，就一定是好的。噢，重返巅峰该是多么可喜可贺啊！然后你又能出现在每一次派对的嘉宾名单上，电话响个不停，初出茅庐的服装设计师们把自己的作品当礼物送来，求你穿上，你的一举一动都会由司机和保镖监控跟保护。

她想到罗斯就来气。他怎么容许自己走下坡路呢？他到底是从何日何时起，从巅峰坠落的？

他老了，这就是原因。他酗酒过度，长起了啤酒肚和眼袋，他的皮肤就和牧场里的老农一样粗糙。她也求过他去找整形医生——她的前夫，再细致地保养一下。"算了吧。"罗斯干脆地说道，"我可不想让自己的脸看上去像一副面具。"

每个月罗斯都需要给她的两位前妻支付各种巨额赡养费。在他挣大钱时，这点儿小数目不足挂齿。但收入一旦缩减，这笔赡养费可就变成了一笔惊人的支出了。

削减开销的过程是痛苦的。首先被解雇的是司机，然后是住在房子里的女管家和她的两个助手，最后是园丁和泳池管理员。现在只有在工作日才来的莉娜，还有兼任园丁、泳池管理员和司机的米格尔。

伊莱恩边生气地哼了一声，边迅速地套上一件哥迪诺健身班的针织 T 恤衫，穿上一双佐登 ① 牌绑带高跟凉鞋。她唯一不愿意削减的支出就是自己的置衣费。上帝啊！如果在贝弗利山庄你不穿得体面点儿，那还不如躲在一块石头下，和那块石头一起风化消失！她已经忍受了很多。但不管怎样，这并不是说他们身无分文了，只不过现在花钱需要谨慎一点儿而已。正如罗斯的经纪人所说——"大手大脚花钱的日子已经过去了，罗斯。"这个蠢货，他知道什么？伊莱恩会让罗斯回归正道的，无论要她付出何种代价。

"快，再上来，罗斯。"凯伦·兰开斯特沙哑地请求道。

罗斯把头从她的两腿之间抬起："我可不会为每个人做这个。"他用吃惊的声调称道，"事实上，我都不记得上一次给女人做这个是什么时候了。"

"这么说，你还想要我表扬你咯？进入正题吧。"

罗斯同意了，转而开始用力地运动。

凯伦可真会叫。她发出的声音越大，罗斯动得越快。最后，他们两人一起尖叫着驶向了高潮。

罗斯翻下身来说道："真他妈的热啊！"等待凯伦的表扬。

而凯伦翻身趴在床上装死。

---

① 著名女鞋品牌。

阳光从巨大的玻璃墙斜射进房间里，划过巨大的圆床，他们两人就躺在夹棉绸缎床单上。

房间外面是太平洋，浪花慵懒地翻滚着，轻轻地拍打着马里布的海岸线。真是个天气爽朗的好日子。

"感觉不赖。"当他觉得凯伦显然不会先开口时，终于说道，"真的感觉很棒。"没有回应。他轻轻拍了一下凯伦的臀部，依旧没有反应。"你睡着了吗？"他难以置信地问道。

"让我眯五分钟。"她嘟囔道，把身体紧紧蜷缩成一团。

罗斯从床上离开，放轻脚步绕着房间转悠。

这个房间真不错。整个布局为迷人的圆形，最中心是一个中央蒸汽按摩浴缸。房子的一边是海洋；另一边则是花园和车库，里面停放着他金光闪闪的劳斯莱斯险路汽车，还有凯伦的法拉利红色跑车。

他在屋后发现了一个装修成太空时代风格 ① 的厨房，从冰箱里拿出了一听冰镇百威啤酒。

凯伦无疑值得这一趟海边之行。一开始他就这么想，现在则十分确定。是她让他做到了许多年都没有做到的事。

小凯伦。上帝啊，他在她 6 岁时就认识她了。那时乔治·兰开斯特经常带着她去电影工作室。

小凯伦。他还参加过她的第一次婚礼，是和一位房地产经纪人。也听了很多关于她和她第二任丈夫，那个精神恍惚的作曲家的传闻。在她成为伊莱恩最好的朋友之后，还在她的陪伴下参加了许多晚会。

小凯伦。床上的一只小老虎。

在罗斯动身准备去片场时，两人碰巧在威尔榭的布伦塔诺店外撞见："你一定要来看看我的法拉利斯派德车。"她坚持要求道，"我昨天才刚收到的车呢。"

她拖着罗斯走过马路来到美国储蓄银行的停车场，一位侍者在那悉心照料着她的新收获。

"是你父亲送给你的吗？"他随口问道，却没有怎么关注眼前这台光滑的红色机器。罗斯可从来不是个汽车迷。

"当然了！来吧，罗斯，和我兜上一圈儿。你现在不忙吧？"

---

① 秉承极简风格，厨房里的东西不仅是厨具，而且是设计的一部分。

事实上他很忙，他和会计有个约会。但是凯伦突然发出这种信号，他自己也忍不住想知道到底他们俩之间是不是如他所想的那样。他钻进了低矮的乘客座位，一股崭新的皮革味儿扑鼻而来。

"很不错吧，嗯哼？"她说道，坐上了驾驶座。然后，他们就出发了，风驰电掣般地从威尔榭呼啸而过。

她在给凯迪拉克、梅赛德斯、林肯设置的三车道上开得太快了。一辆运输货车在一个信号灯处曾试图追赶，还有个讨厌的小孩儿驾车跟着她不停换车道。当他们到达西木区时，罗斯还在回味刚才整个飙车过程。

"你想去海边吗？"她问道，盯着罗斯的眼睛，暗示着另外一个无言的问题。

"为什么不呢？"和会计的会议可以推迟，让自己的经纪人去打理。罗斯付了钱给他，他就该处理好，不是吗？

20分钟不到，他们就赶到了凯伦位于马布里海滩的别墅。52秒之后，他们就一起滚在了厚绒地毯上，隔着衣服抚摸着对方的身体。

罗斯像一匹公马一样骑着她，扒掉了她的绒皮裙，撕开了她的三角裤。

而凯伦则用她嘹亮的声音来表达自己的快感。

两人在镇里都有事等着赶回去处理，第二天罗斯就离开了洛杉矶赶往片场。

罗斯十分开心凯伦能在自己回家后就立马给他打电话。凯伦将不仅仅只是个打发时间的消遣。这一点，他十分确定。

格来朱赖格斯住在多西尼大街的一座屋顶公寓内。和他一同居住的除了一位名叫贾森·斯万克鲁的白人室内设计师外，还有一条十分凶狠的斗牛犬，叫作沙格。

巴蒂焦急地按下门铃。现在他决定要重拾旧业，他急不可待。

贾森开了门。他穿着孔雀蓝连衣裤，还搭配着金首饰，颇像一只丰满的睡鼠。沙格陪在他身边，照例嗅了嗅巴蒂的腿，然后骑上巴蒂的腿，好像它是附近一带最淫荡的母狗。"嘿！"巴蒂叫道，非常惊恐，"让它从我腿上下来。"

"下来，小子，下来！"贾森拖长了音调，拽着沙格脖子上闪闪发光的项圈。

巴蒂厌恶地踹着腿："上帝啊！"

沙格从腿上下来了，继而凶狠地咆哮起来。

"我能为你做点儿什么？"贾森狡猾地问，一只戴着戒指的胖手插在腰间，上下打量着巴蒂，很高兴能看见眼前这位帅哥。

"我想找格来朱赖格斯……额……杰克森先生。"

"他正在换衣服，我们正准备去参加一场婚礼，我能帮你做什么？"贾森满脸放光，眨了眨眼，"我非常愿意帮你。"

为什么男同性恋都这么喜欢他？"是生意上的事。"巴蒂飞快地说，"私密的，我只会花上他一分钟时间。"

贾森噘起了丰唇："马文可不喜欢在家里谈生意，是和店里有关的生意吗？"

马文！巴蒂点了点头，尝试着慢慢移向前门。

沙格露出了利齿，贾森最后决定道："噢，好吧。在这等着，我去找他。"

他挪动粗胖的大腿，蹒跚地走开了。巴蒂想着他和格来朱赖格斯这一对看上去真是奇怪。格来朱赖格斯是个高瘦的黑人，贾森则是个圆滚滚的白人。噢，好吧……人各有所好。

巴蒂透过齿缝轻轻吹起了口哨，想着格来朱赖格斯也许能立马给他介绍个活儿干。如果他能带份礼物回家给安琪儿，那就太棒了。可以是一件毛衣或者是……

"你他妈的到底是谁？"是格来朱赖格斯在说话，但巴蒂记得他更瘦一些。他把黑头发梳成了一排排辫子，上面还装饰着各种颜色的玻璃珠，"你他妈的到底想干什么？"

这听上去可不像是热情欢迎："嘿，格来朱赖格斯，我的老兄。是我，巴蒂帅哥。你一定记得我吧。"他友好地伸出了一只手，而格来朱赖格斯却生气地拍开了。"别这样，"巴蒂坚持说，"我曾为你工作过，老兄。兰迪·菲利克斯介绍我入的行，我曾经是你最出色的门将之一。"

格来朱赖格斯深吸了一下鼻子："什么最棒的门将？"

巴蒂查看了一眼走廊："我能进来吗？我们进去谈谈？"他试图走进门内，可是沙格却恶狠狠地咆哮起来。"我……额……我想重新干这一行。你瞧，我现在和以前一样急用钱，而你也一直很擅长安排这种交易。"

"我早就不干那行了，"格来朱赖格斯吐了一口口水，又吸了一下鼻子，准备关上门，"就算我过去干过——虽然我现在不干了，相信我，哥们儿，我还记得你。你就是那个古怪的家伙，只接女人的活儿。对吧？如果我没记错，你甩掉了我，跟着马克辛·索尔托那个该死的胖子干。跟他混我知道你一定会遭殃。而且就算我还在那一行干，当然我说了好几遍我金盆洗手了，即使你搭上明星和权贵，一碰到别人的身体小弟弟就跟旗子 样勃起——我还是没兴趣帮你和任何人牵线，现在给我滚开！"他用力地摔上了门。

"该死！"巴蒂咬牙切齿地说道，"真他妈的该死！"

他生气地转身离开，大步向电梯走去。这都是他自己犯下的愚蠢错误。

贾森·斯万克鲁在巴蒂正要驾车离开地下车库时追了上来。"真高兴能找到你。"他喘着气跑到车边，身后拖着不情不愿的沙格。

巴蒂怒视着他："为什么？"

"因为我乐意帮助你，我觉得我能够帮助你。"

"你不是我喜欢的类型。"巴蒂讥讽地挖苦道。

"拿着我的名片，"贾森坚持道，"明天打我的业务电话。"他从窗户丢进一张白色的小卡片。卡片落在了车内的地板上，巴蒂在傍午的阳光中踩下油门呼啸而去。

.10.

这家意大利小餐馆铺着花格纹桌布，供应非常美味的意大利面，还有烈性的特色葡萄酒，生意非常兴隆。每到星期六晚上这里总是人满为患。米莉·罗斯蒙特正享用着美食，但是莱昂却感觉很不舒服，惴惴不安。他曾认真地答应过米莉，永远不把工作上的事情带到家庭生活中来。直到友谊街凶杀案发生之前，直到他看见乔伊·克拉韦茨被肢解的尸体之前，他一直信守着这个承诺。

他想起他和乔伊·克拉韦茨的第二次见面。那是发生在遇见米莉以前很久的事了……很久之前……

那天不仅仅是下雨，而是下着所谓的倾盆大雨。莱昂很晚才驾车回家。他车前的刮雨器正和大雨做斗争。莱昂终于感到饿了。仅一小时前，他打电话给他正在交往的一位迷人的离婚女士，取消了他们的约会。她人不错，可惜他内心深处觉得她很无趣。

冲动之下，他驾车左拐进了霍华德·约翰逊饭店，把车停进了饭店旁边的停车场。然后他冒雨匆匆忙忙跑了进去，给自己找了个靠边的角落位置，点了烤鸡肉三明治和美味的热咖啡，打开报纸仔细读起了体育版面。

女侍者把他点的三明治和咖啡端了过来。在劳累一整天之后，他舒适地坐着，放松自己。

"你这婊子养的！"一个声音尖叫道。

莱昂大吃一惊，把头从报纸里抬起了，凝视着站在他桌旁的矮个子女孩，她一身怒气，双臂交叉放在身上穿的一件肮脏的 T 恤上，腿上穿的是一条剩余军裤，好像大了几码。

"你不记得我了？"她瞪着眼。

"你是？"他终于问道。

"我是？哈！我是？我该打赌你这个该死的家伙知道！"

他把手中的报纸放下："等一等，你弄清楚了你在和谁说话吗？"

"你——条子！"她吐了口唾沫。

"我认识你吗？"他生气地问道。

"你让我在该死的女子监狱待了一年。你应该要记得我。"她得意扬扬地吹嘘道。

直到莱昂注意到了她斜视的眼睛，才突然全想起来了。她就是那个娃娃脸的妓女，有一天晚上她曾向莱昂招嫖。后来，她在莱昂问她年龄时，踹了他一脚就跑了。莱昂曾给少管所的格瑞斯·曼女士打电话，告知了一下这个小妓女的大概位置和长相，就把这件事撂给了能干的她。很显然，格瑞斯把这个小妓女给抓了起来。

"我记得你说过你有 18 岁。"他指责道。

"我撒谎了，这有什么大不了的。但是因为你，他们来抓我，还把我和其他一大群小鬼关在一个糟糕的农场里。真谢谢你了，混蛋。"

他试着忍住不笑。她现在这么生气，我可不想再火上添油了。"这都是为了你好。"他说道。

"去你妈的！"她回答道，然后出乎意料地坐了下来，"我约的人没来，你可以给我买一杯咖啡。我想你欠我的远远不止这个。"她用手背在鼻子上擦了擦，饥渴地盯着莱昂的三明治。

"你想来点儿吃的吗？"他大方地问道。她看上去就像是一个衣衫褴褛的乞丐，他对她感到同情。

"这就对了嘛。"她同意了，好像她帮了他一个大忙似的，"给我来一份和你一样的。"

莱昂叫来女侍者点了餐。女侍者把他的咖啡满上后，又匆忙地去给她端一杯。

"你叫什么名字？"莱昂问道。

"乔伊，"她又不屑地问道，"你问我的名字干什么？"

"我给你买了三明治吃，我总可以知道你叫什么名字吧。"

她怀疑地盯着他，嘴里嘀咕道："讨厌的条子。"三明治端上来后，她立马就扑上去狼吞虎咽起来。

莱昂看着她吃，观察到她的指甲被咬得很短，脖子脏兮兮的，刺猬头染成了橘色。她看上去很邋遢，但身上却还有动人之处。她勾出了我本能的父爱，莱昂苦笑着想道。

"我想是他们放你出女子劳教农场的吧。"他接着说，"我希望我不是在请一个逃犯吃饭。"

"是他们放我出来的。"她边吃边回答，"我姐姐最后来领我了，他们不得不放我走。加上，我现在已经16岁了，我可以照顾好自己。"

"是啊，你肯定能。"

"我当然能！"她狡猾地扫了他一眼，"谢谢你，真的。"

"什么？"

"哦……如果不是碰上你，如果不是你叫那些臭屁巡警队来抓我，我可能就没机会遇见那些农场里的大姐大了。你知道吗？她们所有人我都认识，我从她们那儿学了不少东西呢。"

他不知道她在说什么，也不想去弄明白。他突然意识到自己不能再陪着她坐在这里了。他做了个埋单的手势。

"你要去哪儿？"她问道。

"回家，"他回答道，然后讽刺补充道，"当然，如果你不介意的话。"

"我还以为你至少会捎我一程呢。"她可怜地哀怨道，"你看看窗外。"

他扭头望向巨大的玻璃窗外，依然是大雨瓢泼："你怎么知道我和你同路？"

"这样，如果太麻烦的话，你就在公交车站把我放下来吧。我要去我姐姐家，她住在城外，我可不想错过公交车。"

他知道自己本该拒绝她，但是，真见鬼！他现在下班了，她也只不过是个孩子。"拿上你的雨衣。"他叹了口气。

"我没有雨衣。"

"这种天气，你不带雨衣？"

"谁知道这鬼天气要下雨！"

他付了账，从角落的行李架上取了自己的雨衣，正打算穿上，旋即又改变了主意，把雨衣搭到了她的肩膀上。"快点儿。"他说道。

他们朝车子跑去，乔伊跟在后面，暴雨强有力地落在她身上，她一路狂叫。

"快点儿！"莱昂重复道，打开车门时抬高了嗓门。

她像一条发怒的小狗一样猛地一下冲进来。尽管有莱昂的雨衣护着，她浑身还是湿透了。

他发动了引擎，而她把收音机调到了迪斯科舞曲频道。

"有香烟吗？"她问道。

"我戒了。"他粗声回答道，"你也应该戒了。"

"当然，"她冷笑道，"不过我的意思是，我已经遭受够多了，怎么还会需要香烟呢？"

他扫了她一眼，把电台声音调低了："你的公交车是几点？"

她沉默了一会儿，咬着手指，在座位上蜷缩成一团。

"几点？"他重复道，雨下得越来越大，他不得不减缓速度。

"几点都无所谓。"她最终含糊地说，"因为，就算我赶上车也没意义。"

他皱了皱眉："我还以为你想在公交车站那儿下车。"

"没错。我可以睡在那里的长凳上，我以前就这么干过。"

他很快就对她失去了耐性，关掉电台，说道："你到底在说些什么？"

"好吧……你看，我姐姐去了亚利桑那，住在那里某个镇上。我想我应该存点儿钱，过去投奔她。但是，我的钱都被偷了。"她对自己的故事越说越起劲儿，"两个黑人骗了我的钱，还想让我上街卖淫，我从他们手里逃了出来。可是，他们把我卖淫存下来的钱都给偷走了。现在我又不得不重新存钱。"说到这，她停了一下，"你还有没有钱？你只花10美元就能上我。"

莱昂把车停到一边。"出去！"他厉声说道。

"你什么意思？"她哭道。

"出去。"

"为什么？"

"你知道为什么。"

"我不知道——"

"给我出去，你想我把你送到少管所去吗？那里的人可以给你提供一个床位。"

"混蛋猪头！"她吐了口口水，意识到莱昂是认真的。

他倾过身子越过她，打开客座门。大雨灌进了车内。

她的声音有些颤抖："你想把我丢在雨里？你为什么就不能把我带到公交车站去？"

"因为你满口谎言，去公交车站和我不同路，你这个小骗子，现在就给我滚出去！"

她极不情愿地下了车，走进了瓢泼大雨中。莱昂砰的一声关上车门，驾车离开了。

她胆子真大，竟敢再一次向他招嫖，把他当成了那些付钱的嫖客。这个愚笨的妓女。也许莱昂是应该把她带到少管所，送她进去。这或许要比把她丢在大街上要仁慈。

上帝啊！现在他感到内疚了！

她只有 16 岁，而且这种晚上，就算是一只猫，你也不忍心赶它出去。

但是，莱昂推断，她是不会感谢他把她送进少管所的。再说，她能够照顾好自己。她是个小流氓，街头的野孩子。而且，他也没有责任管她。

莱昂气冲冲地开车回家，把车停进地下室，坐电梯回到自己的公寓。

直到他站在浴室喷头下洗热水澡时，才意识到自己的雨衣还在她那儿。

米莉把身子从餐桌上探过来，非常温柔地说："亲爱的，如果我走了，你会想我吗？"

"什么？"莱昂有点震惊，思绪回到现实世界。

米莉安慰地拍了拍他的手："欢迎回来。"

"我只是在想事情——"

"噢，真的吗？"米莉狠狠地挖苦道，"我从来都没猜中过。"

"我只是在思考。"他小心翼翼地重复道，"我在想我们今年应该去哪儿度假呢？你有没有想过要去什么地方？"

"加利福尼亚州。"她毫不犹豫地回答道，然后，她又焦虑地问，"我们付得起，对吧？"

"当然付得起了。"

"我一直想去加利福尼亚州。"她眼眸闪动地说道，"你不是吗？"

莱昂皱了皱眉。他本打算诚实地说自己从没有一丁点儿想去西海岸的欲望。据他所知，加利福尼亚州是个充满阳光、橘子、怪人的地方。"我下个星期会去和一家旅行社谈谈。"他向她许诺道。

她笑逐颜开："我们虽然有一大把的时间，但是把一切都计划好会更棒。"

他笑了笑以示赞同，突然好奇迪克·安德鲁斯是不是早就把一切计划好了。他恶意砍死三人，是不是计划好了的？他把那间小屋变成屠宰场，是否计划好了的？他冷静地将身子清洗干净，然后走出房间，消失不见，是不是也是计划好了的？

侍者端着两个盘子走过来，一盘热腾腾的意大利面和一盘蛤蜊油。莱昂感觉立马就来了劲儿，米莉笑了起来，喃喃说目前只有一个方法能让他来反应，那就是一盘热腾腾的美食。

他没回应。他不喜欢戏谑他们频率越来越低的性生活。倒不是说他对米莉没有了欲望，只不过是因为他实在是太累了……他一上床，闭上眼睛，有一半的时间脑子里浮现的不是关于色情、温暖、性爱的场面，而是迪克·安德鲁斯和他高中毕业相册中一张 18 岁的照片。"他和照片上的样子没什么变化。"各式各样的证人都向他这么保证道，"就是头发变长了点儿。"

警察局里的艺术专家对那张照片下了很多功夫，他们把照片里的他的年龄变老了 8 岁，还把头发加长了一些，然后发向了全国。

莱昂对那张照片很熟悉。一个普通的男孩儿长了一对不同寻常的眼睛，那对黑眼睛怒火万丈，戾气沉沉。这双眼睛困扰着他，还有乔伊·克拉韦茨被肢解的尸体也是。她的脑袋几乎和身体分离，她的伤口是那么离奇……

"吃啊。"米莉说道。

他看着盘子里的意大利面感到很恶心。他这是怎么了？他必须控制住自己。该死的！ 20 年来他一直和各种不同的可怕杀手打交道，从未有过能影响他到如此地步。他用叉子卷了一些意大利面，塞进了嘴里。

"味道不错吧？"米莉问道。

味道不错吧？迪克·安德鲁斯在莱昂的脑袋里嘲笑。

"抱歉。"莱昂将椅子推开桌子，他的叉子掉在地上发出沉闷的声响，"我去上个厕所，马上就回来。"

莱昂快速地离开了餐厅房间，来到洗手间寻求庇护，而米莉则吃惊地扬起了眉。在洗手间里，他把脸贴在冰冷的墙砖上，做出了一个决定。他要重新打开迪克·安德鲁斯的卷宗。他会向局长申请调查这个案件，如果没能得到同意，他就利用自己的闲暇时间来调查。

突然间，他感觉舒服多了。

.11.

伊莱恩·康迪戴着一副大有色太阳镜，头顶一顶大宽边帽，穿着一件宽松的白色亚麻外套，逛进了西木区布乐科斯商店的化妆品专区。一路上她随意地环顾四周，在经过一个展台时，趁没人注意，她把一瓶标价70美元的鸦片牌香水放进了自己的口袋里。她的眼睛瞄来瞄去，又把一个陶瓷手镜和一个有机玻璃制成的口红台架放进了刚才装香水的口袋里。

这时，她的心脏狂跳不止，但是却若无其事地闲庭信步。她又逛到太阳镜区，将两副标价60美元的太阳镜成功收入囊中，接着乘电梯下到亚麻区和小商品区。在那里，一个身穿黑衣、戴着人造钻石的中年女销售员招呼她："您今天需要些什么吗？夫人。"

"不用了，谢谢。"伊莱恩回答道，"我只是看看。"

"那您请继续，如果有需要的话，我会随时乐意为您效劳。"

伊莱恩忍住怒火，展露笑颜，匆忙退回到男士休闲服区，在那里，她的战利品中又多了一条伊夫·圣·洛朗领带。

她看了一下周围，发现一名男助理正在打量她。她这回心里真的扑腾扑腾跳个不停。该适可而止了。她慢悠悠地向出口走去。

离开时刻才是关键时刻。要是在她走出去时突然有一只手落在她的肩膀上该怎么办呢？要是有一个声音说"您介意进来一会儿吗？"该怎么办呢？要是她被抓住该怎么办呢？

这一切当然不可能。她行事非常谨慎，她只在确定没有人暗中盯着她、也没有摄像头监视她的情况下才下手。而且，她只拿100美元以下的商品。不知为何，这让她觉得自己很安全。

她走出商店，走上大街，没有沉重的手落在她的肩膀上。

她走向停在西木大街收费器边的奔驰车，脱掉了亚麻外套，外套的口袋里装满了她的不义之财。她小心翼翼地把外套叠好，放进了车尾的行李箱。随后，她又摘掉了帽子和眼镜，一并丢进了箱子里。

她感觉棒极了！非法的疯狂购物给她带来了难以形容的快感。不管怎么说，这比出轨刺激多了。她轻声哼着歌钻进车内。

伊莱恩已经在商店成功偷窃了一年。通常是一周一次，她通常都进行一番"乔装打扮"，偷袭百货公司或精品店。一般来说，去百货公司比较安全，但是去精品店更刺激。在那里她可感受到真正的疯狂，在恶声恶气的年轻销售小姐的眼皮底下，不知不觉就顺手牵羊，把一条围巾、一件丝质线衫，甚至是一双鞋放进了自己的口袋里。啊，多么刺激！快感十足！肾上腺素带来的冲击能让她激动好几个小时。没有比这更兴奋的事情了！

刚开始偷窃完全是一个意外。有一天，她站在萨克斯百货商店里的倩碧化妆柜台前等着服务员招呼她。她急需一盒扑面粉去赶赴一场已经迟到的午餐约会。那时她刚参加完舞蹈课（学习现代芭蕾是当时很流行的活动），已经筋疲力尽，非常不耐烦，脾气也很火暴。一时间，世界上最容易的事情莫过于偷偷拿走那盒粉底——它就非常方便地摆在柜台前——放进自己的钱包里，再静悄悄地离开商店。她满以为有人会拦住她，然后，她会镇定自若地解释她只不过是在做一个小小的抗议，抗议那些无礼的销售小姐只顾着互相聊天，而不搭理顾客。

他们会相信她吗？

她是罗斯·康迪夫人啊，他们当然会相信。

但是，她没有被人拦住。那次没有，之后的一次也没有，下下次依旧没有。

初衷只不过是抗议，但很快就变成了一种习惯。一种戒不掉的习惯。

"巴蒂，"安琪儿温柔地耳语道，"我可以见见你的经纪人吗？"

"什么？"巴蒂皱了皱眉。此时他们正肩并肩躺在兰迪·菲利克斯借来的公寓里，盯着一台有严重故障的黑白电视机，观看游戏节目。

她端坐起来，一头金色长发散落在她完美无瑕的脸颊旁，眼里激情闪耀。"我一直在想，"她宣布道，"我明明也能试着找份工作，却天天枯坐在家里，这也太傻了。如果让我见下你的经纪人，说不定他能给我找点儿事做呢。如果我能找到事做，岂不是很好？"

巴蒂小心地一个字一个字说："这可不是个好主意。"

这回轮到她皱眉了："为什么？"她哀怨地问巴蒂。

"为什么要同意？"

"因为，"她快速回答道，"你看上去好像不怎么顺利，我只想帮帮忙。而且，在我去夏威夷之前，我也曾下决心要成为一名女演员。"

巴蒂匀畅地深吸了一口气。今天并不顺利："你是想说你认为我不能照顾好你吗？"

她瞪大眼睛："我当然不是这个意思。我知道你永远会照顾我。但是我们需要钱，不是吗？"

他突然发怒了："谁说的？"

安琪儿朝着拥挤的房间摆了个无奈的姿势："好吧……这不是我们的公寓。车子也快散架了，你最近也变得神经质了。坦白地说，巴蒂，我这并不是在抱怨，我只是想帮咱们摆脱困境。"

"去你妈的！"他爆发了，跳下床。在法国男式三角短裤外面套上一条紧身李维斯牛仔裤，抓起了一件衬衣。

她看起来很惊恐："你到底怎么了？"

他从电视机顶拿起自己的钱包和钥匙："你想和我吵，让我感觉自己一事无成是吗？那你就一个人唠叨去吧，小姐。"

她还来不及回答，巴蒂就甩手关门，离开了公寓。

安琪儿被吓住了。她没想到巴蒂会有这么激烈的反应。事实上，她所期待的是发生在他们两个人之间的一个温馨场景，末了，巴蒂会表达对她的深爱和感激之情，赞美她是一位如此善解人意的贤内助。

眼泪在她的眼眶里打转。她到底做错了什么？她说了什么让人无法接受的话？已婚夫妇不是应该团结一气，互相倾诉，彼此无间吗？

时间一天天过去，巴蒂变得越来越暴躁，没能获得一个主演角色，甚至连一个小角色都没能出演。她开始渐渐意识到事情不是他所说的那么简单。并不是说她介意。她这辈子读过许多影迷杂志，她明白"大获成功"跟"大红大紫"这条康庄大道可不是三两步就能抵达的。有时，路上会充满陷阱和阻碍。巴蒂离开了一段时间，他现在只不过需要花上一点时间去振作起来，重新融入这个属于他的地方。但是，为什么不能在他等待的同时，让她也尝试一下？她只是想帮帮忙。

她泪汪汪地爬下床，把被子弄平整。这是他们第一次吵架。她是多么希望他能跑回来，把她拥入怀中，告诉她一切都很好，再温柔缓慢地跟她做爱。她的身体在颤抖，手臂紧拥自己修长的身体。

巴蒂。如果他不愿意让她去工作，那她就不会再提起。

巴蒂。她是这么爱他。他是她的一切，她打算跟他相守一辈子。

一股被广为报道的暴力风波正席卷好莱坞山庄、贝弗利山庄、霍尔姆比山庄三地，搞得人心惶惶。人们配起了防盗门，护卫犬，电子警报系统，还有枪支。梦塔娜可没心思折腾这些防范措施。她不想过着戒备森严的日子，该来的总会来，这都是命，会发生的事情终究会发生。如果打电话的人认为一通色情骚扰电话就能毁掉她的一天，那他算是拨错了号码。

她不着调地哼着歌，来到泳池旁做了几个瑜伽动作。现在才早上8点，天气晴朗无雾，她突然冒出一个奇怪的念头，她想要抛弃一切，驱车去海边。

为什么不呢？

有许多理由。

有 20 位演员已经预约好要见面，每两个人之间只间隔 15 分钟。

还要和一位她想雇用来为电影设计服装的年轻服装设计师会面。

还要去机场接从棕榈滩飞回来的尼尔，给他一个惊喜。

第一次，她真正感觉到居住在洛杉矶是这么棒。她很高兴尼尔几个月前说服了自己同意让他买下了这栋房子。他们出租了纽约的公寓，然后将所有的书、唱片和各种物品带回了洛杉矶，足足有 40 箱。洛杉矶的家终于不仅仅只是个酒店套房了。

尼尔喜爱加利福尼亚州。梦塔娜一直都喜欢住在市区……但是她能改变，不是吗？为了尼尔，她可以做许多牺牲。

结婚五年，她依然爱着尼尔，甚至比最初更爱他，因为一开始完全是因为欲望。想到这她笑了笑。曾经的她只与拥有年轻身体和青春激情的年轻人上床。后来却爱上了中年发福、头发灰白、眼睛布满血丝的尼尔·格雷。

那时候，她想要得到尼尔，现在也依旧如此，激情不改。尼尔给她的东西要远胜年轻的身体与青春的激情。他给了她知识，从长远的角度来看，这才是真正的生活。

一起工作是他们婚姻关系的新阶段，目前看来似乎绝对有益无害。尼尔跟她一样在意这部电影，事实上电影好像已经成为现在他们之间仅有的话题。她这并不是在抱怨——她还能奢求什么呢？

她在想尼尔是否搞定了乔治·兰开斯特。

还有个更大的问题。如果他搞定了，她又会做何感想呢？

失望。她越想这事就越痛恨这个主意。但是奥利弗·伊斯特恩却不停地说那句老套话——"大腕儿就是大腕儿。"

奥利弗就是个大混蛋，比她之前想象的更坏。

她飞快地穿上一条在连锁商店买的普通牛仔裤，还有一件仅 6 美元的 T 恤衫，披上一件卡尔文·克莱恩夹克，又穿上了一双 200 美元的牛仔靴。这一身混搭装很适合她，尤其是当她把那头茂密的黑色长发从脸上捞起，扎得紧紧的，编成一条长长的辫了时。

省去了早饭，她直接坐到了那辆破大众车的方向盘后。尼尔一直唠叨着要她去买一辆新车，可这辆破大众挺适合她的。虽然车子跑得不快，但她可以毫不惹眼地四处兜风，她就喜欢这样。

今天要见20多个演员，也许能有一个是她想要的，适合某个角色的演员，一个走进她的办公室，把她创造的角色表演得淋漓尽致的演员。

上帝！把这部电影拍出来简直刺激极了。她这辈子还没有做过比这更激动人心的事。

拍电影。这简直让人热血沸腾。她和尼尔一起拍，这是多么完美的一对搭档！

她无声地咧嘴笑着。发动了大众车，朝着她的办公室开去。

"你就不能给我弄一本那该死的剧本吗？"罗斯对着电话尖叫道，"万能的主啊，扎克，我又不是想要你给我在最后的晚餐上弄个座位。我只是想要那该死的剧本，就那么装订起来的几十页纸，这听起来是个很简单的任务啊。"他边用手指头生气地敲打着泳池旁的玻璃桌，边听着对方的答复。而答复就是《街头路人》的剧本保密得很严实，没有副本，任何人都没有。

除了乔治·兰开斯特、托尼·柯蒂斯、科尔·道格拉斯、莎蒂·莎乐外，天知道谁还有。也许这该死的好莱坞里一半的人都有吧。

他生气地挂掉电话。他可是一位大明星啊，居然主动追着这部八字没一撇的电影里的一个该死的角色，而且竟然还是个女人写出来的剧本。更荒唐的是他连剧本都没看过。他到底是怎么了？难道他掉头发的同时，人也变傻了吗？

带着这个念头，他痛苦地跑向池边小屋。是什么让他想到自己正在掉头发？他可没有掉头发，绝无可能。好吧，可能是有那么一点儿……可一点儿都不明显……只要换一种梳发方式就能遮掩。

他站在装有反光玻璃的池边小屋前端详起自己的模样。

罗斯·康迪，电影明星，风采不减当年。只有他和保罗·纽曼依然保养得很好。其他的人都已经"英容"不在了——发福、秃顶、整容失败、戴着难看的假发。辛纳特拉因为植了发，所以看上去还不错。罗斯声线仍然迷人，这么想了想，罗斯又心满意足地回到了池边。

通往起居室的玻璃门入口挂着伊莱恩的装框照片。伊莱恩，他的妻子。作为一个老娘们儿，她看上去还不赖。她有一个优点——就是总是保持好身材，不喝酒，不会到处胡搞，也不欺骗他。

"亲爱的，"他热情地说道，"我想让你帮个忙。"

她上下打量着罗斯。他确实是长小肚子了，他穿的那条印花棉布短裤明显突出了这点。"不管你想做什么事，我都会帮你的，罗斯，亲爱的。"她甜蜜地说道，"只要你答应重新开始健身。"

罗斯装出一副吃惊的样子，轻拍自己的肚子："你认为我需要吗？"

"只要是超过 25 岁的人都需要健身。"

"只要是超过 25 岁是什么鬼意思？"

"这是不争的现实，亲爱的。人年纪越大越需要用心保养。"

"胡扯。"

"是真的。"

"胡扯。"

她恼怒地叹了口气："那么，你想让我做什么呢？"

"噢，对了。"他挠了挠下巴，眯起招牌式的蓝眼睛，"给玛瑞丽·格雷打个电话，让她给我弄一本尼尔最新电影的剧本，就是我们上次说过的那部电影。"

"扎克不能给你弄到一本吗？"

"去他妈的扎克·谢弗，你不把牛的乳头递给他，他都不知道怎么挤奶。"

伊莱恩点了点头，罗斯终于和她想到一块儿去了。

"我需要莎蒂·莎乐。"罗斯突然蹦出这么句话。

他的确开始和伊莱恩想到一块儿去了。"如果我能安排和她见个面，你想让我去见她吗？"她慢慢问道。

他看上去很激动："你觉得你能吗？"

她微笑道："你不是总说只要是我下定决心想做的，就一定能成功吗？"

"我想说的已经跟你说了。那你就赶紧帮我把莎蒂·莎乐弄来，再给我弄一份那该死的剧本吧。"

她大笑起来，伊莱恩最喜欢挑战了："罗斯，甜心，就这么定了！"

罗斯也笑了起来："伊莱恩，甜心，我可全押在你身上了。"

夫妻二人终于和睦了。

"我给你买了件礼物。"她轻声说，把之前偷的领带递给了罗斯。

罗斯很开心："你心里总装着大明星，嗯？"他露齿大笑道。

她点了点头："当然了，罗斯。始终如一。"

迷失酒吧里挤满了人，酒吧有 6 英尺深，迪斯科音乐冲击着耳膜。

巴蒂已经很久没来这儿了，在去夏威夷之前，在遇见胖矮的马克辛·索尔托之前他来过。当他想到马克辛时，身体战栗了一下。还好他醒悟得不算太晚。巴蒂帅哥可不能再吸毒和放纵自己了。只有生活中的失败者才会做这种事。找格来朱赖格斯是为了工作，而跟着马克辛·索尔托完全是另外一种状况。

"巴蒂！真高兴见到你，你躲哪儿去了？"

他向酒店老板挥了挥手。"没去哪儿，"他回答道，"就附近走了走。你怎么样呢？"

"还是老样子，生意还不错。你听说了我拍《希尔街的布鲁斯》那部电影的事了吗？我获得了一个有台词的角色，老兄，有台词的哦。"

是吗？那为什么他还站在迷失酒吧的吧台后面？

"真是棒极了。"巴蒂说道，"奎因斯在吗？"

"他在后头。"

"谢了。"

巴蒂朝着酒吧拥挤的后面走去，穿过了一个拥挤的舞池，又沿着一排酒桌慢慢地寻找奎因斯。

他在女人堆里找到了奎因斯，他被三个女人围着。

奎因斯，黑人，个子挺高，长得也挺帅。也是个很好的演员。他们两个人曾一起在乔伊·拜伦的学校里学习过。

"嘿，老兄。"他们两人同时打招呼，互击了下手掌。

"来，坐下。"奎因斯说道，"加入我们的派对吧。"

巴蒂挤进皮革长沙发的一头，与此同时，奎因斯给他逐个介绍身边的女孩："这是我的妞儿，卢安。这是她的姐姐，琪姬，还有她的好朋友，雪莉。"

卢安是个巧克力肤色的金发美女。琪姬个子小点儿，皮肤黑一点儿，长着一口演员法拉梦寐以求的好牙。雪莉就是泳池边的那个雪莉，穿着一件暴露的紫色紧身衣和一条薄薄的外围短裙，看起来不错。

"嘿……"他说道，"我认识你。"

"嘿……"她答道，"巴蒂·哈德森，已婚先生。你的老婆在哪儿呢？"

"巴蒂，结婚了？要是有那一天就好了。"奎因斯大笑。

雪莉点了点头："他是真的结婚了。"

奎因斯难以置信地扬起了眉，笑着望向巴蒂："告诉我，这不是真的，我的哥们儿。"

巴蒂一脸愁容。他可真走运，撞上了雪莉这个大嘴巴。今天，或者说是今晚他可真不顺。"是的，我结婚了，这有什么大不了的。"他含糊地回应道。

奎因斯大笑了起来："我从没想过你会落到这步田地，出了什么事了？"他用手掌一拍前额，"我知道了，我知道了，她 83 岁了，钱多得花不完，而且心脏非常非常不好。我猜对了吗？"

巴蒂愁容更深。他丢下安琪儿一个人是想找点儿消遣，他可不想听这狗屁玩笑话。"对，对，对，你全说对了。"他飞快地答道，"只不过她可不是 83 岁，她都快 90 岁了。这才更合我意，懂吗？"

奎因斯狂声大笑："这才是我的好哥们儿巴蒂！好机会来了从不会错过！"

"要不要去跳舞？"琪姬问道，伴着一阵阵唐娜桑玛音乐节拍扭动起腰肢。

"对不起，"雪莉插嘴道，"我先邀请他了。"说着她撞了巴蒂一下，示意他站起来。然后她从座位上站了起来，用手勾着巴蒂的脖子。在拥挤的舞池边缘，她将自己的裆部贴着巴蒂的裆部扭动起来。

"去你个 83 岁，"她讥笑道，"明明只有二十来岁，长得特别漂亮。我在泳池边见过她走出来，为什么要将她当成秘密隐藏起来？"

巴蒂耸了耸肩："没有什么秘密要隐藏。"

"没有？那她又在哪儿？"

"怎么，你是个女同性恋吗？"

雪莉将自己的裆部猛推向巴蒂的："如果我淘气一点儿，只要你一离开你藏在家中的那个宝贝身边，我就立马去把你家前门刮花。"

巴蒂将她猛推开，跳起了自己的迪斯科舞步。他可以给特拉沃尔塔上课了，他跳得多么流畅，多么性感，多么挑逗啊。阿伦·卡尔，你快过来看看我啊！

雪莉配合着他的每一个舞步，自得其乐。她也跳得棒。

巴蒂也开始自得其乐起来。这还是他头一回跳这么长时间，尤其是当你有个能跟上你的搭档时。好吧，这种感觉真的很火辣。

两人跳够后停了下来。汗水在雪莉裸露的手臂和胸前流淌。"嗯，"她简洁明了地说道，"你跳得真好！"

"你也是。"他认可道。

两人一起回到桌边。"那是当然了。我可是专业的。"

"专业的什么？"

雪莉冷漠地注视着他："舞者，混蛋。"她转而跟坐在琪姬身边的新来者聊天，"耶，宝贝，今晚如何？"

耶是个年轻的帅小伙子，眼神紧张而狡诈。他耸了下肩："还是该死的拍摄，你晓得那情况。"

"好吧，"她同情地说道，"嘿——你们两个见过吗？"

耶和巴蒂两人同时否定地摇了摇头，互相估量着对方。"巴蒂·哈德森——耶利哥·克劳奇。"雪莉这个完美的主人接着说道。

巴蒂皱了皱眉，他一定是受到了巨大的音乐声响的影响。耶利哥·克劳奇！这是个什么名字啊？听上去像是个著名的宗教先知！

耶利哥贼眉鼠眼地打量着巴蒂："你是个演员？"

"你从哪一点儿看出来的？"巴蒂飞快地问道。

"没什么，我也是个演员。"

"哦，那你都拍了些什么？"

耶利哥一口气讲了几部大家耳熟能详的电视节目，然后舔了下嘴唇补充道："但是，我最近打算加入一个更大的制作，我想我应该能加入。"

"什么大制作？"巴蒂立马警惕地问道。

耶利哥看上去神神秘秘的："我不想讲。"

"是一部电视剧吗？"

"不是。"

"商业广告？"

"不是。"

"那是什么？"

"一部电影，真正的大制作。"

"是电视片吗？"

"不，是一部真正的电影。"

"叫什么名字呢？"

耶利哥眯了眯眼："你认为我会告诉你，然后你也能去竞争吗？没门儿。而且，我基本都定下来了，我已经让那个选角的小妞欲罢不能，天天想着要用我了。"他目露淫光，"明白了吗？"

是的。巴蒂明白了。这个混蛋是不打算透露一点儿风声了。他想起了安琪儿，其实她并不是有意抱怨。她只不过正巧碰上巴蒂人生的低谷，他口袋里仅剩 42 美元，也没法子挣到钱。他无法忍受失业，可他从未想过要去和那些表格、文件之类的东西打交道。他现在也不会从头开始去做这些事情。"我得走了。"他说，起身离开了餐桌。

"好吧。"奎因斯笑道,"是要回家伺候老妈子,给她拿便盆的时间到了吗?"

"差不多吧,"巴蒂耐心地说,"就像如果劳斯莱斯凌晨两点不在车库里,宾利就会寂寞一样。你懂我的意思吧?"

奎因斯发出一阵狂笑。巴蒂挤过人群,来到大街上深吸了一口气。

雪莉也跟着出来了,"我需要搭你的便车回家。"她说道。

巴蒂瞧了瞧她,觉得也许她对自己会有用。"好的。"他说道,"我的车就停在街区附近。"

雪莉和巴蒂并肩走着,他闻到了一股淡淡的汗水味和一股重重的麝香味。

"你跳哪种舞?"他问道。

"有美感的那种。"她回答道。

"你是脱衣舞娘,对吗?"

"我可是数一数二的。"

"谦虚点儿。"

"去你的,我就是很棒,我感到自豪。"

两人来到车边,巴蒂钻进驾驶座,为她打开了客座锁。

"你是个演员。"她调整了个舒服的坐姿,说道,"我应该猜到的。"

"也是数一数二的。"他快速地补充道。

雪莉笑了起来:"是啊,所以你开着这一堆废铁。"

"至少它能带我四处逛。我不在乎形象。"

"是没钱注重形象吧,嗯?"

"我还算过得去。"

她从钱包里抽出一根大麻烟,点燃了:"我想跟你说点事。"她一边说,一边想给巴蒂也来上一口,可是他拒绝了。谁会希望在凌晨的这时候被警察拦住呢?"你可以成为一个很棒的脱衣舞男,你的身材很棒,你的舞技也不俗。"

他放声大笑起来:"你一定是在开玩笑吧?"

她并不觉得好笑:"有这么好笑吗?这活儿报酬还不错,而且现在很多男人也干这一行。"

"我跟你讲过,我可是个演员。"

"但不意味着你不能靠脱衣服来挣钱。"

"我猜你一定觉得西尔维斯特·史泰龙也曾靠这个度日。"

"是的,事实上他确实做过,难道你不看八卦杂志吗?"

"那你的朋友克劳奇,克劳奇呢?伟大的耶利哥,他也脱过衣服吗?"

"他脱掉衣服丑死了。塌肩膀,膝外翻,老二也没多大,你懂了吗?"

巴蒂无言地点了点头。

"他其实干了点儿服务生的活,就在好莱坞的各种派对上。他认为这样也许能被人发掘。"

真见鬼,巴蒂伸手拿过大麻烟,舒服地长吸了一口,然后他随意地说道:"也许这对他有用呢,就像他之前说已经定下他的电影是什么来着?"

"噢,得了吧。你不会是信了他的话吧?如果耶给强尼·卡森上了份夹鱼子,他就会告诉每个人他马上要上'今夜秀'了!"

"那根本就没电影这回事咯?"

"他只不过参加了个面试。"

"什么面试?"

她轻轻地笑道:"想加入他的行列吗?"

巴蒂小心地把车停在他们公寓对面的一个便捷停车位:"这可是个自由的国家。"

"既然你这么说了。"

"那到底是什么电影?"

"上楼跟我一起吸上一口吧,可卡因总能唤起我的记忆。"

他想了想美丽、天真的安琪儿,她正在家里等。

但是,他又想到了那该死的42美元:"当然,为什么不呢?"

吉娜·杰曼并不是孤家寡人,她背后有一位经纪人、一位经理、一位秘书、一位化装师、一位造型师、一位会计、一位商业顾问、一位动作教练和两位前夫。从某种程度上来说,他们都得依靠她获得些利益。

她今年实际年龄已有33岁,而对媒体却宣称29岁。她那一头金色长发染得不太自然,长得很漂亮,有一对略微外凸的蓝眼睛,翘鼻子,"食人"嘴中长满了洁白尖利的完美牙齿。在美国的西海岸,像吉娜·杰曼一样漂亮的女孩子成千上万,但她凭着身材鹤立鸡群:修长的双腿,小小的臀部,20英寸的小蛮腰,还有一对豪乳。

吉娜·杰曼之所以能成为明星，就是靠着她的一对豪乳。她19岁时登上了《花花公子》，很快她就被好莱坞发现了。"马上派人联系她。"两个工作室的头儿，三个企划总监，四个兴奋的经纪人同时下达命令。

那时候她已经到了镇上。马克辛·索尔托，这个精明的老骗子最先抵达那里，凡是性感的双乳都难逃他的法眼。"让我做你的经纪人吧。"他说，使劲绽放狡黠的笑，"让我来帮你成为明星。"

这些老套却意味深长的话打动了吉娜。她立马结束了在得克萨斯州休斯敦平淡的模特生涯，跟着马克辛一起飞到了洛杉矶。在那儿，马克辛给她找了一连串小角色，一直没有什么大作为。直至有一天她走进一位电视台总监的私人办公室，面对着他坐在一张高靠背椅上，像马克辛教导她的那样把自己修长性感的双腿分开。

那位电视总监充血的双眼兴奋得简直要爆出来。因为在吉娜·杰曼的白色短裙下空空如也！没穿裤袜，没穿内裤，什么都没穿！

很快她就在一部每周播放的电视情景喜剧里出演了一个角色，同时，每周也和那位电视总监约会一次，但他两年后就因为严重中风而暴毙。吉娜为他的离去感到遗憾，他是个温柔的老家伙。话说回来，她其实也不再需要他了，电视剧使她成为了明星，而且马克辛已经娶她为妻了。

吉娜的电视剧持续了五年。但她和马克辛的婚姻却仅仅维持了数月，便和平分手了。后来她和一个男子气十足的演员结了婚，在他们那场被媒体大肆报道的婚礼上，马克辛还作为伴郎出现了。但是，那位男演员最大的爱好居然是殴打她，于是她又离婚了。

吉娜的私人生活混乱不堪，可她的事业却蒸蒸日上。她参演的电视剧后来拍摄了电影续集，并且取得了巨大的票房成绩。随后，她又接拍了一部赚了大钱的电影。像她这样从小荧幕电视明星一跃成为大荧幕明星的实属罕见。突然之间，她就变得炙手可热，每一部她参演的电影都财源滚滚。她和那些事业走下坡路的超级明星搭档，和滑稽的喜剧演员联袂出演正直的女人，总是千篇一律地嬉笑欢闹，扭动腰肢，脱衣上阵。

但是观影的大众可不这么认为。人们喜爱她，她是他们的吉娜，一位丰满靓丽的性感美女，一位配得上她那高尚道德和豪乳的电影明星"婊子"，一位让人想起了梦露和曼丝菲老式风格的电影明星。

"我想被严肃对待。"她有一晚在强尼·卡森的节目上柔声说，"你知道的，强尼，我想要尝试不同风格的电影，那种能够传达社会信息的电影。"

强尼只是盯着镜头，强忍着笑，他的表情说明了一切。观众们都哄堂大笑，还好吉娜聪明地闭上了嘴，重新开始秀自己傲人的双峰，继续打情骂俏。而内心深处她则饱受挫折的煎熬。为什么她就不能拍些严肃的电影？

两个星期后，她和尼尔·格雷在一个派对上遇见了。虽然尼尔带着妻子，但是像妻子这样的小阻碍可从来都不会困扰吉娜。只要是她想要的，她就能得到，这算是做电影明星的好处之一吧。

尼尔·格雷为人严肃，而且是超级一本正经的那种。尼尔拍了许多重要而有意义的电影，这些也正是吉娜觉得她应该拍的。

吉娜不动声色地周旋在他身旁。奉承他，追捧他说的每一句话，确保每次她倾身去拿香烟、酒、用勺子取酱时，尼尔都能看清她的豪乳。三天后她给尼尔打了个电话："我希望我没有打扰到你。"她用嘶哑的声音说道，清楚地知道如果她发挥出了惯常魅力，那他可就大受打扰了，"我真的需要一些好建议，你看上去正是能帮我的人。"

尼尔被她的话逗笑了，突然来了兴致。他知道"一些好建议"就意味着"好好做一次爱"。他们两人都十分精通这种好莱坞语言。

在圣西斯罗大道，吉娜有一栋带围墙的别墅，两人就在那里共进午餐。

吃完尼斯沙拉之后，两人就开始狠狠地做爱。两人都没有耐心，也都不想浪费时间。

第二次的幽会是在两个星期之后，依旧是同样的场景。

他们不怎么讲话，但吉娜对此并不介意。一旦一个男人迷恋上了她的豪乳，他们一定会吃回头草……而且会越吃越多……以后说话的时间多的是。

在尼尔夫妇为宣布电影而在小酒馆花园举办的晚宴上，吉娜仔细地研究梦塔娜。吉娜是和切特·巴尔内斯一起出席晚宴的，这可把尼尔吓坏了。其实，尼尔根本无须担心，吉娜很理智，她甚至还礼貌地和梦塔娜交谈起来，谈论她自己的剧本。不过，不是她已经写好的剧本，而是她打算要写的东西。所以……尼尔将要拍的电影叫"街头路人"。

第二天，吉娜就打电话给她的经纪人莎蒂·莎乐，要求要一本这部电影的剧本。

"还没人看过剧本呢。"莎蒂干脆地说道，"而且，我认为这部电影和你的戏路不符合……据我所知，这部电影讲的是两个警察，一老一少的故事，况且……"

"总得有个女人在里面吧？"吉娜慢慢地打断了莎蒂。

"好吧……应该有。但不是主演。我确定这部电影不适合吉娜·杰曼你的风格，"莎蒂说到这里顿了顿，"你现在告诉我，亲爱的，你读了《带上宝贝三人行》？"

"还没呢。"吉娜厉声说道，"不，我想说的是读完了，可是我讨厌那剧本。莎蒂，给我弄一本尼尔新电影的剧本吧，让我自己来决定这电影是不是我吉娜·杰曼的戏路。"

当尼尔打电话问吉娜是否愿意一同去棕榈滩过周末时，吉娜毫不犹豫地答应了。

"我们两人一切都得分开行动。"他警告道，"分开住，分开旅行，什么都得分开。"

"没问题。"吉娜同意道。

"你可能会感到有点儿无聊，因为我得花时间陪帕梅拉和乔治。"

"我会带本书去看。"

吉娜确实带了本书，可是她从没翻开读过。他们俩的套房相邻。尼尔一离开套房，她就从尼尔的手提箱里偷了一本《街头路人》的副本，花了正好55分钟通读了一遍。然后，她又读了一遍，着重读了妮吉这个角色。她整个人都兴奋起来，肾上腺素急剧升高。

妮吉——二十出头——清纯美丽——毫不夸张的梦幻身材——天生的金发碧眼——毋庸置疑的天真品质

我能出演妮吉。我能，我能！

这个角色棒极了，也是两位男主角之间关系的催化剂。她是其中一人的女儿，另一人的爱人。

我能演好妮吉这样的角色。

吉娜年龄太大了。

我总是能扮嫩。

吉娜根本就不清纯。

我可以用自己的好演技来弥补。

吉娜的梦幻身材可不是一点点夸张。

胡说！我可以节食，我可以把胸包起来。如果有需要，让我挨饿也行。

天真？

我可以装啊。

她几乎等不及尼尔回来。尼尔看上去疲惫又困惑。她用手搂住尼尔，把他领到床上。

“帕梅拉真是只狡猾的老狐狸。”在吉娜开始拉开他裤子的拉链时，尼尔好不容易说了句。

“是吗？”她问道，“为什么这么说呢？”

“因为——”他刚想说就呻吟了一声。此时吉娜正把尼尔的老二含在口里，就好像她把自己一辈子都押在了这上面。不过，从某种程度上说的确如此。

待两人回到洛杉矶，准备下飞机时，尼尔指示道：“你最好等五分钟，让我走在前面。”

吉娜噘嘴说道：“被人看见跟我在一起很丢人吗？”

“别傻了。我们约好了……要小心点儿的。”

吉娜叹了口气：“好吧，我很快又能再见到你吗？”

“比你想象得还要快。”

尼尔在吉娜的脸上嘬了一下，匆忙离去。

大部分的男人都是这样的混蛋。但是吉娜有什么好在乎的呢？她只是利用他们。如果男人要利用她，没门儿。她的生活里充斥着她所谓的“性交易”。男人可以让她的事业前进，帮助她进行股票投资（数量巨大），赠予她房产（三间贝弗利山庄别墅和一栋办公大楼），更能给她生活方方面面的建议，从纳税到流产，不一而足。

吉娜总是出入一些高档场所，却从不需要自己掏腰包。她现任情人中包括一位西班牙地产界权贵、一位巴西商界奇才、一位非常富裕的阿拉伯人（吉娜的珠宝全由这位先生埋单。每当他在镇子里时，就去“弗雷德”和“蒂法尼”首饰店给吉娜买珠宝。）还有贝弗利山庄里顶尖的律师、会计师、妇科专家。

其实她的生活中真正想要的是一位参议员，可惜她一直无缘结识泰迪·肯尼迪，他的名气之于吉娜就如饱满的皮肤对饥肠辘辘的蚊子一样有吸引力。

她把尼尔·格雷视作她事业的下一步阶梯。就算尼尔对她糟糕之极，她也无所谓，因为尼尔会以这样或那样的方式回报她。吉娜对此深信不疑。

尼尔看上去很疲惫。梦塔娜亲吻着他的左右脸颊，说道：“惊喜吧！我们可以在回家路上好好聊聊。”

尼尔回头望了一眼。谢天谢地，还好他坚持要走在吉娜前头。他立马抓住梦塔娜的手臂，说道："太好了！亲爱的。陪了帕梅拉和乔治一个周末，你是我现在最需要的。"说完他就赶紧催促梦塔娜走出机场客运站。

"这样啊？"梦塔娜问道，"我等不及了，快告诉我，我们到底有没有说服伟大的乔治·兰开斯特？"

"你绝对不会相信的。"他边说边急忙地走向高级轿车打开的车门，一位身穿制服的司机就站在车门旁边，"我还不确定。"

"嘿？"巴蒂问道，"你真的觉得吸这个玩意儿很爽吗？"

雪莉把一根纸币卷成的吸管放进鼻子，对着玻璃桌子上排成细细一条的白色粉末吸了起来："当然，谁不喜欢？"

"是啊，在好莱坞，我猜是这样。"巴蒂在她乱糟糟的屋子里不安地转悠着，"我以前也吸这个，但这玩意儿是个拖累。"

"拖累？"雪莉笑着重复道，"是因为你没钱吸了吧，是不是被我说中了？"

"你知道吗？"巴蒂拿起一本相册，飞快地翻看着，"你有张巧嘴。"

雪莉又贪婪地吸了少许可卡因："早就有人这么跟我说过了，已婚先生。"

"这样？"巴蒂问道，"你的记性好了点吗？"

雪莉伸了个懒腰："有事急着走？"

是的。巴蒂是急着要走。他想要回到安琪儿身边，他敢肯定安琪儿一定在那儿等他："不着急。"

"那就放松下！把你的裤子脱了。"她打了个哈欠，"如果你喜欢，我可以让你情迷意乱。"她哈哈大笑。

巴蒂叹了口气："雪莉，雪莉，你以为你在挑逗谁呢？这里只有你和我，我想我们俩都清楚对方是什么样的人了。"

"你说得对。但是如果你有需要的话……我可是镇子上最棒的，有上百个人这么说呢。她又笑了起来，"你确定不想让我小试牛刀？"

"我很确定，谢谢。"雪莉身上的某些东西让巴蒂想起了他遇见安琪儿之前的自己：自作聪明，擅长快速勾搭上别人然后速战速决。

"好吧……"她站起身来，解开了她的外围短裙，"让我猜猜你是不是真的这么确定。"裙子掉在了地板上，然后她慢慢地用手指伸进紧身衣上方，把衣服扯了下来。

"嘿，"巴蒂匆忙说道，"够了，你这样就像个妓女。"

"彼此彼此。"她讥讽道，完全脱掉身上的紧身衣。

巴蒂皱了皱眉，紧张地问道："我们之前见过吗？"

"啊哈！你想起来了？"雪莉走向他，只穿着一双细高跟鞋，晒黑的身体一丝不挂。

巴蒂向后退了一步，"我得回家了。"

"你就不想知道我们在哪儿见过吗？"

"我可不关心这个。"

"哈……巴蒂……来吧？我现在可是很认真地邀请你哦。"

巴蒂一路退到门口，拉开门闪走出门："游泳池边再见喽，小鬼，可别着凉。"

雪莉淫荡地对着巴蒂吐了吐舌头："耶说他要参演的那部电影叫'街头路人'，制片人是奥利弗·伊斯特恩。去试试吧。"

"嘿，太棒了，我会去的。"巴蒂两步并作一步走下台阶。30秒后，他把钥匙插入前门，温柔地叫着："安琪儿，宝贝，我回家了。"

"我简直不敢相信那个混蛋居然没跟你明说到底加人还是不加人。我的意思是你这一趟去那儿的目的就是要得到一个明确的答复。"

"我很清楚这一点。"尼尔冷笑着回答道。

他和梦塔娜靠在一张特大号床上休息。梦塔娜戴着一副巨大的阅读用眼镜，穿着一件男式衬衣，她修长的腿摆在身前，浓密的黑色长发垂及腰际。

尼尔穿着睡衣，一脸疲惫和憔悴。和吉娜·杰曼整整忙活了两天足以让任何男人筋疲力尽，就算是像沃伦·比蒂，或是赖安·奥尼尔也不例外。吉娜喜欢做爱，这毫无疑问。尼尔却搞不明白到底她是生性淫荡喜欢做爱，还是希望通过做爱得到自己的爱。这是个有趣的问题，但不是尼尔的问题。尼尔只想要吉娜一件东西，仅此而已。

"这些明星啊！"梦塔娜轻蔑地感叹道，"他们可真让人头疼。"她拿来一支沙龙牌香烟，点上了，"乔治·兰开斯特不肯直说的真正原因是他怕说了'不'之后，你就会把这个角色给别人，他的自尊可不允许这样。"

尼尔挠了挠下巴："其实问题是帕梅拉，那个家里她说了算。"

"是不是她逼他不要做出明确的回应？"

"我认为她也没有做好决定。她喜欢乔治拍电影，但是她不喜欢乔治抛下她一个人在好莱坞东奔西跑。"

"哈，"梦塔娜会意地点了点头，"这个女人恐怕是害怕那些野心勃勃的 16 岁美少女爬到她男人那副老骨头上吧。"

尼尔被逗笑了："你还从未见过帕梅拉，是吗？唯一能让她害怕的事情只有政府恐吓说要拿她的钱充公。"

"我都迫不及待想见她了。"

"你会喜欢上她的。"

"想打个赌吗？"

"我可不想冒险拿自己的钱跟一个生活中的佼佼者打赌。"

梦塔娜的脸上闪过一丝笑容，她把阅读用的眼镜推到头发上："你可真是个有魅力的家伙！"

"当然。"

梦塔娜伸出手臂："过来，有魅力的家伙。"

"我头疼。"

"尼尔！这应该是我的理由吧？"

"我真的头疼。"尼尔向她保证道。

梦塔娜从床上起来，轻手轻脚地走向浴室。"我给你找点止疼药。"她同情地说道。在棕榈滩和乔治·兰开斯特与帕梅拉·伦敦待了一周一定不怎么好受，这个可怜的家伙看上去疲惫不堪。梦塔娜其实也并不怎么想要做爱，尽管他们已经有好几周没有亲热过了。当然，和尼尔做爱依旧很棒，只不过他们在一起待久了，觉得没有必要每天晚上都做。目前他们两人的满腔热情都投在工作上了。何况，想启动电影拍摄并非易事，她感受尼尔比他看上去更忧心忡忡。

她从瓶子里拿了两片阿司匹林，倒了一杯水，走回卧室里。"来吧，"她把药片递给了尼尔，"我们还得等乔治做出决定，是吗？"

尼尔一口气快速地吞下了药片，没有看梦塔娜。根本没什么头疼，但是在跟吉娜做过之后他体力实在耗不起了。"乔治和帕梅拉两周之后会到这来。到时候，我们就会知道答案了。"他说道。上帝！尼尔感到非常内疚。他不需要梦塔娜的同情，这让他感觉更糟糕。

"贵族出游，多有趣！"她轻声地说道。

"我保证你会喜欢他们两个的。"

梦塔娜讽刺地扬起了眉："我绝不会的。"

"随你便，亲爱的，随你便。"

安琪儿非常清楚巴蒂正走进他们的公寓。尽管已经凌晨 3 点了，巴蒂并没有放轻手脚。他甩上门，喊着安琪儿的名字，打开了所有的灯。

安琪儿一声不吭，一动不动地趴在床上。一开始，当巴蒂丢下她离去时，她还焦急地等待着巴蒂回来。但是几个小时过去了，巴蒂甚至都没打一个电话给她，于是她开始感到伤心生气。她到底做错了什么招致巴蒂如此行径？为什么她的结局总是这么悲惨？就因为她的存在，她这辈子都在跟别人道歉。她本来期待和巴蒂在一起能有所改变，巴蒂会是她的新起点，她会开始有属于自己的家。

男声：安琪儿的养母不是经常告诫她吗？

"安琪儿？"巴蒂柔声问道。

男声：不要相信男人。

"你还醒着吗，甜心？"巴蒂声音大了一点儿。

男声：他们习惯不良，思想肮脏。

巴蒂摸了摸她的后背："安琪儿，宝贝？"

男声：他们只想要一样东西。

巴蒂慢慢把手伸进了被子里。

男声：一旦你给了他们，他们就不会尊重你了。

巴蒂把被子从安琪儿一动不动的身上掀开。安琪儿穿着蓝色的玩具娃娃图案睡衣和一条配套的短裤。

"你醒了吗？"巴蒂轻声说。

安琪儿仍然一动不动地趴着，双眼紧闭。

巴蒂并不气馁，他把一根手指勾住安琪儿短裤的松紧带，把短裤脱了下来。

安琪儿没说话。为什么她要说话呢？她正在生巴蒂的气，不是吗？

巴蒂把她的两腿分开，把自己的头弯下去，他的舌头像一条冰冷致命的蛇一样钻进了安琪儿温暖潮湿的下体。

为什么巴蒂的舌头这么冰冷呢？为什么她突然会兴奋得浑身战栗？为什么她再没法生巴蒂的气？

"噢……巴蒂……"从安琪儿嘴里传出的话就像从树上坠落的夏花一般。

巴蒂把头抬了起来，等了很长时间才说道："你没有生我的气，宝贝儿，对吧？"

安琪儿极轻极轻地叹了口气，喃喃地说道："把灯都关了吧，巴蒂，求你了……"

巴蒂脱掉了自己的裤子。"为什么？你有什么好遮遮掩掩的？"上帝啊，但是她让他欲火中烧。

.12.

迪克·安德鲁斯乘地铁到皇后区，花了一个早上的时间顺着皇后大道一路逛着二手车停车场。

最后，他总算找到了他想要的车。一辆棕色小型厢式货车，后车窗的窗帘已经破破烂烂。这辆车有五年历史，车载的里程表上显示着这辆车跑过很多路。

"多少钱？"他问那位穿着长袖衬衫的卖家。

对方是个狐臭很严重的男人，估摸了一下迪克这位潜在的买家。"价钱就在上面。"他最后说道。

"我知道。"迪克回答道，"但这个价你是卖不出去的。"

"谁说的？"

"这车不值这个价。还需要修理修理。"

"你怎么知道？"

"我能看得出来。"

"你还没开怎么知道？"

"我能看得出来。"

卖家把嘴里的口香糖吐在了地上："我可以减 100 美元卖给你。"

"300 美元。"

"我都没钱挣了。"

"给你现金。"

这位卖家抵不住他的好奇心问道："你就不想开一下吗？"

"我想把它从这里开走。我们能成交吗？"

卖家点了点头。如果迪克继续讲价，他可以砍掉 400 美元。因为这辆车的引擎根本就是垃圾。

15 分钟后迪克驾着这辆厢式货车离开了停车场。

迪克知道这车很差劲，但是他也知道只要修一下，引擎又会重新轰鸣起来。迪克玩车很有一套。

乔伊说道："你有车吗？"

迪克答道："不，我的确曾经有过。我过去有一辆野马车，是……"

"狗……屁！"

"什么？"

"我想出去兜兜风。也许去亚特兰大城不错，有趣吧？我们能在沙滩上做做。"

"做什么？"

"天……啊！有时候我简直不敢相信你。我们已经约会了三个星期了。你觉得我们会做什么？去海边用沙子堆城堡吗？"

"对不起，我——"

"别说对不起。我讨厌你说这个。"

"我可以弄来一辆车。"

"怎么弄？"

"从我上班的车库。"

"什么时候能弄到？"

"我不知道。我得等有人来修理车子，而且车必须停在修理厂过夜才行。"

"狗……屁！"

"怎么了？"

"我今晚就想出去兜风。"

"那就没可能了。"

"那我就回去工作，你最好回家。"

"不！我能给我们俩弄来辆车的。"

"是么？你确定，帅哥？"

"是的，我确定。"

迪克缓慢地、小心翼翼地开着车，不想在路上被人拦下来。他驶过肯尼迪机场，驶下高速主干道，开上了一条安静的小路。他把车停在路边，打开车前盖。汽车的引擎就跟他想象中的一模一样，花上几天的工夫应该能搞定。

他心满意足地掉头开回皇后区，把车停在皇后区地铁站附近，然后搭乘地铁回纽约。

他的房间在等着他回去。这是一间只有几英尺见方的冰冷屋子，里面有一张床、一个镜台还有他少得可怜的物品。

他只花了几分钟时间收拾行李。然后，他又一次踏上了自己的旅途。

.13.

午餐：小酒馆花园。

人物：伊莱恩·康迪、玛瑞丽·格雷、凯伦·兰开斯特。

菜单：沙拉、沙拉、沙拉。没有能导致肥胖的东西，她们三人永远都处于减肥状态。

主题：八卦。

凯伦对玛瑞丽说："你看上去真是性感极了。棕榈泉可真是个适合你的地方。"

玛瑞丽微笑着说：那当然。我遇见了个非常有趣的男人，他叫兰迪·菲利克斯①。

伊莱恩："他真的和他的名字一样吗？"

玛瑞丽："我怎么知道。我和他之间可不是那种关系。"

凯伦冷笑道："我看是除了那种关系，就没有别的关系了吧。"

玛瑞丽："兰迪他致力于保护环境。"

凯伦挖苦道："真的吗？"

伊莱恩直截了当地问："他多大了？他有钱吗？"

玛瑞丽大笑："我不知道，我也不太在乎这个。我可不打算要嫁给他。"

伊莱恩："那你打算怎么样？"

凯伦："她呀，打算钻进那可怜的小鬼头的裤裆里。他什么时候会来镇上啊？"

玛瑞丽感到被羞辱了："他可不是什么小鬼头，他至少有个二十六七岁了吧。事实上，他不久就会来洛杉矶。他在这里有自己的公寓。"

凯伦和伊莱恩异口同声地说："当然。"

玛瑞丽："上帝啊！你们这一对婊子。"

凯伦："床笫之欢是人之常情啊。"

玛瑞丽："我可没说有什么不对。如果我打算要探究'那可怜小鬼头'的裤裆，我一定会告诉你的，凯伦，亲爱的。"

---

① 兰迪这个名字的英文含义有好色的意思。

凯伦:"细节,我想要听细节!"

"凯伦!"

"对不起,对不起,我闭嘴。"

这三位女士是死党。她们三人都生活在同一个圈子里,对衣着、金钱、性都有一样的兴趣。而且她们三人都没有子女,这让她们更加亲密。凯伦——因为她根本不想要孩子。玛瑞丽——因为在她嫁给尼尔时曾流产过两次,便放弃了要孩子的想法。而伊莱恩呢,是因为她怀不上——但这从没有给她和罗斯带来过烦恼。

"噢!你们看看是谁进来了。"凯伦说道

三双眼睛在三副昂贵眼镜的保护下望向了入口处。那儿站着碧碧·萨顿,她身上穿着一件白色温加罗女装和一件夹克,佩戴着卡地亚的日间专用钻石首饰。

现在碧碧至少有 50 岁了。但在过去的 20 年里,她一直被奉为贝弗利山庄精英人群中的社交女皇,她一点儿都没变老。她的皮肤依旧跟罗马橄榄油一样顺滑,发色如擦亮的黄铜富有光泽,她的身形也依旧撩人,没有一点儿多余的脂肪。

据说在她的家乡法国,她曾经是一名记者,曾被派往巴黎采访住在酒店里的美国电影明星亚当·萨顿。还有人说其实她曾是一名高级收费的应召小姐,每晚都出入亚当·萨顿位于乔治五世饭店的套房,免费为他服务。

但谁在乎呢?这都是陈年往事了,不管她曾经是干什么的,现在的她是一位不可小觑的贵妇人。

碧碧·萨顿引领着时尚潮流。她能造就一名设计师、一间饭店、一位艺术家、一位餐饮业者,也可以毁掉他们。如果碧碧开金口认可一件事或一个人,那这事就准能成,这人就准能红。她有权势、时尚,个性又强势,而且还有一口法国口音,虽然 20 年后的今天听上去仍然像是心情欠佳的碧姬·巴铎①。她学了一口蹩脚的英语,这也算是她的魅力之一吧。

相比之下,亚当·萨顿则是一个高个子,沉默寡言的男人。同时也是一位将两项奥斯卡奖收入囊中的好演员。62 岁的他依旧是一位明星,也是洛杉矶社区中的公正诚实的一员。

碧碧·萨顿和亚当·萨顿两人共育有两个子女。女儿詹妮弗,18 岁,就读于波士顿的一所学院。儿子查尔斯,19 岁,远在哈佛就读。传言碧碧还有另外一个

① 上世纪五六十年代的电影史上,有两位性感名满天下的女星,一位是美国的金发尤物玛丽莲·梦露;另一位就是掀起情色新浪潮的法国性感小猫——碧姬·巴铎(Brigitte Bardot)。

孩子，是她和乔治·兰开斯特那段火辣情史的产物。但是碧碧一直拒不承认。"这是个肮脏的谎言。"她曾向一位勇敢（或者愚蠢）提及此事的记者说道。这个谣言就此平息下来。

碧碧和亚当·萨顿是好莱坞里的贵族。这一对完美的夫妇，富得流油，受社交场合欢迎，又有权有势。

"嗯……"凯伦嘟囔道，"我多么想撞见碧碧宽衣解带的场面。"每当凯伦想到多年前她父亲和碧碧火热地缠在一起搏斗，她就忍不住发笑。

玛瑞丽舔了舔嘴唇："我多么想在一个夜黑风高的夜晚将亚当捉奸在床，最好还是跟我。"

凯伦一脸惊讶："亚当·萨顿！你是在开玩笑吧，他可是贝弗利山庄里最无聊的家伙了。"

"谁知道呢？"玛瑞丽辛辣地反问道。

"反正我不会，"凯伦回答道："事实上，我都不敢想象有人会和他勾搭，他可是个不爱到处乱搞的男人。"

"这多不寻常啊。"玛瑞丽感慨道。

伊莱恩不理凯伦和玛瑞丽两人，直接站起来，全速朝碧碧的方向走去。

"亲爱的！"伊莱恩和碧碧两人同时出口，互相亲吻对方的脸颊，但是嘴唇却没有接触皮肤。"你近来可好？"两人再次异口同声说道，"你看上去真是棒极了。"

客套话讲完了。"碧碧，"伊莱恩紧接着说道，"我正想着要在这个月 24 号举办一场小型晚会。那天是星期五，不是什么大聚会。过了这么久我总算有时间让大家聚一聚。罗斯总是这么忙。上帝啊，我跟你说这些干吗。你和亚当能参加吗？"

"亲爱的！"碧碧看上去非常震惊，"啊！我怎么知道呢？你觉得我不带我的记录本能记住所有事情吗？你给我打电话吧，我们非常愿意来，如果我们有空的话。怎么样，亲爱的？"

"好的，没问题。我晚些时候给你打电话。"伊莱恩顺从地说道，很难想象在一个萨顿夫妇无法出席的日期举办宴会。伊莱恩飞快地回到阳光灿烂的时髦花园里，坐回了她的桌旁。

"运气如何？"凯伦询问道，其实刚才的一举一动她都了然于胸。

"我必须在晚些时候给她打电话。"伊莱恩闷闷不乐地回答道，"她没带她的记录本就什么都不知道。"

"胡说，"凯伦直截了当地说，"她从来不会承诺任何事情，除非她确定聚会那天晚上没有更好的去处。几年前，我父亲为她举办了一场生日派对，她居然在最后一分钟说她不来了，反而去参加一个为赫鲁晓夫举办的破晚宴。爸爸被她气炸了。"

"我敢肯定这都是她的鬼话。"玛瑞丽同意道，"我父亲曾找亚当拍过两部电影，可碧碧却仍旧没邀请我爸爸去她家，因为有一次她办了个特别晚宴，爸爸没有出席。"

伊莱恩看着她的两位朋友。伊莱恩跟她们在一起时有时会觉得很不舒服，很没有安全感。她们俩是如此自信，她们也理应如此。因为她们从小就在贝弗利山庄长大，背后有个富有且出名的父亲，总是不缺钱花，无论她们嫁给谁也总能被人接受。这是她们与生俱来的权利。而从纽约布朗克斯区来的埃塔·格罗丁斯基却必须为每一件事奋斗。嫁给电影明星，住进贝弗利山庄里的别墅，成为聪明迷人的伊莱恩·康迪，这些都不是容易的事。伊莱恩低落地抿了一小口白葡萄酒。

想想自己有多幸运吧。这些女人是你的朋友，她们接受了你，她们喜欢你，她们跟你分享情感生活，把她们的衣着和化妆品，她们的整形外科和妇科医生统统都告诉你。你是她们其中的一员了，你已经是了，永远不要忘记。

埃塔·伊莱恩。她小心翼翼地隐藏自己的身世背景。她的父母依旧健在，很久以前就从布朗克斯区搬到长岛上的一栋舒适的房子里了。时至今日，她依旧没有邀请过他们来贝弗利山庄看她。迄今为止，他们二老也从未见过罗斯。伊莱恩每周给他们打一次电话，每月给他们开一张支票。他们是单纯善良的人，如果让他们生活在伊莱恩的世界里，他们绝对会感到不自在。

你以他们为耻，伊莱恩。

不，我没有。

"看看碧碧和谁在一起呢？"凯伦惊叫道。

所有的眼睛都转过去观看碧碧姗姗来迟的伙伴，他急匆匆地穿过拥挤的餐馆，来到碧碧的餐桌旁。

"只不过是沃非·斯戈威克罢了。"玛瑞丽轻蔑地说道。

"我的天啊！我刚刚还以为是她的情夫！"凯伦大叫道，"他看上去不一样了，他怎么了？"

"减了大概 30 磅。"伊莱恩插话说道。

"所以他，"凯伦惊叹道，"他现在明显苗条多了。"

沃非·斯戈威克，一位职业的社交陪同。被冠以此名的都是富有而且社会地位优越的男人，他们主要是负责在那些贵妇人的丈夫们没空时，陪她们出席各种各样的开幕式、画廊和餐馆等她们应该露脸的地方。南希·里根①就有一位专属陪同。而沃非则是碧碧的陪同。他曾一度很胖，在瘦身成功后，他只能称得上是丰满。他长着一张圆脸，腿有点儿短，着装昂贵，穿的是最好的古奇②男装。五十出头，拥有一家遍布全美的特许经营公司，是一家非常成功的时尚卫浴连锁企业。他为人诙谐幽默，每个人都喜欢沃非，但是他专属于碧碧，从未背叛过。

"你知道吗？"玛瑞丽一边说，一边用她完美的指甲敲打着桌面，"我曾邀请过沃非来我家吃个早午餐，他想都没想就问碧碧和亚当是否也会来。那时候我还和尼尔在一起，尼尔讨厌碧碧，才不在乎别人知道他讨厌她。尼尔说她是个败坏社会风气的法国婊子！"玛瑞丽傻笑着回忆道，"总之，我说没请碧碧他们俩，然后他就说不来了。你们能想象吗？他甚至都不愿意抛开碧碧，和我们一起吃个小小的早午餐。"

午餐在一阵八卦、讽刺、恶毒言语中匆匆结束，名声、风流韵事、才能、长相被随意践踏。伊莱恩要求结账，并把账单记在了美国通运公司头上。凯伦急着赶往她的心理医生那儿，伊莱恩和玛瑞丽则慢悠悠地走出饭店，走向一位随时待命的停车服务生处取各自的车。

玛瑞丽抬起太阳镜，神秘兮兮地凝视着伊莱恩："你觉得怎么样？"

伊莱恩用专业的眼神看了一眼玛瑞丽最近做的整形。她嫁给那位整形医生可不是什么都没学到的。"非常棒。"在仔细检查一番后，她认真地说，"真是一流。"

玛瑞丽异常兴奋："实话吗？"

"我怎么会撒谎？"

"你当然不会！"

停车服务生把玛瑞丽崭新保时捷涡轮卡雷拉跑车开了过来。玛瑞丽不放过她能从尼尔那儿得来的每一分赡养费，尽管事实上她并不缺钱用。她的父亲赠予了她两份信托基金，这两份都已经归她所有了。在迪龙·桑德森死后，玛瑞丽还能继承另外一份财产。"我要去奈曼·马库斯百货公司，"她说道，"你不如跟我一起去吧。"

伊莱恩摇了摇头："我得回家，现在罗斯回家了，我的时间不能自由支配了。"

玛瑞丽点了点头表示理解，朝她的车走去。

---

① 里根总统夫人。
② 古奇，著名时装品牌。

"顺便说下。"伊莱恩把一只手搭在了她好朋友的手臂上止住她,"有一件事情,我想让你帮我个忙。"

"什么事?"

"你看……我知道现在你和尼尔的关系并不是太好——"

"这可是我今年听到的最含蓄的话了!"

"但是,你可不可以……你能否……"

玛瑞丽变得不耐烦了:"到底想说什么,伊莱恩?"

"我需要一本《街头路人》的剧本。"伊莱恩脱口而出,"这很重要,我立马就需要。"

玛瑞丽扬起眉毛:"那剧本就是一垃圾。"

"你读过?"

"我还需要读吗?据称是梦塔娜写的,这还不够说明吗?"

伊莱恩脸上泛起了红晕。她非常讨厌求人:"你能帮我弄来吗?"

玛瑞丽机灵地盯着她的这位朋友:"别跟我说是罗斯感兴趣。"

伊莱恩耸了下肩,希望用这种含糊不清的方式来回答:"他什么都想看一下。"

"他的经纪人不能给他弄一本?"

"目前看来,剧本还处于保密阶段。"

"也许是因为剧本太烂了吧。"玛瑞丽嘲笑道,"噢,好吧,如果你想要,那就给你弄来。在这个镇子上就没有什么我弄不到手的东西。"

"谢谢,玛瑞丽。"

"这没什么。"

两人再一次互相亲吻了左右脸颊,然后分道扬镳。玛瑞丽开着她的新保时捷呼啸而去,而伊莱恩则郁郁寡欢地钻进那辆已经开了四年的老式奔驰。很快……很快这一切都会发生变化。康迪一家又会卷土重来,她再也不用求任何人了。

"我刚和你的老婆分开。"凯伦在电话里用嘶哑的声音说道。

"那又怎么样?"

"我把一切都跟她说了。"

罗斯花了很长时间来消化这个信息:"你说了什么?"

凯伦的声音里充满了情感:"什么都说了,罗斯。关于我们俩的。我想她可能会想要宰了你!"她再也忍不住笑声了。

"聪明的婊子。"

"你说对了！"

"你在哪儿？"

"在我的心理医生的候诊室。我正打算把我们的事情跟他说。"

"别！"

"为什么？我会把他说的话告诉你的，我保证。"

"该死，凯伦，别提我的名字。"

"我要是不说的话，有什么好处给我？"

"把你见过的最大的老二给你。"

凯伦轻轻窃笑道："我对此可不太确定啊。"

"我明天给你打电话。"

"这还不够。你什么时候打？"

罗斯想要她，但是他更想要《街头路人》的剧本，在得到剧本之前，他不打算离开房子。

"我说了，明天会给你打电话。"

凯伦可不打算这么容易地被打发掉："我知道你们家马上要举办一个派对了。"

"是的。"

"伊莱恩花了一整个午餐的时间邀请碧碧·萨顿呢。"

"她请到了吗？"

"她得到了一个含糊的答案。你也知道碧碧这个人。"

罗斯了解贝弗利山庄的社交习俗。如果伊莱恩不能请到碧碧·萨顿，那么她还不如不去费心思办派对。也许罗斯该给亚当打个电话，拉拢下这位老朋友。

"我得进去了。"凯伦突然说道。她必须赶在他前面挂掉电话。

"不准你向那该死的心理医生提到我的名字。"罗斯警告她。

凯伦一句话都没说便挂掉了电话。罗斯回到躺椅上认真地晒着太阳，脑袋里想象着小酒馆花园里发生的场景，碧碧摆出一副难以接近的样子，伊莱恩穷追不舍，凯伦则在旁欣赏着这整个奉承讨好的场面。

凯伦。在她说已把奸情向伊莱恩和盘托出时，有那么一瞬，罗斯确实昏了头信了她。这娘儿们确实有种恶作剧的幽默感。也许他该把她甩了。

但是为什么要这样呢？凯伦绝不会开口告诉伊莱恩的，罗斯也想继续享用凯伦淫荡的身体和那对让人欲火中烧的乳头。啊，那一对乳头啊！

还想要更多……但不能立马就要。但也快了……在罗斯看了《街头路人》的剧本之后……在莎蒂·莎乐成为他的经纪人之后……在他感到更加……稳定之后。

巴蒂觉得好像刚合上眼没多久，电话铃就把他吵醒了。"谁啊？"他嘟囔道。

沉默被打破了："巴蒂？你醒了？"

"早上再给我打电话。"巴蒂疲倦地说道。

"现在就是早上啦，"电话对方愤怒地回答道，"都 10 点了，你该起床了。"

"兰迪！"巴蒂慢慢地睁开一只眼，"你还好吗？"

"一切都好。没有比这更好的了，我总算找到了个真正有钱又火辣的女人。"

"嘿——这太棒了。"巴蒂睁开另外一只眼睛，在床上到处摸着想寻找安琪儿，但她不在床上。

"对极了，确实很棒，"兰迪轻快地说道，"我是绝对不会放过这个机会的。目前呢，我是个正直先生，她也很喜欢我，只要再加大投入力度，我想我可以真正踏上正轨了。"

"好，好……"巴蒂嘟哝着，希望这次通话和公寓无关。

"我明天就开车回镇上。"兰迪说道，"我需要我的公寓，我知道我通知得有点儿晚，但是我当初只答应借给你几周而已，嗯……你已经在那里住了一段时间了。我会在明天中午左右到达。"

巴蒂努力想说些什么。但是他能说什么呢？嘿，老兄。我没别的地方可去，我也没钱了，我还有个老婆要养。我现在一无所有。他不能这么说，也绝不会这么说。

自尊心。巴蒂的自尊心很强，他不会承认从自己回来后一份臭屁的工作都没找到。

"等你到了，我们早就走了。"巴蒂假装兴高采烈地说道，"谢谢你把这地方借给我们住，兰迪。事实上呢，我们马上就要搬进日落塔里住了，上星期我们刚在那儿看上了一间不错的房子。"

"日落塔？这么说你一切都很顺利咯？"

"当然是的。"

"我迫不及待地想见到你老婆。"

"我们会在下一周给你打电话，大家见个面。"

巴蒂砰的一声挂断电话，从床上跳了起来。

该死！该死！该死！

他袭扫冰箱，从纸板箱里拿出一瓶橙汁猛灌，抓了一把提子干，又拿起一个苹果咬了一口。

然后，他想着自己能做些什么。

找格来朱赖格斯。可他早就不做那行了。

马克辛·索尔托。他是巴蒂最后的选择。

弗朗西斯·卡文迪什。马上给她打电话问问《街头路人》的情况。

雪莉。怎样才能成为一名脱衣舞男？

他穿上内裤，不由自主地就开始做俯卧撑。他想起了格来朱赖格斯的室友，那个圆滚滚的男同性恋，还有那只淫荡的狗。那个男人曾把他的名片丢给了巴蒂，说道：“给我打电话。”

那为什么不试试呢？碰碰运气也好。

是的。但是那个家伙的名片哪儿去了呢？巴蒂把它放哪儿了？巴蒂试着集中精神做俯卧撑，却无济于事。一个人都快露宿街头了，还怎么会心思集中在健身上呢？

巴蒂突然一跃而起，拨通了弗朗西斯·卡文迪什的电话。

“卡文迪什女士正在开会中，要让她给您回拨吗？”一个陌生的声音低沉地说道。

“我有急事。”巴蒂急忙说道，“紧急的公事。”

“噢，我会留意的……请问我该告诉她是谁打电话来的呢？”

“罗伯特·埃文斯。”

对方尊敬地回答道：“好的，埃文斯先生。”

在等待了半秒后：“博比①，你可好？我能为你做些什么呢？”

“弗朗西斯，我是巴蒂·哈德森，别生气，这事很紧急。”

“我的天啊！”

巴蒂迅速说道：“弗朗西斯，有一部电影叫‘街头路人’，那里面有个角色很适合我。你想不想再造就一个明星？如果想，那就帮我弄到那个角色，好吗？”

弗朗西斯怒不可遏：“不好！”

“为什么？”

“亲爱的孩子，确实有那么一部叫此名的电影，但是里面有没有适合你的角色，

---

① 博比是罗伯特的昵称。

我可不知道，因为我也没看过剧本。事实上，也仅有很少人看过那部电影的剧本。这部电影还处于保密阶段。"

"胡说，弗朗西斯，没有你看不到的。"

弗朗西斯发出一声如驽马的嘶吼："你说得一点儿都没错，巴蒂，亲爱的。但是，这一次所有的角色分配都由编剧决定。"她的声音充满了不屑："明显那编剧比我们这些可怜的选角老专家知道得更多。我的意思是我入这行不过才30年，我就知道这些。我怎么可能会知道呢？"

"那编剧是谁？"

"梦塔娜·格雷，导演的妻子。我向你透露得够多了吧？我必须挂电话了，巴蒂，不要再用假名找我了。你明白了没有？"

"我需要份工作，弗朗西斯。"

弗朗西斯叹了口气："你总是需要一份工作，但是我给你介绍的那些工作，你从来都不做。"

"这么说你有活儿给我做了？下一次就轮到我了，我知道。"巴蒂能感觉到她在思考，希望她能给自己提供一个面试机会。

"你有兴趣做临时演员吗？"弗朗西斯最后说道。

一股愤怒流遍了巴蒂全身。临时演员！巴蒂宁可离开镇子也不愿意屈尊去当临时演员。"不！"他冷冷地说道。

"对不起，那我现在帮不了你了。"

巴蒂是多么讨厌电话。先是兰迪的电话，然后是弗朗西斯的。电话总是带来坏消息和令人沮丧的事情。

这时传来了安琪儿钥匙插进门里的声音，巴蒂要怎么跟她说呢？

安琪儿看上去特别漂亮，身上闪着一种特别的天真。

"对不起，我没有给你做早餐。"她温柔地喃喃道，走到巴蒂身边，把手搭在他腰上，"因为我得去看医生。"

他心念电转。梦塔娜·格雷，导演尼尔·格雷的妻子。他们亲自挑选电影角色。雪莉说过奥利弗·伊斯特恩是制片人。巴蒂轻推了一下安琪儿："帮我打电话给查号台，宝贝。我需要伊斯特恩制片公司的电话。"

安琪儿带着受伤的神情盯着巴蒂："我刚才说，我去看医生了，你就不想知道为什么吗？"

"当然，我当然想知道。"接着像是事后想起来一样，"你为什么没告诉我你要去看医生？”

"我……我不确定你是否会高兴。"她凝视着他，眼中的喜悦掺杂着一丝不确定，"但是既然已经确认了……"

安琪儿将要说的话让巴蒂感到惊恐，他感觉就像被一颗铅弹击中了。"上帝啊，宝贝，你不会是——"巴蒂无法鼓起勇气把整句话说完。

安琪儿点了点头，轻声说出了巴蒂没说出来的话："我怀孕了。"

"噢，不！"

"噢，是的！这难道不好吗，巴蒂？这难道不棒吗，巴蒂？"

巴蒂不知该说什么。一种窒息感向他袭来。他想要把安琪儿推开，但是他控制住了自己。

"嘿，我要去游泳，我要迟到了，我会回来的。"巴蒂像小偷一样冲出公寓。

"巴蒂——"安琪儿在巴蒂背后喊他，但是他没有停下来。

安琪儿把眼睛闭上了片刻，紧紧闭着，不让眼泪流出来。噢，天哪……情况真的和电影里演的不一样，但她必须停止为自己感到悲伤。如果巴蒂不喜欢她肚子里的孩子，那就太糟糕了。她对此很高兴，她确信巴蒂最终也会开心的。毕竟，巴蒂爱她，不是吗？这个孩子能给他们一个真正的家。

"如果你想要，那你就拿去吧。"警长拉科斯特指着他桌子上的 一叠厚厚的卷宗说道，"但是你明白我们已经尽力而为了。他的描述，照片，还有指纹已经发向全国。现在需要等待他下一步的行动。"

"我知道，但我就是觉得我们遗漏了什么东西，我想要再翻阅一遍这份卷宗。我打算花自己的时间来调查这个案子。"这份卷宗里的一切他都一清二楚。他离开了警长的办公室，直接走向他停在外面的车子。外面正下着雨……

莱昂为把自己雨衣弄丢了感到烦恼。那雨衣可是正宗的英国货，是一位好朋友在伦敦巴宝莉①买的，带回美国作为一份特别的生日礼物送给莱昂的。一想到乔伊那个小妓女穿着它在镇上到处瞎晃，莱昂就气不打一处来。

他也想过开车到外面找乔伊，可是他刚洗了个长长的热水澡，不想在天气这么恶劣的夜晚再冒雨出去一次了。于是他穿上睡衣，喝了一大杯白兰地，坐下来看电

---

① 资深服装品牌，雨衣为其知名产品。

视上播放的一部西部老电影。

他一定是坐在电视机前睡着了，那一阵紧急的敲门声把他惊醒了。他半睡半醒地摸索着走向前门，路上看了一眼手表，心里好奇到底是谁在凌晨两点骚扰自己。

他推开门，呈现在面前的是一幅糟糕的画面：乔伊·克拉韦茨浑身湿透地站在那里。她的T恤衫透明地粘在身上，松垮垮的裤子湿漉漉地贴在腿上，橙色头发搭在头皮上，几滴水珠顺着她歪歪的塌鼻子滴淌着。

"我来还你雨衣。"她边说边可怜地把雨衣递给莱昂。

莱昂看到自己的雨衣很高兴，但是却不高兴看到乔伊："你怎么知道我住在这儿？"

乔伊从雨衣的口袋里掏出一张皱巴巴的字条："你的电费单。"她刚说完就立马打了个喷嚏。

"我想你最好进来。"莱昂不情愿地吼道。

"啊呀，太感谢了。"她嘲讽道，"还以为你不会邀请我呢。"她脸上立马绽放出笑容，"真漂亮的睡衣，真性感。我喜欢那个窥视孔。"

莱昂这才窘迫地发现自己裤子前的开口没扣上。"稍等。"他严厉地说，急匆匆地跑向浴室，换了一件浴衣。当他返回起居室时，莱昂看见乔伊站在电视机旁，雨水滴得满地毯都是。

"听我说，"莱昂生气地说道，"我会给你找几件衣服换上，等你衣服干后，我会给你叫辆出租车。"

"我无处可去了。"乔伊哀号道。

"你一定有地方去。"

"没有。"乔伊倔强地说道。

"那我们只好再回少管所了。"

乔伊立马转变了态度："噢，该死！"她咆哮着，"你嘴里是装了录音机吗？少管所！少管所！就知道说少管所。你只会说这个吗？"她又打了几个喷嚏，这让她没法继续说下去。

"你能不能在得肺炎之前先进浴室把这一身湿衣服换了？"

乔伊顺从地点了点头。莱昂领着她去浴室，想着该怎么安排她。

"我能洗个澡吗？"乔伊大声问道。

"可以。"莱昂勉强答道，"把你的湿衣服丢出来给我，我会想办法把它们弄干。"

莱昂走进厨房，打开电热水壶，把乔伊丢在地上的湿衣服捡起来铺在了暖气片上。随后，他又从自己的衣橱里找了件宽大的运动衣和一条旧裤子，把它们丢在浴室门外，以供乔伊洗完后穿上。

他，莱昂·罗斯蒙特，怎么堕落到让一个26岁的妓女在家里洗澡的地步呢？上帝啊，如果这事被管辖区的人发现了，他会沦为众人的笑柄。

洗完澡后的乔伊干燥清爽，穿着一套莱昂的衣服，整个身子滑稽地包在衣服里。水开了，莱昂往杯子里倒了些水，丢了个茶包进去，又加了两块方糖，然后递给了乔伊。

乔伊坐在了厨房餐桌上，满心感激地抿着茶。

"我到底应该拿你怎么办呢？"莱昂问。

"让我今晚睡你沙发上，明天一大早我就走。"她快如闪电般地回答道，"老实说，我不会给你添麻烦的，我会走的，老兄。我说到做到，我可以跟你打包票。"

"我不能这么做。"

"为什么？"

莱昂想了一会儿。他还能拿她怎么办呢？唯一的选择只能是把她送回少管所，但这就意味着得穿上衣服，拽她回警察局。外面还在下着倾盆大雨，这可怜的孩子会被关在一个单间牢房里度过整晚，单是做笔录……

莱昂迅速做出了决定。不管这么多了，今晚就让她睡在沙发上，第二天早上就带她去她朋友那里，就当是为了确定她说的是不是真话。

莱昂头脑后面一个声音在警告他："这样不对。"但他不理它，他从大厅壁橱里取出备用的毛毯和枕头，把东西丢给乔伊后他离开了客厅。

莱昂关上卧室门，上了床，读了两章约瑟夫·沃巴夫[①]的小说便睡着了。

暴风雨约在凌晨3点半袭来。屋外电闪雷鸣，状如枝杈的闪电在天空闪过，轰隆隆的雷鸣声震耳欲聋。莱昂睡得很沉，没有什么能吵醒他。但乔伊则立马就被吵醒了，光溜溜的她抱紧裹在身上的毛毯，开始浑身发抖。闪电发出的刺眼光芒和巨大的雷鸣声把她吓坏了。她童年时曾有过一段可怕的经历，暴风雨让她感到恐慌。

她从沙发上跳了起来，冲进了莱昂的卧室。莱昂平躺在床上，鼾声连连，什么都不知道。

乔伊轻轻地掀起被子，爬到了莱昂的身旁。莱昂没有动，乔伊紧紧依偎在他身边，莱昂的大块头让她感到安稳。睡梦中的莱昂动了动身体，发出了叹息声，轻声

---

① 警察作家，警匪故事畅销小说作家。

嘀咕着什么。

"你醒了？"乔伊小声问，她把身子弯成一把调羹的形状，贴着莱昂的背部曲线，双手在他的胸前到处乱摸。

莱昂一动不动，他的鼻息很重。

乔伊探索着莱昂长满卷毛的胸部，直至找到他的乳头才停下来。经验告诉她，拨弄乳头不仅能让女人兴奋，男人亦如此。乔伊找到了莱昂的一个乳头，随后又找到了另一个，然后她开始用粗短的小指尖拨弄。在她手指的触碰下，莱昂的乳头很快就硬了起来。她随即把手伸向下方，找到了莱昂睡衣裤子的开口，把手滑了进去。一阵节奏缓慢的玩弄后，莱昂嘴里传出了低沉而愉快的呻吟声，尽管他依旧在熟睡。

乔伊开心地笑了，她专注于在不吵醒莱昂的前提下让他驶入高潮，忘却了屋外的暴风雨。

完事之后，乔伊朝着莱昂的后背靠得更近了，慢慢地，她也睡着了。当她醒来，天已破晓，暴风雨也早已停歇。莱昂心满意足地躺在她的身旁打着呼噜。这有什么不好的？乔伊给了他想要的东西，所有男人想要的东西。莱昂也许有点儿像父亲一样假惺惺地关心她……但他终究是个男人。他不会真正关心乔伊的遭遇。

乔伊挪动着身体，小心翼翼地离开床，看了一眼莱昂慵懒的样子，还检查了一下莱昂放在镜台上的钱包。这下有的挣了，钱包里有 319 美元。乔伊一冲动，把所有的钱都抓在了手里，去厨房收拾了自己的衣服，穿在了身上，然后悄然离开了公寓。

警长拉科斯特允许莱昂把安德鲁斯的档案带回家的那天，米莉·罗斯蒙特咒骂个不停。整整两个半星期，每天晚上莱昂都把自己关在狭窄的书房。莱昂把这份讨厌的卷宗拆分成一块块，平铺在他的桌子上。他就坐在桌子前，一连几小时，在可爱的拍纸簿上写的无非就是那么几句（每天早上米莉都检查纸篓，发现每一张纸上都隐晦地写着这几句话：为什么？他现在在哪儿？他什么时候再次作案？）。

米莉觉得是时候把事情讲明白了。她端着一杯咖啡和一块三明治走进了莱昂的书房。"莱昂，"她严厉地说道："我可以跟你说会儿话吗？"

莱昂把沉重的阅读用的眼镜摘了下来，摸了摸他那厚鼻梁，把头抬起来："如果你都不能的话，那我不知道谁可以了。"

米莉把咖啡和三明治放在桌上，严肃地盯着莱昂："你对这个案子太痴迷了，我不喜欢你这样。"

莱昂同情地看着自己妻子，尝试着站在她的立场来看待问题。如果莱昂能把事情解释给她听，告诉她为什么他觉得要亲自调查这个案子，也许会更好。但是不行……他不能这么做……他会感到羞愧、尴尬……他伸了伸腰，感到肩膀酸痛，脖子周围很紧："如果你不想让我继续……"

米莉用手做了一个无奈的手势："这不是我想或不想的问题，这是为了你好。"

"为了我好，"莱昂慢慢地说道，"那就让我把这个案子破了。"

"你这是什么意思，把这个案子破了？"米莉生气地回答道，"谁是凶手显而易见。你知道是那个孩子干的，你也知道他迟早会被绳之以法。情况总是这样——你过去都这么告诉我。"

莱昂喝了一小口热咖啡："可我想知道为什么，米莉。我必须知道。"

"我不是告诉你了吗，你现在已经对这个案子痴迷了。而且是病态的痴迷。"米莉沉默不语，良久地看着他，然后转身离开了房间。

"米莉！"莱昂在她背后喊着，"我说错了什么？"

米莉没有回答。她在生他的气。

莱昂又咬了一口三明治、喝了一口咖啡，然后拿起本子，在上面写：迪克·安德鲁斯在哪里出生？什么医院？哪一座城市？哪一天？

这些可能都无关紧要。但，依然……在所有关于安德鲁斯的文件里，他没有发现任何他们 20 年前到达费城之前的生活资料。没有结婚证、没有出生证明、没有亲戚的信件。没有任何他们来自何处的信息。

这让莱昂感到很烦恼。为什么没有他们过去的记录？难道他们是为了躲避什么事或者什么人？还是迪克发现了什么他不该发现的事情？

这是一种猜想。

莱昂在一张干净的纸上写道——找台电脑查一下威利斯·安德鲁斯和温妮弗德雷·安德鲁斯。

这又有何不可？反正又不会有所损失。

.14.

巴蒂看上去好得不能再好了，这可不得了。接待台的女孩被他迷得神魂颠倒，都忘了查看就摆在眼前的打印名单表，她满脸洋溢着热情的笑容把巴蒂领向电梯，并祝他好运。

运气。巴蒂正需要这个。

运气。巴蒂渴望它就像吸毒者渴望毒品一样。

巴蒂按下电梯按钮。20楼。20这个数字会不会成为他生命里新的幸运数字呢?

在电梯间一边有一块镜子,巴蒂再一次检查了下自己的容貌。

你看上去很棒……你看上去很棒……你看上去有超级明星的架势……

继续保持这种想法,继续朝好的方面想。

他走出电梯,来到一片人山人海之中。有人坐着,有人靠墙休息,这些人霸占了每一寸空间,他们身材各异,体态不均,年龄不等。在人群的中央有一张玻璃桌,一位看上去有条不紊的金发女孩和一位年纪较大的红发女人坐在那里。对巴蒂而言,40岁的人就算上了年纪,除非你指的是简·方达或是拉蔻儿·薇芝。

巴蒂信心十足地走向那张桌子,同时他很快就发现了主战场的所在地。一个镶板橡木门上挂着一块黄色的铜板,上面写着:**梦塔娜·格雷**。

女士,你就等着大饱眼福吧。巴蒂帅哥在此,巴蒂帅哥来出演你的电影了。

巴蒂径直走向那位金发女孩。她拥有一双漂亮的绿眼睛,皮肤光滑,可惜鼻子整得不好。

"巴蒂·哈德森。"他自信地说道,"格雷女士正在等我。"

金发女孩微笑地戴上一副淡紫色眼镜,查询名单。

巴蒂知道她不可能在表格上找到自己的名字,于是他又赶紧接着说:"是鲍勃·埃文斯亲自给我安排的面试。"

那位金发女孩停了下来:"他有吗?他跟谁说的?"

"哦,他和梦塔娜·格雷女士说的。她同意我直接过来面试。我在全国广播公司的一个特别栏目工作,而且我……"巴蒂看了一眼自己的表,"只剩下42分钟就得返回节目录制现场了。"现在他露出的笑容表示:*我想你是我这辈子里见过的所有女人当中最有魅力的,我要和你狠狠做爱,因为你完全就是一个令人无法抗拒的绝世美女!*"那么,"他继续说道,"如果我能下一个进去,我会非常感激。我并不是想破坏你的计划表或什么的。"

这位金发女孩可不是个没见过世面的,她曾和许多男人打过交道,见过许多场面。她把自己视作攻坚的难关。

她脸上始终挂着微笑。巴蒂·哈德森可不是一般的男人!她本能地知道巴蒂渴望自己，并不仅仅是因为她是通向梦塔娜·格雷的门户。

"我看看我能做什么。"她说道，在名单上写下了巴蒂的名字。

巴蒂平视着她："我真的很感激。"

首先让巴蒂感到震惊的是梦塔娜根本不是自己喜欢的类型。没门儿，完全不是。

梦塔娜坐在一张大办公桌后，表情镇定自若，穿着一件宽肩夹克和一件细条纹衬衫。她把黑发编成了一条长辫子甩在背后。她的整张脸几乎都被巨大的浅色阅读眼镜遮住。她的皮肤是橄榄色，看上去容光焕发。她的嘴很大，但没有涂口红。

不，她可不是巴蒂喜欢的类型。巴蒂喜欢温柔、漂亮，具有吸引力的金发女人。他喜欢有女孩子气的女人。

梦塔娜正忙着在便笺上写着什么，她头也没抬，示意巴蒂坐下。只有她对面的那一张皮革椅可以坐。巴蒂恶狠狠地瞪着那把椅子。谁要坐啊？坐在那上面哪还有什么气势？第一印象十分重要，巴蒂希望当梦塔娜写完后抬起头来时，能感受到他十足的性格魅力。

巴蒂徘徊在门边，准备在赢得她的全部注意力时再走向办公桌。走路很重要。趾高气扬、用力扭晃着身体走路是巴蒂的一部分。上帝啊！巴蒂不会是在紧张吧？巴蒂帅哥是绝对不会紧张的。

那为何他的腋下湿了一大块？又为何他的上嘴唇布满了细小的汗珠？

婊子！难道她要读一整天吗？到目前为止，一切进展顺利。谁会想到巴蒂能这样靠撒谎轻轻松松走进来见梦塔娜呢，而且是在一大群可能已经预约过的人前头？为了这点儿小运气，巴蒂该谢谢那位鼻子没整好的金发女孩。如果好莱坞所有的金发女人都被人睡过了……该死，很可能已经没有完璧了！

巴蒂真希望自己对电影中的那个角色有所了解。他应该呈现出什么状态？是狂野的性感，还是男孩气？迷人？抑或是长相帅气的达斯汀·霍夫曼[①]？

该死！他仅仅知道电影名以及这部电影是梦塔娜写的，她的老男人负责拍摄。

他的心揪得紧紧的。紧张。如果他总是这个样子，不到30岁就得患上胃溃疡。

是的，怎么会不紧张呢？兰迪要把他们赶出公寓，他身无分文，没有工作，几个小时之前，安琪儿还平静地告诉他她怀孕了。

---

① 达斯汀·霍夫曼（Dustin Hoffman），1937年8月8日出生于美国加利福尼亚州洛杉矶，美国电影演员。代表作品有《毕业生》《小人物大英雄》《恐怖地带》等。

胃溃疡。也许这病会让他丧命，这样他就可以摆脱所有的烦心事了。他惴惴不安地拖着步子走。

"我马上就好了。"梦塔娜说道，头没抬起来。

我可以等。我的意思是为什么我不能呢？我只不过是又一个不名一文的待业演员。谁会关心我的感受？

听完安琪儿的消息后，他很冷静。安琪儿很高兴——无论如何现在不是告诉她不得不堕胎的好时机。他们根本抚养不起孩子。他装作像是听到了一个好消息，一个天大的好消息。然后，他穿上一身漂亮衣服，灰溜溜地走了。人闪得非常快。

他是临时决定悄悄混进伊斯特恩的办公楼。现在他在这儿，她——梦塔娜·格雷女士就在眼前。可惜她不是巴蒂喜欢的类型，绝对不是。但如果你喜欢坚强有胆量那一类型的，梦塔娜可算是个大美人。

梦塔娜把笔含在嘴里，把阅读用眼镜推到头发上，一双好似激光束般的虎眼定在了巴蒂身上。"巴蒂·哈德森。"她冷冷地说道，"我不记得鲍勃·埃文斯打过电话提到过你。"

梦塔娜可不是个容易上当受骗的人，这一点巴蒂能看得出来。那就只能摆出诚实的态度，孤注一掷了。巴蒂大摇大摆地走向她的办公桌，像要把整个人丢进椅子里一样，两腿随意地分开："他没有。"

"他没有。"梦塔娜耐心地重复道。

"是的。"

"那你是不是应该告诉我你为什么会出现在这里？"巴蒂那黑檀木般的迷离双眼和梦塔娜激光束般的虎眼四目相对，僵持了片刻。

"因为，"巴蒂带着一丝傲慢缓缓说道，"如果你没见我，那你一定错过了你想要的人。"巴蒂用一个性感的眼神长时间注视着她，想以此获得她的喜爱。

梦塔娜耐着性子问道："我会吗？"

巴蒂强装信心满满，"你当然会。"

梦塔娜把笔尖从两唇之间拿下："为什么你不收回你那套呢，哈德森先生？"

"嗯？"

"收回你'我——是——所有会走路的男人中最性感的——性机器'这一套，让我好好看看真实的你。"

巴蒂皱了皱眉："嘿——"

梦塔娜亲切地笑道："你不可能把他们全比下去。"

"我——"

"你带照片了吗？或是简历？"

"我什么都没带。"

"那你就告诉我你到底干过些什么？"梦塔娜把笔放在了桌上的笔记本上。

天啊！她对巴蒂的表演经验感兴趣，是真正感兴趣！

"我……哦……我演过《警界双雄》，还在《上天入地大追击》里出演过。好吧，我的意思是我本来在里面，但是上映的时候我——"

"我想我看过那部电影。"

"不是因为我表演得不好。"他赶紧补充道，"我指的是——该死——我很棒，非常棒。比如我和伯特·雷诺兹一起拍过一个场景，我——"

"好的，我懂。"

巴蒂站了起来，激动地在梦塔娜的桌前踱步，暂时忘记了形象，忘记了要保持气势："我在乔伊·拜伦的表演学校学习过，我是她最棒的学生之一。我在《欲望号街车》里出演过斯坦利·科瓦尔斯。那是一次为星探、经纪人还有一大群人准备的特别演出。我的表现非常抢眼，有好几家电影工作室都想签我，但是我那时已经承诺了要去夏威夷参加特约歌唱演出，我既然做出了承诺就不能言而无信。"他的语速很快，嘴里的话就像一辆高速列车一样一股脑儿地往外倒，"我是名专业演员，这一点你可以放心。"

"我当然确定你是。"梦塔娜咕哝道，专注地看着他。

"是的……好吧……可惜我一从夏威夷回来就碰上了电影行业不景气。一万个演员竞争十个角色，你知道吗？"

梦塔娜同情地点了点头："我想我已经面试过他们中的大部分了。"桌上的电话响了，她拿起话筒说道，"是的。"

"格雷先生在线找你。"接待员说道。

"问问他在哪儿，我会给他回电话。"

巴蒂坐回她桌前的椅子，心里想着自己是否说太多了。她怎么会在乎他有没有在一部糟糕的伯特·雷诺兹电影中被剪掉？她怎么会在乎一万个演员竞争十个角色？

"《警界双雄》这部电影值得一看吗？"梦塔娜干脆地问道。

突然间，诚实成为巴蒂的上上策："我也在这部电影里被剪掉了。你瞧——保尔·迈克尔·格拉泽——"

梦塔娜笑了，多么性感的笑容。

"我知道，我知道你要说什么，保尔·迈克尔·格拉泽不是你的对手，对吧？"

巴蒂露齿而笑："你说对了。"

"那这么说，你拿不出一部出演过的电影给我们看咯？"

巴蒂紧张地用手抓了下头发："没什么值得一看的。"帅巴蒂，酷巴蒂，你这是在说什么呢？

"我明白了。"梦塔娜顿了顿，"那么……也许你可以读点什么给我听，如果我喜欢你的表现，我们可以安排你参加试镜。"

巴蒂几乎说不出话来："试镜？"

"前提是如果你读得很出色，稿子在这儿。"梦塔娜从桌子上递给了巴蒂一本剧本，"把这个拿出去，研究一会儿。准备好之后就告诉我的接待员，我会再见你。"

巴蒂站了起来，抓住剧本："嘿——你不会为此后悔的，我一定会表现得很棒！"

梦塔娜点了点头："希望如此。"

巴蒂走到门边犹豫了一下："嗯，哪个角色呢？"

梦塔娜放声大笑："我敢打赌你甚至都不知道这部电影讲的什么。"

巴蒂又恢复了些许傲气："谁会知道呢？镇上每个选角导演都很气愤，因为他们无法搞到这本剧本。如果我拿着这本剧本走出去，我可能能赚不少钱呢。"

"那你也可能失去温尼这个角色。"

"温尼，好极了！"巴蒂抓住剧本跑出了梦塔娜的办公室。

梦塔娜目送他跑开。巴蒂身上有一种她喜欢的特质，而且他极其帅气的外表下还藏着一股脆弱。

是的，巴蒂·哈德森确实不错。现在……只要他有演技。

伊莱恩躺在日光浴浴床上，除了一副小小的塑料眼罩外，她全身赤裸。她摘下了索尼耳机，想专注思考。怎么才能举办一个镇上最棒的派对呢？怎么才能让派对既有趣又激动人心，能让所有人都津津乐道，讨论上好几天呢？

宾客阵容。这是最重要的一个组成部分。不管食物、装饰、音乐多棒，归根结底还是要有宾客阵容。如果请来的人不对，那还不如不费花心思开派对呢。

碧碧·萨顿和亚当·萨顿当然是首要人物。如果你能请到他们两个，那么其他大部分嘉宾自然就会接受邀请。自从那次无意中在小酒馆花园遇到碧碧之后，伊莱恩曾给她打过两次电话。但两次都是碧碧那多管闲事的秘书接的电话，还认真地向她承诺萨顿夫人一定会回她电话。可到目前为止，伊莱恩还没接到碧碧的回电。

伊莱恩转了个身，侧身躺着，抬起一只手垫在脑袋下面。为了派对，她决心要晒出一身淡棕色皮肤。在日光浴浴床上晒皮肤当然要比坐在真正的太阳底下把皮肤彻底毁掉来得好。她希望罗斯能别再把自己烤成深褐色，不要再加深他皮肤上的皱纹了。

一声刺耳的嗡鸣，这台大机器自动关机了。伊莱恩谢天谢地地从干净的塑料床上滑下来，在覆盖了一整面墙的镜子前端详起自己。她身体的每一寸都闪耀着光芒。却没有一人欣赏她光芒四射的身体，即使是罗斯也不会注意到。

她皱了皱眉。也许是时候出去找些乐子了。但是和谁呢？虽说不是完全没有，但她的选择有限。在那个牙医，以及那名无足轻重的演员之后，她认定婚外情根本不值得提心吊胆地去做，而且和那些男人做爱也并不怎么样。

你被宠坏了，伊莱恩。在跟了罗斯之后，你还会看得上谁？

伊莱恩对着镜子里的自己微微一笑。也许她能给罗斯弄到剧本，玛瑞丽已经许诺她了。也许她能把莎蒂·莎乐请来参加派对，然后让她成为罗斯的经纪人。

上帝！她在想什么啊？难道为了和自己的丈夫做爱，她必须先得让丈夫的心情好起来？

好吧……这当然有帮助。

巴蒂冲出伊斯特恩制片公司位于日落大道的大楼，他整个人就要飞起来了。毫无疑问，温尼这个角色简直就是为他写的。他的朗读非同凡响，那位戴着有色眼镜，穿着牛仔靴的女士——梦塔娜·格雷——虽然不是巴蒂喜欢的类型，但是必须承认她长得非常漂亮——她说巴蒂令人印象深刻。是的，她用了"印象深刻"这个词。还有更不可思议的话呢，"鉴于你的表现，我们决定让你参加试镜。"她冷静地说道。

这太棒了！但她怎么能这么冷静？

"耶——"巴蒂高喊，声音越来越大，越来越狂野。"耶！耶！耶！"他兴奋地抱起梦塔娜的腰，在房间里旋转了起来。

梦塔娜从巴蒂的搂抱中抽身而出，回到办公桌后，被巴蒂的失控吓得不轻。她开始了长篇大论，讲这只不过是次试镜，她也会给其他演员试镜，不要期待太高，否则可能只会导致失望。

难道她不知道能试镜一部大片里的主演是他这一生中经历的最幸运的事吗？

"谁是你的经纪人？"梦塔娜问道。

经纪人！我哪有什么经纪人？

"呃，我正徘徊在几个经纪人之间。"巴蒂勉强说道。

"我懂了。那就把你的联系方式告诉我的秘书，你会在近段时间内收到消息。"

"要多久？"

"也许一或两周吧。"

"我可以拿一本剧本准备一下吗？"

"我的秘书会把我想要让你看的那几页给你。"

他挺直腰杆，尽管事实上他仍然不知道今晚他和安琪儿要在哪儿过夜。

该死的兰迪！为什么他就不跟那对母女继续待在棕榈泉呢？

巴蒂需要一个好的经纪人。他就要参加尼尔·格雷电影的试镜了，这应该足以吸引任何一个聪明的经纪人立马将他签约旗下。他可会签到那些大牌经纪人，比如威廉·莫里斯，ICM，莎蒂·莎乐。

他的庞蒂亚克老爷车停在一个非停车区，就像一大块生了锈的罐头。等他挣到大钱，他要干的第一件事就是给自己换一辆有派头的车，凯迪拉克，奔驰，甚至还可以是一辆劳斯莱斯。不，可能不会，劳斯莱斯不适合他的形象。跑车才更适合他，一辆意大利制造的跑车或者是一辆进口的美洲杯 XJS 跑车都不错。好像现在车就在眼前！

上帝啊！他总算是要步入正轨了！他要成为一名明星了！

他打开车门坐了进去，静静地坐在那儿，心里激动得冒泡儿。

两个小时之后他的心情又跌落谷底。他还以为既然他得到了试镜机会，也许一切都会发生改变。他正鸿运当头，敢于冒险者总是会有好运相随。于是，怀抱这个念头，来到了威廉·莫里斯经纪公司，期待自己的设想能够实现，却只从一位冷漠得像水泥板的秘书嘴里得到"留下你的姓名和电话"这么一句话。在 ICM 公司的经历也如出一辙。在莎蒂·莎乐的办公室里，一位穿着迷你短裙的女怪物告诉他必须送去一张相片，一份简历，还要列出自己的履历，难道这些蠢蛋就看不出站在他们眼前的是一位冉冉升起的新星吗？

巴蒂气冲冲地离开了那间位于佳能大道的办公室，瘫坐在车里，车子收到了一张停车罚单。就在这时他才发现车地板上的那张白色小卡片，他立马把它拾起。卡片正中央工整地印着**"贾森·斯万克鲁"**几个凸纹字，左边角落还写着**"个人室内设计服务"**，还有地址和电话号码。

巴蒂踩下油门。好吧……他能有什么损失呢？

不会太多。

这确实很疯狂。吉娜相伴的那个周末已经让尼尔筋疲力尽，但是当吉娜·杰曼的电话再次打来，他又飞奔而去了。尼尔非常理智地考虑过整个情况，决定先让吉娜慢慢退出他的生活，然后再彻底地将她从自己的生活中剔除。

他们俩在吉娜那张铺着淫荡粉红色被褥的床上做爱。两次性高潮之后，尼尔已经大汗淋漓，他的心跳如大锤。

"我得走了。"尼尔虚弱地说道，"电影的准备期是电影拍摄中最重要的阶段，我可爱的女士，你让我玩忽职守了。"

"我懂。"吉娜同情地低声说道，"但是我们俩的确特别，不是吗？我们俩在一起时简直就是火花四射。"

为什么女人总爱拿单纯的性爱小题大做？

"那是当然。"尼尔同意道，想到梦塔娜，他觉得非常愧疚，心里阵阵刺痛。

下午的阳光透过浴室的百叶窗照了进来，尼尔突然觉得在吉娜装修豪华的浴室皮毯上虚度光阴实在是荒谬至极。他的心跳缓慢了一点儿。上帝！和吉娜·杰曼做一次很可能相当于在健身俱乐部锻炼一周。

尼尔站了起来："我能洗个澡吗？"

吉娜被尼尔一口理查德·伯顿式的口音打动了，但是他真正吸引她的是他的才华："你想做什么都可以。"她挑逗地舒展了下身体。

她的身材在好莱坞是数一数二的。吉娜知道这一点。尼尔走进淋浴头下，不断调节水温，直到落在身上的水凉到让他精神振奋。当他从浴室出来时，吉娜赤裸的身体上已经套上了一件蕾丝胸罩和一条灯笼裤。她拿着一条大浴巾，准备给尼尔擦干身体。"尼尔，"她温柔地呢喃道，"我有话想坦白。"

"什么？"尼尔快速地擦着身体，感觉精神恢复了不少，准备回去工作。

"其实……"吉娜犹豫了一下，好像不愿意继续说下去。

"什么？"尼尔边重复，边伸手去拿自己的短裤。

"我们两个在棕榈滩时，我偷偷地从你的手提箱里拿了一本《街头路人》的剧本，我读了一下。"

尼尔很吃惊。他从未曾想过吉娜还会读书："你读了？"

"我读了。"吉娜的声音变得干脆、正式起来，全然不见刚刚的迟疑和木讷，"而且，尼尔，我喜欢这本剧本。我还想告诉你，妮吉这个角色太适合我了，简直太太太适合了。"

尼尔无言以对。**妮吉**！那个天真、纯洁、美丽的女子，那个不谙世事的甜美少女。**妮吉**！吉娜这是在开什么隐晦的玩笑吗？

"你瞧，尼尔，"她一本正经地继续说道，"我整个演艺生涯都在出演千篇一律的角色——心地善良却没头脑的金发美女。我告诉你，这种角色并不是真正的我。"她停下来喘了一口气，然后继续倾诉，她的巨乳激动得上下起伏，"尼尔，"她动容地说道，"真正的我就像妮吉。每个人都只看到吉娜·杰曼，性感的大电影明星。在这绚丽的外表下潜藏着一个脆弱的女孩，一个生活中的赤子。"

妈的，她到底在说什么？

"我想要拍你的电影。"她接着说道，圆溜溜的蓝眼珠惊人地突出来，"我一定要拍你的电影，这电影我再合适不过了，我才不管别人怎么说。我知道我可以。"

"吉娜……我不知道该怎么说……"他设法说道，一边想着该如何应对。如果他没和她上床，这事就好办。很多女演员向他索要过角色，他总是对她们实话实说。有时候这很残忍。"我知道你是一名出色的女演员——"

"胡说八道。"她愤怒地打断道，"你从没有看过我拍过什么体面的东西。"

"我有的。"尼尔违心地说道。

"你是打算跟我说我不适合妮吉这个角色吧？"

尼尔小心翼翼地措词："我想跟你说的是你这样一个大明星不该考虑这样的小角色。"

吉娜沉默了片刻，满眼怨恨地瞪着尼尔。

尼尔伸手去拿其他衣服，准备穿上。对他而言，越快结束对话，离开她的房子就越好。

"我想我应该告诉你我准备参加这个角色的试镜。"吉娜缓慢地说道，"如果这无法说服你……"

尼尔想象着如果她告诉梦塔娜，吉娜·杰曼想要试镜妮吉这个角色，梦塔娜会露出什么样的表情。这整件事简直荒唐透顶。

"让我想想。"他安慰她说。

"你为什么不想想我在卧室里藏了一部摄像机？"她嫁给那个擅长街头伎俩的马克辛·索尔托可不是什么都没学到。

"你藏了什么？"尼尔咆哮道。

"我只想要试镜。"她甜甜地说道,"至于我适不适合由你全权决定。"

"我们要搬家了,甜心。"巴蒂走进公寓摇晃着安琪儿说。

"搬家?我不明白。"安琪儿看上去一脸疑惑。

"是的,"巴蒂在安琪儿的唇上嘬了一下,"巴蒂帅哥要成为大明星了,我们得搬走了。"

"噢,巴蒂!你得到了那个角色!"

"哦……差不多……他们想让我去试镜。但是你知道的,这只不过是个形式。我的意思是说每个人都得试镜,就连马龙·白兰度出演《教父》之前都试镜过。"

"他真的也要试镜吗?"

巴蒂又亲了亲她:"当然,我告诉你,每个人都要。"

安琪儿甜甜地笑了:"我就知道我们很快就会时来运转,我猜对了。"

巴蒂轻轻地拍了拍安琪儿的肚子:"好事已经发生了,不是吗?"

安琪儿高兴地点了点头:"你真的喜欢这个孩子,是吧?"

"嘿——我当然喜欢。"既然情况开始好转了,那他想要这个孩子。堕胎,拜拜吧。哈喽,宝贝。"这还用问吗?"他紧紧地抱着安琪儿又说道。

安琪儿垂下眼睛:"可是……嗯……今天早上,当我告诉你的时候……嗯……"

"我知道,我跑出去了。我当时脑子里很乱,你要理解我,宝贝,工作第一,然后我才能放松。"

"噢,巴蒂,"安琪儿紧紧地依偎着巴蒂,"我真的爱你。"

"我也爱你,甜心,我也爱你。"

"我们会非常幸福,对不对?"

"幸福、富有、名望,凡是你说得出的,我们都会拥有。"巴蒂温柔地把她推开。

"嘿,我们真的得搬走了。我忘记告诉你了,兰迪打电话来了,他需要这间公寓。"

安琪儿惊愕地问道:"什么时候?"

"如果我说明天,你会相信吗?"

"不——"

巴蒂权威地举起一只手:"别害怕,我给咱俩找了个地方,你一定会大吃一惊的。"

"哪里?"

"别问了，就此打住。我们应该打包了，小鬼头，到时候你看了就知道了。"

趁安琪儿在收拾他们的行李时，他决定去游个泳。今天真是不寻常的一天，好事坏事一块儿来。他此时情绪非常激昂，他需要清醒头脑，放松一下。一天就能让一个人的人生发生多大的变化啊。他将要成为父亲。将要成为明星了。他联系了贾森·斯万克鲁，这到底是好事还是坏事，还有待日后分晓，但是结果一定会证明是有用的。

贾森·斯万克鲁的店位于罗伯森大街，是一家装饰着玻璃前门的高雅店铺，店后面是几间宽敞豪华的办公室。巴蒂不打算先打电话，面对面地交谈总是最好的。弄清楚贾森到底想要什么，希望最好不是要他的身体。巴蒂可从来不走同性恋这条路线。噢，棒极了。和马克辛·索尔托在一起的那疯狂的几个月里，巴蒂是参与了许多极端的场面，但从来都是和女人。偶尔有男人加入到这些女孩中来，但是他们从来没靠近过巴蒂。噢，不。不管他精神多么恍惚，他总会事先申明这点。最亲密的一次就是那天晚上跟那个胖摄像师。巴蒂发现有人正拿摄像机拍摄的时候大发雷霆，他砸坏了摄像机。时至今日，每当他想起这件事，依然会气得浑身发抖——他当然想把这些事如同潜入他脑中的其他想法一并剔除，他再也不想想起这些，但是这些思绪却挥之不去。

例如他的朋友托尼。托尼躺在冰冷的水泥板上，只有 14 岁，惨遭一群兴致勃勃的男同性恋谋杀。

有时他也会看到接走他和托尼的那个男人的脸，那是一张狡诈的脸，有着一对狡猾的小眼睛。

还有那个聚会的主人，那个胖子，浑身肥嘟嘟的，像婴儿一样柔软的男人，脸上挂着一副欢迎的微笑，跟他握手就像握着条死鱼。

巴蒂每天都能清晰地看见他们，还有他的母亲裸露着身体，得意扬扬地笑。

他多希望能摆脱这些画面，抹去这些记忆。但是它们却永远地跟着他。他可不想再增加什么噩梦了。

"我能为你做什么吗？"当巴蒂大摇大摆地走进贾森的店时，一个穿着浅褐色外套，头发浅黄，留着与头发相配的小胡子的男人问道。这家店就其本身而言算不上个店，更像是一间放着高档意大利家具和一些名贵古董的展示厅。

巴蒂突然用大拇指和食指亮出贾森的名片，朝那个男人挥了挥。"他想见我。"巴蒂说道。

"斯万克鲁先生？"

"我又不是来这儿见罗尼·里根的。"

那个浅黄色头发的男人傲慢地看着他，充满厌恶。他非常讨厌这些华而不实的硬汉，他们因为充满男子气概就表现得好像拥有整个世界似的。他知道眼前这个男人卖弄的纯然是性，更糟糕的是他还到处显摆。"我会看看斯万克鲁先生现在是否有空。我该告诉他是谁想见他呢？"

"巴蒂·哈德森，是他想要见我。"

那个浅黄色头发的男人退回了店铺后头，巴蒂则在店里四处参观，欣赏起了陈列的商品。店里摆放着皮沙发、大理石桌、雕灯，雕花玻璃碗里插满了新鲜的玫瑰花。整个店铺很有档次，就连巴蒂也看得出来。

没过几分钟那个男人就回来了，轻蔑地撅起稀疏胡子下的薄嘴唇："斯万克鲁先生现在想见你。"

贾森·斯万克鲁的办公室是一间白色的大房间，里面摆着绿色植物、花色图案的沙发，还有一张巨大的大理石桌子，上面摆满了图案和设计。墙上挂着一系列大卫·霍克尼①创作的装框画，画的是池中男孩。

沙格，那条好色的斗牛犬，趴在厚厚的地毯上，发出一阵阵喘息。巴蒂一走进房间，那条狗就醒了过来，大声咆哮，猛冲向巴蒂的腿，想要继续进行上次碰面未能完成的好事。

"上帝啊！"巴蒂厉声说道，想把咆哮的狗踹开，"你就不能管管这只该死的畜生吗？"

"沙格！"贾森尖声叫道，"下来，小子，立刻下来！"

那狗不情愿地听从了主人的命令，无精打采地回到地毯上属于它的那块地盘。

"真对不起。"贾森友好地轻笑道，"我不知道它为什么会看中你。"

"我也不懂。"巴蒂抱怨道，同时立马感觉到自己可以向贾森·斯万克鲁予取予求，而且很可能都能得到。那个胖男人的蓝色圆眼里正闪着绵绵爱意。

"需要我给你倒杯酒吗？"贾森用手指了指装着酒的手推车。

巴蒂坐在一张花色沙发边沿上："好啊，那敢情好。伏特加加冰，不要混调。"

"当然行，这是我的荣幸。"

贾森倒酒时，巴蒂仔细地打量着他。他大概40岁，五短身材，矮胖。头上顶

---

① 美籍英国画家、摄影家，同时也是一位蚀刻家、制图员和设计师。生于英格兰，现在洛杉矶居住。

着一顶难看的假发，皮肤也是人工晒黑的，只有他身上戴的奢侈珠宝是货真价实的。他和格来朱赖格斯那个怪家伙搅和在一起干什么呢？真是个蠢问题。他们俩还能干什么？打网球？

贾森好像读懂了巴蒂的心思，迅速说道："我希望你能忘记马文那天那样对你，他太无礼了，简直不可原谅。当然，我已经批评过他了，他感到非常抱歉。"

噢，是吗？格来朱赖格斯——马文·杰克森居然会感到抱歉了。要是有这么一天就好了。

巴蒂好奇贾森到底知道多少事情。他知道他的同居情人提供应招男妓这事吗？他知不知道巴蒂曾是那些男妓中的一个？

恰好这时贾森说道："你看，你把马文吓坏了。他已经金盆洗手了，他自己还得由我来照顾。我已经把他的生意扩大了。"这个双关语让他轻轻一笑，"现在服装店就足够他忙的了，他没必要再经营那愚蠢的陪护服务，完全没那个必要。"

陪护服务！是的！

"事情过去已经有一段时间了，但你居然闯到我们的私人住宅，还有那一切……这让马文心烦意乱。"

"我不是有意那么做的。"巴蒂继续说道，"但是，我离开了镇子一段时间，又想赶紧挣点儿钱。于是，我想着去拜访一下礼……哦，马文老兄，瞧瞧他那里是否有活儿做。你瞧，这就跟旅游小姐想要游览迪斯尼乐园一样天经地义。"

"相信我，我能理解。"贾森递给巴蒂一杯酒，故意地碰了一下巴蒂的手。巴蒂赶紧拿过自己的酒。"这就是为什么我会追你。"贾森又说道，"我讨厌马文对你那么粗鲁。我想我可以补偿你。"

这下说到点子上了。算了吧，我可不那么急着要钱。巴蒂喝了一大口酒，冰冷的感觉刺激着他的牙齿。

"我想你也许有兴趣帮我一个忙。"贾森继续道，"当然，是有报酬的。"

"什么忙？"巴蒂防备地问道。

贾森在花色沙发上坐了下来："有两位非常富有的女士要来镇上，其中一个是寡妇，她已故的丈夫好像给她在得克萨斯州留下了一大块地。"贾森说到这里停了一下，好让巴蒂消化信息。在对巴蒂接收信息情况满意之后，他继续说，"另一个是位离了婚的女士，在贝尔艾尔买了一栋宅子。她上次来镇上时，把整个房子交给我，任由我处理。"

巴蒂听完之后皱了下眉头："嗯哼？"

"装修，小伙子。重建、翻新。"

"哦……是的。"讲这些到底要干什么呢？

"你一定想知道这些和你有什么关系，你又能怎么帮我。"

这家伙简直就像会心灵感应一样："是的，我对此很好奇。"巴蒂站了起来，喝光伏特加，走到房间一头。

"好吧，你看，"贾森遮遮掩掩地继续道，"两个女人孤身来到一个没有朋友的城市，她们需要娱乐。"

"什么样的……娱乐？"巴蒂怀疑地问道。现在的他马上要成为明星了，重操旧业的想法早就在他脑中烟消云散，他再也不想卖身了。

贾森疯狂地傻笑起来："不是……亲密的那种，绝对不是。"他从沙发上站起身，放轻脚步穿过房间，再一次紧挨着巴蒂，"我是想让你带这两位女士去酒店，去戏院，去俱乐部里玩玩。当然，为此，"他急忙补充道，"我会给你丰厚的报酬。"

"多少？"

贾森大方地展开手："你尽管开价。"

巴蒂脑子飞转。两个老娘儿们在镇上只待几天，不用跟她们上床，只不过是稍微带她们四处转转。这太轻松了。"我可不便宜。"他大胆地说道。

"值钱的东西都不便宜。"贾森嘲笑道。

"我需要一套新衣服。"

"没问题。"

"你负责所有的开销吗？"

"理所应当的。"

"那要辆车呢？"

"一辆凯迪拉克，再给你配一名司机，怎么样？"

答案就跟"史翠珊会唱歌吗"一样肯定无疑。这简直好得让人难以置信。其中不会有诈吧？巴蒂深吸了一口气："500美元一天。"

贾森眼睛都没眨一下："成交！"

该死！巴蒂把自己贱卖了，这其中一定有诈。他又忍不住问道："这其中有什么猫儿腻？"

贾森笑开了花："没……猫儿腻。我只想这两位女士玩得开心，如果她们开心了，说不定那个拥有半个得克萨斯州的女士会给自己买一栋三四百万美元的普通房子，住在她的朋友旁边。那你猜谁会负责整个房子的装修呢？你要多怂恿她。巴蒂，你做得到吗，小伙子？"

巴蒂笑了。这个狡猾的小混蛋。

"我会告诉她们你是我的侄子。"贾森决定道，装腔作势地在房间里走来走去，"你的职业是一名演员。"

"我本来就是。"

贾森讽刺道："你当然是。"

"不，我真的是演员。我马上要参加尼尔·格雷新电影的试镜了。"

"这可真让人振奋！"

"是的，确实如此，但是我有麻烦。"

"我能帮上忙吗？"贾森同情地问道，友好地将一只手搭在了巴蒂的手臂上。

"我有了老婆——"

"噢，亲爱的，这可是个大麻烦。"

"她很棒。"巴蒂辩解道，悄悄地移开身体，好让那只温暖的手离开自己的手臂，"她才不是什么麻烦。"他若有所思地望着贾森，脑袋嗡嗡作响，"你瞧，情况是这样……我们住在一个朋友的公寓里，但是他明天就要回来了，这完全出乎我们的意料。他几小时前才通知我，这杀了我个措手不及，我一时没办法再去找住处。我很愿意去陪你说的那两位女士……"他耸耸肩，滔滔不绝地说道，"但是在这种情况下，我觉得我帮不了你。"

贾森很快就明白了巴蒂话里的意思："因为你没地方住？"

巴蒂点点头，又给自己来上了一杯："对，我的意思是我要忙着找房子，你明白了吗？"

"要是我能帮你呢？"贾森急忙说道。

"嘿——"巴蒂惊叫道，"如果你能帮助解决我这个问题。我指的是你帮我……我帮你……我们双方都开心，对吧？"

"只有你和你老婆？"贾森怀疑地问道，又迟疑了一下，"没孩子或宠物吧？"

"你不是在和我开玩笑吧。"

有那么一瞬，贾森有点拿不定主意，但是眼前这位长相帅气、眼睛漆黑迷离、头发蓬乱的年轻小伙子还是打动了他的心。他想把巴蒂纳入自己的生活，加上那两位女士的事也并非虚构，她们马上就要来镇上了。她们一定会很喜欢有人陪同，尤其是一位像巴蒂·哈德森这样长相出众的护花使者。这也就意味着又有一栋豪宅可以装修了……从马桶座圈到玛瑙烟灰缸，每一样东西都会有利可图。

当然，这也意味着风险。他对巴蒂·哈德森的底细了解多少呢？而且还扯上了他老婆，也许还是好莱坞的哪个荡妇……总有一天，巴蒂会醒悟过来，发现男人更有趣……如果他，贾森·斯万克鲁，能够说服巴蒂转变性取向，岂不是妙不可言？

贾森突然清了清嗓子："我刚完成了一栋沙滩别墅的装修，就在马里布海滩，那栋房子的主人正在欧洲，三四周之内是不会回来的。如果你答应我会非常小心，我指的是非常非常小心，不准在里面玩乐、举办派对或任何类似的活动。"

上……帝啊！今天真是他的幸运日，多么棒的一天！一栋海滨别墅啊！

"好吧……"贾森继续道，"我想不到你有什么理由拒绝，当然只是暂时的。"他急忙接着说道。

可别急着接受，巴蒂。冷静，让他慢慢说服你。

"天啊，听上去棒极了，但是我不知道……"

"噢，你必须去。我决定了！"

事情就这么定下来了，一切都各就各位了。

现在是 6 点半，泳池里人满为患，水里挤满了那些辛苦工作了一整天后疲惫的人们。照此情形，巴蒂是没办法来回游 30 趟了。他厌烦地往公寓里面走，直接撞上了雪莉。她把头发高高盘起，扎成紧致闪亮的小卷，结实的身上只穿着一件很小的比基尼，肩上随意搭着一条海滩浴巾。

"嘿——雪莉！你好吗？"

雪莉满脸疑惑地盯着巴蒂："你看上去气色还不错啊，昨天晚上离开我房间时那个紧张兮兮的家伙哪儿去了？"

巴蒂难为情地笑了笑："我想我昨晚是有点儿紧张。"

"紧张！哈！"

"我很高兴碰见了你。"

雪莉把一条长腿伸向身前，扭了扭脚踝："为什么这么说呢？"

"因为我去查了你告诉我的那部电影，我要参加试镜了，你相信吗？"

"我当然相信。为什么不呢？看来你正鸿运当头嘛。"

巴蒂倾身向前，在她的脸颊上轻轻一吻："谢谢你，雪莉，我要说再见了，我们要搬出这个破地方了。"

"什么时候？"

"马上。"

"哇！只不过试镜，你还真当回事了。"

"我要成为一名明星了，小鬼。以后我会在我出演的电影里给你弄个角色。"

雪莉淫荡地笑道："我想要的只是你身体的那部位。"

巴蒂咧嘴笑道："省省吧，我可是个结了婚的男人。"

"好啊，六个月后看看你还能不能这么跟我说。"雪莉眨眨眼，"不管怎样，祝你好运吧，回头见。"她头也不回地走向泳池，脱掉浴巾，优雅地潜入了拥挤的肉林。

要是换作别的情况……如果没有安琪儿……

他这是在想些什么呢？安琪儿是他的生命，是他的挚爱。他猛然摇了摇头，两步并作一步地爬上了楼梯。

他们正在前进的路上，而且情况只会变得越来越好。

尼尔花了好几天的时间才敢在梦塔娜面前提起吉娜·杰曼。那个金发婊子是在要挟他，尼尔中了她的小伎俩，他不得不给她一个试镜机会，否则只能自尝恶果。

此时，尼尔和梦塔娜两人正在奥利弗·伊斯特恩富丽堂皇的办公室里，墙壁上滑稽地装饰着许多装裱起来的电报，这些电报都出自那些发誓再也不会和他合作的各路导演和明星。年近五十的奥利弗有着一头浅黄色头发，正忙着用一块麂皮清理桌子。他患有近乎荒唐的洁癖，如果有谁在他的办公室里抽了烟，他会马上把烟灰缸洗得干干净净。

梦塔娜一直在讲好几位她希望能试镜温尼这个角色的演员，话题自然而然地就转到了出演妮吉这个角色的女演员身上。

"如果我们能请到乔治·兰开斯特，这两个角色可以都由没名气的演员出演。但如果我们请不到乔治·兰开斯特，那就得请一些大牌了。"奥利弗坚持道。

"你重复过很多次了。"梦塔娜冷漠地说道，"上帝啊，奥利弗，你不觉得我们已经知道这点了吗？尼尔总不能拿把枪指着乔治的脑袋吧，我们得等待。"

奥利弗没理她："你觉得你会很快收到乔治的答复吗？"

"我确定会的。"尼尔回答道，"但既然我们现在讲到明星这个话题，关于女演员，我有一个非常有趣的想法。"

"谁？"梦塔娜一边询问，一边点燃了一支香烟，这让奥利弗紧张得满头大汗。

"不要把烟灰掉下来。"他咕哝道，"地毯是新的。"

尼尔清了清嗓子，然后随意地说道："吉娜·杰曼不错。"

梦塔娜嘲笑地哼了一声："你是在开玩笑吧！"

"擦掉那些化妆品——"

"除去胸部——"

"她可是很大的票房保证。"奥利弗打断了她的话。

"谁关心这个？"梦塔娜愤怒地吼道，"我都不敢相信我们会谈到她。"

"大大的票房啊。"奥利弗沉思着。

"我只想让她试下镜。"尼尔飞快地说道。

梦塔娜轻蔑地扬起眉头："噢！是吗。你怎么从来都没有跟我谈起过这件事？"

"她从不参加试镜。"奥利弗兴奋地插嘴说，"她会愿意吗，尼尔？你怎么看？"

"我认为她会的。"尼尔僵硬地回答道，非常清楚他的妻子正怒视着自己。他走到吧台，给自己的酒杯加满了波旁威士忌，"而且，我喜欢这个主意。"

"天啊！"梦塔娜厌恶地嘟囔道，"我就搞不懂你怎么会想到让那个大胸的怪物出演妮吉。"

"听我说，"奥利弗赶忙说道，"如果她能演好，我们有什么损失呢？"

梦塔娜故意把烟灰掉在他珍贵的地毯上。

"小心地毯！"奥利弗痛苦地尖叫。

"我要回家了。"梦塔娜冰冷地说道，"你自己开了车来，是吧，尼尔？"

他点了点头。

"那稍后再见了。"她气冲冲地走出了房间。吉娜·杰曼！万能的上帝啊！吉娜·杰曼！尼尔是什么时候冒出这个念头的？又为什么他在向奥利弗提起这事之前没有和她商量一下？

她怒气冲天。《街头路人》本应该是他们两人的特殊项目，但是她逐渐被挤了出去。尼尔怎么能把她当成一个助手！自从从棕榈滩回来之后，他就一直处于痛苦之中，成天板着脸，脾气暴躁，和过去一样酗酒。至于性生活——别提了。她太忙了，根本没时间关注他的情绪。她觉得这是因为他没能得到乔治·兰开斯特的确定回复，因此不跟他计较。

去他的！他当然知道没和她商量就在奥利弗面前提吉娜·杰曼有多愚蠢。

在地下车库里，服务员向她致以晚安。

"我要取我丈夫的车子。"她简短地说道，"把我的车给格雷先生。"

"好的，夫人。"服务员赶紧跑去开来锃亮的红色玛莎拉蒂。梦塔娜给了他点儿小费，坐进了尼尔这辆爱车里。尼尔讨厌她那辆小大众，如果他不愿意开的话，那就让他走回去吧。

.15.

"花 20 美元爽爽怎么样？"那个妓女慢吞吞地说道。她身材矮壮，染着金发，好像忘记自己新长出来的发根既黑又粗糙。

"太贵了。"迪克抱怨道，眼睛鬼鬼祟祟地扫视着灯光昏暗的街道。

那女孩调整了一下被汗水浸湿的 T 恤衫下破烂的胸罩带："要就要，不要就拉倒。"

迪克真想往这女人愚蠢又淫荡的脸扇上一巴掌，然后转身走人。但是他不能这么做，他需要她。自乔伊之后，他就没有女人了，他需要和女人亲热一下。

"去哪儿？"他生硬地问道。

"拐角处的宾馆。"

她动身出发了，穿着 6 英寸高的高跟鞋，走起路来摇摇晃晃，很不舒服。她穿过街道，朝一个昏暗的小巷子里走去，巷子两边是一家油腻的路边小餐馆和一个色情杂志店。

迪克紧随其后，嗅着她留在身后的汗水味和廉价香水味。他一路不停地从纽约驱车前来，几个小时前刚到达匹兹堡。他新到手的小货车没让他失望，一路上都开得很平稳利落。它理应如此，为了让它恢复正常，他花了不少精力。他还不得已花了点小钱买了些新部件，但是这些他早就预料到了。

他们走进了小巷深处，妓女开始不着调地吹披头士的一首歌——《艾莲娜·瑞比》。

巷子里一片漆黑，充斥着腐烂的垃圾发出的恶臭。这个妓女吹着口哨噼噼啪啪地往前走，迪克跟在她身后。

娼妓、婊子、妓女。

女人。

全都一样，她们都只为一件事。

她们贪婪地伸手掠夺，身体松弛淫荡。

乔伊不一样，她从不把迪克当成普通的嫖客，她曾真心在乎迪克，她曾……

迪克遭到的第一击是在他头侧，这直接把他击倒在地，接着一双铁头靴又踢中了他的腹部。这疼痛出乎他意料。

他拼命把自己紧缩成一团，呕吐物从他嘴中一涌而出，对方见状顿生愤怒，恶毒地对着他蜷缩的身体一阵拳打脚踢。

"来，把这个王八蛋的钱拿走，我们离开这儿。"他听到那个妓女说道。

随后，几只手粗鲁地撕开了迪克的短衫夹克，把钱包、一小摞钱，以及所有的东西都搜了出来。

这些人就像迪克在纽约街头遇见的那两个袭击者一样，都是攻其不备。只不过上一回他让那两个小孩尝过他的厉害，不是吗？这回，这两个家伙也会受到同样的惩罚。

迪克猛地大叫一声，一跃而起，扑了出去，抱住一人的腿，将其掀翻在地。

一个身影倒在他身上，他听到了一声恶毒的咒骂。他听到了模糊的笑声，接着就好像有什么东西在他脑袋一侧爆炸了，随后他眼里的一切都渐渐陷入黑暗。

迪克带来的车打动了乔伊。她做出要求一小时后，迪克就开来了车，这让她笑逐颜开。

那是一辆黑色卡玛洛汽车。迪克坐进了车里，毫不费力地发动了车引擎。他只希望车主会待在家里，晚上不打算用这辆车。如果果真如此，而乔伊又不会在亚特兰大城待太久，他就能在天亮之前把车停回原处。没有人能识破，特别是他在还车前会给车加满油。

"哇塞！"乔伊大叫，把车子好好看了一遍才坐进车里，"真是个聪明的帅哥！"

乔伊的话让迪克感到自己整个人都高大了起来。有谁曾夸他聪明过呢？那些他曾约见过的摆着一副臭脸的女孩肯定没这么说过。他知道那些女孩怎么看他，曾经有两个女孩甚至对他说："你很无聊，迪克。很抱歉这么说，但你对我而言太乏味了。"

乔伊比那些女孩更漂亮，更聪明。她看到了真正的他。她在他身上看到的不是无趣，而是一种安静的智慧。她也没看到无聊，她看到的是一个为了一起外出，为她火速弄来一辆车的男人。

她是个非常好的姑娘。

她是个妓女。

这两个事实互不相融。

亚特兰大城之行真是狂野至极，乔伊一路上有说有笑，尖叫个不停，催促着迪克不断加速。他们俩到达亚特兰大城后没有去沙滩，而是去了灯火通明的赌场。乔伊在里面玩老虎机，她兴奋得脸红脖子粗，不停地把 25 美分的硬币往那台饥饿的机器里塞。

后来，她想在城里过夜。"给我们俩订个房间。"她耳语道，"我想在亚特兰大城和你做。"

那时迪克担心能否在天亮之前把车子送回去。而且他没有告诉父母自己会夜不归宿。当然，他不敢告诉乔伊为什么自己不想过夜的理由，她只会嘲笑他，而这恰恰是他最讨厌的。

人们的嘲笑……

"我不想在这里过夜。"他最后说道。

"你想不想随你，反正我要留在这里过夜，我喜欢这里。"她兴奋地答道，"我可以明天搭顺风车回去。"

迪克不想离开她，但是他别无选择。于是，凌晨 3 点，他在海滩人行道上和乔伊作别。他最后看见乔伊的是她扭着屁股朝其中一家赌场走回去的身影。

六周过去了，乔伊依旧没回费城，迪克焦急万分。他曾两次偷车开回到亚特兰达城找她，但都不见人影。

迪克一边工作，一边等她回来。最后，等回来的却是一个脸色苍白、眼球布满血丝、留着黑眼圈的乔伊。迪克摇着她的肩膀，责问她去了哪儿。

"去你妈的，臭男人。"她嘀咕道，"我不属于你，我喜欢做什么就做什么。"

"如果你是我妻子，就不能这样。"迪克激烈地回答道，熊熊燃烧的嫉妒之火让他发疯，"我要娶你，乔伊。我想要照顾你，我要我们俩永远待在一起。"

在过去的六周里，她一直遭男人虐待。事实上，她这辈子都是如此。她既疲惫又虚弱，服用了过多的兴奋剂和镇定剂让她昏昏欲睡。她厌恶生活，尤其厌恶她自己的生活。

迪克·安德鲁斯是个真正的怪人，但是他似乎真的喜欢她。

"好吧，大人物。"她疲倦地叹息道，"那你就选日子吧。"

声音逐渐远去。

只剩一种难受的感觉和一股令人作呕的气味。

迪克睁开双眼，一束手电筒光照射在他的脸上。他情不自禁发出一声呻吟。

"不要紧，救护车正在赶来的路上。"一个身材高大，看护迪克的警察说道。

迪克吐出来的东西把衣服弄脏了。他不用看也知道他里面口袋里的钱被洗劫一空。

"一共有几个人？"那名警察问道。

迪克自动试了试自己的手臂，然后是腿。尽管浑身疼痛，但好像没有什么地方折断。"你说什么？"他含糊地说道。他的嘴唇上还留着干掉的血迹。他躺在地上，在巷子昏暗的灯光下他还能辨清几个无所事事的围观者。

"一共几个人？"那名警察重复问道。

迪克颤颤巍巍地站起身。"我没有被人抢，"他说道，"我只是喝醉了……一定是摔了一跤。我不需要救护车，我很好。"

"别跟我胡扯！"警察脱口而出，"你刚被抢劫了，现在我想要知道是谁干的。"

"没有，警官。我没被抢。"迪克拖着腿想走，"我只是喝醉跌倒了。"

"真该死！"警察愤怒地叫道，"下一次再让我碰到，我就让你死在那儿。"

迪克继续走。对他而言，越快离开那名警察越好。他的那辆厢式货车停在几个街区之外，车钥匙和大部分钱都在他的靴子里。幸好他聪明，他知道走在大街上时决不能把钱放在那些容易被人想到的地方。那些蠢货只找到了他放在短夹克衫内拉链口袋里的50美元，却错过了真正的大头。靴子里的钱总共有500美元，全是50的面值，这是他在纽约那家宾馆里上轮班时挣得的全部家当，除了买车的钱。

迪克满腹怒火，他气自己怎么会掉进这样一个愚蠢的圈套里，气那个抢了他钱的妓女，气她那个自以为聪明的同谋。

迪克·安德鲁斯很聪明，他杀了人却还能逍遥法外。

他来到货车旁，恼火地踢了一下车胎。

那帮人将会为此付出代价。迪克在昏倒前听到了他们的笑声……嘲笑他……嘲笑声……

他们会付出代价的。在他继续征途前，他还有大量的时间去关照关照那帮家伙。

.16.

在伊莱恩向她提出请求的第三天，玛瑞丽就把剧本弄到了手，她还真是个靠谱的好朋友。她一大早就打电话给伊莱恩倾诉剧本是如何来之不易。

伊莱恩激动万分。20分钟之后就赶到了玛瑞丽位于罗迪欧大道的大房子里。

好几个墨西哥园丁正在打理房前完美的草坪，另有一个墨西哥园丁给伊莱恩开了门。

"你该贴个告示，说这是非法移民的工作招待所！"伊莱恩开玩笑道。

玛瑞丽笑道："他们没有一个会说英语。这儿多棒，多安静。"

"我能想象得到！"伊莱恩嘟囔道，跟着她的朋友进到了宽大的起居室，大理石壁炉上方挂着一幅毕加索的真品，墙上装饰着各种原创艺术的大杂烩。两人坐在乳白色的沙发上，女仆给她们端来了咖啡和丹麦桃子点心。

"派对计划进展如何？"玛瑞丽询问道，"碧碧那边有回复吗？"

"没有，我给她发了三条留言，她至今都没有给我回电话。"

"嗯……"玛瑞丽看上去若有所思，"你需要的是诱饵，这个派对需要有个人做噱头。比如安迪·沃霍尔①、戴安娜·弗兰里②，找个来这里游玩的纽约客总是很管用，碧碧就好这类事情。让我们一起来瞧瞧……你能想到谁？"

伊莱恩无能为力地耸耸肩。

玛瑞丽突然拍手说道："有了！太棒了！"

"谁？"

"帕梅拉·伦敦和乔治·兰开斯特。凯伦告诉我他们这个月末就要来。"

伊莱恩立马就喜欢上了这个主意。她知道如果自己为他们举办一场派对，一定会有大把人出席，但是罗斯可能不会喜欢这个主意，而伊莱恩又只见过帕梅拉·伦敦一次，而且只是匆匆一面。

不过……凯伦可以帮忙去试探他们的意向……重要的人物总是有人为他们举办派对。上帝！这可会花上一大笔钱，伊莱恩已经初步计划至少要请 50 人。把这看作一种投资吧，伊莱恩。派对会一举成功的，每个人都会想来的，绝对是每个人。这次派对将会成为年度最热门的派对。

伊莱恩感觉身体里的兴奋像皮疹一样蔓延了全身。她好像能看到那些专栏是怎么写的：

乔迪·雅各布森：

伊莱恩和罗斯·康迪昨晚举办的派对是长久以来贝弗利山庄精英们见过的最棒

---

① 出生于美国宾夕法尼亚州的匹兹堡，是捷克移民的后裔。被誉为 20 世纪艺术界最有名的人物之一，是波普艺术的倡导者和领袖，也是对波普艺术影响最大的艺术家。

② 戴安娜·弗里兰 (Diana Vreeland) 是《Vogue》杂志美国版的前一任主编。

的派对……

阿米·阿切尔德：

女主人伊莱恩·康迪知道如何安置齐聚一堂的明星……

汉克·格兰特：

派对女皇伊莱恩！

"我一回到家就会给凯伦打电话。"伊莱恩激动地说道。

"很好，"玛瑞丽拿起一个巨大的马尼拉纸信封，递给了伊莱恩，"这是剧本。我已经帮了你两个忙，现在我想要你帮我一个作为回报。"

伊莱恩开心地握着信封。她迫不及待地想要把剧本给罗斯，再去联系凯伦，然后开始忙派对的事情。

"你只要说得出，我就给你办到。"

玛瑞丽说话时试图表现得很随意，但是她脸上泛起了两片红晕，伊莱恩也注意到她的眼睛看上去显得异常明亮。

"还记得我上次跟你说的那个我在棕榈泉碰见的男人吗……"

"是叫那个安迪什么的吗？"

"兰迪·菲利克斯。"

伊莱恩点了点头。

"他现在到这里来了，在镇上。我想如果我们四个人能共进晚餐一定很棒。"

"好啊，什么时候？"

玛瑞丽看上去激动不已："不好……我是想说，我不知道他是否有钱……我又不能直接问他……而且呢……我很确定他会喜欢见到罗斯，而你又这么会看人……"

"那你干吗不让他埋单？"

"我可不想那么做。"

伊莱恩一脸同情："你喜欢他，是这样吗？"

玛瑞丽微笑道："是的。"

"很好，那我们会会他，我会让你知道我对他的看法。"

"我可不想再来一段糟糕的经历了。"玛瑞丽叹气道。

自从她和尼尔离婚后，她和其他男人的交往记录简直惨不忍睹。无一例外，她之后吸引的要么就是那些贪慕钱财的人，要么就是身无分文的帅哥，偶尔还会碰上酒鬼。这些人花她的钱，对她动粗，她的父亲不得不派打手们来赶走他们。玛瑞丽一遇见男人就气势全无。

"星期五晚上，斯卡拉餐厅怎么样？"伊莱恩建议道。

玛瑞丽感激地点点头："棒极了。我会事先安排好把账单付了，这样兰迪就不会尴尬了。"

"别这么说，这次我们请客。"伊莱恩站了起来，在她朋友的脸颊上一吻，"现在我必须走了。谢谢你做的一切，星期五晚上 7 点半，斯卡拉见。"

事情发生得如此之快，就好像贾森·斯万克鲁接管了他整个生活。他们踏上了去往马里布海滩的旅途，贾森在那里迎接他们。"他是一位老朋友。"巴蒂向安琪儿解释道，"他欠我一个人情。"安琪儿信了，她也没有理由不信。如果说她还对某些事情有疑问，那在她享受到这栋房子带来的视觉盛宴时，所有疑问都烟消云散了。这地方多棒啊！虽然房子不大，但却在最好的海滨地段，装修得像未来主义的幻想作品。整个房子从里到外都是白色，装饰着铬合金和电子设备，到处都安装着夸张的扬声器，还有四声道立体声设备，这些足以让你热泪盈眶，简直棒极了。

房子有两层，下层是一间玻璃面的起居室，可远眺大海，上层是一间宽敞的卧室，一张水床占据了大部分空间。

"请，"贾森强调道，"务必极其小心。"

"我们会的，斯万克鲁先生。"安琪儿回答道，瞪大眼睛，激动不已，"我一直梦想着这么个地方，你可以放心，我们会把这儿当成自己的家一样小心。"

贾森松了一口气。巴蒂的老婆并不是他之前所想的好莱坞荡妇。她是一位年纪轻轻，充满幻想的女孩子，异常美丽，但是却很笨。贾森尚且能够接受她，因为她根本不是对手。他离开了房子，意识到让他们住进来并非鲁莽之举让他感到很满意。反正，他们也只不过是住几个星期而已。

巴蒂和安琪儿头天晚上就安定下来。他们聊到了巴蒂即将要参加的试镜，一起读了几页稿子，还用微波炉热了点儿冷冻比萨吃。随后，他们在水床上悠闲地做了很长时间的爱。

"我爱你，巴蒂。"安琪儿对巴蒂说了许多次，"我爱爱爱死你了。"

巴蒂沉浸于她的爱慕之中。他躺在床上，想象着房子是自己的，他是一位明星，没人，没有任何人能从他手里把房子抢走。想着想着他睡着了，噩梦里的那些面孔又萦绕着他。但是，贾森的司机早上开车到来时，他的状态却很好。他沿着海岸线慢慢行走，在冰冷的海浪里游泳，然后吃了一顿有培根和鸡蛋的丰盛早餐。

他把庞蒂亚克的车钥匙留给了安琪儿，并给了她 50 美元。贾森预先支付 200

美元给巴蒂，好让他去约会。那两位女士不出几日便会到镇上，贾森想赶在她们到来之前给巴蒂购置几件新衣服。对此，巴蒂不愿意争辩。他最初认为会去格来朱赖格斯的店里采购，结果却不是这么回事。司机把贾森接上车后，贾森示意司机去罗迪欧大道最昂贵高档的毕杨①男士服装店，在那儿他们花了三个小时采购了整整两套服装。

巴蒂简直不敢相信自己的运气。这一切仅仅需要带两个老娘儿们出去玩玩这么简单吗？

"我可以把衣服留下，是吗？"他自信地问道。

"当然，"贾森笑脸盈盈地回答道，"现在，我们是不是该享用午餐了？你喜欢去芭堤雅酒店吗？"

他当然喜欢去，但是被人看见和贾森·斯万克鲁一起出入这样一家高级酒店并非什么好事。这家伙显然就是个男同性恋，别人看到了会以为巴蒂是他的男伴……该死！这可不是个好主意。巴蒂在服装店里试衣服，在他面前走来走去征求他意见时，就看到了售货员互相交递的脸色。

"不……"他犹豫道，"我真的不想吃油腻食物，我不喜欢吃太多。"

"但是你可以点一些清淡的东西吃。"贾森坚持道，"鸭肉沙拉实在是太美味了！"他赞赏道，激动得亲吻自己的指尖。

巴蒂摇了摇头："我得回海滩了，我要研究研究台词，你明白吗？"

贾森理解地点了点头："那我明天中午派司机过去接你，我们可以一起吃个午餐。"

"我不认为——"

"我们非得去。我想给你介绍一下帕特里克，芭堤雅酒店的老板。我不想你带着那两位女士进去就餐时像个游客。"

"那，好吧。"

"明天。"贾森坚定地说道。

明天的午餐是没办法避免了。

梦塔娜开着尼尔的玛莎拉蒂驶出大楼，往海滩方向开去。她疾速行驶在太平洋海岸高速公路上，其间只停下来买了个汉堡和一杯可乐。他们这是在排挤她。她知

---

① 知名男士品牌。

道！她能感受得到！混蛋！《街头路人》是她创作的，她是绝不会放手的。

乔治·兰开斯特……吉娜·杰曼……他们这是想拍出一部烂片吗？奥利弗就是以拍这种电影出名的。她还曾认为尼尔会更有格调。她把电台调到重金属音乐台，听着音乐不停地抽烟，然后逐渐让自己冷静了下来。

她干什么这么激动？就算尼尔想让那个愚蠢的大胸金发女人试镜一下，那又怎么样？只要他看到了她在荧幕上扮演妮吉的样子，他立马就会知道自己错了，那女人根本不适合这个角色。奥利弗也会如此。

两个大混蛋。男人。八成是被吉娜特大号的傲人资本迷昏头了。梦塔娜对这件事太大惊小怪了。她之所以生气是因为尼尔没有事先和她商量。好吧，现在有四名演员等着试镜温妮这个角色，他想让尼尔看完他们在荧屏上的表现之后再征求他的意见。拍电影就意味着冒险，当一名男演员或女演员站在镜头前时，没人会知道将会发生什么。结局可能很神奇，也可能会成为泡影。也许吉娜穿上合适的服装，换上合适的发型，有合适的指导……这似乎不太可能，但是也许……

让尼尔和奥利弗去玩他们那愚蠢的好莱坞游戏吧。梦塔娜可不笨，如果他们想要的话，她也可以陪他们玩。

待到梦塔娜回到家中，发现尼尔早已入睡，电视机还开着。她没把尼尔吵醒。

第二天早晨，两人都毕恭毕敬地对待对方，他们吃早餐时讨论了一下外景场地，然后各自分开去进行一天的活动。

"噢，顺便说下，"梦塔娜朝她的车走去时随意说道，"如果你真的要让吉娜·杰曼试镜，就去吧。也许她身上真有什么是我还没发掘到的。"

"你说这话是什么意思？"尼尔满怀戒备地厉声说道。

梦塔娜皱了皱眉："没什么惊天动地的意思。但是，如果你能在告诉奥利弗之前和我商量一下，岂不更好？"

"我是打算说的。"尼尔有气无力地说道。

"再顺便提一下。"梦塔娜继续说道，"我决定自己来负责试镜那些我挑选的演员。你对此没有意见吧？"

见她转换话题，尼尔松了一口气："我认为这是个非常棒的主意。"

"那就好。我想马上让他们开动起来。"

"越快越好。"

说完，梦塔娜就坐进了车里，再没说什么，驾车离去。

尼尔深吸了口气。貌似一切都会顺利。让吉娜试镜，试镜一定会很糟糕，到时候他就能成功脱身了。

他认为自己到底在和谁开玩笑？

《街头路人》，多么棒的一个故事，多么适合他的一个角色。

罗斯把剧本放到小房间里的咖啡桌上，闭上了眼睛，身子向后倾的同时深深叹了口气。他坐着沉默了好一会儿，屋外天色已晚，他也感到疲惫了，但也很振奋，脑袋里充满了想法。时间已经到了午夜 1 点，他整整读了两个小时。

麦克。50 岁，当了一辈子的街头警察。他为人强硬，愤世嫉俗，却对未来充满了同情和希望。一个厌世、观念传统的男人。

毫无疑问，这个角色可以获得奥斯卡提名。当然，这跟罗斯之前扮演的角色类型不一样。演一个 50 岁的男人，还是算了吧。

你这是什么意思，算了吧？你可再也不是曾经的青春少男了。你 50 岁了，至少你今年就要奔五了。

罗斯的观众会接受他出演这么个角色吗？

什么该死的观众？他们早就不再对你的电影趋之若鹜了。如今，你的一半影迷只能在电视上播放的老电影中看到你，他们还以为你死了呢。

罗斯从沙发上起身，走到吧台给自己调了杯加冰威士忌。《街头路人》。在知道是个女人写的剧本后，他感觉很奇怪。她钻进男人的脑袋，把那些罗斯认为只有男人知道的想法和感受写得淋漓尽致。

你是个彻头彻尾的大男子主义蠢货，你知道吗？你的想法陈腐，早过时了。你最好从今天开始学会重新思考，要么你就只能在为老电影明星准备的大象墓园里找到自己了。

天啊！他想要那个角色。他能感觉到自己有多么想要这个角色。

25 年的电影生涯。

25 年的烂片。

他抿了一小口威士忌，让酒在舌间来回流动，最后再慢慢地滑进了喉咙里。

他既平静，又兴奋；既紧张，又自信。上帝啊，他都不知道自己是什么了。他只知道不管付出什么代价，他都必须要得到那个角色。必须！

但是怎么说服每个人呢？怎么说服奥利弗·伊斯特恩、尼尔·格雷和梦塔娜·格雷呢？

奥利弗就是个皮条客、是个唯金钱至上的人。即使你把自己的才华喷射到他市佥的脸上，他也看不到。

尼尔·格雷是个被吹嘘过头、自高自大的英国佬。虽然有才华，但却是个大
麻烦。

梦塔娜·格雷，罗斯甚至都没听过她的名字。

找莎蒂·莎乐啊，你这个笨蛋。她能帮你得到这个角色，她有权有势，在这个
镇上能创造奇迹。

是的，莎蒂。她一定知道罗斯适合这个角色，她会明白罗斯有能力把这个角色
演好。

伊莱恩邀请莎蒂·莎乐参加派对了吗？伊莱恩得到了她的回复了吗？罗斯急忙
走进卧室。

此时的伊莱恩睡得正香。她用一根白色束发带把头发扎在脑后，脸上涂着许多
某种蜂王浆，罗斯很不客气地把这东西命名为"蜜蜂的精液"。伊莱恩的眼睛上罩
着一个黑色眼罩，轻轻地打着鼾。

罗斯目不转睛地盯着她，她为他奔忙了一天，现在他觉得很过意不去。但是有
时伊莱恩也会唠唠叨叨，讲些贝弗利山庄的闲言碎语来烦他。伊莱恩拿着剧本从玛
瑞丽那里风风火火地赶了回来，就好像她拿的是 IBM 的股票一样，然后耀武扬威
地把剧本塞给了罗斯："这是你要的东西，我的服务如何啊？"

罗斯故意把剧本丢在一旁。

"你不打算读吗？"

"晚些时候吧。"他说道，享受着伊莱恩脸上沮丧的神情。

罗斯一整天都没碰剧本，他实际上迫切地想要看看这该死的剧本，但是他很固
执，不愿意在伊莱恩在的时候读它。

后来，他们一起共进了晚餐，在电视上看了部电影，伊莱恩便爬上床睡了。罗
斯倒了杯酒，让自己感觉舒服了点，便开始读剧本。

"甜心，醒醒。"罗斯用力地摇着她。

伊莱恩一声大叫："是谁？什么？上帝啊！"她疯狂地摘下眼罩，眼睛眨了两
下说道，"到底怎么了，罗斯？你把我的魂都吓跑了。"

"这简直太棒了！我想说的就是这个。"他激动地说道。

"你醉了？"

"没有，我没醉，我很清醒。"他坐到床沿上，"你给莎蒂·莎乐打过电话了吗？"

伊莱恩费力地看了看床边的钟："现在是午夜 1 点 15 分，你把我弄醒就想问

这个？"

"这很重要……"

"该死！你就不能等到明天早上再问吗？"

罗斯伸手，戏谑地用手指揉搓她的脸颊。"你又用蜜蜂的精液敷脸了。"

"我真希望你能不这么说。"

"为什么？这让你感觉欲火中烧吗？"罗斯说完就感觉到自己体内升起了一股热流，手不由自主地伸向她的胸部。

"罗斯——"伊莱恩想要反抗，但又改变了想法。因为她虽然毫无心理准备，但并不意味着在机会出现的时候不应该将其抓住。

他们按照一贯的套路进行着。夫妻之间的性爱就像一道你特别爱吃的美味大餐。虽然很好，但是完全在意料之中。伊莱恩早已放弃期待罗斯会做出些不同的花样。罗斯有自己的一套做爱模式，并且很虔诚地遵守它。

没超过 20 分钟，他们两人就都到达了高潮。

完事之后，罗斯给两人各点了支烟，说道："真棒，是吧。"他总是这么说。"真棒，是吧。"这不是个疑问句，而是个陈述句。

伊莱恩还记得以前的旧时光。她记得和罗斯第一次做爱时的情形，记得他们两人秘密幽会的那几个月，记得他们刚步入婚姻时的样子。噢，那时候的罗斯·康迪是个多么棒的爱人啊！

罗斯深吸了口香烟，想起了凯伦·兰开斯特。他真应该打电话把她约出来，她在床上真是一只狂野小猫，不像伊莱恩躺在床上就好像在帮罗斯一个大忙一样。很明显，伊莱恩不像以前那样享受性爱了。她总是让罗斯感到是他在强迫她做爱，他应该速战速决。如果他和凯伦的事情被捅了出来，那他会诚实地说和自己妻子的性生活毫无乐趣，而且这完全不是他的错。

"很棒。"伊莱恩喃喃道，"我都开始以为你已经忘了怎么做爱了。"

罗斯没理会她的嘲讽。哈！她要是知道他雄风依旧不知道会怎么想。

"我读了剧本。"他开始说，"我不清楚是不是梦塔娜·格雷写的，管它呢。这会是一部很棒的电影。"

伊莱恩来了兴致："真的？"

"这毫无疑问。"

"那……"她停了一下，"你想演的那个角色怎么样？"

"堪称完美。"

"真的吗？"

"好吧，虽然并不完全适合我——罗斯·康迪。但是完全适合我演员的身份。你明白我在说什么吗？"

她明白吗？罗斯认为自己是在和谁说话呢？

"所以，我们必须得到莎蒂·莎乐。"伊莱恩兴奋地说道。

"这是我们最好的办法。"

他们两个人终于又想到一块儿去了。伊莱恩微笑道："我明天要和凯伦一起吃午餐，到时候她会答复我是否能为乔治跟帕梅拉举办一场派对。如果能的话，那么没人敢不来参加派对，甚至是莎蒂·莎乐。"

芭堤雅酒店，星期五的午餐时间。这家小花园酒店里座无虚席，撑着阳伞的餐桌密密麻麻地排在一起，穿着围裙的侍者穿梭其中。

巴蒂决定穿上浅棕色的阿玛尼夹克衫，米黄色休闲裤，再穿上一件配套的无领真丝短袖。这身打扮很棒，既有档次又显得很随性。

"你需要带一点儿金色。"贾森一边摆弄挂在脖子上的粗金链子，一边对巴蒂说。

"不，我不需要。"巴蒂立马回答道。没有比一身帅气的加利福尼亚州休闲装被一大条闪亮的链子毁掉更糟糕的事了。戴金链子的男人让他想到了那些一大把年纪还赶时髦，开着奔驰车和保时捷在贝弗利山附近转悠的男人。他们把头发往前梳，企图遮住秃顶的前额，便便大腹勒得紧紧的。

他们坐在角落里的桌旁，只有他们两个人。巴蒂好奇地随意打量这家时髦酒店。许多女人在一起吃午餐，有好几桌，她们个个都别致、时髦、美丽。

贾森突然觉得自己有义务给巴蒂大概介绍一下酒店里的名人。"你看坐在那边的那群女人，那个黑头发的漂亮女人就是强尼·卡森的夫人，美丽动人的乔安娜。还有，坐在旁边桌子上的是路易莎·摩尔，罗杰的妻子，她这人很有趣。坐在角落的那对夫妇是——"

"斯蒂芬妮·鲍沃斯和罗伯特·瓦格纳。"巴蒂插嘴道。

"还有坐在他们旁边的是—"

"达德利·摩尔。"

"非常好。"贾森爽快地说道，"但是我敢打赌你肯定不知道那个是谁。"说着他就用手指向一个正和男人相谈甚欢的高雅黑发美女。

"我认输了。"

"她是夏拉奇·凯恩，嫁给了迈克尔·凯恩。那个男人是鲍比·扎润，他为人很有趣，是个很不错的公关，就是他把'我爱纽约'这个口号弄出名的。"

"这些人你都认识？"巴蒂吃惊不已地问道。

"不是特别熟，但是他们中的许多人都来过店里。"

"让我瞧瞧……我相信我的很多客户都在这呢……噢，你看坐在那边的那个女人，她是乔治·兰开斯特的女儿。房间的另一端的那个人是大卫·提比特，他可是强尼·卡森制片公司的副总裁。我还看到了杰克·莱蒙和……"

贾森继续讲个不停，巴蒂则焦躁不安地左顾右盼，并没有真的在听。他有眼睛，他能认出那些明星。克林特·伊斯特伍德瘫靠在餐厅中央的桌子上，他的长腿挡着了过道，妨碍了在房间里忙成一团的侍者。还有西德尼·波蒂埃，汤姆·谢立克……整个房间里到处都是名人。

巴蒂感觉棒极了，倒不是说有人朝他的方向望过来，而是因为他仍然坐在这里，是他们中的一分子。

"你喜欢这个地方吗？"贾森问道，非常清楚巴蒂很喜欢。

巴蒂耸肩道："我以前来过这里。"

"这是肯定的。"贾森忍不住将目光停留在巴蒂不安的面容上。这孩子拥有这么好的相貌……这么帅……啊……现在他只需等待时机……耐心……啊……

凯伦绿色的眼睛亮了起来："我向你保证，我把事情跟老爸和帕梅拉说了。他们都非常高兴能当你派对的嘉宾。"

"你确定？"伊莱恩再次问道。

"伊莱恩，我说的话你完全可以相信。"凯伦笑道，一边向达德利·摩尔挥了挥手，"帕梅拉想让你在棕榈滩当地时间的晚上10点打电话给她。"

"她真的这么说吗？"

"别摆出一副吓傻了的样子，这就是你想要的，不是吗？"

"当然——"

"多亏了我，你才能办成镇上年度最火热的派对。现在就等着看碧碧急着接受你的邀请吧！"

玛瑞丽也加入了谈话："那由谁负责酒席呢？"

伊莱恩本想着能让莉娜和她的两个墨西哥朋友来办这事，但是现在情况大为不同了："我都没认真想过——"

"最好现在开始想！"凯伦警告道，"上周蒂塔·卡恩用来款待的鲑鱼慕斯好吃极了！我想她一定有什么新发现，为什么不给她打个电话呢？"

"莫尔顿餐厅可以帮你做好整件事情。"玛瑞丽建议道，"或者是拉斯卡特。我总觉得雇用些专业的人士比较可靠。"

"是的，但是也太过于保守了吧。"凯伦争辩道，"父亲喜欢东方食物，来个中国盛宴怎么样？"

"吴女士餐厅的菜怎么样？"伊莱恩试探地问道，心里盘算着总共得花上多少钱，罗斯会叫得多大声。

"确实是美味佳肴。"玛瑞丽说道。

"美味佳肴。"凯伦也赞同地重复道。

巴蒂抿了一口意式特浓热咖啡，想着自己还得在这里坐多久。贾森把玩着手里的那一小杯意大利茴香酒，看上去很安定。

"嗯……我猜是时候回海滨了。"巴蒂最后还是开了口，"我在等试镜电话，我还想再把剧本过一遍。"

贾森点点头："你住在那栋房子里一切还好吗？"

"好得不能再好了，安琪儿很喜欢那里。"

巴蒂一有机会就提他那妻子，这让贾森大为光火，这就好像巴蒂在叫喊着——我不是同性恋！我不是同性恋！你可千万别忘了！

贾森打响指示意结账。他最难忘的就是和那些所谓"直男"的经历。他们不"出柜"则已，一"出柜"就一鸣惊人。"是的，"他小声说道，"安琪儿好像是个很甜的女孩子。"

"她确实是。"巴蒂向他保证道。

"的确如此。但是我想最好不要向耶格夫人和她的朋友提起你已婚这件事。"

"当然。"为什么要去反咬一口那给他穿上阿玛尼衣服的手呢？

"她们会在明晚到达，也许会很晚才到。"贾森继续说道，瞟了眼账单，从夹克里取出了一个猪皮钱包，又从钱包里抽出了他亲爱的万事达卡。"我想她们到时候一定会很累。所以，我会让司机去机场接她们，再把她们送到酒店去——当然是贝弗利山庄酒店——然后星期天我们一起到酒店里的马可波罗酒廊吃一顿美味的早午餐。是不是很有意思？"

巴蒂可以想出另外一套描述。但是，他保持了沉默，努力表现出热情的样子。

"那天你就穿上今天这身衣服，"贾森指示道，"这身衣服太适合你了。"

"好的，谢谢夸奖。"巴蒂又不耐烦地看了一遍周围的餐桌。克林特·伊斯特伍德早就走了，但是他发现了艾伦·凯尔、理查德·基尔和洛克·哈德森。他们三位的其中一位是知名的电影制片人，另外两位是电影明星，这让巴蒂兴奋不已。他飞快地瞥了一眼手表，下午3点，该死！等回到海滨都得4点——那时候再去晒太阳就太晚了。这一整天时间都浪费了。贾森·斯万克鲁是个不错的家伙，但是他到底认为自己在糊弄谁呢？巴蒂知道总有一天这家伙会爬到自己身上来。不然怎么解释那栋海滨别墅，怎么解释那些新衣服，又怎么解释让他带着那两个老女人到处玩的费用是一般陪护服务费的两倍？

侍者归还了贾森的万事达卡，于是他们两个人准备离开。巴蒂飞快地大步穿过酒店，丢下贾森一个人走在后头。在出口处，他却直接撞见了兰迪·菲利克斯。他们两人吃惊地互相打量对方，然后喜笑颜开。

"嘿——"巴蒂惊叫道，"你到这里来干什么？"

"见个人。"兰迪笑道，往后退，上下打量着他的朋友，"你看上去真棒！"

"对极了。"

他们迅速来了个男人间别扭的拥抱，然后分开，一旁的贾森肺都要气炸了。

"哦……这是我的一个朋友，兰迪·菲利克斯，"巴蒂解释道，"给我五分钟时间，你在车里等我一下。"

贾森噘起丰唇，简短地向兰迪点头以示问候："最好别超过五分钟。"他走之前摆出一副"巴蒂归我所有"的样子说道。

兰迪疑惑地看着贾森离去的背影："兄弟，你换口味了？"

"得了吧，你以为你在和谁说话呢？"

"只不过是问问罢了，现在这个世道谁也无法预料啊。"

他们两人同时注意到了朝他们挥手的金发女人。她从座位上站了起来，死劲地挥着手。"在这儿，兰迪。"她喊着，生怕兰迪没看见。

兰迪挥手回应："这就是我跟你说的那个女人，"玛瑞丽她父亲是桑德森工作室的老板，她的前夫是尼尔·格雷，那个导演。你喜欢这个局吗？"

"我喜欢——我想要加入！"

"那就过去见见她。"

巴蒂受到了诱惑。听到尼尔·格雷这个名字，他心里蠢蠢欲动，但玛瑞丽只是他的前妻，也许和电影没什么关系。再说，要是贾森迈着蹒跚的步子进来逮住他，场面会很难看。

"下次吧，你晚些时候给我打电话如何？我有许多新消息。"他们拦住了一个侍者要了纸笔，巴蒂写下了海滨别墅的电话号码。然后，他们俩便击掌各自离去。

"那是谁？"当紧张的玛瑞丽把入座的兰迪介绍给她和伊莱恩时，凯伦问道。

"那是谁？"兰迪反问道，然后立马明白了凯伦·兰开斯特是在问巴蒂。人人都对巴蒂感兴趣，向来如此。

"就是你进来时跟你讲话的那个帅哥。"凯伦没好气地坚持问道。

"你是说巴蒂吧。"

"巴蒂？"

"巴蒂·哈德森，我的一个朋友。"

"他是同性恋？"

兰迪舔了一下手指，然后夸张地理了理眉毛："你说是就是吧，甜心！"

玛瑞丽紧张地笑了笑："兰迪！"她劝道，"别这样！"

凯伦瞪了一眼。她打第一眼起就不喜欢玛瑞丽的这个新朋友。"我得走了。"她拖长声调说道，"要一起走吗，伊莱恩？"

事实上，伊莱恩早就急着想走了。她迫不及待地想回到家里，给碧碧打电话。但是玛瑞丽求她在她们的晚餐约会前见见兰迪，她不能在这个可怜的男人刚坐下就说"你好，再见吧"。

"我想过一会儿再走。"她抱歉地解释着。

"随你便。"凯伦厉声说着，对着桌上所有人大手一挥，抽身离去。

"你会喜欢凯伦的。"玛瑞丽滔滔不绝地说着，紧紧地握着兰迪的手，"在你了解了她之后。"

兰迪脸上露出了笑容，对伊莱恩眨了眨眼："我迫不及待了！"

伊莱恩认定了自己受不了他。

安琪儿一整天都忙着打扫、擦东西和吸尘。马里布海滨的这栋房子真的是她见过的最漂亮的房子，简直就像是从杂志里直接搬出来的一样。她也为能有这么好的运气住在这里兴奋不已。

她边轻声哼着调子边打扫卫生。她用拖把拖完美无瑕的厨房地板，拿海绵吸丽光板表层，把消毒剂倒在三个未曾用过的坐便器上。

海滨的整个早上都是雾蒙蒙的，直至中午 12 点阳光才照射进来，她匆忙穿上比基尼，躺在露天平台上远眺大海。她随身带了一个便笺簿和一支笔，打算要给路易斯维尔那个收养她的家庭写封信。尽管她曾写过几次信，但却从未收到他们的回信。这完全是意料之中的事情，他们从没有关心过她，她的存在只不过是为了从福利院那里得到额外的经济收入。但是……她仍然想让他们知道自己怀了孩子。也许，仅仅是也许，他们会为她感到高兴。

亲爱的大家：

　　我想你们一定好奇为什么我有段日子没有写信了。嗯，你们瞧——

她停下来想了一会儿，凝视着两个沿着海岸线踏浪慢跑的人。他们手牵手，有说有笑，一条狗跟在他们身后。巴蒂最近情绪一直很容易激动……也许现在住在这间漂亮的海滨房子里……

但是能持续多久呢？贾森·斯万克鲁又是谁？为什么他突然就成为了她和巴蒂生活的一部分？

她叹了口气，突然把信纸揉成一团，从沙地上丢了过去。现在巴蒂是她的家人，路易斯维尔是她曾经的家。巴蒂是她的未来，即便巴蒂不跟她吐露真心话，而且就算她做好了充足准备面对现实，他也会用一连串的谎言来搪塞自己。

例如——他哪来的钱买这么昂贵的衣服？为什么他们能住进这栋漂亮的房子？是谁付钱给他弄到那辆车，并给他配司机每天接送他的？每当她问巴蒂这些问题时，他总是大笑，拨弄着她的头发说："宝贝，这不用你操心。这是我的老朋友贾森欠我的，他只是在还债。"

安琪儿好奇的是如果真的有债要还，为什么她没有得到任何新衣服？她可不是在羡慕巴蒂的新衣服，但是如果她也能得到些东西不是很棒吗？巴蒂去商场疯狂抢购，甚至都没有叫她陪着去，这太让她伤心了。很快她就要添置新衣服了——孕妇装。

想到这个，她的嘴角扬起了神秘的笑容。她巴不得自己的肚子能立马鼓起来，这样才能确认她和巴蒂创造出来的宝宝正在肚子里成长。所有关于成为电影明星的想法都不见了。巴蒂会成为家庭明星，而她则会成为巴蒂深爱的妻子。影迷杂志上会排上一整版他们的特写居家照片。照片上的巴蒂看上去帅气而不失男子气概，她穿着一身宽松的衣服，头上戴着花，许多漂亮的孩子伏在她的脚下。大地之母，这个念头让她感到很高兴，甚至开怀大笑起来。离巴蒂成为真正的超级明星还要多长时间呢？两年？三年？不管是什么时候，她都会准备好。

海浪看上去很吸引人，于是她甩掉白拖鞋，急匆匆下楼来到沙滩，然后冲向了大海。她那一头金色长发在身后飞舞。

一个男人坐在隔壁房子的天台上，看着安琪儿跑进海里。当安琪儿跳进海浪里时，他起身走到天台的边缘，努力睁大眼睛想看清楚。

安琪儿浮出来之后，那个男人依旧在看。

在伊莱恩给碧碧的秘书留言告知派对将会是为乔治·兰开斯特和帕梅拉·伦敦举办之后，碧碧·萨顿花了整整11分钟回电。

"甜心！"她对着话筒咕噜道，"我前段时间很忙，你知道的。"

"不用道歉。"伊莱恩宽宏大量地说，"我清楚你的意思。"

"亲爱的，你真的要为帕梅拉和乔治举办派对吗？"碧碧总是喜欢在做出承诺之前把事实再核对一遍。

"我想这点我已经告诉过你了吧？"伊莱恩故作天真地回答道。

"不，不。不管怎么样我们都会来的，这你是知道的。"

"当然了，我知道。"伊莱恩感到很开心。比混账明星更糟糕的就是这些明星本人。

"噢，那你要邀请多少人呢？"碧碧询问道。

"不会很多。只不过是……熟人聚会，无非就是乔治和帕梅拉的一些亲密朋友。五六十个吧，不会超过这个人数。"

"哈……"碧碧松了口气，"这样我喜欢，熟人聚会。我想服装一定要穿得讲究吧？"

"是的，对女士们是有这个要求。我想男士们更愿意穿便装。"伊莱恩坚定地回答道。

"这可真明智，甜心！"碧碧高声尖叫道，"我喜欢这主意，我们女士们都盛装打扮，让他们男士们穿上那些无趣的运动衣吧。"

终于同意了，伊莱恩兴高采烈。

"那，"碧碧继续道，"谁做食物呢？"

伊莱恩只迟疑了片刻。积极点儿，别让这该死的婊子甩了你。"我想让吴女士来餐厅负责。"

"不行！"

"不行？"

"我想告诉你个秘密，这个秘密我可只告诉我的好朋友哦。"

伊莱恩在电话那头等着。

碧碧吊人胃口地停了下来。"塞尔吉奥和尤金尼奥！"她得意扬扬地宣布道。

"我想我不认识他们。"

"你当然不认识他们了。没人知道他们，他们是属于我的，是我的秘密。"

有传言称——但从未被证实——所有经碧碧的金口认可过的餐馆、商店、宴会筹办人，等等，碧碧都要从中捞取回扣。伊莱恩好奇这塞尔吉奥和尤金尼奥两个人到底能做出什么美味佳肴。

"他们棒吗？"

"他们很棒！哈！"碧碧不高兴地笑道，"甜心，要是他们不够好，我会推荐吗？"

"当然不会，我——"

碧碧开始滔滔不绝："我还有另外一个秘密要告诉你。那就是卡赞西三重奏，从罗马直接引进的意大利情歌。你在花园里搭了帐篷吗？"

"我其实还没——"

"你一定要搭！那现在，我再给你些建议。"

谈话又持续了十分钟，当碧碧把一条条建议授予伊莱恩时，伊莱恩脑袋里一直在计算着开销。在花园里搭帐篷、三重奏乐手、塞尔吉奥和尤金尼奥、代客停车的服务员、花卉摆设、两个会调最新式酒饮料的特别酒保、侍者、厨房人员，还要有一套全新服装。

要把所有的事情办妥要花费不少，但必须办妥。

电话最后，碧碧讲到一个令人振奋的消息。她要邀请伊莱恩下周一去她家共享午餐："有个很棒的警察要来讲解梅斯喷雾剂①，我们都得到了许可。"碧碧轻松地说道，"你觉得如何？好主意，不是吗？"

像碧碧这样的女人需要梅斯喷雾剂干什么？她每天都有司机开着劳斯莱斯接送，从来都不曾开出贝弗利山庄半步。

"好主意。"伊莱恩热情地说道，痛恨自己做了回马屁精。

---

① 一种自卫喷雾剂。

碧碧·萨顿随叫你随到。我还以为你对她恨之入骨呢。

闭嘴，埃塔。

随后跟玛瑞丽还有她的新男友兰迪在拉斯卡拉共进晚餐简直就是一场灾难。玛瑞丽是怎么找上这些人的？她究竟是在哪儿找到这么多眼尖的骗子？这些人都是直接冲着她的钱和地位来的。午餐的时候，伊莱恩立刻对他产生反感，在第二次见面时她的这种第一感觉更强烈了。

罗斯起初讨厌他们参加这次晚餐。他和玛瑞丽从来就没有真的合得来过。他之所以容忍玛瑞丽是因为她是妻子最要好的朋友，但是他不理解为什么他还得容忍玛瑞丽那无聊痴呆的种马男友，而且最重要的是还得为整个晚餐埋单。

他们点了些酒，伊莱恩和玛瑞丽交谈的同时，兰迪也尝试着和罗斯交流。兰迪称呼罗斯为"先生"，这让罗斯眉头紧锁，而且他还说些类似"你是我妈妈最喜欢的明星"和"我在电视上看过你所有的老电影"之类的话。

一个超级混蛋！罗斯把侍者招了过来，连喝了许多杯加冰威士忌。

晚宴中途，凯伦·兰开斯特在切特·巴尔内斯的陪伴下来到餐厅。她突然扑向他们的餐桌，就像一只捕猎的猛禽，切特则尾随其后。

"哈——喽，各位。"她招呼道，因为餐前服用了可卡因，她眼睛闪耀着光芒——在好莱坞，这东西等同于兴奋剂。

罗斯一看见凯伦那撑起薄丝背心的傲人乳头就坐直了身子。同时也想着自己怎么没给她打个电话。他决定明天一大早就去扭转乾坤。

"你吃了吗？"伊莱恩询问道，庆幸这下可以解闷了。

"我们刚要吃呢。"

"那为什么不加入我们中间呢？"伊莱恩立马说道，还在桌子下狠狠地踢了罗斯一脚。

罗斯被凯伦透过薄丝衣服的乳头迷得神魂颠倒，就势学着伊莱恩怂恿道："是的，来吧，加入我们中间。"

凯伦直直地盯着罗斯的眼睛，露出一个甜美的微笑："不，谢谢了。切特和我喜欢深入讨论多重性高潮，还有是否拥有大阳具就意味着一个男人能成为做爱好手。我们可不想让大家倒胃口。"

伊莱恩大笑："你这人真是不可思议。"

凯伦凶狠地瞅了罗斯一眼："那回头再见咯。"

"来和我们喝点咖啡吧。"伊莱恩拼命地恳求道。

"也许吧。"凯伦对着满桌子的人微笑，但她眼睛掠过了兰迪，就好像他根本不存在。然后她就抓住切特的手，在侍者的引导下来到了后面的一个私人小隔间。

"我都不知道凯伦和切特在一起了呢。"玛瑞丽激动地说，"他们俩在一起多久了？"

伊莱恩耸耸肩："我可跟不上她的情史。"

这也算是件好事，罗斯想道。他朝房间那头望去，凯伦正依偎着切特，在他耳边轻声细语，还是她正把舌头探入他的耳朵？

突然间，罗斯十分想要凯伦。想要她跪在自己面前吮吸他的……

"你还好吗，罗斯？"伊莱恩尖声问道。

"怎么了？"

"你看上去很奇怪。"

"你是说我看上去无聊透顶。"他生气地嘟哝道，"这几天晚上你干吗总要缠着我呢？"

"嘘……"

伊莱恩完全不必担心，玛瑞丽根本就没有在听，她正含情脉脉地注视兰迪·菲利克斯的眼睛，听他谎话连篇地讲他的过去。

每天下午约 5 点，巴蒂就打电话到伊斯特恩的办公室，和梦塔娜·格雷的秘书聊天。就是那个鼻子没整好的金发女人，她和巴蒂展开了深入长聊。巴蒂迫切想知道到底发生了什么，是否安排好了他试镜的日期？其他演员都试镜了些什么内容？谁是他最大的竞争对手？

那个金发女人的名字叫茵戈，她把什么都一五一十地告诉了巴蒂，并满心期待着巴蒂约她出去。当他始终没遂她心愿时，她最终说道："你看，要我在电话上把所有信息都讲全实在是太难了。为什么你不来我公寓呢？"

巴蒂知道这话的意思："我被困在海滨了，我的车还在店里。"他撒谎道。

茵戈可不是那么好打发的，她也是个见多识广的女人，她知道自己的权利。如果她想把巴蒂弄上床，她完全有资格主动出击。"我可以驾车过来见你。"她坚定地说道。

"这可不是个好主意。我正和一个神经病待在一起，凡是会动的东西他都迫不及待地跳上去。这简直太糟糕了，你不会喜欢这里的。"

"让我试试。"她大胆地说道。

"改天吧，小鬼。"

"那你定个日子吧，巴蒂。"

"瞧，为何不让我在明天同一时间再给你打电话呢？"

巴蒂挂了电话，紧张地在房子里踱来踱去。安琪儿正在厨房里准备晚餐要吃的金枪鱼沙拉。

"嘿——不如我们一起出去吃吧？"巴蒂从背后抓住她，把她抱在怀里。

"一切都差不多快弄好了。"她一本正经地说道，从巴蒂的手里摆脱出来，继续剁黄瓜。

"那又怎样？我想带你到处炫耀炫耀。"

"今晚不行，巴蒂。我的头发要洗了，我已经准备了晚餐，而且今晚电视上会播放理查德·基尔的电影呢。"

她都有了巴蒂，还需要理查德·基尔干什么？这可气坏了巴蒂："好吧，好吧。"

安琪儿瞪大眼睛，美得不可方物："你不介意，对吧？"

"不，我当然不介意。"

巴蒂走到天台。该死！安琪儿说话开始有妻子的样子了。他本以为她会为能跟着去镇上而激动得上蹦下跳。毕竟他们可不是每晚都有机会纵情欢乐。

巴蒂感到紧张又不安。天啊！你还认为她会理解即将要到来的试镜和一切呢。

他们一边吃饭，一边眼睛盯着从天花板上垂下来的太空时代风格的电视机。然后安琪儿娇柔地打了个哈欠，说道："我太太太累了，我早点去睡你不介意吧？"

是的，他介意。他需要松弛，需要一些玩乐、放松。

"好的，宝贝，你去吧。"

安琪儿轻轻地吻了下巴蒂，走上楼梯。

他希望能来上一根大麻烟，让自己减减压。

他希望他已经完成了那个该死的试镜。

他希望自己早就是个明星了。

.17.

乔伊·克拉韦茨的姐姐回到了镇上，她叫路易斯·克拉韦茨，人们叫她璐璐。她比乔伊年长五岁，曾因卖淫被捕过三次，还因吸毒被捕过两次。

她是一个星期天的早晨从阿姆斯特丹团体包机回来的。莱昂在她办理好通关手续十分钟后就得知了她到达的消息。莱昂有自己的人脉。

不顾米莉的反对，他跳进自己的车里，比璐璐早 20 分钟抵达她住的那栋破房子。气恼的黑人女房东给莱昂开了房门。里面放着一大堆令人恶心的发霉衣服，还有枯死的植物，一台老式唱片机，一摞摞旧摇滚唱片。房间里的每一样东西都覆盖着厚厚一层灰。

房间角落里摆着的是没整理的床，另一端放着燃气灶，上面放着一些积满灰尘的盘子。

莱昂僵硬地站在门边，准备亮出自己的证件，然后把她妹妹的坏消息告诉她。

他有些好奇她是否会长得像乔伊。

早上 7 点，莱昂被铃声吵醒。如果没有闹铃，他能一直睡下去。

他感觉到裆部四周有干掉的黏液，立马就知道这是什么。梦遗，耶稣基督啊！自 16 岁之后他就再没有梦遗过了！

梦遗，才怪呢。在你昨晚半夜睡得死死的时候，乔伊·克拉韦茨都你手淫了。

天啊，他真的干了这种事吗？

是的，你做了，你很喜欢，而且你从未睡得那么死过，你都无法彻底醒过来制止她。

羞愧之情朝他全身蔓延开来。他，莱昂·罗斯蒙特和一个 16 岁大的妓女。这并非他有多饥渴，他有固定的性生活——想做多少就有多少。该死！他怎么能让她这么做呢？

他羞愧地爬下了床，扒掉了那身令他厌恶的睡衣，给自己裹上了一件浴袍。

他该怎么面对她？

他为什么不敢面对？

他想象着乔伊脸上的表情。乔伊一定会故意耀武扬威地看着他。你和其他所有男人没啥两样。

但莱昂并不是。他绝对不会和那些闲晃在街上的动物一样。绝无可能。

他生气地径直走向起居室。打算把乔伊弄醒，再给她 20 美元，把她赶走。

这就对了，继续鼓励她去卖淫，付钱给她，再把她给忘了。她根本用不着你操心。

噢，她需要你操心。她才 16 岁，你该试着帮助她，你的公共责任感哪去了？

那今天凌晨早几个小时前他那该死的公共责任感又跑到哪儿去了？

他给乔伊的毛毯和枕头都在地板上，沙发上空荡荡的。

虽然还没有检查厨房和浴室，但是他知道乔伊一定已经走了。

璐璐比乔伊更高，也更丰满，就像一只被填满的馅鸡，她的皮肤上有红斑，眼睛流露出病态的黄色，这是因为吸毒过多。

她并不是一个人，陪着她的是一个紧张不安、瘦成皮包骨的奇卡诺 ① 年轻小伙子，长着一头暗淡无光的杂乱头发，眼睛同样透着黄色。他们俩都背着双肩包，背包的重量好像快把那个奇卡诺男人给压死了。他们的房东显然感觉无须提醒莱昂的存在，因为他们俩脸上都露出了难以掩饰的吃惊表情。

"你他妈的是谁？"璐璐尖叫，"你在我的房间里干什么？"

莱昂亮出了自己的证件。

璐璐取下双肩包，把证件夺了过来，仔细研究起来。

"该死的猪。"她最后嘟囔道，把证件丢还给了莱昂，"我走了他们找我麻烦。我回来了还是一样。"她在空中挥舞着肥胖的手臂，扯开了她的印第安染布衬衣，"我干净得很，老兄。来吧，搜搜我。"

璐璐很明显是个有魄力的人。但她这番话把她那朋友吓得很紧张，他连一句再见都没说就开始退向门口。

"回来，T.T.。"璐璐尖叫，"你不能抛弃我，不管他们要什么，你都会被牵涉进来的。"

T.T. 僵住了，病态的黄眼睛朝四周窜来窜去。

"我什么都不想要，"莱昂平静地说道，"我要告诉你一件非常悲痛的事情。"

"悲痛。"璐璐茫然地重复道这个词，好像她从未听过这个词一样。

T.T. 也学璐璐咕哝地重复道："悲痛。"

"是关于你妹妹——乔伊的事情。"莱昂严肃地悲叹道。

"那个小妓女怎么样了？"璐璐问道，用力地抓了抓套在牛仔裤里的大腿，"她把自己给玩儿完了？"她为自己的幽默放声狂笑。

"没错。"莱昂说道。

"别跟我开玩笑，先生，"她厉声说道，"不管你是不是条子，我都不认为这很

---

① 指的是墨西哥裔美国人，或者是讲西班牙语的拉丁美洲人。

好玩。"

"你的妹妹，乔伊，被人谋杀了。"莱昂正式地宣布道。

她那长着斑的脸顿时沉塌下来，她那位朋友的脑袋也紧张地抽搐着。

"非常抱歉。"莱昂轻声说道。

"抱歉！"璐璐大叫，立马从悲痛中恢复了过来，"你这个混蛋，你知道什么叫抱歉？是你们这些猪杀了我的妹妹！"

T.T. 赶紧说道："忍住，璐璐，记住，他可是个条子。"

"当然！"她喊道，失去了控制，愤怒得发抖，"我永远都忘不了她被警察纠缠的时候。一直都是这样，老兄，一直都是这样。"她唾弃地哼了一声，"她根本没有选择，你们这些猪从来都不帮助她。你们就知道逼迫她，老兄，步步紧逼。"

莱昂盯着她愤怒的脸。甚至还有个警察把她拖回肮脏的公寓里搞，那时候她才15 岁啊！

他咳嗽了一下，想试着说些什么，但是他整个脑袋里都乱成了一团。迪克·安德鲁斯，迪克·安德鲁斯，抓住他，为了乔伊……为了自己……

他没法带着这种愧疚感继续过活。

.18.

诺尔玛·耶格夫人和巴蒂预料的完全不一样，塞莱斯特·麦奎因夫人也一样。毫无疑问——她们早就青春不再，但老话说得好，生活还远没有结束。若非亲眼目睹她们两个人身上佩戴的珠宝，也许还不相信她们是贵夫人呢。

先说耶格夫人，染成棕红的头发搭配着少女式的鬈发。如果你近看会发现她的脸有近 50 岁了，但是从稍远一点的距离看，她也就 35 岁——上下浮动一两岁吧。她脸上的妆化得很细致，除了琥珀色的眼影稍微有点重。身材也保养得非常棒，穿着深蓝色运动套装，脖子上挂着镶有几颗大钻石的粗黄金项圈，还戴着一副手镯。左手手指上戴着一枚海鸥蛋大小的钻戒，用它把入室抢劫者打昏死过去一周半完全没问题。

再说说塞莱斯特·麦奎因夫人，她比耶格夫人要大上个一两岁，身材也胖个一两英寸。留着一头挑染短发，皮肤晒得有点黑，长着雀斑。她穿着一身网球服，拥有一双令人过目难忘的美腿。她身上穿戴着许多绿宝石和印度银首饰，手上还戴着一枚心形钻戒，在尺寸上足以和她朋友的那枚媲美。

星期日的中午，在灯色蒙眬的马可波罗酒廊。当贾森做介绍时，这两位女士都心痒痒地盯着巴蒂。

"嘿——"巴蒂哼声说，魅力四射，"很高兴认识你们，女士们。"他坐进麦奎因夫人旁边的皮座位。

她轻拍着巴蒂的手，蓝眼睛愉快地盯着巴蒂，她说："这话还是等我们离开的时候再跟我们说吧，不要刚看到我们就跟我们说这话。"

他们都笑了起来。

"我已经给你们点了，"贾森小题大做地说道，"香槟，橙汁，熏制鲑鱼炒蛋。"

"听起来不错。"巴蒂讨好地笑道。

他这是在干什么？他该跟她们聊些什么呢？轻松谈话可不是他的撒手锏。

"那么，甜心，"麦奎因夫人说道，"贾森告诉我们你是一名有抱负的电影明星，这可真让人激动！"

诺尔玛·耶格把身子倾向前，绿色的眼眸在琥珀色的粗浓眼影下流转。"我正在读《人民》杂志上的一篇访问，"她激动地说道，"有了这个出演《结境》——还是《豪门恩怨》的年轻男演员，其他的肥皂剧对我而言都变得千篇一律。不管怎样，这部剧仍然是最受欢迎的电视剧之一。"

"继续说啊。"塞莱斯特·麦奎因深情地说道，"什么电视剧没关系，直奔主题。"

"嘘，别催我。"诺尔玛笑道，对着她的朋友摇着一根精心修剪过的修长指甲，"你知道的，我讨厌别人催我。"

"噢，我又何尝不知道呢！"塞莱斯特大笑。

巴蒂没有忽视她们两人说这话时互相交换的亲密眼神。

"好吧，你瞧，"诺尔玛继续道，"这位被采访的男演员，他说他认为现在的男演员就像以前的女演员一样遭受到了潜规则。"她说到这里居心叵测地看了一眼塞莱斯特，"现在我想知道的是，巴蒂，你同意这个看法吗？"

"她真正想问你的是，甜心，"塞莱斯特笑道，"你为了得到一个角色能做到什么地步？"

"不，不，我真正想问的是，"诺尔玛插话，"如果你得……好吧，你知道我的意思……我不需要说出来的。"

"你这不就在说吗！"塞莱斯特大笑。

"我才没！"诺尔玛反诘道。

她们俩亲切地看着对方，对巴蒂的回答一点都不感兴趣。

巴蒂想要大声笑，她们是一对女同性恋！他盛装打扮就为了陪一对女同性恋！噢，天哪！他一开始还担心她们会对自己有身体要求。其实她们两个根本不在乎巴蒂帅哥健美的身体！

他们两人的关系进入了另一个阶段，梦塔娜不知道该如何处理。但是有件事她很肯定——她绝不会当家里的小女人。她倒是从未觉得尼尔会想要她这样，但他真正想要的是什么呢？

尼尔又开始酗酒了，这是他的问题。他可是个老男人了，如果他不能控制，梦塔娜也不可能去制止他。他待在办公室的时间越来越长，早出晚归。梦塔娜从来不赞成问"你在哪？""你和谁待在一起？"这样的话。一点儿也不。

梦塔娜知道尼尔是在担心主角的选角问题，所以她竭尽全力尽量把其他角色的选拔工作搞好。

一天，她开车去市中心人街，去《街头路人》电影最初的灵感来源地。她坐在她的大众车里，看着路过的一张张脸庞。让那些演员见鬼去吧，为什么她不能起用一些真实的普通人来演呢？其中一个在她短片电影里出现过的男孩大摇大摆地从她眼前路过。一年不到他长了不少，成了一个小男子汉，穿着一双到处是洞的胶底运动鞋，顶着一头乱糟糟的黑发。他没有看见梦塔娜，他忙着在一个胸部发育过早的金发女孩面前吹口香糖。

一时间，她想起了吉娜·杰曼，尼尔真的要给她试镜。她不敢相信，但是不管怎样，现在最好放聪明点，接受这个事实。

噢……大乳房的力量啊。吉娜整个演绎生涯都是靠这个优势。

梦塔娜看到两个中年男人从那对少年身旁经过。她知道他们将要干什么，他们的行动并没有让她失望。他们认真地盯着那女孩的胸部，看了看对方，舔着嘴唇，笑着说了一些污言秽语，这让他们俩都笑得前俯后仰。走在大街上的每一个普通男人都一样，认为女人只有胸和屁股。这就是他们整个人生中不知不觉所接受的思想。这算是标准行为吧，她曾无数次见过这样的行为。有时候，她觉得自己能轻而易举地搞懂男人们的思想和行为。当男人成群结队时，他们是可预测的，但是那些不可预测的男人总是吸引她的目光。

她想到了她第一次遇见尼尔的情形。一个流浪的男人用酒精把自己灌到半死，浪费着自己的绝世才华。但是他是一个不可预测的流浪汉，聪明绝顶又幽默诙谐，值得去挑战。

一个穿着塑料紧身短裤和细高跟鞋的妓女漫步而过，一个戴眼镜的男人在她身后追，鼓起勇气想和她进行交易。这就是街头路人。

电影剧本的创作很容易。作为一个旁观者，她拥有一种神秘的力量，能弄清楚男人的脑袋里到底在想什么。她懂男人，同情男人。通过观看街上人们的互动，她创作出了一个真实人物的奇妙故事。

现在问题是尼尔到底想要怎么拍？

是因为压力再次而来，他必须得到释放，想要搞砸；还是想要挺过来，把电影拍成梦塔娜觉得他心目中所想的样子？

他很坚强。

梦塔娜希望他足够坚强。

伊莱恩张口闭口都是她那该死的派对，还有盛气凌人的碧碧·萨顿。

"天啊，伊莱恩！"罗斯嘲笑道，"你难道不知道她曾经只不过是香榭丽舍大街上 100 美元一晚的妓女吗？我上过她，乔治上过她，我们都上过她。事实上，当她第一次来好莱坞的时候，还有一些关于她被乔治搞大了肚子的大丑闻。"

"胡说八道。"

"在乔治的老婆发现之前，他们两个可火热了。也有传言说碧碧去蒂华纳堕过胎。"

"我不相信。"伊莱恩一本正经地说道，"这些都是好莱坞里的传言。"

"这可不是什么好莱坞传言。看在上帝的分上，这是真的，所以你还是不要再去亲她下垂的屁股，拍她的马屁了。"

"她身材很好，罗斯。"伊莱恩利索地说道，"碧碧的屁股可不下垂，你的屁股才应该多花些时间到健身房锻炼锻炼，尤其是在派对开始之前。"

"你从来都忍不住要挖苦别人，对不对？"

"你也从来都不肯接受现实，就算是为了你自己好。"

"别这么装好人。"他说完就昂首阔步地走进了书房，想着要给凯伦打电话。和伊莱恩待在屋子里太危险了。

星期天早上，罗斯开着自己的险路车去内尔和埃尔熟食店打包了些熏鲑鱼、百吉饼和奶油干酪，然后他停在了路边的一个公用电话亭，拨通了凯伦的电话。电话接听服务员接了电话，他可不想透露自己的名字。所以他玩起了恶作剧，没礼貌地说道："告诉兰开斯特小姐，伊莱恩先生找她，希望她回电，再出去约会一次。"

很明显凯伦没有收到留言，因为现在已经是星期天晚上，还没有收到她任何回音。当然，她可能已经打过了，不过是伊莱恩接的电话。而且，她可能觉得周末打电话过来恐怕不是什么明智之举。凯伦可是个绝顶聪明的女人。

伊莱恩在厨房里抱怨不该把两块冰冻的牛排拿去烤。尽管伊莱恩试过用双倍工资来引诱莉娜，她还是不愿星期天来上班。她真的痛恨下厨，这等于是在糟蹋她的指甲。至于洗盘子的工作，她通常都留给莉娜，都懒得丢进洗碗机里。

罗斯走进厨房，从沙拉盆里挑了些萝卜出来吃。"明天中午还有谁要参加碧碧那个杀人和致残的午餐？"他随意问道。

"学会用梅斯喷雾剂称不上是杀人和致残吧。这是一个非常有用且有效的自卫方式。"

"当然。要是有些拿着大酒瓶的坏家伙抓住了你，你该怎么办？把手伸进钱包，找你那可爱的小喷雾剂，对他说，"——他故意装出短促刺耳的女高音——"噢，对不起，先生。你能不能站着不动一分钟，让我快速地给你喷一点梅斯。你不会介意的，对吧？"

伊莱恩被逗得乐不可支："我希望我不会有机会用到那东西。"

"踢他们的下体，然后跑，"罗斯建议道，"其他的都可以忘了。"

"你以为你是谁，专家？"

"我是个男人。"

她本打算说——"你别把我当傻瓜了。"但是她感觉这话还不够刺耳，而且也不想罗斯在派对的费用支付上太推诿——况且费用每一分钟都在增长。她凝视着受热后嗞嗞响的牛排："加蒜盐？"她询问道。

"不，我觉得不用。"

"明天想做爱吗？"她玩笑道。

罗斯捏了一下她的左胸："今晚吧，如果我有幸的话。"

不要屏住呼吸，伊莱恩。不要屏住呼吸。

吉娜·杰曼从电话里传来的声音低沉又性感："我不认为我参加电影的试镜会终结我们这段美好的关系。"

尼尔深吸了一口气。他已经给吉娜安排好了试镜，这正是她想要的。现在她又想要尼尔继续和她保持关系？

"吉娜，亲爱的，"他简短地说道，"我正努力让整个电影的拍摄工作运行起来。我都没时间去厕所了，更别提其他的了。"

"只工作，不玩……我想你，尼尔。"

上帝啊！这个敲诈的婊子居然还有勇气说这些："星期三，你就能见到我了，你马上就要参加那个你十分看重的试镜了，不是吗？"

"当然，尼尔，甜心。我会表现好的，你会为我感到高兴的。"

"星期三见。"

"等等！"吉娜发出一声刺耳的指令。

尼尔叹道："什么？"

"今天晚些时候过来吧。"她转变了战术，甜言蜜语道，"我想和你讨论一下场景，我想让你帮帮我。"

她简直不可理喻。"吉娜，"尼尔简短地说道，"我想你没有听明白我的话，我很忙，我——"

"我们可以一起看看我们俩的录像。"她低声说道，"这个对你有吸引力吗？或者，你希望我送一份拷贝去你家？我敢肯定梦塔娜会喜欢在荧幕上看到你。你看上去可真有男人味，又帅又——"

真是个一流的荡妇！"我来。"他突然说道。

"我会穿得很性感的……拜……"

尼尔盯着桌子对面的墙。目不转睛，眼里空无一物。在劳莱与哈台①的老电影中，有句话怎么说来着？"你让我陷入一场美妙的麻烦，奥利，一场美妙的麻烦。"

耶格夫人和麦奎因夫人想在午餐后打网球。巴蒂坦言自己不是康纳斯②和伯格③那样的网球好手，于是她们没叫他加入。

贾森也给自己找借口："我通常星期天都和马文待在一起，否则他会生气的。"

马文·格来朱赖格斯·杰克森会生气？绝对不会。

"而且，"贾森接着说，"耶格夫人等会儿想要看下她的房子，那么不如我五点半和你们在这里碰面？我在马特奥饭店订了晚餐。"

---

① 长期搭档出演滑稽片的两位演员。
② 美国优秀网球选手。
③ 网球世界冠军。

巴蒂点点头，想着安琪儿在海滨无所事事地躺在太阳底下晒太阳，在浪花里游泳。此时巴蒂是多么羡慕她。他一直等到贾森走了之后，才找了个借口从玩网球的两位女士那里脱身，找到个电话亭。电话响第二声的时候，安琪儿就接起了电话。

"你怎么没出门？"他问道。

"我在打扫卫生。"她解释道。

"还要打扫什么呀？那地方看起来就像个医院。"

安琪儿的语调很严肃："我在打扫橱柜呢。装修的人把里面弄得到处都是木屑，你知道吗？"

"是吗？"

他的讽刺对安琪儿没起作用："当然，他们确实这么干了。"她义愤填膺地说道。

"嗯，听着。我一时半会儿回不来，也许要到晚上。"

"我还以为我们能出去兜兜风呢。"

"我们明天再去吧。"

安琪儿发出了一声叹息。

"告诉你，小鬼。别打扫了，动动你美丽的身体出去转转吧。这是命令，我想看到你被晒黑了。"

"你觉得这样对我肚子里的孩子好吗？"

"是的，是的，这样很好。"

"那我现在就去换衣服。"

巴蒂在电话那头连亲了好几声，然后挂上了电话，他想找找身上还有没有更多的硬币。接着试着拨通了梦塔娜·格雷秘书——茵戈的电话。

"有没有什么新消息？"他连招呼都没打，就直奔主题。

"星期天也来问？"

"只是来查看一下。"

"你想过来吗？"

"我想，不过我两个姑妈来镇上了。我正扮演好侄子呢。"

"只要不是扮演好心的男同性恋就行。"

她这句自作聪明的话是什么意思？巴蒂结束了通话，想给兰迪打个电话。老哥们儿兰迪那天在芭堤雅酒店是和哪位重量级人物待在一起呢？也许巴蒂应该和他谈谈玛瑞丽·格雷，看看她知不知道些关于《街头路人》的消息。巴蒂拨了兰迪的号码，但是没人接。他失望地挂上了电话。

巴蒂没有直接回到网球场，而是绕了道，到活动室和泳池边看了看。那里有很多皮肤晒得黝黑的男人，他们脖子上都戴着许多金子。还有许多同样晒得黝黑的女人，穿着暴露的比基尼，耳朵上挂着钻石耳钉，腰上缠着细细的金链子。他们这些人看上去都差不多。

巴蒂轻声吹着口哨到处逛。他发现有许多女人回头多看他一眼，甚至还有一两个男人也这样。不过，这并没有让他感到吃惊。

在这些人中，巴蒂认出了约翰·斯皮德，一位英国摇滚明星。还有几个互相溜须拍马、无足轻重的小演员。

巴蒂回到了网球场，依旧吹着口哨。诺尔玛和塞莱斯特正在奋力击球，就像两个年迈的克里斯·艾芙特①正在球场上全力以赴。她们俩很好，而且显然自得其乐。巴蒂在旁看着球来回疾速穿行。天啊！他很热，这种天就适合在沙滩上闲逛。但是，他有任务在身，此时此刻，贾森·斯万克鲁是他在镇上唯一的赌注。

"大获全胜！"诺尔玛耀武扬威地叫道。

"喔！你当之无愧！"塞莱斯特喘息道。

她们两人走出球场，手挽着手，暗自互相微笑。

巴蒂大声说话吸引她们的注意："现在做什么呢，女士们？"

"想冲个冰爽的凉水澡。"诺尔玛说道。

"再来上一杯冷饮。"塞莱斯特补充道。

"不如我在咖啡店里等你们？"他建议道，"然后我们可以……"他耸了耸肩，"干点儿什么都行……"

"贾森给你多少报酬？"诺尔玛问道，一头红色鬈发在阳光下闪闪发光。

"嘿——我很乐意陪你们，"巴蒂对她的直截了当感到吃惊，"我很愉快。"

诺尔玛笑着说："我想你也许想更愉快些……我们付给你贾森双倍的报酬怎么样？"

巴蒂皱起了眉头："再说一次？"

"多少次都没问题，如果我们幸运的话。我确信我们都会非常的……合得来。"她停下来舔了下丰唇，接着补充道，"你不觉得吗？"

巴蒂开始逐渐理解这话的意思，一次舒适的三人性交游戏。

---

① 美国网球巨星，曾赢得七次法国公开赛、六次美国公开赛、两次澳洲公开赛、三次温布尔顿冠军。

"哦……你们考虑出多少？"他问道。还是问清楚她们到底愿意给多少钱比较好。毕竟，他以前又不是从没做过这种交易。

在遇见安琪儿之前。

"我可不想讨价还价，你尽管开口。"诺尔玛干脆地说。

塞莱斯特点头表示同意，然后两人都期待地看着巴蒂。

他飞快地想了想。目前万能的钱财并没有朝他滚滚而来，这个机会似乎不容错过。

"哦……我想要 1000 美元。"他含糊地说，有点怕诺尔玛会爆笑起来，因为她们都知道他是在漫天要价。

但是她没有。她一只手拽着巴蒂的手臂，另一边牵着塞莱斯特，拖长调子说："那我们还等什么呢？"

安琪儿清理完厨房后换上了白色的泳衣朝外走去。事实上，她不是那么喜欢躺在太阳底下晒太阳。她觉得这很无聊。

她小心翼翼地走下房子旁边的木台阶，穿过沙滩来到了海水里。浪花很大，再往海滩走下去，有两个古铜肤色的少年正用冲浪板在水里玩着十分危险的游戏。她看着这两个少年，幻想着那是她和巴蒂在汹涌澎湃的浪花里嬉戏。接着，她又想起了夏威夷，那时候的巴蒂是如此的细心，如此的浪漫，不知为何……那么与众不同。好莱坞好像让他神经紧绷，无法放松。

她缓慢地沿着海岸线漫步，涌上沙滩的浪花拍打着她的赤脚。怀着敬畏的心情，她望向奢华的海滨别墅，每一栋别墅都风格不一，但是它们的价格都大约在两三百万美元之间——这是超市里的那个女人透露给她的。

"对不起。"一个男声说道。

安琪儿转过身，吓了一跳："怎么了？"她那绿宝石般的眼睛在阳光的照射下显得异常大。

那个男人凝视着安琪儿，被她纯真的美丽打动了。他清了清嗓子："你不认识我，"他迟疑地说道，"但是我一直在观察你——"

他们在一栋双卧小别墅里。空调全速开启，窗帘也被拉了下来。在经历过午后的炙热之后，房间有些冰凉。但无论是诺尔玛·耶格，还是塞莱斯特·麦奎因似乎都没有注意到这个。

"为什么不倒点马丁尼酒呢？"诺尔玛指着那个存货充足的吧台，命令道，"趁我们洗澡的时候。"

"对啊。"巴蒂站在房间中央，想着为什么自己会感到紧张。

是在紧张和两个老娘儿们上床吗？巴蒂·哈德森？

距离上一次从事这种活动已经很长时间了。

那又怎么样？

巴蒂开始准备酒，给自己倒了一杯双料伏特加，迅速大口喝了下去。喝太多酒会行动变缓，但是快饮一杯总是很有效。

他想要先拿到属于他的 1000 美元，预先支付，透明交易。

洗澡的声音通过卧室门传了出来。巴蒂拿上两杯马丁尼酒，用脚踹开了门。床上的被子整齐对折，花色枕头上放着一些钱。耶格夫人可真懂人心。

巴蒂放下杯子，扑了过去。10 张 100 美元的崭新钞票。是的，耶格夫人可不是什么吝啬的人。他立马把钱塞进自己的夹克衫口袋里。

那……等会儿该怎么安排顺序呢？让耶格夫人先，然后再是麦奎因夫人？或者，两个一起来？

他脱掉夹克，解开衬衫纽扣，把衬衫脱到腰部。他在房间里踱着步，一种不安的感觉笼罩着他。

现在安琪儿在干什么呢？她也许在清理一两个橱柜。想到这他脸上露出了微笑。我的妻子，清洁员。安琪儿变了。在夏威夷时，她像巴蒂一样无拘无束。而现在呢，她变成了贤妻良母，一天到晚洗洗涮涮，巴蒂带进贾森房子里的每一粒沙都会让她大惊小怪。

"啊哈。我想你找到了那些钱。"诺尔玛站在浴室门口，身上紧裹着一条毛织长袍，"准备好去洗澡了吗？"

嘿，嘿。难道她认为巴蒂不干净？

"当然，"他回答道，"为什么不呢？"

诺尔玛走进了卧室，巴蒂绕过她走进了浴室，然后飞快地脱掉了身上的衣物。

温热水冲澡，芬芳的香皂，还周到地提供了一件浴袍。是时候打起精神来，想些甜蜜的事情了。巴蒂的脑袋里闪现出一些色情的记忆。该是上阵的时候了。随后他就大摇大摆自信地走进卧室。

麦奎因夫人和耶格夫人裸抱在一起。她们呻吟着，白晃晃的肉体纠缠在一起。

"你不会是在害羞吧？"她取笑道，"贾森通常不会给我送来害羞的男人。"

　　原来是这么回事。贾森自始至终都知道整个圈套。那些关于只是带两个寂寞的女士出去逛逛的话全是放屁，贾森一定是看着他来这里的。

　　塞莱斯特从床上起来，她的挑染短发乱成一团。胸前掉垂的乳房看来经过不少折腾。"嗯……"她舒展着身体，"怎么了？"

　　塞莱斯特让巴蒂想起了圣迭戈，想起了那个14岁的男孩……他的妈妈站在门口……脱掉了长袍……巨大的乳房垂在胸前，大腿散发着麝香味。

　　"我得走了。"巴蒂低声说道，"我真的得走了。"

　　"什么？"诺尔玛和塞莱斯特同时惊叫道。

　　"我忘了我有一个约会——"他慢慢地走进了浴室，脱掉了浴袍，飞快地穿上了自己的衣服，"我还要去参加一个试镜，我得去看几页新剧本。"

　　他站在了门边，手握住了门把手，就好像触碰到了自由。

　　"我的钱，巴蒂。"诺尔玛·耶格的声音冰冷无情。

　　"噢，对……当然。"他把手伸进夹克口袋，用手指夹住那叠崭新的钞票，默默地跟它们道别。"拿去吧。"他把钱朝地丢去，不偏不倚正落在塞莱斯特的肚子上。

　　然后他离开了那个地方，一直跑，一直跑，大口大口地深吸着新鲜空气。让自己在时间和空间上远离过去的自己。

　　虽然安琪儿已经习惯了陌生男人靠近，但是她从没有找出个好办法干净利落地把他们赶走。一开始的交谈会导致彼此之间的熟悉，然后突然间就认识了一个完全陌生的人，不管你愿意与否。

　　沙滩上的那个男人不一样。安琪儿立马感觉到了这一点，他没有说那些司空见惯的话来烦安琪儿，而是直截了当地说："你不认识我，但是我一直在观察你，我这么跟你说吧，我可以让你开始一段全新的生活。"

　　"对不起。"她边说边往后退。

　　他追上她："我不想要你的身体，我对任何个人方面的事不感兴趣。"

　　安琪儿退得更远了。

　　"太美了！"他叫道，"太完美了！"

　　安琪儿四处张望着想找人解救自己。

　　"我们是邻居。"他说道，试图让安琪儿镇静下来，"我就住在你家房子隔壁。"

　　"我丈夫在家里。"她紧张地说道，"他不喜欢我和男人说话，他人很容易嫉妒，他——"

"我才不在乎你那什么丈夫！"他在空中挥舞着手臂大叫，"听我说，小姑娘，听仔细了。我要让你成为电影明星！如果你能在镜头前做到刚才那样，那你就能办到。你明白我说的了吗？"他颇带戏剧性地停顿了一下，"我想让你出演我的电影。"

安琪儿瞪大眼睛。她这辈子都在梦想着有人这么对她说。"你是谁？"她喘气道。

"我是谁？"他哄然大笑，"你不读娱乐报纸吗？你难道没有看见我去年登上《新闻周刊》封面吗？"

安琪儿一声不吭地摇了摇头，这个男人爆发出来的惊人气势让她感到畏惧。

他眯起眼睛，专注地盯着安琪儿："你不抽烟，对吧？当然，你当然不抽。"他举起手，好像要描绘她的脸一般，"你——年轻的女士，将要成为明星了。我，奥利弗·伊斯特恩，会让你成为明星。"

.19.

星期四，匹兹堡：

今天一早，在一条荒废的小巷里发现了一具男性尸体和一具女性尸体。女性死者年龄 20 岁，已被确认为妓女，遭到了残忍的肢解和刀砍，且被割喉。

男性死者为 34 岁的古巴籍人，身份为皮条客。同样遭到了和女性死者一样的袭击手法。该男子身体遭到了多次残忍袭击，手肘以下的手臂被切断。相信是凶手在袭击之后，让该男子流血致死。警方目前正在寻找案件目击者。

老旧的棕色厢式货车飞驰在高速公路上，把匹兹堡远远地甩在了后头。迪克刚买下车时车载收音机根本不能用，现在却通过车上的四个隐蔽的扬声器发出了声音。电台里播放的是罗德·斯图尔特的歌《激情》。

在酒吧，在咖啡店——激情

在大街小巷——激情

太多的伪装——激情

每个人都在寻觅——激情

这些词多么真实，迪克想着。每个人都拥有激情。但是迪克生活的激情在哪儿呢？

从电台上听到——激情

从报纸上读到——激情

在教堂里听到——激情

在校园里看到——激情

乔伊。她给了他激情，她是唯一做到的人……

没有激情无法生活

即使是总统也需要激情

每一个我认识的人都需要激情

有些人为激情而死，为激情大开杀戒

乔伊。他曾经爱过她，虽然她是个妓女，尽管她是个骗子，尽管她是个又说谎又卖淫的婊子、婊子、婊子……

有些人为激情而死，为激情大开杀戒

乔伊接受了他的求婚让迪克大吃了一惊。她说："好吧，大人物，你选日子吧。"又接着说道，"我想要一枚戒指，而且，如果你想要我放弃卖淫，那你每个星期都得给我些钱。"她疲倦地叹息一声，倒在了尚未铺好的床上。"我们什么时候结婚？很快？"她点了点头，好像是在问自己。"是的，很快。"她决定道。

迪克茫然地看着她。求婚是一回事，可做起来又是另外一回事。有一大堆事情需要考虑呢，他的母亲就是其中之一。他曾经带过一个女孩回家，那是多年前，他还很年轻的时候。他的母亲热情地款待了那个女孩，但随后，当他们母子俩单独相处时，他母亲愁苦地微笑道："不适合你，儿子，她，不够好。"

当然，没有一样东西对他母亲而言是足够好的。他的学校成绩，他的工作，他的爱好。

"车！"他母亲不开心地皱着鼻子说道，"我们付钱让你接受教育是为了让你日后成天躺在车底板下吗？是这样吗，儿子？这就是我们努力的结果吗？"

他母亲从来没有接受过他在汽车维修厂上班。她也永远不会接受乔伊。

"没错，会很快。"他嘟囔道。

"那是什么时候？"乔伊问道。

"我要订一些计划……"

"那我们要住在哪儿？"她突然问道。

迪克都要为向她求婚而感到后悔了。他本没有想到会需要这么快做出决定。"我会找个地方。"

"一栋房子？"

他在汽车维修厂里挣的钱可不多。当然，他得给他母亲一笔固定的收入。在遇见乔伊之前，他存了点钱，但是现在银行里有的也不过是几百美元。

"再说吧。"

乔伊跳下床，被黑眼圈包围的眼睛里充满了恶意和威胁，左眼的斜视也因为疲倦而加重了："听着，帅哥，别让我失望。"

"我不会的。"迪克焦急地跟她保证。

"你最好别，"她把手伸过头，叫道，"如果我愿意，我可以结几百次婚，甚至还有个警察迷恋我呢。你认为怎么样？"

他可不会喜欢。乔伊·克拉韦茨是属于他的。谁要是想从他这里抢走乔伊，那个人就得死，死无全尸！

迪克的货车驶出了车道，一位驾着凯迪拉克的司机愤怒地用手指对着迪克做了个淫秽的手势。迪克被激怒了，他故意转变车道，紧跟在凯迪拉克屁股后面，开始死劲儿按喇叭发出急促的响声。

两辆车都在飞速行驶，远远超过了限速。但是凯迪拉克没有让道，迪克也没有放慢自己的速度。

他们俩危险地飙过了那条双车道高速公路，迪克的厢式货车离凯迪拉克的尾部只有几英寸。

这条高速公路出现了前方施工标志，示意前方一公里处的双车道只有一条路可用。

迪克把车从凯迪拉克后面开了出来，变成了与之并驾齐驱。凯迪拉克的驾驶者，一个中年男人，死死地盯着前方，他已经觉出自己可能正在和一个疯子较劲。

随着他们靠近施工处，那个中年男人把车速降了下来，准备开在那个驾着厢式货车的疯子后面。但是，迪克这个疯子并没有让他得逞，这个疯子和他保持同样的速度，挡住了他，不让他进入安全车道。天啊！事态表明他必须要结束游戏了。突然，一阵恐惧袭来，他用脚死劲儿踩住油门——一辆凯迪拉克绝不可能跑不过一辆破旧的货车，绝不可能。否则出奇了。迪克的货车跟他的车齐头并进，就在他的凯迪拉克全速撞上笨重的混凝土搅拌车之前，货车赶超到前面去了。

那位中年司机仅仅感到几秒钟剧痛，随后便一无所知了。

三个小时后，迪克抵达了辛辛那提。他身体非常疲惫，尤其是感到饥饿。没过多久他就找到了一家餐馆，点了两份牛排。吃完后，他又在货车后座上睡了五个小时。精神恢复后，他又踏上了向西的旅程。

加利福尼亚在等待着他，他必须加快速度。

.20.

碧碧·萨顿住在贝尔艾尔一栋带围墙的别墅里，那儿警备森严，全副武装的守卫看守着门口大铁门，还有极为凶狠的特训德国牧羊犬在四处徘徊。没有人敢事先不经过预约就拜访碧碧。

伊莱恩开着她的梅赛德斯奔驰来到大门前，把自己的名字报给了戴着牛仔帽的守卫。他拿出一张打印名单核对了一下。"夫人，您知道去主楼的路吧？"他慢吞吞地说道。

"是的，我知道。"她回答道，心里想着这些繁文缛节真是愚蠢。人人都爱亚当·萨顿，他是个传奇，是一个约翰·韦恩或者格力高里·派克式的人物。谁会想要伤害他呢？

伊莱恩脸上露出了微笑。这些安全措施都是为碧碧设置的，这毫无疑问。大概半个贝弗利山庄的人都想撕破她的喉咙吧。

萨顿家的宅子曾经是属于某位默默无闻的电影明星的。伊莱恩几乎记不起来具体是谁的了，也许是巴蒂摩尔，或者是瓦伦迪诺吧？这不重要，碧碧已经把整个房子里的所有东西都换了个样，创造出了一个有很多柱子的白色罗马式别墅，住在里面很凉爽，除此之外还有喷泉，大理石台阶。如果她不是一位资深电影明星的妻子，她可以试试做室内设计师。她显然很懂这一行，哪怕这些装潢花了几百万美元。

一位穿着制服的用人在门前台阶处等着帮伊莱恩停车，还有一位女仆陪着她走过大理石门厅，来到一个阳光明媚的阳台，那儿可以俯瞰一个奥运会赛场大小的游泳池。

伊莱恩东张西望地看了一下出席的人群。贝弗利山庄，贝尔艾尔，还有其他富有地区的上层女士们悉数出席。圣罗兰、迪奥、德拉伦塔这些贵重的名牌在她们完美的身体上窸窣作响。即便她们没有完美的身体，她们也会去努力试着做到。电解去痣、紧肤、脂肪控制、去除皱纹、抽脂。现在身边晃荡的这些人身体不是这个部位就是那个部位做过这些手术。还有乳头修整、镶补牙齿、阴道紧缩、眼睑提升、鼻部整形、提臀手术，应有尽有，甚至还不止这些。

"甜心！"碧碧扑向伊莱恩，她穿着一件白色高拉诺斯夏装，非常简单动人，毕竟这只不过是个午餐派对，"真高兴你能来，我喜欢你这身衣服，我之前见过，没有吧？"

"没有。"

"噢，对了。上周我在萨克斯百货见过。"

至少她还意识到了这是一件新衣服。"你看上去真漂亮。"伊莱恩热情地说道。

碧碧高兴地笑了："这都是旧玩意儿了，我随便穿的。"

伊莱恩环顾四周想找点喝的，一位细心的侍者当即出现在她身旁。他端着银盘子以供客人选择喝香槟还是喝毕雷矿泉水。伊莱恩飞快地取了一杯香槟，如果想要度过整个午餐派对，她肯定不能保持清醒。

伊莱恩刚离开房子去参加午餐派对，罗斯就伸手拿起电话。电话响第二声时，凯伦接起了电话。她听上去不太热情，但是却很礼貌："我得走了，罗斯。我要去参加碧碧的午宴，我要迟到了。"

"那有什么关系，宝贝。难道我迷不住你了？"

"我们能换个时间再谈这个吗？"

"现在谈有什么关系？我现在坐在这里下面硬得很，一定会把你弄到想流眼泪。"

"那你就手淫吧。"

"这不一样，凯伦。能和你在一起，我可不想做这事。"为了达到效果，他暂停了一下才又接着说，"上帝啊，但是你星期五晚上看上去很淫荡。你和那个笨蛋切特·巴尔内斯在一起干了些什么？"

"干他。"

"棒极了。"

"是的。"

"他还是那样在进去之前就射出来了吗？"

凯伦喘了口气："你怎么会知道这个的？"

"这个镇子不过是个小村庄罢了，小姐。"

"你无赖！"

凯伦现在在他的掌控之中，他能从她的声音里听出来。"不如跟我一起共进午餐，不要去碧碧那儿了？"他建议道。

"你真是个混蛋。为什么你说会给我打电话却没有？"

"我可不认为这么点小事会让你这样一位奔放的小姐烦心。"

"我可不是那些你可以随意丢在一边的化妆师或者造型师，你知道的。"她抱怨道。

"我们在哪儿见面？"他自信地问道。

凯伦叹了口气。她可从不会拒绝更好的选择："我想在海边。"

"好远的路呢，那我们得好好干上一场。"

凯伦嘶哑地笑道："但愿如此！"

梦塔娜按了下通话机，刺耳的声音把她的秘书招进了办公室："茵戈，我希望所有参加试镜温尼这个角色的演员在这个星期三能全部到齐。"

茵戈点了点头，心里痒痒地想把这个好消息告诉巴蒂·哈德森。

"让他们到达工作室的时间间隔一个小时，从早上七点开始。他们要穿自己的衣服，休闲装，建议最好是李维斯配上一件衬衣。化妆和发型由我们负责。"

茵戈又点了点头，在便笺簿上做着简要的速记。

"总共有四个人，对吗？"梦塔娜核对道。

"是的，"茵戈确认道，"你想让他们按照特别的顺序到达吗？"

"这没有什么区别。他们机会均等。"她把眼镜推到了头发上，"天啊！等每一个角色都选好了我会非常开心。面试这些男女演员好像花了我一辈子的时间。"

茵戈想着这是否是向她的老板提些问题的好时机，"哦……乔治·兰开斯特真的要参演吗？"

"我也希望我能知道！"梦塔娜厉声说道，"整个该死的电影角色除了三个主角外都选好了，这样棒极了，对吧？"

茵戈礼貌地笑了笑："据我所知格雷先生正在面试吉娜·杰曼。请原谅我这么说，但是对于这个角色而言，她是不是过于性感了？"

"哈！真是个委婉的好说法，孩子。还有咖啡吗？"

茵戈从办公室里退了出米。和老板聊完天后，她立马跑到了自己的办公桌旁，拨通了巴蒂留给她的海滨别墅电话。没人接听，也没有代接服务。谁听说过一个演员居然没有开通电话代接服务的？必须有人找到巴蒂·哈德森，也许这个人就是她……

奥利弗·伊斯特恩突然闯进了办公室，打断了茵戈的思绪。

"格雷夫人在吗？"他问，手指划过桌子边缘，检查有没有灰尘。

"她在，我会告诉她你——"

还没等她拿起通话机，奥利弗就从她身边走进了办公室。

此时梦塔娜正坐在桌旁看一些照片，她抬起了头："早上好，奥利弗，"她冷漠地说道，"不用麻烦敲门，直接进来就行了。"

奥利弗没理会她平静的讽刺，掏出口袋里的手帕往皮椅上擦了擦，坐了下来。"我已经为我们找到了妮吉。"他宣布道。

"奥利弗？"梦塔娜问道，"告诉我，我很好奇。你做爱之前还要把阴茎消毒一遍吗？"

他盯着梦塔娜，皱起了眉，然后由衷地笑了起来："你有一种可爱的幽默感，"他认可道，"对一个女人来说。"

"谢谢，"梦塔娜低声讽刺道，"和你说话，从来不会让人失望。"

奥利弗压了几次指关节，然后检查了下他那完美无瑕的指甲，指甲的表面涂着无色的指甲油："你就不想知道她是谁吗？"

"我知道，吉娜·杰曼，让她出演的这个主意简直糟透了。"

"不，我自己找了个女孩。跟她相比，吉娜·杰曼看上去简直就像她的老妈。"

梦塔娜叹气道："你把这个好消息告诉尼尔了吗？"

奥利弗的身子探过桌子，降低了分贝说道："我想让你第一个知道。"

"啊，谢谢。"

"我找到的这个女孩太棒了！"

"我以为你要吉娜。我指的是你一直说她是个大明星，对票房有很大影响，不是吗？"

"有了乔治·兰开斯特，谁还要吉娜·杰曼？"

"乔治·兰开斯特还没确定呢。"她疲惫地提醒道。

"他一定会参演的。昨晚我打电话去棕榈滩给他了，得到了他的承诺，我下午要和莎蒂·莎乐会面，敲定条款。"

"尼尔知道这些吗？"她问道，感觉自己像一张被卡在同一个旧凹槽处的唱片。

"尼尔管的是艺术那一块。"他轻快地说道，"生意上的事得由我来管，我应该先和乔治谈。我知道怎么对付那些演员。加上我承诺用 500 万美元，再加上一部分票房收入作为他的片酬。"

梦塔娜想着自己写剧本得到的那微不足道的金额："你真大方，"她低声讽刺道，"你不觉得应该把这个好消息告诉尼尔吗？"

"他出去考察外景了。等他回来后，我会去见他。所以在此期间我就过来告诉你我发现的那个女孩了。"

"你到底在哪儿找到她的？"

"在海边，她是我的邻居。"

梦塔娜纳闷地皱起了眉头。她对电影拍摄的商业运作这一块越来越不抱幻想了。先是乔治·兰开斯特，她对这个消息一点都不兴奋，现在又是奥利弗在海边发现的漫步少女。"这部电影的选角是由我负责的，"她尖声说道，"先是吉娜，然后又是个你从某个地方捡来的娘们儿。这部电影简直就是他妈的业余演员表演会，奥利弗。"

奥利弗依旧没理睬她的愤怒："等你见了她，你就知道我什么意思了。她就是妮吉。"说完，他站起身来，用力地拍了拍屁股，还拿走了梦塔娜桌子上瓶子里一朵枯死的花，把它丢进了垃圾桶，然后走出了房间。

梦塔娜深吸一口气。尼尔所谓的电影完全控制权到底在哪儿？

星期天下午晚些时候，巴蒂给海滨的房子打了个电话："把所有东西都收拾好，开车直接来兰迪住的地方。把房子钥匙留在那儿，不要接任何电话。如果贾森来了，什么都不要跟他讲。明白了？"

"我不明白——"

"明白了？"

"是的。"

"立即动身，我希望你尽快离开那儿。"

尽管安琪儿脑子里满是疑问，但她还是按照巴蒂所说的去做了。她迅速收拾好东西。电话响过一次，但是她没管。贾森没有出现。她两眼泪汪汪的，明白是到了要和这栋海滨别墅说再见的时候了。和巴蒂在一起的日子真是无法预测。

巴蒂在兰迪·菲利克斯的公寓外见到了安琪儿。她能闻出巴蒂鼻息里散发出的酒精味儿，他的神情非常兴奋疯狂。

"我搞不明白。"她又开始了。

巴蒂一把将她拥在怀里："总有一天我会跟你解释的，宝贝。"然后，便拉着她走进公寓里见兰迪。

解释也就到此为止了。兰迪那里有个女孩，是雪莉。她看上去还挺亲切，尽管有点邋里邋遢。他们都坐在狭小的公寓里，喝着廉价的红酒，慢慢地抽着热情的雪莉主动为他们卷的大麻烟。安琪儿并没有加入，也没有人在意她，他们都忙着聊自己。

她坐在角落里，一股怒意在她心中缓缓升腾。眼前的巴蒂不是她嫁的那个巴蒂，不是那个她一见钟情、深爱着的男人，只是一个神经质、吵闹、神志不清的人。

12 点左右，雪莉站了起来，伸了伸腰："我得去睡会儿觉了。"她打着哈欠，"星期天是我唯一的休息日，我难得脱身。"

巴蒂快如闪电地抓住安琪儿的手，把她也拉了起来："你今晚在雪那儿过夜，甜心，"他宣布道，好像这是世界上最正常不过的事情，"我今晚就在兰迪的地板上过夜了，明天我会给我们俩找个地方的。"

她十分惊愕，"巴蒂——"她嚷道。

巴蒂握紧了她的手："照我说的做，"他低声嘟哝道，"她是这个镇上唯一的选择了。她是个好伴儿，不会有麻烦，她没有那种倾向。"

安琪儿冷漠地盯着他，他的头发乱糟糟的，眼球上布满了血丝，他帅气的脸庞上满是汗珠，而且浑身恶臭。"那我的东西怎么办？"她问道，觉得既疲惫又失望，"我们的行李箱还在车里呢。"

"雪会把你需要的东西都准备好的，是吗，雪？"

那个卷头发的女孩子点头道："如果你能不叫我雪的话，我想我甚至会给她准备早餐。"

巴蒂咧嘴轻轻摇了摇头："谢谢你，雪莉。"他试着纠正，"我会永远记住你的。"

雪莉回敬了一个微笑，亲密地拍了拍巴蒂的脸颊。这个动作可没有逃过安琪儿的眼睛。

"我们走吧，天使脸蛋。"雪莉说道，"你会爱上我的公寓的，那里比这鬼地方还小。"她含糊地朝倒在床中央的兰迪挥了挥手，"很高兴认识你，谢谢你的酒。"

兰迪也动作失调地挥了挥手："我也很高兴认识你，邻居。那些大麻真棒，下次如果你有得卖，我要买一点。"

"大麻、可卡因、嗑药，尽管说，全包在我身上。"

"真了不起啊！"巴蒂含糊地说道。

雪莉微笑告别："大家晚安。"

安琪儿一声不吭地跟着雪莉从公寓里走了出来，然后朝上走了两段楼梯，眼泪刺痛了她的双眼，愤怒刺痛了她的舌头。她并不经常发脾气，但是她一旦生气总是会让人吃惊，圣女变成了母老虎。

她们站在雪莉的公寓外，雪莉在摸钥匙。然后她甩开了门，同时说道："欢迎进入天堂，天使脸蛋。这里是整个好莱坞最糟糕的廉价小住所了。"

"还要点香槟吗，康迪夫人？"年轻的侍者询问道。

伊莱恩点点头，暗暗思量他怎么会知道自己的名字。

为什么他不能知道？我也很出名，我是一位电影明星的妻子，一位很快要东山再起，打败所有人的电影明星。

天啊！她喝醉了，而且她知道自己喝醉了。幸好不是酩酊大醉，但是也快了……

她偷偷敲了下香槟酒杯，最上乘的唐·培里侬香槟王酒便涓涓流入酒杯。

伊莱恩坐在一张白色帆布制成的轻便扶手折椅上，周围还坐着36个女人（她在午餐后点过人数）。和其他人一样，她无聊得要死，那个肌肉发达、曾经做过侦探的男人看上去就像次等的科杰克侦探①，说起话来像一个刚发现上帝、滔滔不绝的拳击手。只不过他发现的是梅斯喷雾剂，或者说看起来是这么回事。对于这个该死的东西，他没有放过任何琐碎的细节。

"我想撒尿。"她决定了，随即斜睨了玛瑞丽一眼。玛瑞丽的表情藏在那副紫色墨镜后头，这副眼镜和她身上价值 500 美元的安妮·克莱因夹克很搭。伊莱恩之所以精确地知道价格是因为她在寻找最完美的服装时曾经见过这件衣服。

"我要去一趟洗手间。"伊莱恩小声说道。

"谁拦着你了？"玛瑞丽也小声地回答道。

伊莱恩站了起来，她看到了碧碧不赞同的眼神，装了个窘迫的表情，急忙走进房子里。

一位女侍者嘴里塞着昂贵的巧克力，在瞧见伊莱恩后，内疚得乱蹦。伊莱恩直接从她身边掠过，走进了金粉色的卫生间。她漫不经心地想起凯伦，凯伦说过她要来参加午宴，她到底在哪儿呢？

也许凯伦直觉乍现，提醒她这是整年度最无聊的午宴。

伊莱恩做了她要做的事情，检查了一下仪表，又迅速走回屋外。再一次坐下来，

---

① 电影中的侦探角色。

她思考着这次的午宴绝对不会是毫无用处的。首先受邀本身就是一件好事，此外还有机会——非常随意地——和莎蒂·莎乐说："我真希望你能参加我为乔治和帕梅拉·伦敦举办的小宴会。"

就连莎蒂·莎乐也不能回绝这样一个邀请。她点了点头说："当然。"她甚至还露出了愉快的微笑。罗斯会开心的，一旦这个女人进了他们家，她就不能继续忽略罗斯的存在了。

玛瑞丽轻声地打着鼾。戴着眼镜的她已经睡着了。伊莱恩赶紧用肘推了推她。

"噢！"她吓了一跳。

"你昨晚在哪儿呢？"伊莱恩小声说道。

玛瑞丽咯咯笑道："从星期五和星期六晚上中恢复体力。兰迪真不是浪得虚名。"

伊莱恩笑了，想着自己能不能也找个小男友。这可真够讽刺的。

"你有没有想过和伊莱恩离婚？"凯伦问道。说这话时，她正跨在罗斯身上，两膝有力地夹着罗斯的臀部，敏感的乳头则高挺着，诱人地垂在罗斯的嘴边。

罗斯很意外自己居然没回答。就他而言，做爱的时候是绝对不能讲话的。他咕噜了一声。

"离婚的花费太大了。"罗斯喘着气说。

"如果我要你这么做，你会和她离婚吗？"

罗斯忽略了这个问题，想在达到性高潮之前，让自己专注地享受一小会儿美妙时刻。"动起来，"他恳求道，"我要射了。"

凯伦沉默着没有回答，而是扭动着身体，在一阵狂乱中，两人同时达到了巅峰。

"老天爷啊！"罗斯喘着气道，"你真是最棒的。"

凯伦渐渐地放开了他，身体探向床头柜，给两个人都点上了香烟。"你知道我有多少钱吗？"她问道。

罗斯感觉全身刺痛，无比的热，他感觉自己回到了17岁！

"多少？"他问道。

"足够支付一笔钱让伊莱恩重新开始了。等我老爸过世之后，我的钱数也数不清。"

这是一段奇妙的谈话。乔治·兰开斯特只不过比罗斯大12岁而已。

"你在说什么呢？"

凯伦深吸了一口香烟："你和我可以组成一对绝佳夫妻。"

罗斯不冷不热地笑道："你和我在一起之所以很好，是因为我们没有结婚。"

"你是这么想的？"

"我知道是这么回事。"

"我们走着瞧……"

"瞧什么？"罗斯警觉地问道。

"只是走着瞧，就这么多，"她神秘地回答道，"我们为什么不去游泳？"

"去海里？"

"我可没看见附近有泳池。"

"我都好多年没有在海里游泳了。"

"那我们就走吧。"凯伦跳下了床，在抽屉里乱翻一气，给罗斯找了一条红色泳裤，给自己找了一件短款泳衣。

罗斯套上了短裤，裤子的腰围太紧了，比裆部还紧。

"别在意，"她轻声哼道，"等我们回来后，姐姐我会在极可意①浴缸给你按摩，让你全好起来。"

"凯伦，为什么你对我这么好？"罗斯疑惑地问道。

她脸上露出了微笑："因为善有善报，宝贝，你的善行太棒了！"

他们两个手拉手跑出了房子。

一个摄影师独自趴在附近房子的木桩下调整长焦镜头。五分钟之内，他就拍了两盘非常有趣的影像。

安琪儿压根就睡不着。雪莉这间破旧公寓让她感到震惊，衣服丢得到处都是，脏盘子，烟灰缸里的烟灰都满出来了，蟑螂在小厨房里四处爬行，就好像那是它们合法的家。

雪莉指了指还没铺好的床。"想一起睡吗？"她问道，"如果你不想，我就不忙活了。"

安琪儿已经发现了一把大扶手椅："如果你不介意，我睡那儿。"她飞快地说道，想起了以前的那位房东——达芙妮，那段不幸的经历在她脑子里记忆犹新。

"随你便，天使脸蛋，"雪莉耸了耸肩，在一个抽屉里找了找，"想不想来点可乐？"

---

① 一种卫浴品牌。

"我不渴，谢谢。"

雪莉扬起眉，惊奇地看了她一眼，但安琪儿并没有注意到。她小心翼翼地从椅子上拿开几件凌乱的衣服，把它们放在床尾一堆整齐的衣服里。睡觉、思考、想办法。她既心烦意乱又愤怒不已，甚至都没有机会把遇见奥利弗·伊斯特恩的事告诉巴蒂。遇见奥利弗让她激动得喘不过气，他的话尤在她耳边回响。

你，小姐，将要成为一位明星。

本来她想立马告诉巴蒂的，他一定也会激动不已。现在一切都搞砸了，她也许再也没有机会见到奥利弗·伊斯特恩了。

在安琪儿躺进椅子里时，雪莉丢了一条看上去脏兮兮的披肩过来。"做个好梦，姐妹，"她说，"如果你早起，那就手脚动作轻一点儿，我不希望在 11 点之前见到阳光。"

安琪儿点点头。后来的一整夜她都痛苦不堪，她一直试着强迫让自己受约束的身体睡着。早上 7 点，她就完全清醒了，于是她悄悄地离开了公寓，朝楼下的泳池走去。

随着早晨时间慢慢过去，其他居住者也逐渐出现在泳池边。两个穿着同样泳衣的女孩在池边做了一系列复杂的健身操，一位戴着假发的夫人牵着一条拴在镶着人造钻石的绳子上的疲惫的法国贵宾犬，还有一个男学生躲在棕榈树下偷偷地抽烟。

随后还来了一群正儿八经晒日光浴的人，手里拿着毛巾和防晒油，鼻子上戴着防护眼镜。他们都是暂无工作可做的演员。

安琪儿静静地躺在一把坏掉的折叠躺椅上，她美丽的眼睛里满是忧愁和疲惫。她用手把一头纤细的金色长发向脑后捋了捋，试着忍住肚子里突然发出的咕咕声。她饿了，事实上已经饥肠辘辘。她看了一下手表，还有 10 分钟就 11 点了，她想巴蒂该来找自己了。

巴蒂慢慢地从床上爬起来，脑袋里嗡嗡作响，示意他要起床开始一天的生活了。就在刚才，他还鼾声连连。

兰迪，满脸胡子拉碴，一副睡眼惺忪的样子。双手颤抖着倒了两杯速溶黑咖啡，一声不吭地递了一杯给巴蒂。

"我们不是才刚睡下吗？"巴蒂抱怨道，一不小心舌头被冒着热气的咖啡烫了一下，嘴里立即迸出了一连串咒骂。

"好像是吧。"兰迪表示赞同，挠了挠汗淋淋的腋窝，看了一眼自己的百达翡丽金表——玛瑞丽送的一个礼物。"但是，现在已经是下午两点了。"

"星期几？"巴蒂呻吟道。

"星期一。"兰迪回答道，摸索着电话。他拨通了一串号码，要求和玛瑞丽·格雷女士讲话。

巴蒂晃晃悠悠地走进狭小的浴室。他知道应该立马给安琪儿打个电话，昨晚她看上去不太愿意和雪莉住。但是，该死，那只不过是为了过夜，今天他会让情况好起来。

他往脸上泼冷水，朝镜子里望去。巴蒂小子看上去并不在最佳状态，自从安琪儿之后，这是他第一次放纵自己，吸毒又酗酒。但把那两位女士遗弃在贝弗利山庄酒店里后，他又感到沮丧、失意。他需要放任一次。

谢天谢地他还有朋友们。兰迪，当巴蒂出现在他公寓里时他表示理解；还有雪莉，她同意让安琪儿借宿一晚。没问题。

冷水让他清醒了几分，重新感觉自己像个人了。兰迪还在亲密地打电话，对电话那头的玛瑞丽·格雷吹牛皮，显摆自己的魅力。

巴蒂穿上短裤，做了个手势示意自己要上楼去雪莉那儿。

两声急促的敲门声，不，是三声。安琪儿出现在了门边，手里拿着一块干净的布，一股来苏尔①的味道散发在空气中。

巴蒂恼怒地挥舞起手臂："你在干什么？"

安琪儿的声音很冷漠，感觉像是受到了伤害："打扫。"

"看在上帝的分上，打扫什么啊？"

"你的朋友，雪莉，日子过得像一头猪。我在回报她让我借宿一晚，这是我最起码能帮得上的。"

巴蒂抓住了她的手臂："别傻了，这完全没必要，这——"

安琪儿恶狠狠地甩开了巴蒂的手，憋了一整晚的愤怒爆发了："别把我当成傻瓜，巴蒂·哈德森。你以为自己在和谁说话？一个芭比娃娃吗？"

巴蒂被她的爆发惊呆了："嘿——宝贝——这是怎么回事？"

安琪儿的眼睛闪着愤怒的光："什么叫这是怎么回事？你是指安琪儿小鬼居然顶嘴了吗？还是想说安琪儿小鬼居然敢表现自己的情绪了？"她愤怒地把布丢在地板上，"我是个人，我是你的妻子。我想知道到底发生了什么，如果你都不愿意告诉我，我就收拾东西离开这里。你明白了吗？你得对我诚实，巴蒂，否则我向你保

---

① 一种消毒液。

证，你再也不会见到我了。"

.21.

璐璐·克拉韦茨连她妹妹埋在哪儿都不屑知道。她一得知这起谋杀案和案件细节，便一声不吭。

"我从不知道什么迪克·安德鲁斯，"她抱怨道，"如果你这么确定是他干的，那为什么不去抓住这个人渣？"

充分的逻辑，简单的陈述。为什么没抓住他？

莱昂嘀嘀咕咕地讲了一些他们正在致力于此案件调查的话，璐璐只是看了他一眼，根本无须多言。

"既然你来这里不是为了逮捕我，也不是因为我吸毒要驱逐我，那你能远离我的生活吗？"她烦躁不安地躺在还没整理的床上，闭上了眼睛，"我累了，老兄。我他妈的一直在四处奔波。"

莱昂盯着这个胖女孩沉默了许久。难道她妹妹的死对她来说如此无足轻重？

乔伊·克拉韦茨。没人关心……哪怕一个人……也许只有他……

"你到底走还是不走？"璐璐质问道。

"对啊，老兄，你到底走还是不走？"她的朋友奇卡诺也重复道，突然变得勇敢起来。

莱昂慢慢地点了下头离开了，也没什么东西值得他留下了。

走在外面的大街上，正在下着凄凉的细雨，一个流浪汉沉重地靠在他的车前盖上。"滚开！"莱昂凶狠地命令道，那个男人东倒西歪地蹒跚离开了。

他为什么感到如此沮丧？他为什么感觉想去酒吧，大醉一场？他已经很久没这样干过了。

乔伊·克拉韦茨……乔伊·克拉韦茨……乔伊·克拉韦茨……

长着滑稽面孔的小妓女……

解脱是他的第一反应。乔伊一句话都没留下，就悄悄地离开了他的生活，现在他不必面对她了。莱昂坐在厨房桌旁沉思，他在烧开水，他想冲杯咖啡。一开始就不该让她进入公寓。他到了这个年纪应该更清楚，她会试着敲诈，尖叫自己被强奸了，说什么都可能……

他为自己的愚蠢感到不寒而栗，喝光了杯子里的咖啡，急忙穿上衣服。直到他拿起自己的钱包，才意识到钱不见了。一分钱都不剩，他虽然不确定具体有多少，但是至少也有 300 美元。克拉韦茨小姐把他当成了容易上当的傻子愚弄。她现在可能还在嘲笑他呢。

顿时，莱昂感觉自己是世界上头等傻瓜。然后又转而变得愤怒，他想着要找到她，把钱拿回来。乔伊以为她在宰谁呢？

他的目的很明确，但他在几个他认为乔伊可能会出没的地方晃悠了几天后，发生了一起谋杀案，他的精力便被其他事情占住了。一周又一周，一月又一月，时间匆匆飞逝，他的视野渐渐从那个小妓女和他那辛苦挣来的几百美元上转移开了。他已经从中吸取了宝贵的教训，这已经足够。现在他想做的是把整件事情都忘掉。他确实也这么做了，直到一天在马克基斯酒吧举办的一场警察聚会。那天，他正和其他几个同事一起庆祝抓住了一条大鱼。被他们逮捕的那个 46 岁的男人在过去两年里奸杀了七个女人。在莱昂他们将他列为主要嫌疑犯数月后，他终于坦白了自己的罪行。庆祝活动全力进行中，就连莱昂这个不喜欢派对的人都醉了。

莱昂在乔伊看到自己之前就瞧见了她。谁会错过那头橙色头发和那双醉眼？她正搭在一个年轻的新兵身上，咯咯地笑着，把舌头伸进那个新兵红彤彤的耳朵里。

她知道自己正在一个警察酒吧里吗？她在意过吗？

莱昂一直等到她去女洗手间，洗手间就在酒吧后面，是一个独门，去那里需要通过一条漆黑废弃的通道。女士通常不会被鼓励出入马克基斯酒吧。在这里，只有警察的狂热追随者才能待下去。

莱昂跟在她身后，在外面守着，一直等到她从洗手间里出来。然后一把抓住她，把她按在被涂得伤痕累累的墙壁上，他的呼吸散发着浓重的酒味："还记得我吗？"

"噢，是你，"她兴高采烈地说道，一点都不感到吃惊，"你最近过得怎么样，牛仔？"

莱昂真希望自己没喝醉，希望自己头脑清醒。酒精让他意识模糊，舌头也打结了。"你欠我钱。"他含糊不清地说道。

"你确定？"她问道，飞快地眨着眼，同时脑袋里在拼命想着最佳逃跑路线。

"是的，我确定。"他愤怒地回答道，"300 多美元。"

"我想你抓错人了，先生。我从来没偷过任何人的东西，我的钱都是合法所得，你懂我什么意思吗？"她厚着脸皮对莱昂咧嘴笑，"只要 10 美元，我就能和你在这里做。我只是觉得，如果去你公寓会花费更多。"

他思绪紧绷，但他的嘴却没有坚持到底。"听着，你——"他开始慢慢说道。

乔伊躲到他的手臂下，逃出了控制。"公平，很公平，"她大声叫道，"你不觉得吗？"

等到莱昂回到朋友那里，乔伊已经走了。

剩下的整个晚上莱昂都试着让自己清醒起来，但两个小时后，他回到家时依然醉得不省人事。

他肯定睡了好几个小时才醒过来。他感觉自己像是在垃圾桶底，立马发誓要彻底戒酒。

他勉强站起身，试着忽略如千根小针刺向脑后的剧痛。然后，他看见了她，蜷缩在他家的沙发上熟睡，她舒舒服服、心满意足地躺在那儿，就像一只家猫。乔伊·克拉韦茨。

他站在那儿盯着看了好一会儿，吃惊得说不出一个字。接着，他便爆发出了一声愤怒的咆哮，这对他疼痛的脑袋可没什么好处："你在这里干什么！"

乔伊立马醒了，揉了揉眼睛，咧嘴笑道："真高兴能看见你还活着。"

"你在我的公寓里干什么？"他大叫道，"你怎么进来的？"

乔伊像一只猫一样用舌头舔了舔食指，然后清理了一下眼睛下混杂在一起的眼影和睫毛膏，这些东西让她看上去就像一个被人遗弃的小丑："某位大警察把钥匙插在了门上！"

莱昂的情绪稳定了下来："你想要什么？"

她跳下了沙发，身上滑稽地穿着一件仿冒皮革白色迷你裙，还穿着一双及膝长靴。"你绝对不会相信，但是我的良心发现了。你知道的，你对我不错，给了我一个睡觉的地方，我却偷了你的东西。"她目不转睛地盯着莱昂，"我突然冒出这种感觉，你懂的，就和其他人一样，而且我开始想——"

"在你见到我之后。"

"是的，在我见到你之后。我开始想尽管你是个警察，但不是那么坏。而且，我想我应该说声对不起，再归还你一些钱。"她在一个破破烂烂的钱包里摸索着，最后拿出了一张 10 美元的钞票，严肃地递给了莱昂。

莱昂看着钱，看着她，脑子疼，眼睛痛。

"你看上去好极了，"她斗胆说道，"不如上床去，早上再讨论这个？"

"天啊！"他厉声说道，"你满脑子就只有这些龌龊玩意儿。"

乔伊看上去很痛苦："我以为你会高兴……"

莱昂拉长了脸，一脸恶心，径直走进了浴室。

为什么这个落魄的少年妓女会闯入他的生活？她到底想从他这儿得到什么？

莱昂喝了几杯自来水，走出来看到乔伊又回到了她原来的位置，再次在沙发上睡着了。现在是凌晨 4 点 1 刻，他已经没气力，也不忍心把她赶出去。相反，他把公寓大门上了双重锁，然后拿起钥匙、钱包，还有枪放在床边。他还考虑了下是否要锁上自己卧室的门，但他最终没有这么做。

他疲倦地脱掉了衣服，光溜溜地爬上了床。在心底，他知道乔伊会来到他身边。她只是个孩子、妓女，一个无名小辈。他知道她会来的，更糟糕的是他想要她来。

马克基斯酒吧里挤满了人。莱昂至少有一年没来过这里了，一切都还是老样子。

他点了一杯威士忌，独自一人站在酒吧里。米莉一定会好奇他到底发生了什么事。让她一个人好奇去吧，仅此一次。

他灌下了第一杯，示意再来一杯。这注定是个漫长又炎热的周末。

.22.

星期三早晨，在工作室里。清洗干净，梳理一新，虽然紧张得像一个跑进了以色列集市里的阿拉伯人，但看上去依然很棒。

他把名字报给了门卫，像一个明星一样把车开到了停车场里，尽管他开的只不过是自己的庞蒂亚克老爷车。

他的胃有点不舒服，他强行喝了一杯热咖啡，还塞了一片烧焦的烤面包到双唇之间，然后又全都呕吐了出来，接着又干呕了一阵。

自从给茵戈打过电话后，自从星期二下午后，自从遭到一阵臭骂后，他就一直虚弱不堪。"你去哪儿了，巴蒂·哈德森？除了毁掉自己的指甲，把时间都浪费在拨打一个无人接听的号码上，我还有好多其他更好的事情可做。"

"怎么了？"他问道，肾上腺素在他的体内乱窜，因为不用她说，他已经猜到是什么事了。

"你要参加试镜了，如果还感兴趣的话，这是正事。我从未听说过一个正经的演员没有开通电话代接服务的。说真的，我——"

"什么时候？"

"星期三。"

"噢，我的天啊！"

现在，他总算要参加这次千载难逢的试镜了。天啊！他会紧张也不足为奇。

巴蒂·哈德森，这就是你的人生，就看你能不能成了！

他停好了车，在前台登记了一下。一个看上去很男性化的女孩带他到了靠近三号舞台的一间更衣室，她穿着牛仔裤，身着道奇队的篮球夹克，脚蹬一双运动鞋。

"你知道化装室在哪儿吗？"她问巴蒂。

他不愿意承认自己不知道。冷静，保持冷静。不要让任何人看出自己紧张不安："当然，除非他们把那地方移到别处去了。"

"就在底层的某处，你不会看不到的。15 分钟之内到达那里，服装师会过来检查一下你的着装。好吗？"

"什么时候……哦……什么时候轮到我……哦……试镜？"

"我猜他们会在 11 点左右出现在拍摄现场。如果你走运的话，他们会在午饭之前放你走。1 点才会休息。"

两个小时，总共只要花上这么点时间吗？他还想象着要花上一天的时间拍特写镜头和远景。该死！他们可能只拍一个场景。

"回头见。"那个女孩说完就离开了。

他本想问问她关于其他演员试镜的消息。可惜晚了一步，如今除了苦等，别无选择。

他盯着镜子里的自己。看上去不错，看上去不错。看上去就像一个电影明星该有的样子。这和安琪儿无关，他亲爱的妻子，他亲爱的离他而去的妻子。他生命中的爱人离开了，走了，跑了。就是这么回事。

巴蒂的确没有解释就把她从海滨别墅拖了出来，回到了好莱坞。但是，这又有什么好解释的呢？"嘿，安琪儿，宝贝。我得和两个同性恋老娘们儿做爱，只不过我勃起不了，也不愿意勃起，这都是因为我爱你的缘故。你瞧，我是贾森·斯万克鲁的苦工，他还想要我的身体。所以，他雇用我去让两位夫人开心，也是为了把我留在他的生活里。这就是为什么我会有海滨别墅，漂亮衣服，还有司机接送……"

像安琪儿这样的女孩怎么会明白这种情况？她还没有经历过生活的糟粕和瞬息万变，巴蒂也不想让她明白这些。正是她的天真无邪给了巴蒂致命吸引。巴蒂绝不可能把自己的过去告诉安琪儿。所以……他决定把安琪儿蒙在鼓里，这是唯一的办法。

不知为何，他的决定失败了。安琪儿要的是事实，但他给的却是谎言。他完全低估了安琪儿的愤怒。他安抚了一下第一次发脾气的安琪儿，试图再用谎言和亲吻来让她平静下来，接着又倒进了泳池里。等到他感觉自己又像个人的时候，要开始找住的地方已经太晚了。"只需要在雪莉这里再多住一晚，宝贝，"他辩解道，"我明天一定把所有事情都搞好，我保证。"

安琪儿用她那双大眼睛盯着巴蒂，严厉地盯着他看了很长时间。即便是在那个时候，他还是点燃了一点大麻，让自己嗨起来。因为，真该死，自从星期天开始，他母亲的复仇样子就开始在他脑海里萦绕，麻醉自己也算是某种回应吧。

星期二他又睡到很晚，直到下午 3 点才睁开眼。兰迪早就走了，小小的公寓里很闷热。抽点大麻至少不会让你宿醉，事实上反而让你感到很轻松。

他知道安琪儿对他不会感到高兴，于是他花了点时间洗澡、刮胡子。然后他决定去茵戈那儿打探一下，这也只是以防万一罢了。他听到试镜的消息时，动作快如火箭，迫不及待地想把这个好消息和安琪儿分享。可是雪莉的公寓里却空无一人，他在走道里走来走去等到 5 点，直到雪莉独自走了进来。

"安琪儿在哪儿？"他焦急地问道。

"我不知道，"雪莉耸肩道，"我昨晚进来时，她还在这儿，我今早起床时，她已经不在了。"

巴蒂立马意识到安琪儿走了，他甚至不用打开车箱查看，发现她的行李箱不见之前就知道了。还要准备试镜的巴蒂就这么经历了自己人生里最重要的一天。当他最需要她的时候，安琪儿在哪儿？

"你为什么没参加碧碧的午宴，凯伦？"伊莱恩问道，努力把眼神从罗恩·哥迪诺身上移开，他正用鲁道夫·纽瑞耶夫 [①] 的方式把身体缩成一团，实在令人钦佩。

"我卧床上起不来了。"凯伦喘着气，把左腿伸到极限。

"你吃什么了？"伊莱恩喘了口气，竭力模仿凯伦同样的腿部动作，但却没法完成这项锻炼。

"一些糟糕的东西，我感到恶心极了。"

"你现在看上去气色不错。"

---

① 俄国芭蕾舞蹈家。

"我向来以恢复迅速著称。"

"需要帮点忙吗，伊莱恩？"罗恩·哥迪诺弯下身来帮她，抓住了她的脚踝，甜言蜜语地哄她把腿伸出去。他身上散发着汗味和百露牌须后水的味道。

"啊……"伊莱恩疼得直叫唤，享受着他强壮结实的手从她的脚踝一直摸到小腿。

"感觉好吗？"他热心地问道。

伊莱恩点了点头，很高兴能霸占他的注意。尽管她时常看见他弯下身去帮碧碧、凯伦，或者是其他名人，但这还是第一次发生在她自己身上。

"你的肌肉真的很紧，"他拖长语调说道，"紧张。你紧张了，伊莱恩？"

"我哪有。"她紧张地笑道，"我有什么好紧张的？"

罗恩的头发像一把脏稻草，又长又粗糙。伊莱恩注意到他的耳朵里也冒出了一些毛，她好奇为什么他没有修剪一下？

罗恩的手指掐进了伊莱恩的小腿肌肉里，这导致了她很不自在地扭动，"下课后来我办公室一下，你需要按摩一下。"

"我需要？"

"是的。"他直起肌肉发达的身体，缓慢地离开了。

"我想你把他勾到手了。"凯伦耳语道，难以掩饰话里调侃的意味。

"他根本不是我喜欢的类型。"伊莱恩生气地回答。

"那就强迫自己去喜欢吧，亲爱的。和他上床一定很棒。"

"我还以为他是个同性恋。"

"双性恋。"

"你怎么知道？"

"别问，我从不透露自己的消息来源。"

健身课剩下的时间过得很快，伊莱恩还没有反应过来，就已经面朝下躺在了罗恩·哥迪诺办公室的按摩台上。罗恩的手开始顺着她的脖根往下探索。伊莱恩曾经也做过按摩，而且还做过很多次，但是罗恩·哥迪诺的按摩手法却与众不同。他会慢慢地寻找，并发现你身上每块紧绷的肌肉，而且完全没遇到一点困难。他的手如此舒缓，在他的按摩下，伊莱恩都快睡着了。按摩结束后，他在伊莱恩的臀部上轻轻一拍："好些了吗？"他拖长语调问道。

"嗯，好多了。"

"那就好。下次我会给你擦上油做按摩，你一定会喜欢的。"

"真的？"

"一定会的。"

伊莱恩站了起来，舒展了下身体："我感觉身体轻多了，真不可思议。"

罗恩咧嘴笑了。天啊，你的牙齿真大，伊莱恩心想。

"听说你要开个派对，伊莱恩。"

"是的，是为乔治·兰开斯特开的。"

"真棒。"

"我也希望能办好。我想这就是我如此紧张的原因之一吧。"

"可能吧，这种事的确会给人压力。你明天想再来做一次舒服的按摩吗？"

"这主意好极了。"她琢磨着请罗恩·哥迪诺做私人按摩得花多少钱，也许又是一笔不小的数目。罗斯又得抱怨了。

"当然啦。我会让你在派对前身心完全放松下来，处于完美的身体状态。"

"那我是应该和你的前台结算，还是记在我的账上？"

罗恩感觉受到了奇耻大辱，"我没打算要收你的钱，就请我去参加你的派对吧，这样我们互不相欠。"

原来是这么回事。他感兴趣的不是伊莱恩的身体，而是她要举办的派对。伊莱恩一时间也弄不明白自己到底是被人奉承了，还是被人侮辱了，至少这可以证明她的派对门票成为了镇上最炙手可热的东西！这可比健身教练想方设法把她弄上床干点儿放松运动意味着更多。

"我会把你添加到我的嘉宾名单上，罗恩。你可以放心。"

"谢谢，伊莱恩。"

"不用介意。"

噢，再次受欢迎的感觉很棒，真的非常非常棒。

出人意料的是吉娜·杰曼远非尼尔所预料的那么糟糕。她当然比不上简·方达，但如果忽略掉她那一对巨乳，还算过得去。虽然她的胸部已经包了好几层，还是没法弄平。

独自一人待在放映室里看试镜录像的尼尔感到很高兴，起码能证明他并没有完全疯掉。现在，他可以心安理得地把试镜录像拿给梦塔娜和奥利弗，而不用感到尴尬了。吉娜·杰曼不是妮吉，但是尼尔从她身上发掘出了一些东西，一种从未在她身上看到过的品质。这可全归功于尼尔让她出演了一个合适的角色，并给予了指导……

灯亮了起来，尼尔静静地坐在放映室里。也许让吉娜出演他打算在完成《街头路人》后要拍的电影也是个不错的主意。两年前他购买了版权，有两位年轻的作家正在忙着改编。这部戏只需稍加改动，就可以成为吉娜·杰曼出乎意料地向大众展现全新形象的好媒介。

当然，这个女人是个敲诈的婊子，他对吉娜为了获得试镜机会而采取的行为感到愤怒。然而，如果把她安排进新电影里，就可以把她完全掌控在手中，这么一来，他就有了充足的机会进行报复。

幼稚却令人满意，他喜欢这个主意。

安琪儿显然无意返回路易斯维尔。她怎么能够失败地回去，何况她还身怀有孕？

一大早从雪莉的公寓溜出来时，她根本不知道要去哪儿，也不知道自己该干什么好。她只知道必须远离巴蒂一段时间，让他明白自己不是开玩笑的。巴蒂需要得到一个教训，时间一天天过去，越来越明显，他只关心他自己。他曾说过他爱安琪儿，但如果他真的爱她，又怎么会这么随意地对待她？

和雪莉的谈话也没能帮上什么忙："你得弄清楚像巴蒂这样的家伙，天使脸蛋。他基本上就是个孤独者，不需要任何东西或者任何人。他会甩掉一切，只顾自己。"

像雪莉这样的女孩给出的建议，安琪儿不听也罢。

"我怀了孩子，"安琪儿生硬地告知她，"那么，他就得学会成为一个顾家的男人。"

雪莉大声嘲笑道："巴蒂？顾家的男人？天使脸蛋，你想得太远了，这简直就是个笑话。你最好去堕胎，而且要尽快。"

面对雪莉恶意的消遣和不友好的建议，安琪儿并没有买账。那晚，她抱成一团缩在椅子上，思考自己该怎么做。第二天早上7点半，她从车子里取出了自己的行李箱，毅然地选择了离开，步履维艰地踏上了通往日落大道的山路。她身上只有52美元，但她和巴蒂不同，她可不怕干普通的工作。

她路过了一家美发沙龙，橱窗里贴着一张卡片上面写着招聘前台接待。美发沙龙的附近还有一家咖啡店，她决定坐下等到美发沙龙开门，试试看能不能应聘上。她拿了几本电影杂志，坐在角落的一张桌子上，全神贯注地看了两个小时的明星故事。

早上 10 点，她收拾好杂志，付了账，折回了美发沙龙。

一个把一头杂乱红发扎在身后，长着黑眼圈的女人告知她店主从未在 12 点之前出现在店里过。

"我能等吗？"安琪儿问道。

描过的眉毛抬了起来："你要等两个小时？"

"如果不妨碍的话。"

"那就坐下，慢慢等吧。"

安琪儿照她说的坐下了，她快速地翻阅着各种杂志，观察着周围的环境。整个美发沙龙都是白色的，摆设了许多植物。吵嚷的摇滚音乐从四个小心摆放的扩音器里爆发出来，发型师都穿着男女通用的制服，一条紧身牛仔和热带花式 T 恤衫。

店里很安静，直到 11 点半，顾客开始如潮般涌入。有男有女。安琪儿想起了在路易斯维尔，男人和女人绝不会出入同一家美发店。

大约 12 点半，一个看上去快 40 岁，长得极高，又极瘦的男人出现了。他穿着一件格子衬衫和一条粉红色褪色连裤工作服，脚蹬一双白色网球鞋，一圈秀兰·邓波儿①式的黄色鬈发，包裹着他的鹰脸。"早上好，亲爱的各位！"他跟大家大声打招呼，"大家都开心吗？"

一个丰满的女人穿着印有蕨类植物的长袍从更衣室里冒了出来，把两只手都搭在他身上，开心地尖叫道："克克！你上周给我介绍的那个男孩简直就是个天才。他让我看上去完全就像坎迪丝·伯根②！"

"他确实做到了，甜心。这也是我们的工作——让顾客开心。这就是我们在这里的任务。对不对，达莲娜？"

达莲娜，那个头发梳在身后的前台接待员，脸上没有露出一丝笑容。她抬起手指，用涂了猩红色指甲油的三英寸长的手指甲朝安琪儿的方向指了指："从我们开门起，她就在那儿了，是来找工作的。看在上帝的分上，就把这份工作给她吧，我可警告你，克克，我再也不想受雷蒙多的气了。"

克克从那个丰满女人的怀抱中挣脱了出来，满面愁容："我知道你对这件事的态度，达莲娜。但现在请别这样。"他转身面向安琪儿，扫了她一眼，"好吧，我们这里现在不是来了个可人儿吗？跟我来，亲爱的，让我们谈谈你的工作经验。"

---

① 秀兰·邓波儿（Shirley Temple，1928 年 4 月 23 日—　）美国著名演员。
② 美国著名女电影演员。

安琪儿只在路易斯维尔一家小美发店里工作过一年。但现在，这已足够。很显然，克克像迫不及待要辞职的达莲娜一样着急。

"我想你今天应该不能开始工作吧？"他充满希望地问道。

"我得去找一间公寓。"安琪儿说道。

"是想要在附近找间便宜的单间吗？"

"你是怎么知道的，是的……"

"你今天真走运，甜心。我正巧知道有这么个地方。达莲娜！"他大叫着，具有穿透力的声音简直比粗鄙的詹姆斯·布朗[①]还更胜一筹。

"什么？"达莲娜从前台后面的位置回喊。

"这个女人！"克克咒骂道，"真高兴她要走了！"

"关于公寓——"安琪儿试探地问道。

"噢，对。有个在我这里上班的女孩，她上周结婚了，可怜的傻瓜。她想要转租她住的地方。"

"那地方在哪儿？"

"在喷泉那边，你有兴趣吗？"

不到一个小时安琪儿就看完了公寓并租下了。她和克克商量好先预支工资，然后就开始工作了。

达莲娜收拾好自己杂七杂八的东西，塞进了一个军队剩余的军包里。临走时还对安琪儿同情地哼了一声，从此和美发界彻底拜拜了。

"可爱的姑娘！"克克叫道，"可就是和谁都合不来。"

安琪儿并没有真的在听。她还在惊奇在这么短的时间内她就找到了一份工作，一间公寓，还能挣到钱。这些都恰好证明了她能自食其力。

可为什么巴蒂做不到？

她在想巴蒂有没有想念她。她的决定是至少一周不和巴蒂联系。等到那时，他可能已经准备好了要讲实话，如果他坦白了，那么他们还能重新回到一起生活。在此之前，安琪儿已经下定了决心不联系巴蒂。

罗斯最终还是决定去锻炼一下身体，毕竟这死不了人。再加上伊莱恩不停唠叨说他的肚子越来越大了。他一直保持着完美的体形，从来都不用担心什么。也许他

---

① 美国著名摇滚歌手。

肚子上真开始长膘了吧。

那又怎么样？看在上帝的分上，我毕竟快50岁了，不可能永远都保持那该死的完美身材。

加之，到了他这个年纪，人们想要看到的是他的演技，而不是他健美的胸肌。

年龄。50岁。很快就到了。就像一个失去控制的狂热追星迷正奔向他。

罗斯开着险路车行驶在圣塔·莫妮卡大道上，他正要前往一家曾经定期参加的私人健身俱乐部。一路上他想着自己的人生。曾几何时，他全身上下一块多余的肉都没有。那时候的他真正处于巅峰状态，在如许众多的演员中堪称王者，并且还决心继续努力。

他的嘴角露出一丝苦笑。那些曾为他跑腿的人哪儿去了？还有那些唯命是从的应声虫、知心好友都跑到哪儿去了？

哦，对了。当罗斯称王时，他们是他最要好的朋友。这些人里有房地产界的显贵、银行家、富翁，他们的殷勤好客就像花生酱奶油巧克力，因为他们想和明星做朋友。当明星身上的光环退去，周围的朋友圈子也就缩小了。再也没有人免费提供私人飞机让他想去哪儿就去哪儿了，也没有人以他的名义举办派对了；再也没有游艇、别墅和小岛可供他随时借用了；再也没有火辣的富婆求着跟他上床，或者狂热的影迷让他疯狂了。

去他们的！罗斯·康迪从这些人身上，以及他们相互利用的方式上学会了一些东西。等到他卷土重来，重新披上神圣的光环时，会让这些人全都滚蛋，除非他另有需要，除非他想利用他们。

如果派对举办成功了……如果他重新和莎蒂签约……如果《街头路人》成为他的……

圣塔·莫妮卡大道上的交通很拥堵，罗斯驾驶着险路车缓慢地行驶在街道上，周围有不少人在看他。在这座到处都是知名脸孔的城市里，他还算是个名人，这都归功于每周至少播放一次他的老电影的电视台。但是这种无法带来特殊待遇的名气有什么用处？不能带来金钱又有何用？去他们的！

他在一个红灯前把车停了下来，看着街道上发生的一切。圣塔·莫妮卡大道早已被同性恋团体占领，遍布着同性恋迪斯科舞厅、开放式人行道咖啡店、服装店，这些店铺多多少少都只面向同性恋开放。就罗斯个人而言，他从未有过一丁点那方面的倾向，他一直都极度热衷于女人。他想到了凯伦，不禁咧嘴笑了。一个油光发亮、浑身肌肉的年轻男人在公交车站徘徊，他试探性地走向了罗斯的车："你和我一条道吗，先生？"他通过打开的副驾驶车窗哼唱道，另一只手则伸过来想打开车门。

罗斯脸上的笑容立马变成了怒视："不，我不是！"他生气地说道，"离我的车远一点。"

"别激动，"那孩子往后退了，"如果我不是你喜欢的类型，那真是太酷了。"

真是太酷了，是吗？生气的罗斯开车加速离开了。难道他看上去像一个还没出柜，到处找伴的人吗？这真是个美事啊，光天化日之下被一个同性恋皮条客骚扰了。那小鬼难道不知道他是谁？

罗斯一个左急转弯，把车停进了停车场。他现在需要的是来些激烈的运动。在他如今的生活里唯一称得上激烈运动的就只有和凯伦上床了。想到这里他的脸又亮堂起来。真是个不错的娘们儿！也许她的天赋是遗传的吧。老乔治向来以搞女人声名远扬。有其父……必有其女……

罗斯脸上的笑容终于又恢复了，他走进了健身俱乐部。

"停！"梦塔娜厉声说道，转身面向第一助理，"我们休息 10 分钟，我想和巴蒂稍微交谈一下。"

她已经和巴蒂交谈过六次了。他们总共拍了六条片子，但是巴蒂不但没有表现好，反而变得越来越糟糕。可他是参加试镜的人里最棒的。他拥有出众的外表，这个真的很重要。尼克尔森①怎么能没有他的招牌式冷笑？伊斯特伍德②怎么能没有他的冰冷眼神？先是外表，然后才是演技。她可以让巴蒂表现出自己的演技，她知道自己可以办到。她小心谨慎地走向巴蒂，他正在紧张地嘀咕着自己的台词。

"嘿，"她轻声嘟哝道，"你没听我说，是吗？我说的话你一个字都没听进去。"

"我当然有。"他真希望逃到别的地方去。

"放松就好，"梦塔娜柔声低语道，"这只不过是个非常简单的表演，你只需放轻松，放慢，慢慢来。"

"我说不对台词，我不能——"

"那就忘掉台词，"她安慰道，"我希望你能把这个男人的本质给我表演出来。只要简简单单的，把温尼这个角色表现出来就行。"

---

① 美国著名演员，代表作《飞越疯人院》。
② 美国著名演员，代表作《荒野大镖客》。

巴蒂被震住了："忘掉台词？你是在跟我开玩笑吧。我整晚都没睡，我把每句台词都背得滚瓜烂熟。我指的是我真的知道。"

那为什么你还一直演砸呢？她想问他，但是她没有这么做。她把手搭在巴蒂的肩上，带着他离开了片场。"巴蒂，"她的声音很温柔，"我知道你可以拍好这个片段。如果我不确定你能做到，我就不会叫你来参加试镜。"

"是吗？"他稍微放松了一点。

"我不想浪费你的时间，或我的时间。你很棒，我能感觉得出来。如果你忘掉那些台词，直接让自己变成温尼，你会非常棒。就算台词没了，也没什么大不了。只要沉浸在角色里，想说什么就说什么。别把表演搞砸了，我们自己填充台词，这好过你骂'噢，该死！'"

巴蒂不好意思地点了点头。难不成巴蒂·哈德森好不容易得到了机会，却该死地让自己错失了这份工作？

"我明白你想要的了。"他向梦塔娜保证道，深吸了口气，"相信我，我现在明白了，真的，你走着瞧。"

梦塔娜冲他鼓励地一笑，一对虎眼盯着巴蒂："我们再来一次，这一次你一定要表现好，明白吗？"

巴蒂舔了舔发干的嘴唇，点头道："你放心。"

梦塔娜在巴蒂的脸颊上轻轻一吻，然后大步走回到摄像机后。

一化妆女孩立马跑向前，让他坐下补妆。"祝你好运！"她耳语道。

巴蒂现在的生活需要的正是一点儿运气。

"你准备好了吗，巴蒂？"梦塔娜问道。

他点了点头，喉间泛起了胆汁，肚子里的肠子紧张得打结。

"记住，你是温尼。好的，开始！"

开始。巴蒂从镜头外走进了布景里，望着一面镜子，他本能地揉了揉头发。电话响起，拿起电话。说话。该死，那些要说的话哪儿去了？他不会再次演砸吧？

第一句台词说出来了，暂停，点起一根香烟。接下来要说什么？记不起来了，听她的意见，自己想说什么就说什么，编一段该死的对话，假装电话那头的是安琪儿，就按照以前和安琪儿说过的甜言蜜语来说。

突然间，他忘掉了镜头，忘掉了那些工作人员，也忘掉了是否演砸。他表现得就像在自己的家里，很自信，很迷人，好一个巴蒂老小子。

梦塔娜专心致志地看着巴蒂，他终于听从了她的建议。他把台词丢出窗外，他的即兴表演非常专业。他正在干一件属于自己的事情，他身上散发出的磁场如同波浪一样。天啊！如果他表现出来的这些能转换到电影上，他会大获成功。

"停！"梦塔娜欢欣鼓舞地喊道。

巴蒂几乎停不下来，他太入戏了。

"过了。"她说道，走向巴蒂，"谢谢，巴蒂。你太棒了！"

"真的吗？"

"和我说的一模一样。"

"嘿——"他的自信回来了，"我才刚刚来感觉呢，再拍一次怎么样？"

她摇了摇头："还有两位演员在等着上台了，时间也不多了。你不想让他们错过机会，对吧？"

巴蒂笑容满面，兴奋不已："为什么不？"

梦塔娜也笑了，有那么一秒钟他们锁住了对方的视线。然后梦塔娜把她那有色阅读眼镜从头发上移了下来，正儿八经地伸出手来有力地同巴蒂握了握，"你能过关，我再高兴不过了。再见，巴蒂，祝你好运！"

再见！她是疯了吗？"嘿——"他咽了口气，"我什么时候能知道结果？"

"我们会和你的经纪人联系的。"

但他并没有经纪人，承认这个悲哀的事实似乎不太好。他只需要和茵戈保持联系就行了。

"好的，"他漫不经心地回答道，"比如什么时候？"

"在我们做出决定之后。"梦塔娜坚定地说道，对话就这么结束了。她转身，小声哼唱着走开了。她几乎和巴蒂一样兴奋。负责指导演员，再让演员成功地表现出来毫无疑问具有巨大乐趣。她迫不及待地想要在屏幕上看一下巴蒂刚才的表现，来确认自己是否正确。

难怪尼尔会在拍电影时变得如此专注。一切都在导演的手中，导演能创造奇迹。啊，满足感！

巴蒂看着梦塔娜离开，她感觉很好，她成功了。但是巴蒂呢？

化妆女孩靠了过来："最后拍的那段实在是太棒了，"她热心地说道，"如果你得到了那个角色，我一点都不会吃惊。你彻底征服了我。"

这才是巴蒂喜欢听的，自信心在他的血液里流动："是什么让你这么想的？"

"我就是有这种感觉。"

"你看了其他人的试镜吗？"

"他们不是你。"

"他们当然不是，但不管怎么样，跟我讲讲他们的表现。"他抓住她的手臂，"让我们去喝点咖啡。"

知己知彼没什么坏处……一点儿都没有。

.23.

每个城市的郊区都很像。巨大的高速公路出口处都建着一样的加油站、汽车旅馆、咖啡店。

保持驾驶状态对迪克而言最重要。俄亥俄、印第安纳、密苏里、俄克拉何马，没怎么注意就过了。公路变成了一种催眠的力量，招引他一英里接着一英里，通向最终的目的地。

是乔伊把他引向了这条路。

乔伊曾取笑他。

他经常看见她这么干。

婊子。

她死了。

这是她咎由自取。

"我想要见你的父母，然后制订下计划。我讨厌被人摆布。"乔伊憎恨地盯着迪克，"你听见我说的话了吗？"

迪克当然听清楚了。她已经唠叨这件事好几周了，但他一直都用各种无力的借口搪塞。

"你觉得我不够好，不能见他们，是不是这样？如果是这样，你可以拿走你的戒指，丢到没有太阳照射的地方去。"她从手指上取下了那枚廉价的石榴石戒指，丢在了迪克身上，"我这周就要见他们，否则我们就玩完，小鬼。"

他想娶她，他从未改变过心意。但如果他们私奔结婚，岂不是更好？到时候，他可以带乔伊回家，他的父母就不得不接受他们了。

他把自己的建议和乔伊说过，但是她不愿意听。就像她说的那样，她希望一切都办得"又好又体面"，就像"正常人一样"。她甚至还买了一本新娘杂志，把上面的一张结婚礼服都剪了下来。

"难道他们不想见我吗？"乔伊生气地问道，"难道他们不想看看他们的宝贝儿子要娶谁？"

迪克不敢告诉乔伊他并没有怎么在父母面前提起过她。无论他带谁回去他们都不会赞同。他们尤其不会同意穿着闪光衣服，化着浓妆，留着橙色刺猬头的乔伊。

"下一周吧。"他心虚地许诺道。他的确爱乔伊，如果要解释这份爱的原因，那应该就是乔伊能满足他的肉体需要。

"你最好是说真的，小鬼。"她像巷子里的一只野猫般咆哮。

迪克当然是认真的。但是为什么把乔伊介绍给自己父母这个想法会让他的脑袋不停地抽痛？**为什么他这么害怕他们？**

记忆汹涌倒回。

那时迪克才6岁，和一个小伙伴在玩泥团。他的母亲蹦了出来，一脸凶神恶煞，发出疯狂的尖叫："你这个肮脏的小东西！这些衣服都是今天新穿的，你给我立马进来！"

他母亲一直打他，直到她累得满脸都冒出了小汗珠，直到血流到他的小腿后。而他的父亲则一句话都没有说。

这是他第一次挨打，但是这种情况出现了更多次，而且通常都是为一些鸡毛蒜皮的小事，比如剩饭、把毛巾丢在了浴室地板上。在他16岁的时候，毒打停止了，取而代之的是对他恶语相加，一连串的恶言恶语比肉体上的伤害更加具有破坏性。

他渐渐地也开始相信母亲那些恶毒的言语。毕竟，她是他的母亲，而且他母亲也一直孜孜不倦地向他灌输。她说为了生他，她遭受了巨大的痛苦。"你差点儿要了我的命，"她经常这么哭喊道，"为了把你带到这个世上，我差点儿死了。"他心里怀着沉重的内疚，他差点儿杀了自己的母亲，这就是为什么母亲要惩罚他，为什么他要接受这一切。她告诉迪克，他很软弱、肮脏、无能、是个寄生虫、笨蛋。哪有女孩会看他一眼？哪会有人愿意雇用他工作？

然而她充满了矛盾。只要他带女孩回家，她就说那女孩不够好，不适合他。当他找到了一份工作，她就说那绝不是一份合适的工作。

打击他，又吹捧他。他该相信什么话才好？

他成长的过程中一直伴随着疑惑和内疚。许多个夜晚，他被徘徊不去的黑暗恐惧惊醒……有时候，他就去大街上做一些事情……那些他应该做的事情。

他强奸女人。这些女人是敌人，她们理应受到惩罚，就像他应该被惩罚一样。

每一次他都很小心，专门挑选那些年纪大，因为害怕而不敢反抗的女人。

不过，情况在他遇见乔伊之后改变了。如果他的父母能够接受她，一切就都没问题了……

刚驶出得克萨斯州的阿马里洛市，天就近黄昏了，迪克停下车来加油。他刚重新上高速路没多久，就注意到一个要求搭便车的女孩。她的皮肤晒黑了，身上只有一个背包。她只穿着一条简短的卡其色短裤和一件 T 恤，T 恤上印着一行小字——慢跑者穿着鞋子跑步。

迪克把车停了下来，自己也搞不懂为什么。但那个女孩一坐进来，他就立马意识到自己犯了个错误。

那女孩总是想说话："你叫什么名字，亲爱的？""你去哪儿？""你是干什么的？""你在路上开了多久了？"

迪克粗暴地嘟囔了几声，但并没有让她安静下来。她不管迪克，兀自聊起了自己。她来自南方，16 岁就结婚了，17 岁就离婚了，干了两年女服务员，直到有一天，她突然决定要踏上公路，游遍全国。"从那以后，我过了一段好时光。"她吐露道，"不用遵守讨厌的时间，可以自由自在地出去玩。"她从车旁边的空隙穿过，坐到车前座："只要 10 美元，我就能让你好好放松一下，我甚至还会跟你共享一根大麻烟。怎么样，对你有吸引力吗？"

她说的这些没有吸引迪克，反而激怒了他。她们都是妓女。

她把迪克的沉默视为接受，暧昧地拍着他的膝盖："只要多加 10 美元……"

他觉得自己会把她杀了。要把这个污秽的人给处理掉实在是太容易了。要把这世上所有的坏人都铲除，要清除掉那些妓女和皮条客，以及**那些嘲笑他的人**。

但是她并没有嘲笑你。

她会的。

"在下一个休息站停车，"她面无表情地说道，"亲爱的，我会让你甜得像糖，你一定会喜欢我带来的南方式安慰。"她大笑起来。

你看，这不就来了。

迪克顿时感到很满意。这是一个信号，预示着他要做他该做的事。他会把这个妓女给解决掉，她阴差阳错地来到他身边大概就是因为这个吧。

迪克渐渐意识到世界上的事情并不是随便发生的，每一件事都是预先安排好的，有一些人来到世上就是为了维持世界秩序。他喜欢"维持秩序"这个短语，这些字眼简洁又准确。

"我是一名天行者。"他毅然地说道。

"对不起！"

不能让她知道。不能提前警告她。

"没什么。"他嘟囔道。

"来吧，亲爱的，让我们找个地方找点儿乐子，"她边说边扭动着身体靠向迪克，"我是个享受工作的小女人。妙极了！你和我会度过一段狂野时光！"

真该死！

另一个信号。

迪克一脚狠狠地踩在油门上。这事越快完成……他就能越快开始自己真正的任务……加利福尼亚还有事等着天行者去做。

他距离那里越来越近。

.24.

伊莱恩搞了三个星期的外遇。这是她两年来的头一次。她本不愿意开始这种令人忐忑不安和消耗时间的事。尤其是在她的派对进行得如此顺利的情况下，还有一大堆事情等着她去组织。

这次的派对对罗斯和她而言都是意义重大的，她真不该被别的事情分心。但是美妙的艳遇从来都不是在计划之内的，它们悄悄地潜入你的生活，就像是饮用完晚餐酒之后的酒劲，一阵接着一阵，在你发觉之前，早已酩酊大醉。

伊莱恩这一次的艳遇就是这样发生的。罗恩·哥迪诺的一次私密按摩。"戴上浴巾，"他拖长调子说，"再躺在按摩桌上。"他随意地指了一下自己的私人浴室，伊莱恩脱掉了身上的紧身连衣裤，他贴心地拿起一条粉红色浴巾紧紧围住伊莱恩，伊莱恩顺势就裹上了。

一次艳遇？面朝下躺在罗恩的按摩桌上，把自己全然交付给了罗恩那双四处摸索又有力的手，伊莱恩当时最想不到的就是艳遇了。

罗恩如他许诺的一样用了芳香按摩油。他按摩了伊莱恩的肩膀、背部、脊椎的底部，整个过程既有力又富有触感。随着按摩的深入，浴巾越挪越低，然后很自然地被他完全掀走了，露出了伊莱恩慎重起见穿上的蕾丝短裤。

"伊莱恩,"他抱怨道,"做这种按摩是不应该穿任何衣服的。按摩油会流得到处都是,我可不想毁掉你价值 50 美元的内裤。"

伊莱恩吃了一惊。他怎么会知道她这条内裤花了 50 美元?

"没关系的。"伊莱恩迅速说道。

"不,不行,得脱掉。你不会害羞的,是吧?"

伊莱恩只略一犹豫就决定不能看起来不懂世故。小埃塔可是来自布朗克斯区的。

"那就脱掉吧。"他说道。

伊莱恩差点反抗了,但是这看起来很傻,因为罗恩只不过是要看她的臀部而已,而她的臀部很漂亮,这一点已经在罗斯那儿得到认同了。于是,伊莱恩轻手轻脚地把手伸向后背,笨拙地去脱碍事的衣物。

罗恩带着一副随和的权威模样帮她脱掉了。"这样好多了。"他说道,从一个塑料瓶里挤了一些按摩油倒在伊莱恩臀部上。

伊莱恩略微扭动了一下,想着他是不是也曾给碧碧·萨顿提供过这样的服务?他用劲地打着圈揉捏,伊莱恩很快就被他征服了。感觉棒极了!伊莱恩立马就来了劲儿。尤其是在按摩油滴入她两腿之间的时候,还有就是罗恩·哥迪诺在她的脊椎底部找到了一块按摩区域,让她不由自主地就发出了一连串愉快的喘气声。

"不错,是吧?"他信心十足地慢慢说道。

"非常不错。"伊莱恩回答道,简直不敢相信自己的声音。

"转过来。"

转过来?现在的伊莱恩一丝不挂,脆弱无助,又被勾起了欲火。转过来,然后干吗?做爱?和健身教练?难道她不该得到更好的待遇吗,就算他是她这个月碰到的最心仪的对象?

你曾和你的牙医偷过情,伊莱恩,你还和一个二流演员有过几次。你怎么了,突然变得挑剔起来了?

伊莱恩把身体转了过来。整件事就这样开始了。

从这儿以后,他们每周都在罗恩的私人办公室里见三四次,罗恩在帮助伊莱恩缓解紧张的同时,也缓解了他自己的。他们两人之间的交谈很有限,然而各种和性爱有关的玩意儿却进行个没完没了。罗恩·哥迪诺相信要让身体的舒展达到极限,伊莱恩则是自愿投在他门下的学生。两年的时间里,伊莱恩一直都忽视了性,如今她就像沙漠中的生还者,渴望获得尽可能多的生命之水。

"你真是个疯狂的女人，伊莱恩。"罗恩懒洋洋地说道。

他说得多对。和他纠缠在一起多么疯狂，但是她享受和他偷偷厮混的每一刻。

凯伦几乎立马就察觉到了伊莱恩红杏出墙："你和那个健身俱乐部的酋长发生了什么？"凯伦打趣地询问道，"你待在他办公室里的时间比他还多呢。"

凯伦是伊莱恩最要好的朋友，但是在好莱坞的生存法则是："永远别相信任何人，尤其是最好的朋友。"

"他按摩很棒，"伊莱恩无辜地回答道，"还记得我后背的老毛病吗？我发誓他真的快把我给治好了。"

"什么后背的老毛病？"

"我患有腰椎间盘突出，很多年前就有了。从那以后我就一直忍受着后背疼痛。"

凯伦怀疑地看着她："嗯……"

派对的嘉宾名单表初具雏形。排在第一位的毫无疑问是已经许诺要来的莎蒂·莎乐，尽管她不知道这次的派对到底是为谁举办的。伊莱恩高兴得不得了。如果所有的事情都按照计划进行，那么生活一定会再次好起来。

形势已经好转了。

安琪儿离开了他的生活，没留下一丁点儿蛛丝马迹，这让巴蒂心灰意冷。事实上，他被吓得魂不附体。她虽然20多岁了，但本质上仍是个孩子。好莱坞大街上到处都是皮条客和骗子，他们一定会很开心地把邪恶的双手伸向一个像安琪儿这样的女孩。

巴蒂想想就不寒而栗，他试着让自己去相信她已经登上了回家的飞机，尽管他知道这可能是安琪儿最不愿意做的事情。他还让雪莉打了个电话去路易斯维尔。

"有个女人说她还在好莱坞。"她说道，挂上了电话。

"也许她是坐火车回去的，还没到呢。"巴蒂解释道。

"是啊，也许她还在这儿呢。面对事实吧，孩子，就算离开了巴蒂·哈德森，在这个小镇上还能活。"

巴蒂没理她。她晓得些什么？

巴蒂在脑子里想象着一幅场景。安琪儿在路易斯维尔，回到了那个收养她的家庭。巴蒂在好莱坞，签了份肥约出演《街头路人》。然后，他坐飞机——当然是头等舱——到路易斯维尔。一辆豪华轿车来接他——那种16英尺长，配有电视机，车厢后部还有吧台的那种。驱车前往安琪儿家的房子。司机会为他打开车门，他钻了出来，安琪儿则飞奔向他……美丽的安琪儿怀了他的孩子……让其他人都羡慕不已……

"有什么关于试镜的消息吗？"雪莉问道。

转换思想，转换心情。巴蒂拿起了电话，拨通了茵戈的电话。"有什么消息吗？"他焦急地问道。

"巴蒂！这已经是你今天第四次给我打电话了。你不过四天前才试镜，我已经告诉过你了，无论我得到什么消息，都会尽快通知你。"

还不够好。茵戈真的把自己知道的都告诉他了吗？

"今晚一起吃个饭怎么样？"他突然邀请道，觉得来点个人关怀也许能帮到自己。

茵戈被震住了，几个星期以来，她一直在试图引诱巴蒂约会。"好的，"她赶在巴蒂改变主意之前飞快地说道，"时间，地点？"

"我会去你的办公室接你，你什么时候有空？"

她本想说："不行，把时间推后一点。我要回家打扮打扮。"但是巴蒂反复无常，她可不想巴蒂突然又改变主意。"5 点。"她最终说道。

"5 点，"巴蒂重复了一遍，"我会去那里接你。"也许顺便还能和梦塔娜·格雷碰上，这样一来就能搞清楚到底发生了什么阴谋诡计。

打电话的巴蒂一时忘记了雪莉还在房间里。"这么快就要出去约会了？"雪莉没好气地问道，"你们这些家伙真是忘得快。"

"借我 50 美元吧？"他说。

雪莉勃然大怒："我两天前才借了你 50 美元。问兰迪借去，他可不愁吃穿。我只不过是个给人打工的女孩子，我还指望着你把随意使用我的电话产生的电话费给付了，再还我那 50 美元。"

巴蒂走向门口："你不用担心。"

"说起来是挺容易的，大男人。"

"我想伊莱恩正在和某人玩'扮医生'①的游戏。"凯伦·兰开斯特说道。

"什么？"罗斯一边问，一边用拇指和食指慵懒地夹着凯伦那大得惊人的乳头。

"哎哟！"凯伦轻声叫唤，在巨大的圆床上翻滚着想逃脱罗斯的触碰。

---

① 小孩子玩扮医生的游戏，他们可以互相检查对方的隐私部位。此处暗指偷情。

"过来，娘们儿！"罗斯要求道。

"过来抓啊，臭男人！"凯伦回应道。

罗斯爬过凌乱的被褥，像一只老虎一样咆哮着，扑到凯伦身上，把舌头伸出来，四处乱舔。

凯伦大笑，享受着嬉戏的每一分钟："你真是贪得无厌，罗斯！"

"你自己也不是什么圣母玛利亚。"

他们两人做爱时发出了很大的动静，因为他们知道在这栋与世隔绝的海滨别墅里，再大的喘息声和呻吟声也不会影响到任何人。最后，凯伦再次说道："我想伊莱恩正在和某人玩'扮医生'的游戏呢。"

罗斯重复道："什么？"

凯伦说："她和那个请来的男人搞上了，找了个小情人，在搞婚外情。"

罗斯则好笑地哼了一声。"你疯了！"他大叫，"伊莱恩在家里都不愿意做爱，她是最不可能出去偷腥的人了。"

"想打赌吗？"

"那你就大错特错了。"

"有什么关系，宝贝？你的宝贝老婆和别人搞上了让你很不爽？"

愤怒潜入了罗斯的声音里："那你说伊莱恩所谓的情人是谁？"

"罗恩·哥迪诺！"她得意扬扬地宣布道。

"该死的罗恩·哥迪诺又是谁？"

"罗恩·哥迪诺，28岁，身高6.2英尺，以前是个救生员，现在是贝弗利山庄里的健身教练。是碧碧·萨顿亲自推荐的人。"

罗斯笑了："该死！是那个妖精！"

"他是个双性恋，亲爱的。同性恋和那些性取向左右摇摆的人区别可大了。我们的罗恩毫无疑问男女通吃，这一点我可以向你保证。现在，他正和伊莱恩做着所有那些你以为她在家里不想做的事情呢。她越来越堂而皇之地出去鬼混了。罗斯，如果你怀疑的话，就去瞧一瞧。她现在可是容光焕发。"

"伊莱恩才不会到处乱搞。"他简短地说道，绞尽脑汁想记起上一次正眼看自己妻子是什么时候。

凯伦优雅地下了床："随便你，"她甜蜜地嘟囔道，"我从没有碰到过一个男人会真的相信自己老婆对自己不忠。哪怕他自己任何活物都不放过。"

伊莱恩？不忠？

荒唐。

伊莱恩感兴趣的是房子、衣服、娱乐，从来都只做对的事。她不喜欢性。

"听着，"罗斯自信地说道，"我确信伊莱恩不会对我不忠的。"

"可你现在不是正在对她不忠吗？"

"这不同。"

凯伦噘起嘴唇，犀利短促地啐了一口："大男子主义！"

"你这婊子！"

凯伦从一个银盒子里挑了一根大麻烟，跳回到床上，盘腿坐着点起了烟。

罗斯看着她，他的手痒得想再去拨弄凯伦迷人的乳头。

"你不介意吧？"凯伦直截了当地问道，深深吸了一口，然后把大麻烟递给了他。

罗斯也深深地吸了口，感觉非常满意："不，我介意。"他说道。他为什么不介意？所有的东西都是他埋单，伊莱恩做的美甲、做的头发、买的衣服、参加的健身班都是他埋单。她是罗斯·康迪夫人。如果她到处乱搞（尽管他很怀疑这一点），这岂不是对他的男子气概的直接挑战？

"为什么？"凯伦问道。

"我们能不能跳过这些问题？谁会在意这个？"

"很显然是你。"

罗斯本想让她闭嘴，把她翻过来，让她躺在床上，再和她干上一回。但是，他毕竟年近五十了，岁月不饶人，想重新勃起可不容易。

"做点培根三明治吃怎么样？"他建议道。

"转移话题？"

他的耐心耗尽了："你到底愿不愿意给我做个该死的三明治？"

凯伦急忙收回了尖刻的反驳。种子已经种下，这就足够了。

安琪儿没过多久就成了克克美发沙龙里最引人注目的人。她睁大眼睛坐在接待前台，光滑的皮肤，柔软的金发松散地垂在肩上。这是个多么巨大的改变，曾经坐在这里的达莲娜脾气火暴，就像个擅长恶毒讽刺的女祭司。

"她是谁？"每个人都这么问克克，"你在哪里找到的她？她真是又甜美又懂礼貌。"

"我也不知道。"克克含糊地答道，像一个占有欲过强的皮条客一样盯着安琪儿，生怕她会被那些到处掠夺的星探给偷走。这也是他印象里头一次美发沙龙变得如此平静。没有女人歇斯底里的尖叫，也没有了因为预约数量过多产生的激烈争吵。就连雷蒙多——美发沙龙里最棒的发型师，也因为安琪儿的存在而变得安静了起来，保持着一段毕恭毕敬的距离。

安琪儿的美丽打动了每一个人，但她事先就声明了自己已经很幸福地结了婚，她的丈夫要出国一段时间。她婉言谢绝了所有的社交应酬，不管是来自美发沙龙的员工或是顾客的邀请。她表现得很友好，但又很冷淡，展现在大家面前的仅有她自己。不过，她也随时愿意花上好几个小时的时间听别人发牢骚。

总有人会告诉安琪儿应该去做模特或者演员，这种事每天都会发生几次。她对此都是付之一笑，解释说自己不感兴趣。随着巴蒂的孩子在她的肚子里越长越大，她真的不感兴趣了。奥利弗·伊斯特恩和他的疯狂诺言也被她抛在了脑后。先把自己的生活理顺更重要。

关于巴蒂她想了很多。巴蒂让她失望至极。她直觉感到自己必须给巴蒂一些时间，就当作是让他意识到他们俩之间的关系到底有多重要。

在一定程度上，她为自己的所作所为感到非常自豪。独自生活并不容易，可总比和巴蒂待在一起，眼睁睁地看着他毁掉自己要好得多。

"你今晚想去跳舞吗？"雷蒙多斜睨了她一眼，这已是他今天第十次路过接待前台了。安琪儿娴静地摇了摇头。

"不，她不想去。"克克厉声说道，从一个私人小隔间里冒了出来。

安琪儿轻轻地笑了，克克的关心打动了她，因为他一直在她身边大惊小怪。安琪儿转过身去向一位穿着宽松束腰长袍、头发枯萎发黄的胖女人打招呼："早上好，里德曼夫人，你今天好吗？"

里德曼夫人眉开眼笑地说道："热死了，小福也这么觉得。"她从地板上把一只迷你狮子狗抱了起来，放在前台桌子上，推向了桌子另一头的安琪儿："给宝贝点喝的，别怕，她是个好姑娘。"她肥胖的手上戴的钻石亮光闪闪。

"总有一天，那些人会为了你手上这些东西剁了你的手指头，"克克叹气道，"我真希望你能多加小心，里德曼夫人。"

胖女人害羞地咯咯笑道："如果我手上不戴这些钻石，我就感觉自己好像一丝不挂一样。"

克克讽刺地叹了口气："那看在上帝的分上，请你还是戴着它们吧！"

里德曼夫人咯咯笑得更响亮了。安琪儿则很有礼貌地微笑着，胖女人蹒跚地离开了前台，去找雷蒙多那双巧手剪头发了。

"洛杉矶最有钱的老女人之一，"克克低声爆料道，"而且她好像还在五月百货公司里买现成货。"

"我喜欢五月百货公司。"安琪儿抗议道。

"你当然会，"他叹气道，"甜心，总有一天，我要好好教育一下你。靠你的长相，你完全可以跻身于这镇上最有钱的女人行列。但是你还有很多东西需要去学习。"

"学什么？"

"什么都要学。"

吉娜·杰曼赤脚走在她那厚厚的白色地毯上，用手臂紧紧圈住尼尔·格雷的脖子："你真的很喜欢我的试镜，对吧？"

尼尔挣脱了她的钳制："是的。"

吉娜很渴望得到赞美："只有这样？"

"你非常棒。"

"那奥利弗和梦塔娜怎么说？"她焦急地问道，"我得到了妮吉这个角色吗？尼尔？该死，我到底得到了这个角色没有？"

尼尔摇了摇头说道："没有。"他举起手想要让吉娜突如其来的愤怒平息下来，想跟她解释一下他未来的计划。

吉娜专心致志地听着，手指尖卷着一缕淡金黄色的头发，咬着整个下嘴唇，用一对暴突的蓝眼睛瞪着尼尔。

尼尔的解释听上去很不错。不，她不是妮吉。尼尔为她制订了更宏伟的计划。一部新电影。一次可以让她真正成为一名严肃演员的展示机会。

"你有剧本吗？"尼尔讲完后，吉娜激动地问道。

尼尔暗自微笑，她上钩了："你只需要知道整个镇上的女演员都会为了这个角色挤得头破血流就行了。"

吉娜舔了一下她那诱人的嘴唇，试着保持冷静，可她说话时声音里却透露出渴望："什么时候开拍？"

"等《街头路人》这部戏停机之后。"

吉娜更严厉地瞪着尼尔。他是在愚弄她吗？抛出许多承诺来逃出她的陷阱？"为什么我不能先拍《街头路人》？"她问道。

"你难道没听明白我说的意思吗？这样会毁了一切。"

愤怒潜入了她的声音："你这是在给我一个不现实的计划。"

"亲爱的，我现在就是在给你提供一个机会，不用再去出演那些多年来你一直演的笨女人，让你成为一名严肃的女演员。"吉娜一脸沉思的样子，于是尼尔抓住机会继续说，"我想要我们两个在一起的那些录像带。我无意让你掌控整个局势。你会把自己交付到我手上来的，我也会让你成为整个镇上最炙手可热的女演员。等我和你拍完电影，其他人都会跑着来求你拍电影的。"

"你说的这些，用什么作保证？"她飞快地问道，"这些话听上去很棒，但我可不是笨蛋。"

"我从没说你是。你瞧，我亲爱的，我准备和你签一份合同。奥利弗·伊斯特恩会和你的经纪人谈合同，但是别太贪婪，你比我更需要这部电影。"他停了一下，"而且，不要发布新闻，我公布之前，不能走漏风声，你明白了吗？"吉娜咬着下唇，点头表示同意。

"在你签合同的那天，我想要回所有的录像带。不要耍花样了，吉娜，不准留拷贝。因为一旦我们踏上了同一条船，我能成就你……而且……也能毁了你……"

"来，我们上床，尼尔。"她咕哝道，尼尔突然的强势令她感到兴奋。

"不，"尼尔严厉地回答道，"从今开始，我们两人之间的关系仅限生意。你明白的，亲爱的吉娜，对吧？"

梦塔娜脱掉脚上的牛仔靴，打了个电话给放映室："把这些试镜片段再给我放一遍，杰夫。"

"马上就好，格雷女士。"

梦塔娜仰坐在座位上，看着四位演员经过她再次指导后的表现。四位演员，四种风格，每一种都各有特色。但只有巴蒂·哈德森最让她心动，最让她着迷。尽管他并不是最棒的演员，但是他在银幕上给人一种特别的感受，梦塔娜一直都这么觉得。而且是她把巴蒂身上的这种潜质挖掘出来的。

梦塔娜坐在黑暗中沉思，点燃了一根香烟。她真正想做的是和尼尔分享她的发现。这种情况下，他们两人本该待在一起，但是当她要尼尔过来一起看这些试镜片段时，尼尔却借口说要参加一个会议。什么会议呢？她没有问他，他也没有费心思解释。

她的额头皱起一道纹。他们的婚姻出现了状况，是某种她不能控制，也不喜欢的状况。尼尔又开始酗酒了，两个人之间也没有性生活。但真正让她心烦意乱的是他们曾经那么亲密，而如今，突然之间，他们两人产生了巨大的隔阂，仅仅只能靠拍电影来维系。

她额头皱得更深了。是不是第一次共事带来的压力呢？她觉得应该是这样，就是这么回事。电影拍摄前的准备工作已经榨干了她大部分的精力，尼尔也许有同感吧。但不知为何，她又觉得情况应该不只是如此简单。一起工作应该会让他们两人走得更近才对，而不是越走越远。她生气地将手中的香烟捻灭。也许，是时候该好好聊一聊了。

巴蒂·哈德森的影像播放在大荧幕上。他真的办到了，荧幕上的他散发出电磁般的吸引力。这时的梦塔娜也正巧回忆起了那天巴蒂虚张声势地走进她办公室时的样子。

她想要巴蒂出演温尼，她心意已决。现在要做的就是设法说服奥利弗和尼尔。

.25.

安德鲁斯一家情况的电脑调查结果终于出来了。莱昂·罗斯蒙特仔细地研究了一遍，并没有发现太多信息，只是发现了他们夫妇俩的结婚日期，1946 年，于加利福尼亚州巴斯图。除此之外，压根就没有关于迪克·安德鲁斯的信息。

莱昂立即发电报要求复印一份他们的结婚证明。如果他想要找到线索，那就不得不从头开始调查。

与此同时，米莉的生日到了，她计划举办一场家庭派对。她在厨房里忙得不亦乐乎，做了猪肋排、炸鸡、咖喱饭，还有她特制的豇豆沙拉。至于甜点，莱昂为她特意准备了一个巨大的草莓蛋糕作为惊喜，米莉为他的生日做的巧克力蛋糕曾让他感动得泪流不止。

莱昂狼吞虎咽的时候，米莉的侄女和侄子们在音箱里播放起了杰克逊乐队 [①] 的歌，大人们则争着要放詹姆斯·布朗 [②] 的歌。房间里充满了舞蹈和欢笑，莱昂已经很久没有过这样的和睦欢乐了。

凌晨一点，房间里只剩下莱昂和米莉两人，围在他们身边的是堆积如山的碗碟。

[①] 迈克尔·杰克逊五兄弟组成的乐队，曾经红极一时，是迈克尔·杰克逊歌唱事业的起点。
[②] 美国著名摇滚乐手，被称为灵魂乐教父。

"我负责洗,你负责擦干。"米莉建议道。

"为什么你不能既负责洗又负责擦干呢?"莱昂反问道。

"你这懒惰的坏蛋!"米莉尖叫道,气得满脸通红,"立马把你那又肥又大的屁股挪进厨房里去!"

"你的盘子、衣物还有垃圾都是谁负责处理的?"乔伊问道。

"我有个清洁房间的女仆。"

"是吗?"乔伊咬着手指思考着,"我可以帮你做这些,如果你愿意的话。我可以帮你洗衬衣,这至少能帮你省上一两美元吧。"

但是莱昂并不想省这一两美元。他想要的是摆脱现在不幸的状况。他和乔伊两个人已经相识——如果这个用词正确的话——两个月了。他帮了乔伊不少忙,帮她找了份在电影院卖冰激凌的工作,还帮她找了个不错的公寓住,让她感受到了自我价值。作为回报,乔伊也把自己年轻的身体给了他,给他带来了强有力的勃起。乔伊让他感觉像回到了22岁,有一段时间,这令莱昂感觉棒极了。现在她又说要包下莱昂的清洁和脏衣服,莱昂明白是到了该让这章画上句号的时候了。对他们而言,这是唯一公平的方式。

"乔伊,"他轻声说道,觉得现在是绝佳时机,"你有时候会不会想要交一些同龄朋友?"

"没有,"她欢快地回答道,"毕竟,你又不是什么糟老头子。你和保罗·纽曼① 年纪不相上下。"她刚第二十八遍看过《虎豹小霸王》这部电影,因为这部电影正好在她工作的电影院里播放。现在她每一次谈话都会添油加醋地扯上保罗·纽曼,不管是什么话题。

"我想,"莱昂猜测道,"现在,我们应该已经让你重新回到正轨上了吧?"

"正轨,我是什么?该死的火车?"

"你知道我的意思,"他心平气和地说道,"还有,不要咒骂。"

"好吧,"她说道,竭力想换个话题,"我会为你做清洁,既然我不想得到报酬,那就算是我免费帮忙,刚才那话只是开个玩笑罢了。也许你最好能给我一把钥匙。"

"让我们面对现实吧,乔伊,我们两个人的关系已经走到了我们能走到的尽头。现在你必须要开始自己生活,过上没有我的生活。"

---

① 美国著名金发演员,艾美奖获得者,奥斯卡终身成就奖。出演过《虎豹小霸王》。

"为什么？"她气冲冲地问道。

"因为那样更好，"莱昂耐心地解释道，"你的生活就在眼前，还有许多激动人心的事等着你去做，还有很多新的人等着你去邂逅。而且，在某处还有个不错的年轻男人……"

"噢，该……死！"她喊道，不以为然地嘬起嘴，"还有激动人心的事情要做，还有不错的年轻男人……你以为你现在是在和傻瓜说话？"她瞪着莱昂又接着说，"我可是四处闯荡过的人，你知道的。"

"这样不对，"莱昂固执地继续说道，"从来都不对，我想你足够聪明，会接受。无论如何，你想和我这样一个老男人待在一起干什么呢？"

"你想再找个能让你兴奋的年轻女孩是吗？"她嘲笑道，"你懂的，一个真正年轻的。我16岁……要找个比我更年轻的，是吗？"

"别这么傻。"

他们俩就这样你来我往地斗了一个多小时的嘴。乔伊不想离开，她又叫又闹。她试过撒娇，大肆辱骂，甚至哭。

可是她玩的花样越多，莱昂越是意识到自己做的决定是对的。最终，凌晨两点，乔伊走了。

接下来的一个星期可过得不容易。乔伊不断地给莱昂打电话，有时乞求、吵闹着要重归于好，有时又更加大肆地辱骂。莱昂招架不住，于是他请了六个星期本就属于自己的假，飞去了佛罗里达。在他去机场的路上，他还顺便去了一趟乔伊住的公寓，给她的房东预先支付了六个月的房租。

内疚的补偿？

不，只不过是一份离别礼物，帮助她摆脱生活困境。

他再也没有见过她。

直到他看见乔伊的尸体支离破碎地散落在友谊街那栋屋子的地板上。

莱昂有条不紊地擦干了那一堆碗碟，给自己拿了一碟冰激凌，跟着米莉上了楼。米莉坐在梳妆台前卸妆。

他想向米莉吐露心声，把乔伊的事情告诉她。但是他太羞愧了。他不愿意看到米莉眼中的鄙夷。

"派对不错吧，嗯哼？"米莉兴致勃勃地问道。

他挤出一丝微笑说："当然。"心里暗忖如果当初他在乔伊死前一周同意和她见一面情况会变成什么样。那次乔伊出乎意料地给他打了个电话。三年的沉默，乔伊就在电话那头，好像他们昨天才说过话。

"我要见你，真的很重要，我需要你的帮助。"

他没有回答，而是变了下声音，告诉乔伊打错了电话。米莉那时候正坐在房间的另一头。

在他挂上电话之前，他听到乔伊说："噢，该……死的，莱昂，我知道是你。"但是她并没有再打过来。

一个星期后乔伊就死了。

.26.

举办派对的那天早上伊莱恩 7 点就醒了。她留下鼾声连连的罗斯一个人躺在床上，独自走进了浴室。在那里，她凑近放大镜检查自己的脸蛋，用镊子拔掉了眉毛下的几根毫毛，小心地挤掉了一个小疹子，连她自己也为她那洁净无瑕的皮肤暗自惊奇。有人可能要说她得谢谢阿依达·西比安特。因为阿依达为许多明星做面部保养，包括甘蒂丝·柏根和杰奎琳·比塞特，当然这两位明星都会参加派对。但是伊莱恩知道还有比阿依达更好的，她知道自己应该真正谢谢谁。是罗恩·哥迪诺，是身体柔软又强壮的罗恩，伊莱恩不知不觉逐渐喜欢上了他。

不要和你花钱雇来帮忙的人走得太近，伊莱恩。哪怕他们床上功夫了得。

并不是因为他们上过床。真正的功臣不过是按摩床、教练和地板罢了！伊莱恩脸上闪过一丝笑意，然后她马上脱掉了身上的真丝睡衣，走进了淋浴喷头喷出的冷水中。

她在脑袋里把派对的细节一一过了一遍，从餐桌布置到代客泊车的每一件事情她都注意到了。她都想不起忘掉了什么。很快就会有一队工人过来把一切安排妥当。

她用毛巾把身体擦干，飞快地化了点淡妆，然后穿上了棕色真丝衬衫和米黄色棉布短裤。然后，她走到了窗户边，向外望。今天会是加利福尼亚完美的晴天，太阳已经高挂在天上，一眼望去看不到一片云彩。

罗斯的鼾声震耳欲聋。伊莱恩不耐烦地把他摇醒了。

"几点了？"他抱怨道。

"早呢，"伊莱恩回答道，"但是我想让你起来。"

"我已经起来了，"他色迷迷地说道，指了一下自己的晨勃。

"别傻了，"伊莱恩轻快地说，"你忘了今天是举办派对的日子吗？"

罗斯又呻吟道："我怎么能忘记呢？好几周的时间里，你的呼吸和生活都是这该死的派对，我都记不清有多久了。"

"起床，"伊莱恩坚决地说道，"去健身或是出去吃个午饭什么的。但是千万别挡着任何人的道。"

"谁的道？这是我的家。"罗斯愤怒地说道。

"不要这么固执，罗斯。这个派对是为你举办的。"

"不，才不是呢，"罗斯恶毒地说着，"是为了该死的乔治·兰开斯特和帕梅拉·伦敦。而且他妈的花了我一大笔钱，我们都支付不起。"

"是为了沙蒂·莎乐，不要忽略我们举办这次派对的真正目的。为什么我们不能把这称之为一次对未来的投资呢？"

罗斯大声打着哈欠："最好是这样。"

"我要出去了。"伊莱恩说道，不打算再听他的抱怨了。

"去哪儿？"罗斯问道，看了下表，"现在8点不到呢。"

"我想我咋晚应该告诉你了吧。我今早要在碧碧家和她一起吃早餐。"

"为什么？"

"别再问我了。如果你非得知道的话，好吧，我们是要把最终的嘉宾名单审查一遍。"

"为什么她不能过来？"

伊莱恩觉得这样愚蠢的问题简直不值得回答。"回头见，"她说道，"还有，别忘了去银行取一些现金。我们需要许多20美元的钞票做小费。"

"那你去完碧碧家之后要去哪儿？"

伊莱恩忍住了怒火。什么时候开始罗斯想要知道她每一步的行动了？"去找美发师，"她厉声说道，"我能走了吗？"

"随便。"

伊莱恩匆匆来到厨房，正巧碰见莉娜带了两个帮手来。三个女人正兴奋地用西班牙语交谈，这还是伊莱恩头一次看到莉娜摆出了一副除了想要辞职的阴沉面孔之外的表情。

"早安，康迪夫人。"女仆兴高采烈地说道。

"早上好，莉娜。"

"她们是我的两位朋友。康塞比缇娅和马利亚。"

另外两个女人点头微笑着。伊莱恩觉得她们也许也是非法入境的劳工，大概是因为能到这么漂亮的房子里来干活儿乐昏了头吧。好吧，等到她们把房子从头到尾都擦洗干净，房子确实会漂亮起来。

"她们会说英文吗？"她问道。

"一点点，"莉娜说道，"我会把一切都跟她们解释清楚的。"

"很好。我想让这个地方一尘不染。搭帐篷的人会在 8 点到，送花的人会在 9 点到，还会有其他送东西的人来。我留了一张表在大厅。"

莉娜欢欣鼓舞地点着头："不用担心，夫人。"

"你还要负责接电话，莉娜，记录留言。把它们都记下来。"她迟疑了一下，用了她仅懂的西班牙语说道，"你懂了？"

"是的，我非常明白，"莉娜回答道，自豪地向她的两位伙伴咧嘴笑着，"你走吧，一切都没问题。"

"我会在 12 点半回来。"

她步出家门外，稳稳地坐进她的梅赛德斯车里，深吸了口气。今天开始得还算顺利，如果每件事都按照计划……

她发动汽车，出发了。刚走了 30 秒，她突然想起自己还没有告诉莉娜那两个前任摇滚乐手会在 12 点到达，来安装他们的迪斯科舞厅设备。是罗恩·哥迪诺推荐他们的。"如果你想要办一个年度最时髦的派对，那就把里克和菲尔请上。"他建议道。所以，在晚上派对一开始会是赞卡西三重奏，接着上场的是里克和菲尔。天啊！莉娜一定不会让那两个留着狂野长发的男人进家门的。

她调转梅赛德斯车头，飞快地朝家返回。

罗斯听到前门嘭的一声关上了，接着听到伊莱恩的梅赛德斯车的轰鸣声。一时间，他好奇凯伦说的那些关于伊莱恩有婚外情的话是否真实。这念头很可笑。她可是罗斯·康迪夫人，她可不敢到处乱搞。他慵懒地翻滚到床的另一边，在电话上拨通了凯伦的号码。

"什么？"她睡意蒙眬地嘟囔道。

"这是一个骚扰电话。"

"罗斯？"

"还有谁在早上这个时候给你打骚扰电话啊？"

"你把我吵醒了。"

他故意拿腔拿调，模仿伊莱恩说话，模仿得还算像："你忘了今天是举办派对的日子吗！"

凯伦声音沙哑地哈哈大笑。

"你穿着什么呢？"他问道。

"一件弗雷德里克牌的红色绸缎短睡衣。"

"穿着开档三角裤？"

"还穿着露乳胸罩呢。"

"上帝啊，凯伦，你让我硬得不行了。"

"我可不想眼睁睁地浪费机会。不如你现在过来？"

"我不行。"

"为什么？你知道的，你想吸我的乳头。"

想着凯伦撩人的乳头在他的嘴里，让他欲望更强了："你在勾引我。"

"为什么不钻进你的驾驶座，戴上墨镜，冒险一次呢。我会在前台留爱德华·布朗的名字。"

他还从没有去过凯伦住的那栋时髦的世纪城公寓。因为他们都认为这太危险了，所以坚持去那栋与世隔绝的海滨别墅。但是朋友之间来一两次冒险又有何不可？

"我马上过去。"他决定道。

"好，我在这等着你来。"

"真……有趣。"他把听筒放回原处，冲了个冷水澡。接着他就后悔了，因为他的老二蔫了，这下他不确定是否要去凯伦那儿了。他感到很焦虑，想着莎蒂·莎乐要来家里就很烦躁。要是她再次拒绝当他的经纪人该怎么办？

这简直难以想象。他必须得把自己那康迪式魅力全部散发出来，把她迷得神魂颠倒，这么一来她就没机会说不了。

他迅速地穿上了衣服。

伊莱恩趾高气昂地走进厨房，正打算要告诉莉娜那两个迪斯科男人要来，却发现有电话在线。她以为是找自己的，于是接起了电话，却听见罗斯说："上帝啊，凯伦，你让我硬得不行。"她默默地听完了他们剩下的对话，在罗斯挂上电话的同时她也挂了，赶紧从后门溜走了。

坐回车里，她驾车沿着车道慢慢往下滑，然后才点燃引擎，一直沿街开，车子几乎没发出什么声音，直到第一个红灯才停下来。

她就这么堂而皇之地被她最好的朋友搞了。

不对，正确的应该是，罗斯就这么堂而皇之地被她最好的朋友搞了。

埃塔·格罗丁斯基可是来自布朗克斯区的。

凯伦·兰开斯特是来自贝弗利山庄的。

她想尖叫，却只能堵在嗓子眼里，尽管心理医生告诉过她很多次要释放出来。

"那个……那个……婊子！"她小声咒骂。

那个长着可怕乳头的婊子。

"那个骗子，偷人的婊子！"她大声地叫了出来，"她以为她是谁！"

她旁边一辆车里，一个男人盯着她看。

"看什么看？"她骂道，然后飞快地驾着梅赛德斯火箭般的驶过日落大道，朝位于贝尔艾尔的碧碧家开去。因为，不管怎么样，她都无法想象令碧碧·萨顿失望。一位尊贵的听众毕竟是尊贵的听众。什么都不能让她把这件事搞砸。

安琪儿的沉默让巴蒂十分气馁，他甚至都不再关心了。

严格说这并不是真的。他是太关心了，就连想一想都让他恐慌不已。于是，他杜绝谈论和《街头路人》以及他出演温尼这个角色有关的任何话题。他甚至不再一天给茵戈打七次电话了。他现在只打一次，每天准时在上午 11 点打。他会简练地问道："有新消息吗？"然后，茵戈就会想方设法让他待在电话那头久一点，因为自从他们那次约会之后，她已经疯狂地爱上巴蒂——尽管没有什么好消息——但这当然不是她的错。每当他听到不好的话，比如"没有新消息，但是你仍然在被考虑范围内"。他直接就挂上电话。他满脑子想的都是跑步。

他确实跑了。是真的跑了。他买了一双不错的运动鞋，从杜汉尼跑到费尔法克斯，中间要穿过日落大道，然后又原路折回。每天早上如是。

这样释放他额外的精力让他感觉很棒。剥得只剩下一条白色短裤，他看上去再帅气不过。他又瘦又黑，身体像一台上了油的光滑发亮的机器。

只是再没有安琪儿在旁边看他。她像丢掉一袋旧垃圾一样抛弃了巴蒂。

两周过去了，依然杳无音信后，雪莉突然告诉他，安琪儿打电话来留下了口信。"她不想再见到你了，她堕胎了，遇见了其他男人，而你，巴蒂小子，永远滚出她的生活了。她强调让我一定告诉你是永远。"

巴蒂震惊了。他不敢相信安琪儿会如此残忍："你难道没有要她的电话号码吗？或者，至少可以问出她现在住在哪儿啊？"他气愤地问道。

"我是……留言服务吗？"雪莉顶嘴道，"我告诉你，伙计，她就是想离开，离——开。"

那一晚他差点和雪莉睡了。他神志恍惚，雪莉就站在那儿，依旧热情似火地勾引他。伴着唐娜·桑玛的音乐，她脱掉了衣服，围着巴蒂跳舞。她的身材的确很棒，但也仅限如此，只不过是又一具很棒的身体而已。

她双膝着地跪在巴蒂身前，手里折腾着巴蒂牛仔裤上的皮带。

她甚至无法让巴蒂兴奋起来。安琪儿的不辞而别和打掉他的孩子带来的痛苦掺杂在他抽的大麻和可卡因中。他感到空虚。

除了安琪儿，他谁也不想要。

"你疯了！"雪莉怒骂道，"你是同性恋还是怎么了？"

她这辈子很少遭人拒绝。

巴蒂住在兰迪的公寓里，等待着重大转机，同时也想念着安琪儿。

雪莉并没有怨恨他太长时间："我迟早有一天会得到你的，"她玩笑道，"我猜我会对你不依不饶，哈？"

巴蒂向他们两人借了一样多的钱。雪莉对此还算比较和气、讲道理，但是当他又问兰迪借 50 美元时，兰迪终于爆发了。

"哎，老兄，我又不是个该死的银行！我需要钱来维持和玛瑞丽的关系，如果她认为我没钱，她会跑掉的。"

他点了点头，表示对此非常理解。玛瑞丽·桑德森是兰迪一步登天的绝佳机会，拼命工作了一辈子，也许是时候轮到老兰迪尝一尝美好生活的滋味了。

巴蒂虽不情愿，但他也明白在得到试镜结果之前，他得出去找份工作。下定决心之后，他穿上了自己仅有的一件干净衣服，还劝雪莉帮他烫了一下黑色的华达呢① 裤子，最后再搭上他的白色阿玛尼真丝夹克——多亏了贾森·斯万克鲁，供他的全套装备算是配齐了。

一打扮好，他就立马出发去见弗朗西斯·卡文迪什，希望她那里有事情给他做。

"嘿，弗朗西斯。"他轻松地说道，走进了她的办公室，就好像前一天才见过她似的。

---

① 一种布料。

弗朗西斯背靠着棕色皮椅，从头到脚仔细地审视着巴蒂："哇，哇……"她慢慢说道，"我还以为大风把圣安娜城从大街上刮跑了①，我还以为你死了呢。"

巴蒂皱起了眉头："啊？"

"在我的记事本上，看不见人的演员就等于是死了的演员。"

"你现在不是看见我了吗。"

她眯着眼，从眼镜上方看："真高兴，你看上去气色不错。"

"我可跑了不少步。"

"这很适合你。"

接着是长时间的沉默，她似乎无意破冰。

巴蒂清了清嗓门："那发生什么事了，弗朗西斯？"

"看在上帝的分上，别叫我弗朗西斯了。"

她把鼻子上戴的那副镶有人造钻石的眼镜换成了一副笨重的角质架眼镜。加上她灰白色的平头和男性风格的外套——就加利福尼亚现在的天气而言太厚了，但是也算是她的著名标志之一，这么一来，她比以前看上去更男性化了。她又打开了桌子旁边的一只抽屉，展示出了她的另一个著名标志——一个抽大麻用的破旧滤嘴。她套上了一支大麻烟，点燃了，抽了一口，然后递到桌子另一头，"还结着婚？"她直率地问道。

巴蒂深吸了口烟，本能地给出了正确答案："没了。"

"很好。婚姻根本不适合你，我有份工作给你。是一部低成本的史诗级的恐怖电影，对你来说正合适。两周的时间，你权衡一下，想接吗？"

巴蒂点了点头，不敢提《街头路人》，怕说了反而弄巧成拙。"什么时候？"他问道。

"环球电影公司的片子，下周一。"

"听上去不错。"

"当然。"她重新拿起滤嘴，抽上了。很显然他只能分得一口，但有一口总比没有的好。

"你今晚有空吗？"她突然问道。

巴蒂曾陪弗朗西斯去参加过一些无聊的颁奖宴会，还有一次是晚上陪她从白原市来镇上的 86 岁老母。巴蒂不打算再做类似这样的陪护了。另一方面，环球公司

---

① Santa Anna 是美国加利福尼亚州南部橘郡的一座城市，位于西南圣安娜河畔。

的那部电影到底能不能接下来还取决于他是否有档期。"是的，我有空。"他坚决地说道。

"很好，"弗朗西斯干脆地说，"罗斯·康迪今晚要为乔治·兰开斯特和帕梅拉·伦敦举办一个派对。今晚你 7 点 1 刻准时来接我，你记得我的地址吧？"

这不是个问题，更像是陈诉。巴蒂点点头，很高兴能去参加这样的大型派对，哪怕是和弗朗西斯一起去。

"噢，还有，亲爱的，"她又补充道，"穿些像样的行头，你现在看上去就像在马可·波罗酒廊里四处闲晃的男妓。"

巴蒂忍住不露出怒容。她知道什么？如果她想要他描述，那他可以诚实地告诉她，她让人想起了女版的罗德尼·丹泽菲尔德①。

他被自己的想法逗乐了，说道："那 7 点 1 刻见。"然后，他便离开了。

奥利弗·伊斯特恩心不在焉地把烟灰缸倒空了，梦塔娜的烟还躺在里面冒烟。

"奥利弗！"她尖声抱怨，"那支烟我还在抽呢。"

"什么？"

"我的香烟！"她转过去面对尼尔，做了一个难以置信的表情。

尼尔更感兴趣的是手里那杯爱不释手的波旁威士忌酒。

奥利弗则在垃圾筐里摸索着，试图把那支冒犯到他的香烟扑灭。

他们三个坐在奥利弗一尘不染的办公室里。时间是上午 11 点，他们在等待着乔治·兰开斯特的到来。他已经晚了一个小时了。

奥利弗和尼尔都和乔治熟识，但梦塔娜却从未见过他。她心情激动，感到滑稽，毕竟她是看着乔治·兰开斯特电影长大的。他那一张熟悉的脸庞总是出现在大屏幕和影迷杂志上。乔治·兰开斯特、约翰·韦恩、克拉克·道格拉斯。13 岁时，她对他们三个很痴迷。如今情况有些不同了，她写了个电影剧本，乔治马上就要出演了。不幸的是她不认为乔治是名出色的演员，而电影里，马克这个角色是如此重要。不过乔治·兰开斯特等同于巨大的票房保证，谁能反驳这个不争的事实呢？

此外，有了乔治参演，如奥利弗所说，他们就能自由决定其他两位领衔主演。梦塔娜喜欢巴蒂·哈德森。梦塔娜在给巴蒂试镜时邀请了几位秘书到现场观摩，尼尔和奥利弗在了解了他们的反应后也表示同意使用巴蒂。

---

① 著名喜剧演员。

"巴蒂也许不是世界上最棒的演员，但是他能表现出一种瞬间的性感。他纯粹就是温尼。"她解释道。

尼尔说道："你不用说服我，我喜欢他。"

奥利弗也表示同意，同时他还在为不能找到海滩那个女孩出演妮吉而烦恼。那个女孩好像消失了一样，在放弃了起用吉娜的主意之后，他们又让其他几个女演员试镜了一下这个角色，她们当中有几个很出色。现在的问题是要说服奥利弗忘掉那个海滩少女，让他再做出决定。

乔治·兰开斯特已经签约这件事情还处于高度保密状态。"我们要把宣传做到极致，"奥利弗继续说道，"我们一定要把乔治到镇上这件事制造成一大盛事。等到我们召开新闻招待会宣布这个消息时，一定会成为全世界的头条新闻。"

乔治于举行派对的前一天晚上深夜抵达了小镇，奥利弗为此欢欣鼓舞。乔治·兰开斯特七年来第一次出演电影。《街头路人》——奥利弗·伊斯特恩出品，以后那些混蛋们会排成长队来投资奥利弗未来的项目。

奥利弗的桌子上蜂鸣器响了，他的秘书慌张地说道："兰开斯特先生来了。"

还没等他说完最后一个字，门就被推开了，乔治·兰开斯特不请自入。

他与众不同。身材高大，古铜色的皮肤，粗犷威猛。是一位真正的老派电影明星。

奥利弗立马冲上去说了些热烈欢迎的客套话。尼尔并没有烦劳起身去迎接。梦塔娜站着，等着奥利弗结束溜须拍马后能介绍一下她。奥利弗自然是忙着炮制他的大制作人品牌，可没心思为梦塔娜做介绍。

站在个高柱子旁边可不能垂头耷脑，梦塔娜站在乔治·兰开斯特旁边让她看起来明显小了。她一直等到滔滔不绝的奥利弗停下来喘气，才伸出手说："你好，我是梦塔娜·格雷。"

乔治几乎无视她的存在，但并不完全是。梦塔娜得到了一个短暂的握手和一句简短的话："我很渴，想来杯咖啡，小姐。"

他居然以为梦塔娜是一位助手，一位秘书，只不过是一位在这里听候他吩咐的女人！奥利弗也没有做任何举动来纠正他的这个印象，他只是一直在聒噪。

"我是梦塔娜·格雷，"她重复道，"是我写的《街头路人》。"

乔治又飞快地赏了她一眼："是你写的？噢，天啊，这里的情况大变样了。我还是需要那杯咖啡，小姐。"

梦塔娜简直不敢相信。没门儿！这个该死的老男人以为他是谁？

"那么，我建议，"她冷冰冰地说道，"你可以让奥利弗的秘书给你端过来。"

梦塔娜冷漠的态度完全没起到作用。乔治向尼尔打了个招呼，讲了一些黄色笑话，他大步地走在办公室里，奥利弗则提心吊胆地在他背后亦步亦趋。

那位秘书，当她端着乔治要的咖啡进来后，乔治在她的屁股上拍了一下算是回报："漂亮妞。"他并没有特指谁。

奥利弗把明天早上要在贝弗利酒店召开新闻招待会的计划概述了一下。

"是的，是的，"乔治叹气道，为自己的名气感到厌倦，"那就让我们登上世界各地每一份新闻的头版吧。"他起身想要离开，"你今晚会去参加我的派对吗？"

"不会错过的。"奥利弗热情地说道。

"我们会到的。"尼尔回答道。

乔治转过身，赐予梦塔娜关注："你也一样，小姐。你会来的，是吗？"

"每一次我看你的照片都会 ①，兰开斯特先生。"她低声讽刺道。

乔治的眼睛定格了一会儿："我不喜欢女人说脏话。"他说道，然后就走了，他没有被吓倒。乔治·兰开斯特是位超级明星，而超级明星是不会怕人妄下评判的。

在乔治离开后，房间里一度陷入了沉默。然后梦塔娜说道："谢谢你的支持，绅士。"

"什么？"奥利弗含糊地说道。

尼尔则大口喝着他的波旁威士忌酒。

梦塔娜冷若冰霜地盯着他们两个："我要去购物，"她说，"如果你需要咖啡的话，为什么不给乔治打个电话呢？"

她夺门而出。

美发沙龙里异常忙碌，事实上这也是安琪儿见过的最忙的一天。"这不算什么，甜心，"克克吐露道，"等到奥斯卡之夜，那可真是一片混乱！到处都是闹哄哄的！太……美妙了！我喜欢极了。所有的小可爱们都互相攀比。如果你没有被邀请去参加斯威夫蒂派对，你就算玩完了。"

"斯威夫蒂？"

"别听他胡说八道，甜心，他这是在逗你玩呢。"

"为什么我们今天这么忙？"

---

① Coming 在英文中有即将高潮的意思。这里梦塔娜是一语双关。

"因为罗斯·康迪要给乔治·兰开斯特举办一个盛大的聚会。你听过乔治·兰开斯特,是吧?"

她点点头。

"那真得感谢上帝给的这点仁慈!"

雷蒙多滑坐上前台桌子,他乌黑的头发弄了好几十个卷:"今晚想出去跳个舞吗,金发美女?"

她摇了摇头。

"想去吃镇上最棒的玉米棒吗?"

"雷蒙多!"克克尖叫,"请你回去工作。"

雷蒙多沮丧着脸:"我敢打赌你一定是天生的金发,"他嘟囔道,"哈?是吗,漂亮的安琪儿?"

"雷蒙多!"克克的尖叫迫使他移开,给没带小狗的里德曼夫人让出了前台。

"小福哪儿去了?"安琪儿热心地询问道。

里德曼夫人神秘地把身子倾过前台桌子,她双眼浮肿:"被绑架了!"她眼泪汪汪地透露道,"他们两天前把它抢走了,我还在等着他们提要求。"

"这个'他们'是谁?"安琪儿问道,声音中充满着关切。

"我不知道,"里德曼夫人的声音颤抖着,转着手指上一粒巨大的钻戒,"这个小镇里到处都是疯子,谁都有嫌疑。"

"也许这不是一次狗绑架呢,"安琪儿安慰道,"也许小福只是出去闲逛一会儿吧。我不担心,里德曼夫人。我相信它一定好好的。"

"你真的这么认为,亲爱的?"

"噢,是的。我很乐观。里德曼会回来的,你等着瞧好了。"

"你真是个可爱的女孩!"胖女人叹了口气,"这真是一个安慰。"

"谢谢您夸奖,"安琪儿谦虚地回答道,"雷蒙多过一会儿就能给您做头发了。如果您愿意先坐一会儿……"

克克轻快地走了过来:"这是怎么回事?"他低声问道。

安琪儿把事情告诉了他,然后又说道:"没人会绑架她的狗,是吧?"

"为什么不会?这儿可是好莱坞,甜心。"

上午的时间很快就过去了,到中午的时候,安琪儿已经很饿了。她好像胃口越来越好了,不知道这是不是和她怀孕有关。幸好她肚子隆起得还不算明显,至少在她穿上衣服的时候是这样。她的这个秘密最终还是会被揭露,但是她并不急着要告诉任何人。

她无时无刻不想着肚子里的孩子。与此同时，她也努力彻底不去想巴蒂。她信守了自己的诺言，两周没有和巴蒂联系。她后来打了电话去兰迪的公寓，但无人接听。她只好挂上话筒，又拨通了雪莉的电话。毕竟，她至少应该让巴蒂知道自己一切平安，这样才算公平。不管他神志清醒与否，他也许会关心她的死活。

"嗨，我是安琪儿·哈德森。"当电话被接起，她自报家门。

"你没事就好。"雪莉含糊不清地说道，仍旧半睡半醒。

"什么？"

"你想干吗？"

"我不知道你是否乐意帮我给巴蒂传个口信。"

"那就痛痛快快地说吧，天使脸蛋。"

她有些犹豫地说道："我想麻烦你告诉他我现在很好。我正在干一份很有意思的工作，我会在明天的同一时间往兰迪的公寓里打电话。"

"嗯……"雪莉搜索着，想找一根香烟，让自己清醒过来，"孩子还在肚子里？"

"是的。"安琪儿挑衅地回答道。

"你这个蠢货。快去打掉，听我的意见，去流产吧。"

"我才不需要你的意见，谢谢。这个孩子是巴蒂的，也是我的牵挂。"

"噢，当然。但是最近巴蒂都一直睡在我的床上呢，这至少能给我一点话语权吧。"

安琪儿无法控制住自己声音里的震惊之情："什么！"

"既然你听到我说的话了，那为什么你不学着长大，面对事实呢？别再佯装女中豪杰①了，好好调整一下自己。巴蒂才不会关心你，他首要关心的是他自己，我能看出这点，因为我们同类互知。所以，你最好是打掉孩子，给自己找个真正正直的男人吧，然后再滚回家。天使派，我告诉你，巴蒂和你玩完了。你明白了吗？"

安琪儿一言不发地挂断了电话，她的眼中满是泪水。

事情过去了好几周，那次后她依然没决定好该怎么做。和巴蒂离婚？她完全不知道该如何下手。巴蒂很糟糕，但是她仍然觉得要面对这个悲惨的事实太困难了。

———

① Daisy Mae 是一款地球女战士大战外星人的游戏中的人物，外星人入侵地球，而它们的第一个目标是先占领一处沙漠来作为基地。不过在这个沙漠里住着一位强悍的女中豪杰——Daisy Mae，于是外星人的苦日子开始了……

当她准备离开去吃午餐时，雷蒙多又凑到了前台来："改变主意了吗？想和我来个火热的约会吗？"

"你就让那女孩清静一会儿吧，"克克训斥道，"找些适合你的类型去。"

"没人是我的类型！"雷蒙多恶狠狠地瞥了一眼。

"但愿你能找到，"克克反唇相讥，"过来，甜心，我给你买一个英雄三明治①，每一个人的生活里都需要一个英雄。"

碧碧·萨顿并没有吸引伊莱恩的全部注意，她清楚这一点。

"亲爱的，"她说道，"甜心，一切都好吧？"

伊莱恩点了点头，在唇上挤出灿烂的笑容："当然了。我在担心派对是否能顺利进行。"

"罗斯怎么样？"碧碧精明地问道。

罗斯是一个偷腥的王八蛋。"他很好。"她平淡地答道。

"你确定，甜心？"

有那么一小会儿，她差点儿崩溃。要是能向人吐露心声该有多好，但是她及时控制住了自己。向碧碧吐露心声就像抽出《好莱坞报道者》里整版广告一样。

"当然了，我很确定。怎么了？"

碧碧耸了耸装饰着昂贵饰物的肩部："没什么啦。这个小镇里的人真是恶毒。我可没注意到……"

"你听到了什么风言风语？"伊莱恩问道，突然意识到也许整个镇子里的人都已经知道了。

"你知道的，甜心，只是些肮脏的八卦……"

"是什么？"她坚持问道。

"罗斯刚拍完的那部电影不怎么样……我从两三个人那听到这话……当然，我才不信呢。这个镇子啊，亲爱的……"

伊莱恩差点儿如释重负地叹了口气。那部电影就是拍得很臭又如何？只要罗斯得到了《街头路人》的角色，又会是完全不同的故事。

"还没人看过那部电影呢，"她镇定地说道，"电影还在剪辑中，谁告诉你这个的？"

---

① 巨无霸三明治，大号三明治。

"这不重要,亲爱的。"

"嗯……我知道你说这个镇子是什么意思。为什么这么说呢?因为关于亚当的新电影,我也听到了同样的话。这些人啊,就是这么恶毒。"

碧碧可不习惯被人顶嘴。她都不确定该怎么应付今天早上的这个伊莱恩,她和平时那个阿谀奉承的伊莱恩完全不一样。

"让我看看最终的名单,甜心。然后我就得走了。"她轻快地说道。

伊莱恩也不甘示弱:"我也是,今天上午我可没空陪你慢聊了。"

"你取消了什么活动?你的健身班?"碧碧甜蜜地问道。

这个法国婊子,她可能知道了罗恩·哥迪诺的事。不过,考虑到今天在电话里听到的话,伊莱恩并没有对此有多在意,哪怕是整个贝弗利山庄的人都已经知道了也没关系。

一个健身教练,伊莱恩?你要偷,至少也要挑个罗伯特·雷德福[①]吧?

闭嘴,埃塔。健身教练又怎么了?

她把最终的派对嘉宾名单表递了过去,碧碧像一个电脑专家一样核对着。这是一份很棒的名单,除了帕梅拉·伦敦个人要求加上去的那些个古怪的名字。伊莱恩看得出来,就连碧碧也对此印象深刻。

她没等碧碧准许,就直起了身:"我得走了,还有太多事情等着我去负责组织。"

碧碧也站了起来:"甜心,今晚一定会让人刻骨铭心。"

伊莱恩茫然地微笑着。不知道她的丈夫是否正趴在凯伦·兰开斯特这个叛徒可怕的身体上努力用功?

"我希望如此,碧碧。我当然希望如此。"

好不容易才进入凯伦·兰开斯特居住的高度戒备的公寓,公寓就位于远近闻名的世纪城。罗斯还记得当初世纪城还是 20 世纪福克斯的工作室,他们把这个地方大部分土地卖出去的那天真是哀丧日,房地产开发商把它建成了世纪城——一个钢筋混泥土、玻璃和高楼大厦的海洋。他觉得如果发生地震,这里应该是小镇上所有地方里他最不愿意待的地方。不,谢谢,他不喜欢这个地方。

"请问拜访者是谁?"一个女保安在大门口问道。她脸上挂着一副散不去的怒容,身上穿着一套威严的制服。

---

① 美国优秀的导演和演员。

"兰开斯特小姐，她在等我。"罗斯好奇这个保安是否认识他。他之前已经谨慎地戴上一副雷·查尔斯①墨镜遮住他那著名的康迪蓝眼睛，但他那头著名的金发却很难掩盖。

"你的名字是？"那个女警卫用谴责的眼神盯着罗斯。很明显，她并不是罗斯的粉丝。

"罗斯——"他说道，但又马上想起了他应该匿名的，凯伦留了另外一个名字在前台，他这辈子是没法记住了。

"哦……"

"什么？"

"罗斯先生。"

"好的，罗斯先生，请等一会儿。"

我已经等了不止一会儿了。这是个什么鬼地方？科尔迪茨要塞②？

女警卫拿来一支铅笔和一个便笺本，走到险路车前记下了汽车牌照。然后，她又慢慢悠悠地走到车尾做了同样的事情。

罗斯可不是个有耐心的男人。他本想直接开车进去，但是挡在前头的木头障碍物挡住了他的去处。"拜托。"他嘟囔道。

女保安尽可能地慢慢来，她回到了自己的玻璃小亭子里，拨通一个号码，在对着电话嘀嘀咕咕了很久之后，她回到罗斯的车边："你知道走哪条道吗？"

"不知道。"他厉声说道。

"一直向前开，停在一个免费的停车场，然后会有用人带您去兰开斯特小姐的公寓。"

说完，她就回到了玻璃小亭子里，升起了机械障碍物。险路车匆忙开了过去，和一辆正要出门的保时捷擦肩而过。

"罗斯！"一个金发女人坐在保时捷车窗后向他挥手尖叫道，"今晚见。"

他根本不知道那是谁，但是不管她是谁，他现在必须为出现在此想一个借口了。该死！他一点做爱的欲望都没有了。

两个墨西哥人站在代客停车场里用西班牙语打嘴仗。他们俩都没注意到罗斯、险路车，还有罗斯的蓝眼睛和脏兮兮的标志性金发。

---

① 黑人盲歌手，美国第一位灵歌艺人。
② 德国一个城市，"二战"时曾是德国境内唯一的高安全战俘营。

罗斯从车上下来："这个地方简直就是个该死的监狱，"他尖叫道，"你们就不能给我一点关注吗？"

那两个男佣立即忘掉了他们的嘴仗，他们盯着罗斯就好像在说"这个美国傻瓜是谁？"，接着，他们其中一人指了下那台敞篷式小型机动车，另外一个则递给罗斯一张票，把险路车开走了。

罗斯指着那台像是敞篷高尔夫车的车子，"我要坐进这个里面？"

"是的，先生。上门服务。"

"该死！"

伊莱恩觉得想找人倾诉，否则她就要气炸了。驶出萨顿别墅的大门，她放慢了梅赛德斯的车速。她想是应该给玛瑞丽打个电话，还是直接出现在她家的人门前好呢？鉴于像贝尔艾尔这种乡村式的人行道上很难找到一个电话亭，她决定碰碰运气，直接到玛瑞丽家去。离她和美发沙龙预约的时间还有半个小时，她的发型师正等着要给她这位一周明星女主人创造出一个非凡发型呢。要在贝弗利山庄举办大型派对就是这么麻烦，总是有人等着要超越你。为什么呢？碧碧十分钟之前才嘀咕着她要尽快举办一个"小型派对"。碧碧所谓的"小型派对"能让奥斯卡之夜变得像在麦当劳举办的晚宴一样。

竭尽全力吧，伊莱恩。当本周的明星女主人总比比不过人家要好。

去你的，埃塔。你知道些什么？

我知道些什么？哈！我至少知道我不会放任凯伦·兰开斯特和我丈夫乱搞。我会和她拼命，才不会在乎什么派对。你忘了纽约的那个伊莱恩了吗？你是一个街头孩子，可不是娴静的加利福尼亚小姐。

有三辆车停在玛瑞丽的私人车道上，还有两个园丁在她家前门草坪上漫无目的地用水管把落叶从一处冲到另一处。伊莱恩把车停在一辆银色美洲豹后，下了车，按响了门铃。

玛瑞丽那一队墨西哥仆人中的一个把门打开了一条缝，盯着伊莱恩，门链牢牢拴着。

"早上好，"伊莱恩用西班牙语愉快地说道，尽管她并不感到愉快。她感觉想长久地大声尖叫，"格雷夫人起床了吗？"

"什么？"

"格雷夫人，"伊莱恩重复道，"她起床了吗？"为什么玛瑞丽不能雇用至少会说英文的墨西哥人呢？

"没有。"

还没等伊莱恩做出反应，门就被关上了。她哑口无言。玛瑞丽明显需要有人和她谈谈如何树立规范。刚才那个愚蠢的女仆甚至都没问伊莱恩是谁。伊莱恩可能是重要的人物呢。她也的确是。

伊莱恩挫败又气愤地回到了她舒适的淡蓝色梅赛德斯车里，坐在方向盘后。

现在要去哪儿呢，伊莱恩？是要去美发沙龙做一个明星妻子的发型，还是去罗恩·哥迪诺那痛快地干一次？又或者是和凯伦、罗斯对峙？

闭嘴，埃塔，我想干什么就干什么。

她想要做什么呢？

她想要哭。

她想要咆哮尖叫。

她想要奋力出击。

她希望自己从未接起过那个电话，亲耳听到他们的背叛。

这本是一个举办派对的好日子。玛瑞丽那完美无瑕的绿色草坪四周都受人瞩目，女仆们步行送孩子去学校，狗儿在棕榈树下履行职责，一辆警车在周围缓慢地巡逻，还有一辆斯帕克林斯灌水车停在两栋房子开外。

贝弗利山庄。

她是多么喜爱这个地方。当你处于人生高潮时，这地方棒极了。

她是多么讨厌这个地方。当你处于人生低谷时，这个地方糟糕透顶。

在美发沙龙里伊莱恩异乎寻常的平静。做完头发后，她计划给玛瑞丽打个电话，但是她又想不能这样。我不需要告诉任何人，我可以自己处理，我是伊莱恩·康迪。是来自布朗克斯区的大嘴埃塔·格罗丁斯基。

去你的，埃塔·格罗丁斯基！

去你的，罗斯·康迪！

去你的，凯伦·兰开斯特！

伊莱恩镇定地从停车场里取回了车子，又一次坐在了方向盘后，思考着下一步行动。她应该回家，时间很紧迫，但她现在坐在梅赛德斯车的方向盘后却感觉很安全可靠，这是她唯一想待的地方。

一个开着凯迪拉克的男人不耐烦地按着喇叭，伊莱恩这才意识到自己正朝威尔榭开去。我要花钱，她这么想着，我要花掉那个王八蛋还没赚到手的每一分钱。

她把车驶入萨克斯百货停车场，走进百货商店时，就像一个走进角斗场的角斗士。不到一个小时，她就记账购买了价值 8000 美元的东西，包送。

离开百货商店时，她的嘴角扬起微笑，闲庭信步地沿着威尔榭大街往另一家大型百货商店走去。她立马就发现了一只想买的珐琅手镯："把这只手镯给我记在账上。"她狂妄地告诉售货小姐。

那个女孩拿过她的信用卡，因为价格超过了 100 美元，所以她打电话去核对了一下。

售货小姐十分抱歉地把信用卡还了回来："对不起，好像有一个问题……如果你愿意上楼去我们的信贷部门，我相信这个问题能得到妥善解决……"

"但是我想要这只手镯。"伊莱恩坚定地宣布道。

售货小姐很为难："对不起……"

"你会后悔的，"伊莱恩说道，她的分贝顿时升高，"难道你不认识我是谁吗？"

那女孩茫然地看着伊莱恩。她看到的是一位做了精致发型，还算有魅力的女人。她当然没有把伊莱恩看成歌蒂·韩①或是菲·唐娜薇②。幸运的是这时另一位顾客向她示意招待，她立马离开了伊莱恩。

"婊子！"伊莱恩大声说道。不过，她心里立马为咒骂那个女孩感到抱歉。这不是她的错，是罗斯的错。这个混蛋没有支付他们的上一笔账单。

一时间，她不知道该干点什么好。接着，她十分镇定地意识到只有一件事情可做。她张望了一下周围，售货小姐正忙着，其他顾客正只顾自己的事，没人注意她，她想做什么就做什么。她快如闪电地从柜台上把售货小姐留下的那只手镯捞了起来，接着就轻声哼唱着朝出口走去。

一走出大门，她就深吸了口气，身体里的肾上腺素也开始下降。现在她要准备回家，要眼睛一眨不眨地直视罗斯，丝毫不流露她知道他是个恶劣又不忠的混蛋。

她有什么好在乎的？她可是罗斯·康迪夫人，可不是像凯伦·兰开斯特那样一个被宠坏了的婊子，她唯一出名的就是有个出名的老爹。

一只有力的手落在了她的肩膀上，阻止了她继续沿着威尔榭大街往前走："对不起，夫人，"一个戴眼镜的高个子女人说道，"您介意和我回店里一下吗？我们的经理想和您谈谈。"

---

① 美国荧幕上的傻大姐角色，上世纪 80 年代的头号女性喜剧演员。

② 上世纪 70 年代美国最炙手可热的超级女明星之一。

　　凯伦并没有穿红色的绸缎睡衣，也没有穿上她许诺的开档裤和露乳胸罩。相反，她穿着一件黄色运动服，露出一副令人讨厌的怒容。她把门打开了，立马开始了长篇大论，怪罪罗斯为什么花了这么长的时间才到。

　　罗斯走进这间可以作为向《建筑文摘》致敬用的房间里，倒在了白色的皮沙发上。"你能不能闭嘴？光从这栋监狱的入口到你家前门我就花了 20 分钟。"

　　"别开玩笑了，"她怒骂道，"你一定又睡了个回笼觉，而我却像一个你的……你的狂热小影迷一样在这一直等着。"

　　罗斯大笑了起来，想着凯伦·兰开斯特变成了一个狂热的影迷该有多滑稽。

　　"别笑！"她大喊道，"我本可以再多睡一个小时的！"

　　罗斯把手举过头顶，大声抱怨道："你再唠叨的话，我就回家了。我来这是为了上床，可不是让你刺激我的耳膜的。"

　　凯伦的脸色更难看了："我现在没心情做了。"

　　罗斯站起身，直接走向大门："找别人发泄去吧，我也没心情做了。"他从背后把门关上，按下蜂鸣器叫电梯。他可不想把一上午的时间花在穿着运动衣、心情又不好的凯伦·兰开斯特身上。他没什么耐性地又一次按下蜂鸣器传呼电梯，还偷偷地放了一个屁。

　　一个中年妇女从对面的公寓冒了出来，轻蔑地看了罗斯一眼。她穿着一件色彩缤纷的长袍，头上布满了鲜艳的粉红色卷发器。

　　"干什么？"她用一口欧洲口音问道，怀疑地看着罗斯。

　　"什么干什么？"他没好气地说道。

　　"你在我的走廊里干什么？"那个女人冷冰冰地说道，带着一脸蔑视地嗅了一下。

　　罗斯把鼻子上戴的隐藏身份用的墨镜抬了起来，盯着那女人说道："你的走廊？"

　　那个女人也回瞪他："是的，我的走廊。"

　　"我想也是凯伦·兰开斯特小姐的吧？"

　　"兰开斯特小姐没有给你电梯的钥匙吧。既然你没有钥匙，我可以说你是在侵入我的走廊，因此我可以叫保安，我立刻就会这么做。"她潇洒地退回了自己的公寓里，甩手使劲地把门关上。

　　罗斯简直不敢相信，居然需要一把钥匙才能离开这个鬼地方！

他只好又去敲了凯伦的大门。

凯伦打开了挂着门链的门:"怎么了?"她用厌烦的调子问道。

"给我电梯的钥匙,让我离开这个监狱。"

"我为什么要这么做?你把我整个早上都毁掉了。"

"我把你整个早上都毁了?"

"我不觉得我想和已婚男人上床。你的时间和我的对不上。"

透过门缝,罗斯忍不住注意到凯伦总算是穿上了露乳胸罩,撩人的乳头在黑红相间的蕾丝中间若隐若现。

"嗯……"他改变了主意,不想离开了,"难道你连一杯咖啡都不想请我喝吗?"

凯伦舔了一下自己的食指,淫荡地把手指滑到自己的乳头上:"也许……"她依旧没有取下门链。

罗斯感觉自己的晨间勃起又恢复了。"来吧,甜心,"他恳求道,享受着凯伦玩的小游戏,"我有些东西可以给你当早餐吃,你一定会喜欢的!"

"是软软的东西吗?"

"不再软了!"

"是热热的东西吗?"

"你完全可以相信——"

还没等他说完,一个长着娃娃脸的保安从电梯里冒了出来,手里还拿着一把手枪:"嗯,你——"他尖声命令着罗斯,"靠墙站,把手举到头上!"

"什么?"罗斯愤怒地问道,他的声音盖住了凯伦歇斯底里的咯咯笑。

"别以为我不会用这个,"那名保安抽搐着,"照我说的做,否则我要开枪了。"

那个头上顶着鲜艳的粉红色卷发器,穿着色彩缤纷的长袍的欧洲女人打开了公寓门:"是的,"她坚定地说道,"他就是那个闯入者。"

"天啊!"罗斯大叫。

"把手举到头上!"保安说道。

"你们这些人是怎么了,"凯伦说道,打开了她门上的安全链,走到了走廊上,"难道你们见到他的时候就没认出来他是罗斯·康迪吗?"

三双眼睛同时定在了她的身上。

凯伦·兰开斯特一丝不挂,只穿着一件露乳胸罩,脸上露出忍俊不禁的笑。

.27.

一大清早，迪克就驾着厢式货车缓慢驶入了加利福尼亚州巴斯图的一个小镇。

他很疲惫，脸也没刮过，从新墨西哥州一路不停地开到这。一想到距离目的地越来越近促使他飞驰过渺无人烟的沙漠公路，一路上只有电台噼里啪啦地响着，还有他脑子里那几个振奋人心的字眼——天行者。

他经常见到乔伊。有时她坐在一辆路过的车上——她的裙子短及臀部；有时站在路边竖起大拇指想搭便车；还有时候在沿路的广告牌里摆出挑逗的姿势。

但是他并没有受到引诱而停车。噢，不。不要再受一丁点引诱。他现在汲取了教训。

加利福尼亚并不是他想象中的样子。他本来期待着能看到白色的豪华住宅、蓝色的大海和路两旁棕榈树林立的宽阔街道。相反，他看到的是灰蒙蒙的人行道，还有和别处一样的老旧加油站和汽车旅馆。天热得要命，就像给人包裹上了一层毛毯，想把人窒息死。

他还是到达了。

加利福尼亚，巴斯图。

他从靴子里的一侧拿出一张藏好的皱巴巴的纸，上面潦草地写着一个地址。

一时间，那个阿马里洛来的女孩的脸庞出现在他的眼前："为什么？"她恐惧地尖叫道，"为什么是我？"

她死去的那一瞬间真是令迪克狂喜。她的尖叫停了下来，她的身体变得松弛而平静。那时迪克感到自己和她是如此之近，因为他是一个人在帮他……这把匕首是上帝为了方便他履行职责而赐予他的工具……

她一死就变成了乔伊，这么一来迪克也得以释放几个月以来在他体内积蓄起来的激情……这种释放真是棒极了。

热情，就连总统也需要热情。

一盏坏掉的霓虹灯提示着此处供应咖啡和甜甜圈。他把车开进一个乱糟糟的停车场，下了车。

店里也一样冷冷清清，除了一个柜台服务员正在一边抠鼻孔，一边仔细研究着一本色情杂志。

"来杯咖啡。"迪克说道，拉过柜台边一个褪色的塑料椅。

那个男人压根没有把眼睛从杂志上挪开，他只是朝柜台后的某人大声叫道："咖啡。"

"再来个甜甜圈。"迪克又说。

"一个甜甜圈。"那个男人又大声叫道，始终没有动。

一排蚂蚁在一个脏兮兮的糖罐四周驻扎了下来。迪克拿了一张纸巾，不紧不慢地把它们压死了。

"你有没有见过没有腿的裸体娘儿们？"那个柜台服务员问道，把手指从鼻子里拿了出来，把打开的杂志推给了柜台另一边的迪克。

迪克沉默地注视着那些照片。

"火辣，是吗？"

那些照片上的那个女孩像乔伊。照片非常淫秽。是的，他做了正确的事情，把乔伊从诱惑中解放了出来。现在她安全了。天行者很好地履行了自己的职责。

"你觉得怎么样？"那个柜台服务员问道，希望和迪克讨论一下跟一个没有腿的女人做爱有什么美妙之处。

迪克把冰冷的黑眼睛从杂志上移开，盯着那个男人。乔伊不该摆姿势拍出这样的照片，不该让这个陌生的男人享受她裸露的身体。如果他有时间的话，他会把这些糟粕给扫除，就像压死那些蚂蚁一样把他压死。

"她们都是妓女。"他最终说道，意识到天行者可没有时间去处理每一个从他面前走过的臭变态。

那个柜台服务员嘲弄地笑道："你说得对，老兄。我都说不出比这更好的词了。婊子——每一个该死的都是。"

该死的事情远比你想象的要离自己近。迪克这么想着。

一个胖女孩从柜台后走了出来，一只手端着咖啡，另一只手端着放甜甜圈的盘子。那个男人冲着迪克淫荡地眨了眨眼，但是迪克完全忽视了他。他把热气腾腾的咖啡喝下了肚，又狼吞虎咽地把油腻的甜甜圈也吞了下去，甩下一些钱就走了。

他现在到加利福尼亚了，没有什么能阻止他去干他想要做的事。

.28.

一个精神病学家会说这种行为是黑夜里的尖叫，通常是极度需要帮助的人做出的一种吸引人注意的行为。伊莱恩很清楚这些心理学的废话。她在心理医生的沙发上坐了一年可不是连一招半式都没学到。她还知道看心理医生既贵又耗费时间，而且还容易使自尊心膨胀。谁会不喜欢每周三次，每次一小时，滔滔不绝地谈自己？这不过是一点小奢侈，不过她最后还是决定不去看心理医生。

当她坐在百货公司经理的办公室里时，这些想法在她的脑袋里翻来覆去，然后她又一次说道："我很愤怒，你居然会认为我打算……要偷那只俗气的手镯。我的丈夫可是罗斯·康迪。如果他想要的话，他可以把整个店都买给我！"

"是的，我能理解，"经理说道，脸上压根就没有理解的表情，"但是您得明白我们的立场。您带着一只手镯离开了这里，但是却没有付钱。"

"这是个误会，"她傲慢地说道，"我理解错了你们售货员的意思，我以为她说已经把这样东西记在了我的账单上。"

百货公司的侦探徘徊在门边。

"我真的要走了，"伊莱恩飞快地说道，"这整件事情都是你们这边出的错。"

"我很抱歉，但是我们还不能让您走。"

为什么她会这么不小心？她怎么会在举办派对的当天铤而走险？要是整件事情被新闻曝光了怎么办？

"为什么？"她狂妄地问道。

"因为，"经理说，"我们一直都是按规矩办事。"

伊莱恩想到即将到来的报道，恐慌地一跃而起："求你们了！"她恳求道，"你们不能这么做！我已经告诉了你们我是谁。为什么我们不能把这件事情忘掉呢？"

经理皱了皱眉："你是已经告诉了我们你是谁，但是我们无法证明你是谁。"

"我已经把我的信用卡给你们看了，难道那还不够吗？"

"没有驾驶证，也没有照片……"

"我从来都不带驾驶证。"她飞快地打断道。

"那真是可惜……"他噘起嘴唇。一方面，如果眼前这个女人真是她说的身份，那么媒体不会帮助任何一边。另一方面，他也不能只因为她说自己是一位电影明星的老婆，就这么随意地放她走。他突然想到了一个主意："如果我们能联系到康迪先生，而他又愿意来把你带走，那也许我们能把规矩放在一边。我也相信，如您所说，这真的是个误会。"

那个女侦探厌恶地噘起了嘴唇。

"好的，"伊莱恩迅速说道，松了一口气，"我知道他现在在哪儿，我能找到他。"

最终，他们两人还是做爱了，因为这不就是罗斯起初来这里的目的？

罗斯感觉高潮即将来临。感觉不赖。他在凯伦身上足足运动了十分钟，她不会对此有抱怨的。

"上帝啊！"他呻吟道，"天啊！"

在他正要驶入高潮时电话突然响了。他们俩打算继续英勇作战，但是电话铃声实在是太扰人兴致。

罗斯松开嘴里凯伦的乳头，说道："去接下那个该死的东西吧。"

凯伦拿起听筒："喂？"

罗斯听不出来电话那头是谁，但是从凯伦接电话的样子，他可以猜出一定是乔治·兰开斯特。

"爸爸！"她小声地确认道，"对不起……我是说乔治，你今天过得如何？"

罗斯眼睁睁地看着自己像一匹被卡在大门上的马，只要再来个10秒钟，他就赢了。而现在，他又得从头开始再把整个该死的过程来一遍，当然前提是如果他还有体力。他仔细地看了下表："我得去银行了。"他高声说道。

凯伦点了点头，用手把话筒盖住了一会儿，"好的。去吧，等会儿再来。"说完，她又集中精神继续投入谈话中。

够了，真是够了。凯伦给他惹的麻烦超过了他一天之内能承受的量。他穿上衣服，找到了电梯钥匙，走出了公寓。

这个上午远远称不上完美。他真希望今天接下来的时间里情况会好起来。

凯伦和她父亲足足聊了25分钟，聊到最后乔治邀请她一起去马可·波罗酒廊吃个晚午餐。

"我会到的。"她气喘吁吁地说道，自然忘了刚才她还告诉罗斯等会儿再回来。

她洗了个泡泡浴，盘起了长发，将身体滑入了温暖的水中。她的父亲已经回到了镇上，如果他想要她陪，她可以把每一分一秒都花在他身上。她32岁了，孰轻孰重还是分得清的。

电话突然又响了起来，她在浴室拿起电话分机的听筒："乔治？"她充满希望地问道。乔治不喜欢她叫他父亲——他说这让他感觉自己太老了。

"不，是伊莱恩。"她这位好朋友的声音听上去很紧张。

"噢，嗨。"她难以掩饰自己缺少热情，"今晚那场盛大派对都准备好了？"

"是的，"伊莱恩声音紧绷地说道，"我能和罗斯说句话吗？"

"罗斯？"凯伦的声音里满是惊讶。

"我知道他在你那儿，我要和他说话，这很紧急。"

凯伦虚伪地大笑道："罗斯怎么会在我这里？"

"这事很紧急，让他接电话。"

"我搞不明白，"凯伦用关心的语气说道，"你没事吧？"

"他没和你在一起？"

"当然了，他不在这里。我不——"

伊莱恩挂了电话。

凯伦被吓坏了。她从浴缸里站了起来，身上到处都是泡泡。伊莱恩怎么会知道？难道罗斯告诉她了？

不可能。罗斯比她还想保守这个秘密。想起这件事，能不能保密她一点儿都没放在心上。和乔治相比，拥有罗斯·康迪仅次于拥有老爹。但既然她绝不能搞自己老爹……

她对伊莱恩萌生出一瞬间的懊悔之情，但这种感觉转瞬即逝。凯伦总是能得到她想要的东西，自打她是个小女孩开始就是这样。如果一路上有人受伤了……好吧……这就是演艺圈——就像她父亲一贯说的那样。

伊莱恩紧绷嘴唇挂上了电话："我可能要花几分钟找我丈夫，"她说道，她怀疑自己是否是在做一场噩梦，每一刻都可能惊醒过来。

接着她给莉娜打了个电话，又先后打给了银行、罗斯去的健身俱乐部、芭堤雅酒店、他们的业务经理、莉娜、马可·波罗酒廊、日光浴沙龙、小酒馆花园、莉娜，最后又打给了凯伦·兰开斯特。凯伦并没有接电话，这让她深信他们两个现在还在凯伦定制的特大号床铺上翻滚，一边嘲笑着可怜的伊莱恩。

"我今晚要举办一场大型派对，"她绝望地对经理说道，"这真有必要吗？"

"你真有必要拿走那只手镯吗？"

她突然厉声说道："我希望你弄明白你在干什么，"她歇斯底里地尖叫道，"我可有很多位高权重的朋友，你把我困在这里是犯了个可恶的错误！"

他本已经快要打算让她走了。在她打了一系列的电话后，毫无疑问她就是自己声称的人。但是他可从来不喜欢被人威胁，她以为她是谁呢？

"我很抱歉，"他平心静气地说，"你有一个选择。警察还是你丈夫，随你选。"

罗斯的险路车刚滑出凯伦·兰开斯特的世纪城公寓，一辆破旧的棕色达特桑轿车就不知不觉地跟在了后头。

那台达特桑轿车的车主是一个名叫小圣·士提兹的男人。虽然他从来没有喜欢过这个名字，但许多年过去了，他也就慢慢习惯。曾经学校里的小鬼们赐予了他"小混蛋"这个名号，他的前妻则叫他"大混蛋"。而那些在他工作过程中和他打过交道的人则给他取了各种各样你能想得到的名字。

小圣·士提兹是一名私家侦探——你只要花上几百美元现金就能雇用一天的那种。那些雇用他的通常都用现金支付。他是个年近四十的瘦弱男人，塌肩膀，尖尖的鼻子，长着一对像雪貂一样的眼睛，总是不停地左顾右盼。他那一头稀稀拉拉的棕色头发贴在头皮上，头皮屑散落在他破旧的棕色衬衫领子上。他虽然不是什么出类拔萃的人物，但他精通下三滥手段，尤其擅长离婚案——越肮脏的越好。在抓出轨的丈夫和妻子方面，他堪称专家。许多扇汽车旅馆的门都感受过他用肩膀破门而入时的力量——当然还有他手里握着的闪光照相机。

小圣·士提兹觉得自己很荣幸能靠格林尼丝·巴尔内斯的离婚案获得成功："我希望知道我丈夫做出的每一步行动，"当她第一次拜访小圣·士提兹的单间好莱坞办公室时她这么告诉他，"我要知道时间、地点，还有最重要的——我要他见每一个女人时的照片。"

他立马就展开了调查。跟踪切特·巴尔内斯是件很愉快的事情，而且他很快就进入了日常工作状态，几乎没有踏出贝弗利山庄一步。他坐在一些顶级酒店外偶尔拍几张切特·巴尔内斯和各种女人出没的照片。格林尼丝·巴尔内斯每周一次带着现金来他的办公室。她会把那些照片证据收集好，然后在临走时说："接着再干一星期。"

一天，一张特别的照片吸引了她的注意："你知道这是谁吗？"她厉声问道，把照片推给了他。

他简略地看了下照片，是一张切特·巴尔内斯从斯卡拉饭店走出来的照片，还搂着一个穿着紧身衣、铜色头发的女人。他摇了摇头，格林尼丝·巴尔内斯则在他狭小的办公室里踱步，嘴里念念有词。

"你以前见过这个女人吗？"她问道，"切特在她那里过夜了吗？他们发生了什么？"

他实际上什么都不知道。在拍了那张照片后，他就撤退回家了。但他撒谎道：

"是的，他在那过夜了。我想你一定是想要我守到早上，于是我就这么干了。晚上12点以后的钱可是双倍的，这点你懂的。"

"这没关系，"她说道，"现在，我想让你做的是……"

她告诉他，那个女人是凯伦·兰开斯特。他对这个名字没有丝毫印象，直到她把她和乔治·兰开斯特放在一起，才发现原来那个女人是乔治·兰开斯特的女儿！

格林尼丝一直怀疑她那位关系疏远的丈夫对凯伦有想法。现在她算是确定了，她想要向她丈夫证明凯伦是个什么样的荡妇。"我希望你跟踪她，"她说道，"给我拍些照片，要清楚的。一天二十四小时都给我盯着她。我才不在乎花多少钱。"

没过几天，他便跟踪凯伦到了海滨别墅。他使尽浑身解数，拍到的照片内容十分劲爆。他先是冒险隔着凯伦别墅前的玻璃门拍到了一卷片子，内容是凯伦和一个男人在床上翻云覆雨。然后，他又抓拍下了凯伦和她男朋友在海里的场景。

他还是在冲洗完胶卷之后，才发现和凯伦在一起的那个男人是罗斯·康迪。他有了一大摞罗斯的影迷从未见过的照片！

他认为如果把这些照片交给格林尼丝·巴尔内斯那一定是傻了。这些照片价值几千美元，又何必满足那区区几百美元？

他等待了一周，然后退出了调查，这令格林尼丝·巴尔内斯大为光火。

他又等了更长的一段时间，然后将他最得意的一些照片放大，开始想办法找到罗斯·康迪。这很容易，他只需要买一张标有所有电影明星家的廉价地图就可以了。康迪家就标在地图上托尼·柯蒂斯家和强尼·卡森家的旁边。

某天一大早，他把车停在康迪家房外，等待合适时机。

三位女仆人到达了，一路上她们有说有笑地用西班牙语聊着天。

送奶工送来了12夸脱的橙汁和6箱牛奶。

一个女人离开了房子，坐进了一辆淡蓝色梅赛德斯车里，驶出了车道，突然又改变了主意，开回了房子，然后又重新出现，再次离开了。

他一直忍耐地等待着时机，他不过等了20分钟就得到了回报，他看到了罗斯·康迪坐着他的险路车出来了。他一路跟在罗斯的车后，一直跟到凯伦·兰开斯特的世纪城公寓。

随后，当罗斯·康迪走出那辆与众不同的金色险路车后，他又尾随其后。

兰迪的公寓里散发着迪奥清新之水牌须后水、依夫·圣·朗洛除汗剂和简·耐特爽肤喷雾三种味道。

"我恨那些垃圾。"巴蒂说道，正忙着做单手俯卧撑。

兰迪从浴室里走了出来，身上仅穿着一条内裤："什么垃圾？"他问道。

"就是你往身上喷的那些东西。你难道不知道那些东西会让你得癌症吗？"他停了下来，平躺在地上，"天啊，你知道我感觉不好，我想是因为吸入了这些有毒的气体。"

"你不喜欢的话，你知道该怎么做。"

巴蒂从地板上站起来，无力地靠着墙壁："昨晚我睡得不怎么好。我做了个实在可怕的梦——现在好似还在眼前。我——"

兰迪举起一只手命令道："别跟我讲你的梦。你的梦可不吓人，为什么我要听你的？"

巴蒂走到冰箱旁："你从来都不在这里放点吃的。"他抱怨道。

"上帝啊！你简直比老太婆还讨厌！你为什么不跑去雪莉那儿呢，你的抱怨一定会让她兴奋。"

"那才是麻烦呢。我能让她兴奋的可不止那个，我不想再陷进另一段关系中。安琪儿对我做的——"

"别说了，"兰迪严厉地说道，"我脑子里已经够乱了，我不想再听你的问题。你想睡我的地板，我就把地板借给你睡。你要是想借点钱，我就把钱借给你。现在冲这个，我不需要对你糟糕的生活做长篇大论。"

"真感谢，有朋友真好。"

自从巴蒂提到他也要去参加乔治·兰开斯特的派对后，兰迪就一直心情不佳："你最好离我和玛瑞丽远一点。"兰迪警告道，紧张自己的过去会被抖搂出来。

这个笨蛋难道会认为巴蒂要说："嘿，玛瑞丽。真高兴见到你，你知道我和你男朋友以前一起做过鸭子吗？"上帝啊，巴蒂和他一样渴望忘记过去。

巴蒂依旧每日照常给茵戈打电话，回答还是老样子——"他们很感兴趣，非常喜欢你。你真的很受欢迎。"然而一周周过去了，什么都没有发生，这样他还怎么可能称得上受欢迎？也许茵戈只是在用些甜言蜜语的谎言搪塞他。也许角色已经选定。也许他根本就没有一丝机会……

"安琪儿！"巴蒂低声呼唤她的名字，"你为什么要离开我？"

梦塔娜把车开进了贝弗利山庄，但是选购一套新外套去参加乔治·兰开斯特的派对的想法似乎没有让她感到兴奋。她被乔治的傲慢与粗鲁的态度激怒了。他以为他是谁啊？只不过是个已经老去的超级明星，这就是他了。而奥利弗和尼尔，他们实在令她失望。奥利弗，卑躬屈膝得活像个现代版尤赖亚·希普[①]，而尼尔呢，则在一旁爱不释手地拿着一杯波旁威士忌，好像那是他妈妈的奶一样。

过去几天，她曾试图和尼尔交谈过几次。为了能进行一次有意义的谈话，她做出了尝试，但是尼尔用对剧本的颠覆性评论岔开了话题，进而演变成了激烈的讨论。突然之间，她不得不为那些尼尔从未反对过而现在却想剪切掉的场景进行争辩。重要的场景。

她感到很沮丧，无法控制自己的情绪。到底发生了什么事情？为什么一切都变得糟糕了？《街头路人》——她的宝贝——渐渐地被人偷走了。是她写的剧本，而现在好像再也不属于她了。好吧，实际上她只负责领衔主演之外的电影选角——然后呢？从现在开始，这部电影变成了乔治·兰开斯特的电影，而他偏偏是她一直都讨厌的那种男人。狂妄自大、粗鲁，在他错误的意识里，男人永远凌驾于女人之上。

她决定不回办公室。去海滩似乎是个更好的主意，于是她驾车一路从威尔榭来到海边。她停好车，沿着海岸大步走，试着让自己冷静下来。

海浪的高度足够冲浪，一大群孩子正在浪里玩耍，他们古铜色的身体优雅地飞越浪花。她真希望自己有一套泳衣和一块冲浪板——因为此刻这正是她想做的。为什么她不能呢？一时冲动，她急忙回到车里，开往圣塔·莫妮卡大街的体育用品店。她在那里买了自己需要的东西。

她已经多年没冲过浪了——当然是自从她遇见尼尔之后。进入浪花中，她起初感觉有点别扭和笨拙——虽然她才 29 岁，但还是老大不小了。不过她很快恢复了状态，能像当年一样乘风破浪，她享受了一段欢乐时光。

她忘掉了乔治、奥利弗、电影，尤其是忘掉了尼尔。随着她的忘却，昔日技术逐渐得以发挥，兴奋将她淹没了。

重新感受年轻，脑袋里什么都不想，只有下一个浪头，这感觉多好啊！

一切尽在掌握之中的感觉真好。

"我能和您聊一会儿吗？"在罗迪欧大街的毕扬专卖店外，小圣·士提兹悄悄地朝罗斯·康迪贴身过去。

"当然，"罗斯宽宏大量地说道，以为这个一脸没精打采的男人是位影迷，"你

[①]　尤赖亚·希普是狄更斯所著《大卫·科波菲尔》中的人物，一阴险虚伪的小职员。

想知道什么？我在恐怖电影《罗斯玛丽的杀手》中是真的亲自从悬崖顶上跳了下去，还是使用了替身？别担心，每个人都问我这个问题，我告诉你那就是我自己。如果你给我支笔，我可以给你手上的信封签个名。是要签给谁的，你妹妹？"

小圣·士提兹一时说不出话来。你总不能走到那个你要敲诈的男人面前，把装有敲诈照片的信封拿给他签名吧？

"你没弄明白，"他结结巴巴地低声说道，"我有照片。"

"噢，你想要我给你的照片签名？"罗斯轻松地说道。他总认为一定要善待自己的影迷，对他们好，如此一来，他们就会永远对你拍的电影趋之若鹜。

他们早就抛弃你了，笨蛋。

"我有的是你永远不想被公布的照片，"小圣·士提兹赶在这位大牌电影明星把他弄得更糊涂之前迅速继续道，"或者说是你的妻子、母亲、女儿、孙女都不想看见的照片。"

孙女！罗斯被激怒了。这个无耻的混蛋以为罗斯有多老？

"我的母亲早就死了，我也没有女儿。我当然也没有孙女，不管你的信封里装着什么，你为什么不带着它滚蛋？"罗斯威严地说道，接着突然朝自己停在红色罚款区的车子走去。

小圣·士提兹跟在罗斯身后："如果你和凯伦·兰开斯特的床照登上《全国探究者》的封面你会感觉如何？"他紧张得抽搐。

闻听此言，有那么一瞬，罗斯的大步顿了顿，但他紧接着又想——得了吧，我有什么好担心的？谁可能会有我和凯伦的照片？

小圣·士提兹在信封里摸索。

他拿出一张凯伦和罗斯在床上的黑白照片。

"多少钱？"罗斯疲惫地问道。

凯伦自信满满地走进马可·波罗酒廊，对服务生领班尼诺招了招手，径直朝着乔治·兰开斯特每次回到镇上都会订的那张桌子走去。

令她失望的是乔治并没有在那里，于是她独自坐了下来，点了一杯血腥玛丽①，又从钱包里拿出了一个小化妆盒，仔细端详了一下她那轮廓鲜明的脸庞。她很幸运地遗传了她父亲的长相和脾气——为此她感到很高兴，因为她认为自己的母亲是一

---

① 一种通常用伏特加、番茄汁和调味料制成的鸡尾酒。

个懦弱的女人，太过软弱，不能管住像她这样的女儿，或像乔治那样的丈夫。这也许也是为什么乔治会在这段婚姻中一直不断找其他女人的原因吧。他们曾度过 6 个月如胶似漆、难分难舍的日子。后来一位长着一头银发的小明星闯进了他们的生活，毁掉了一切。乔治，像一个傻子一样娶了她。这段短暂的婚姻只维持了 9 个月，并且花费了他许多钱。与此同时，凯伦也嫁给了第一个她可以嫁的人——一位刚卖给她一栋别墅的房地产经纪人。她的这段婚姻在乔治离婚两天后便也宣告结束。但她的父母并没有如凯伦所希望的那样重新在一起。乔治和一些朋友去了棕榈滩，他在那里遇见了帕梅拉·伦敦，并且等到离婚一了结，便立即和她结了婚。他们两人的婚礼是那一年的年度社交盛事。为此凯伦喝醉了，两个月后，她和一位精神恍惚的作曲家结了婚，可这个家伙吸了太多的毒，最后鼻子不听使唤了。当她意识到乔治并不在乎她嫁给谁后，她便离了婚。并且从那以后便成为了一名住在贝弗利山庄的单身女士。她是单身，却拥有一个庞大信托基金、一套宽大公寓、一栋美丽的海滨别墅、三辆车、四件皮草，以及任何她心中渴望的东西。

乔治·兰开斯特走进来时酒店一片喧嚣。他从餐桌旁经过时人们跳站起来行注目礼，谈话停止了，献媚者站了起来，向乔治致敬。

乔治越靠越近，凯伦也站了起来。她希望能再做一回小女孩，再一次投入他的怀中。但最后他只是快速地拥抱了她一下。

"我的宝贝女儿过得怎么样？"乔治的声音低沉洪亮。

"你看上去很棒，爸……哦……乔治。说实话，你看上去真的很棒。"

"不……我越来越老了。"

"算了吧。你永远都不会。"

乔治稚气地微笑道："只有我和里根，宝贝。我们这两匹老野马都保养得很好。"

"你最好别让他听到你这么说。"

"谁？罗尼。他不会介意的。"

"我爱你，爸爸。"她说道，突然间她真希望自己还是一个小女孩。

"把爸爸那两个字删掉，行吗？你知道的，我会受不了。"

她急急地大口喝了一口血腥玛丽，然后机灵地问道："帕梅拉怎么样？"

"作为一个老娘儿们，她还算不错，"乔治大笑道，"你听过因纽特人和冰块那个笑话了吗？"

他讲笑话足足讲了一刻钟，中间不过是停下来戏弄了一下各色服务员，和源源不断来桌边顺便拜访的老相识。

凯伦则在一旁吃着美味的尼尔·麦卡锡沙拉，又喝了两杯血腥玛丽，她想着为什么伊莱恩·康迪会打电话问她找罗斯，同时也耐心地听着乔治讲各种暗含性别歧视的笑话。

乔治不喜欢女人，就连凯伦都不得不承认这一点。

最终，乔治跟凯伦透露他将出演《街头路人》。

凯伦之前听过一些传闻——但是她都只是听听罢了，没当真。毕竟，乔治都不知道跟她讲过多少次了，他是无论如何不会再拍电影了。

她对此的反应很复杂。一方面她觉得很棒，因为这样乔治就能回到镇上了。但是另一方面，罗斯该怎么办呢？他很想出演《街头路人》，他需要这部电影。

"噢，该死。"她小声地嘟囔道。

"什么？"乔治的声音低沉洪亮。

"没什么，爸……乔治。我只是在想如果你真的要演，这真是个适合你的好角色。"

"什么适合？我才不会去适合角色，都是角色适合我。这就是在这个小镇上成为明星的秘诀，我从来都没有忘记过这一点。"

到了傍晚，安琪儿已经筋疲力尽了。她满心只想回家，瘫倒在床上。这一整天，美发沙龙简直就是个疯人院，每个人的脾气都很暴躁。前台的电话第一百次响了起来，她疲惫地拿起话筒："克克美发沙龙，我能帮您做什么？"

"是亲爱的安琪儿吗？"里德曼夫人热情地说道。

"是的。"

"我真高兴逮到了你。你绝对猜不到发生了什么，小福回家了！这都得谢谢你，亲爱的，谢谢你的乐观态度产生的积极响应。"

"我不过是说了——"

"不管你说了什么都没有关系，"里德曼夫人打断了她，"你发出了积极信号，这足以劝我的宝贝回家，回到我身边。我真是太感激了。"

"发生了什么？"克克轻声问道。

安琪儿用手盖住了话筒，小声说："是里德曼夫人的狗回家了，她认为我与这事有关。"

"太好了，也许她会为此给你 500 美元。"

恰好在这个时候，里德曼夫人说道："我要回报你。"

安琪儿说："别傻了。"

里德曼夫人接着说："我会派车去接你。今晚，我要带你去参加一个派对，你一定会度过一段美好时光。这是一次十分特殊的派对，是为我的好朋友帕梅拉·伦敦举办的。"

正在听电话的克克热情地点着头，安琪儿说道："真是太感谢了，里德曼夫人，但是我想我不能去。"

克克从安琪儿手中夺过电话："里德曼夫人，"他轻声说道，"安琪儿很愿意参加。您能不能让您的司机到她的公寓去接她？我会把她的地址告诉您。"

安琪儿无助地摇着头，无奈地看着克克安排她的生活。当克克挂上电话，她立马说道："我是不会去的。我绝不会去。"

"甜心！"克克大叫，"相信我。你必须去，这是毫无疑问的。你必须明白，在生活里我们并不是总能做我们想做的事情。有时候命运会把我们推向别的方向，而命运现在决定你今晚必须去参加那个舞会。"

"什么舞会？"

"难道你没听过灰姑娘辛德瑞拉的故事？噢，上帝啊！难道什么都要我教你吗？"

时间到了下午 4 点。伊莱恩平静了下来。她的思绪变得清晰、简洁。打了 14 个电话，她依然没能找到罗斯，事实越来越明显了，她要被捕了。

她做梦似的盯着远处。

想象着新闻头条。

明星之妻因入店行窃被捕。

贝弗利山庄夫人重回布朗克斯。

乔治·兰开斯特说："伊莱恩是谁？"

好吧，每个人都会嘲笑她为此付出的代价。她会被迫离开镇子。耻辱、丢脸、尴尬。

罗斯·康迪到底在哪儿？

这个世界上最大的骗子、不忠的王八蛋到底在哪里？

.29.

莱昂·罗斯蒙特调查安德鲁斯家并没有取得什么进展。他们似乎没有活着的亲戚，结婚证上写的两个证婚人，一个下落不明，一个已经离开人世。

莱昂想要找到更多安德鲁斯的家庭情况，唯一的办法只能前往巴斯顿做一番调查。米莉曾提过想到加利福尼亚度假。不知怎的，他总觉得米莉并没有把巴斯顿这个地方放在心上……但他可以趁她哪天忙时借机去一趟巴斯顿。

一时冲动，他出去买了两张到加利福尼亚的飞机票，颇为炫耀地将它们递给米莉。

"我们将休一个月假。"他跟米莉说，"这时间对我来说刚好，我想我们应该合理利用。我们可以雇辆车，四处转转。"

"我们会去圣弗朗西斯科吗？"米莉问道，眼神熠熠发光。

他点点头。

"那会到纳帕谷、亚利桑那和好莱坞吗？"

他再次点点头。

米莉用手臂圈住他的脖子，抱紧他，轻声低吟："亲爱的，你变了！"

在他们要去度假的前一周，他给了米莉 400 美元，让她去买几件度假穿的衣服。米莉兴高采烈地冲到商场，就好像莱昂给了她 4000 美元似的。

趁她不在，莱昂抓住机会把与安德鲁斯相关的文件藏到了行李箱底。严格来说，这样做并不合法，但他影印了所有官方文件，包括那些照片……

15 张静态照片，那是那天早上在友谊街拍到的。

15 张……谋杀的照片。

.30.

4 点 1 刻左右，罗斯·康迪气冲冲地大踏步走进家门。里面人声鼎沸，到处都晃着生面孔。

"这里究竟是怎么回事？"他对正站在厨房门口哭泣的莉娜咆哮。

"康迪先生，"她抽搭着说，"没法子干了，我不干啦，不干啦。"

莉娜紧拽住他的胳膊不放，他甩开莉娜的手，盘问："夫人死哪里去了？"

这时，一个穿着紧身牛仔裤和画着地狱天使夹克衫的乱发青年插了一句："喂，你就是这里管事的吧？得给我加点儿电量，再不加，我的扩音器要报废了！"

一个穿着花长裤西装服的中年妇女也走向前："康迪先生，拜托了！你妻子跟我确保过她有 20 个配套花瓶，我现在十万火急地需要这些花瓶，如果想要及时插好小雏菊花的话。"

一个提着小提琴盒、彬彬有礼的意大利男人悲伤地问道："我们的房间在哪儿啊？素来都会给赞卡西三重奏安排一个房间的。"

"天哪！"罗斯惊叫道，"莉娜，我老婆去哪儿了？"

莉娜用围裙角擦拭了一下眼泪："她没有回来，把一切都丢给我了，我不干啦！"接着她走进厨房，她的两个朋友在厨房后门旁蜷缩成一团。

罗斯跟在她身后。那个头发蓬乱的年轻人跟在罗斯后面，穿着花长裤西装服的妇女和忧郁的意大利人紧随其后。

厨房里有：一对在水槽旁准备生菜的男同性恋、两个正把酒从厚纸板箱里搬出来的酒保、另一个携着手风琴、眼神忧郁的意大利人以及一个穿着短裤和短上衣、耳朵上紧套着索尼耳机的金发新潮少女。

罗斯跟着莉娜走到门口，心里非常苦恼，他怀疑是不是小圣·士提兹糊弄了自己，已经把照片给伊莱恩看过了。否则还有什么能解释派对当天女主人不知所踪呢？

"夫人有没有打电话回来过？留个口信或其他之类的？"他绝望地问道。

"她打过五次电话。"莉娜刻薄地说，"但是没有回家。"

"喂，管事的，我的电怎么办？"满头乱发的年轻小伙子哼唱着问道。

"还有我的花瓶呢？"穿着长裤西装服的女人尖叫道。

"为赞卡西三重奏准备的房间在哪儿？"那个神情忧郁的意大利男人不想被忽略，叹息道。

"滚开！"罗斯尖叫道，失去了控制。

"喂，别这样！"那个年轻人平静地举起一只手。

"真是的！！"那个女人怒气冲冲地说。

"妈呀，美国人哪！"那个意大利人悲伤地摇了摇头。

就在这时，电话铃突然响起。罗斯接起电话，大喊道："喂？"然后在万恶的沉默中静静地听着电话。过了一会儿，他嘭的一声把电话撂下，然后看都没看那些五花八门、愤愤不平的主儿们，怒气冲冲地走出了房子。

奥利弗·伊斯特恩先是把自己稀疏的浅棕色头发梳向一边，然后又梳向另外一边。但不管再如何刻意打扮也掩盖不了他几乎已经秃顶的事实。

电话铃声大作，但他没有像往常一样跑过去接听。让那些工作人员去处理吧！他每周掏几千美元付他们工资，也总该让他们做点事情。

要不要再冲个澡呢？

这有可能毁了他的发型。

但他可以戴上发套。

突然，他胃里猛地一阵抽搐，痛得他龇牙咧嘴。这是胃溃疡出血，就好像他头发稀少还不够惨似的。除此外，他还有痔疮。虽然痔疮还没严重到出血的地步，但是《街头路人》这部电影会让他病情恶化，离痔疮出血之日恐怕也不远了！

尼尔·格雷是个讨厌的家伙——但有哪个导演不讨厌的？

梦塔娜·格雷很难应付——但有哪个编剧是好轻易应付的？

乔治·兰开斯特很难伺候——但有哪个演员是好伺候的？

奥利弗讨厌人才，但也需要人才。因为他是个不折不扣的商人。

作为制片人，他的一生充满了传奇。这倒不是说他是个多么了不起的制片人，他实际上是作为一名商人声名大噪的。看看他完成的那些交易，他设计的那些骗局，还有他在搬上银幕票房惨败的电影，这一切不言自明。

电影惨败从不影响奥利弗的切身利益。电影还没有开拍前，他已经私自藏匿好了他认为自己应得的那一部分。奥利弗·伊斯特恩公司的电影预算总是有些额外零头，有时油水还比较丰厚，这要看是哪些笨蛋在出钱投资。如果最初的预算不够，那就两套预算一起来，只要不被抓住就不算犯法。没有奥利弗·伊斯特恩不知道的伎俩。

他在一只手臂下仔细地嗅了一阵，觉得自己完全有必要再冲个澡。

他戴上发套，脱掉身上的浴袍。

今晚在康迪家的派对上，他要使劲地去拍马屁，一个个房间地过去献殷勤。梦塔娜、尼尔还有乔治都将感受到他真挚的热情。他会很享受这个过程，因为他知道最终谁才是站在巅峰的王者。一旦电影拍摄完毕，电影就归他所有，他就可以叫他们全都去死！

自己要替该死的尼尔和梦塔娜完全控制住局面，他想。他俩休想做到这点。他比胡迪尼①技高一筹。

现在，如果他能找到那个沙滩女孩，把她捧成明星，跟她签订私人合约，那该

---

① 电影特效魔术师。

有多好啊!

他在镜壁上发现了一块污迹。他认真地用克里内克斯纸巾擦拭。他的胃又一阵刺痛。当一名电影界大腕并非只有开心。

在安琪儿那带着一股消毒水味、收拾得干净整洁到无懈可击的小公寓里——

"我没有什么可以穿的。"安琪儿固执地说。

"要简单一点的……"克克沉思着,在她的衣橱里搜寻,"要简单却不失雅致的。这个镇上的娘儿们肯定都跟莎·莎·嘉宝在圣诞节时穿的一样,盛装出席。我要让你今晚脱颖而出,就像成人礼上的一枝独秀。"

"什么是成人礼啊?"

克克难以置信地看了她一眼:"有时候你真是太单纯了。"然后他从一只衣架上拉下一件带褶皱的黑色棉裙,拿着它在安琪儿身上比对了一番说道:"嗯……不错,我喜欢。但是要找什么东西来搭呢?"

安琪儿摇着头说:"克克,拜托了,我甚至都不认识里德曼夫人。"

"亲爱的,你别想今晚有时间跟她在一起。好莱坞的每个男人只要看你一眼就会……"

安琪儿并不自负,但是她知道自己对男人的杀伤力:"那又如何?"她悲叹着,"他们都会过来跟我说一些假惺惺的话。可我结婚了,克克,我——"

现在轮到他来打断她了:"亲爱的安琪儿,我从来不想探听什么。但我深知,不管你结没结婚,你丈夫都做了些事极大地伤害了你。你只是想把自己封闭起来,黯然神伤。但痛苦从来都无济于事。我不是说让你出去跟每个接近你并且将来可能成为沃伦·比蒂的人上床,我只是想告诉你走出自己的世界,好好享受被关注的感觉。这样你会好过点。"

她奇怪克克怎么这么了解自己。他用短短几句话就准确地概括出了自己的境况。克克可能是对的,出去走走对她确实有好处。毕竟没有人会每天受到邀请去参加大型好莱坞派对。

"我去。"她柔声说。

克克正在忙着检查她的短上衣:"你说什么?"他茫然地问道。

"我说我会去。"她坚定地重复道。

克克像鹰一样的脸上浮现出愉悦的微笑:"你当然要去,亲爱的。这毫无疑问。"

巴蒂在为参加派对做准备，整个公寓此刻都归他所有。真是不爽，他得陪伴弗朗西斯·卡文迪什。但是从另一个方面来说，去参加这个派对对他来说绝对有好处。

他不知道该穿什么。弗朗西斯·卡文迪什对他着装的评论让他恼火。她究竟懂什么？她可能连听都没听说过阿玛尼。穿阿玛尼的服装很时髦，这就连傻瓜都知道。

兰迪不在公寓，巴蒂可以肆无忌惮地翻他的衣橱。他在衣橱内找到了一件喜欢的衬衫，穿到身上试了试，发现胸口那里太紧了，于是决定不穿这件。

他在想梦塔娜·格雷是不是也会去参加这个派对？如果她去了，自己又该怎么办呢？"听着，如果到周一之前我没有收到任何消息，我就去环球那儿签另一部电影。"这个主意听起来不错。

门口的一阵嘈杂声打断了他的思绪。

雪莉站在门口："你去哪儿啦？"她质问道，"我还以为你见完弗朗西斯·卡文迪什后会直接回来。"她不请自入地走进公寓，然后扑倒在床上。

他看得出雪莉精神恍惚。他为什么要掺和进去？他可不想再回到夏威夷遇见安琪儿之前的日子。

"我得到了一份工作。"他轻轻地说道，"到时我就可以把欠你的钱还清了。"

"什么时候？"她吼道。

"很快。"

"快个屁。我现在就想要。你为什么不出去混呢？你可能不记得我了，巴蒂，但是你曾经当过格来朱赖格斯的鸭子，那时我就知道你了。我们有一次还一起工作过。为了混口饭吃跟老女人上床感觉怎么样？"

巴蒂甩了她一巴掌。

她哈哈大笑。

巴蒂把她半推半抬地拽到门口。

"你是男妓！"她尖叫，"鸭子，牛郎！"

最后，他猛推了雪莉一下，在她歇斯底里的尖叫声中把门关上了，

一种痛楚向他袭来。

这个神志不清的臭婊子！

但是这个神志不清的臭婊子讲的是事实！

上帝啊，究竟什么时候他才能出人头地，什么时候他的人生才会走向正轨啊？

梦塔娜从海滩回来时已是将近傍晚了。她感到非常兴奋，就像是个逃学的孩子

一样。她并不想去办公室，而是直接开回了家，把黑色长发洗干净了，并冲掉了身上的沙子和海水。然后她穿上白色浴衣，打了个电话问茵戈，看看自己有没有错过什么。

"没有什么。"她的秘书说，"格雷先生三点左右打过一次电话让我告诉你他有些事要处理，他今晚会在派对上跟您见面。"

"他人在哪儿？"

"他没说。"

现在尼尔已经懒得回家了。她有一股不想去参加派对的冲动。但是她猜乔治·兰开斯特该会认为他吓得她不敢露面。如果她想让他感觉到自己的存在，一定要一开始就镇住他。她不想让乔治觉得他可以对她的剧本为所欲为。她决定每天都坚守在拍摄现场，这样兰开斯特先生就会明白并不是每个女人看到他都会晕头转向，臣服在他的脚下。

她往立体音响中放入一盘艾尔·格林的磁带，决定自己今晚在派对上的装扮一定要既强势又抢眼，一定是要让强悍的兰开斯特过目不忘。

在贝弗利山庄酒店第九号别墅安置下来后，帕梅拉·伦敦躺在折叠按摩椅上，享受着按摩师结实的手指熟练地拿捏她的身体。

"我听说你技术不错。"她慵懒地说道，"但实际上你非常棒。"

"谢谢您的夸奖，兰开斯特夫人。"罗恩·哥迪诺拖长声音说，"我通常都是派我底下的小弟去给客人服务的。但是当凯伦告诉我是给……兰开斯特夫人您服务时，我就决定自己亲自来。"

"绝不要让一个男孩来干男人的活。"帕梅拉羞怯地说。

"这种事情……我从来想都不曾想过，兰开斯特夫人。"

"别这么叫我，叫我伦敦小姐就行了。"

他想：那叫你帕梅拉怎么样？我今晚在派对上肯定不会叫你兰开斯特夫人或伦敦小姐。伊莱恩已经兑现了承诺，今晚邀请我去参加派对。

当罗恩用手指压她腰部周围的赘肉时，帕梅拉发出阵阵呻吟声。作为一个老女人来说，她的身材算是保养得不错了。她至少有55岁。但当你是全美国第三富婆时，你就有足够多的钱来保持身材。

他在想如果自己给帕梅拉提供"特殊"服务会怎样呢？她会不会跟贝弗利山庄其他的主妇一样被他的"特殊"服务所倾倒？大多数主妇都太容易得手了：让她们

躺在桌上，脱掉她们的首饰和衣服，卸去这些名牌，在这儿按按，那儿揉揉，他总能得手。

就在他正在考虑要不要采取进一步行动时，乔治似一阵风似的大声跑了进来。

他没有理睬罗恩，直接在帕梅拉几乎脱光的屁股上啪地打了一巴掌，声音震耳，他说："怎么样啊，老太婆？"

她声音嘶哑地回答道："还不算太差啊，老头子。"

"赶紧打扮打扮，准备参加今天晚上的派对。"

"我想我们是非去不可了。但是我连康迪夫妇是谁都不知道。"

"那又怎么样？反正是他们出钱。如果我们不喜欢这个派对，我们可以去蔡森家。"

"这个主意不错。"

"喂，小伙子。"乔治终于注意到罗恩·哥迪诺，说道："一会儿你按摩完老太婆，过来帮我也按按。"

吉娜·杰曼往自己身上喷了香水、脸上打了粉并且做了个发型，全身上下收拾得完美无缺。但是她还没有穿上参加派对的礼服。她穿着一件轻薄的长睡袍，里面穿着黑色的贴身衣：一件低口文胸、一条低腰内裤和一条连在蕾丝吊袜带上的纯黑色长筒袜。

吉娜·杰曼在家里一共雇了三个女仆。但是当门铃响时，却是她自己跑过去开的门。今天晚上她把三个女仆都支走了。

"你好，尼尔。"她轻声呢喃道，"你看上去太优雅了！"

尼尔刚才在办公室的时候已经换过装了。他穿上了一件紫红色的便装，一件黑高领绒丝绸套衫和一条黑裤子。他已经蓄势待发，要去参加今晚的派对了。

"谢谢。"他简短地说，试图忽视吉娜几乎半裸的身体，他问道，"你带磁带了吗？"

"当然。"她答道，声音里全是无辜的受伤，"交易可不是说变就变的，这才算得上交易，难道不是吗？"

她转过身，朝着装饰得过于奢华的粉红色起居室走去。

"我不能久待，吉娜。我不想迟到。你快给我那盘磁带。"

"要不要来喝一杯？"她递给尼尔一杯装在透明玻璃杯里加了冰的波本威士忌，"这不是你喜欢喝的吗？"

他接过那杯酒，记不清这是从 5 点到现在喝的第三杯还是第四杯酒了。

"我们已经签订了合同，我觉得非常兴奋。"她情意绵绵地说，"我们还要多久才能跟外界宣布这个消息呢？"

他皱起了眉头："不，我们不能对任何人宣布，你应该明白，难道不是吗？"

"你强势的时候总是让我性趣大增。"她咕噜地说。

"从现在起，亲爱的，我们之间就仅仅只男演员和导演的关系。"

"是女演员。"她纠正道。

"女演员。"他承认，"磁带在哪儿？"

"过来嘛！"吉娜一把抓住他的手，将他笼罩在丛丛的香水味里。

他希望甜腻的香水味不要沾到他衣服上。

"这是我平时娱乐的房间。"她一边说，一边带尼尔走进一间大房间，房间的墙壁上贴满了她为杂志当封面女郎的装框照片。房间的其他地方放置着各种东西，从弹球机到最新的电子游戏。"我很喜欢玩乐。"她补充道，实际上完全没必要。

"给我磁带，吉娜。"

"你上来呀！"她按了一下按钮，尼尔还来不及反抗，就已经在她的大电视屏幕上上演了一出香艳的戏码：他光着屁股，俯在全美第二受欢迎的金发女郎身上。"我想你会想看这个录像。"她温柔地解释道，"毕竟，你肯定不想把它拿回家，放给梦塔娜看，对不对？"

他当然不想了。他喝了一大口波本威士忌，坐了下来，从专业的角度考虑屏幕上放映的录像。摄影角度也太差了，都不能看到吉娜。哦，天啊！能看到她。她挪过来了，直到她那两个挺拔的肉球占满整个屏幕。

他觉得裤子里面一阵勃起，并且暗暗咒骂这种必然趋势。

屏幕上，她气喘吁吁，而尼尔对她垂涎三尺。

屏幕下，她脱掉了长睡袍和短裤，骑坐到了他身上。

那就再做一次吧！

不过这是最后一次了。

他不知道自己这样对不对。

莎蒂·莎乐比平时提前两个小时离开办公室。她的日本司机实子帮她打开了黑色的劳斯莱斯的车门。她感激地陷入了奢华的皮革位中，把空调温度调到最大。

"是不是回'家园'，夫人？"实子询问道。

"是的。"

"家园"位于奢华的贝弗利山庄，车道蜿蜒曲折。"家园"是一座豪宅，其奢华程度可以跟任何一个她旗下代理的明星豪宅相提并论。但是没有罗斯·康迪的"家园"不能够叫一个真正意义上的家。

真该死！他们分开已经 26 年了，她居然还在想着他！

随着劳斯莱斯在罗迪欧大道疾速前行，莎蒂·莎乐心不在焉地从漆黑的车窗向外看。今晚她将去罗斯家参加派对。这个混蛋！今晚她将看到罗斯住的地方，她将客气地和他的妻子交谈。罗斯·康迪，我恨透你了！她今晚甚至还得跟他讲话。

整整 26 年了！她变成了另一个人。她现在是个重要人物，备受尊崇，有人甚至说有点惧怕她。她穿的是名牌服饰，每周会花一整天到伊丽莎白·雅顿做美容，她戴的是卡地亚珠宝首饰。

当然，这么多年来，她时常能见到罗斯，毕竟好莱坞的圈子就那么大。有时他们不可避免被一同邀请参加同一场派对或活动。有一次罗斯说起要她再当他的经纪人。这个狗娘养的，他以为他是谁啊？他是不是觉得自己可以以客户的身份重新回到她的生活里，而她可以把过去忘得一干二净？她当时对罗斯冷言嘲讽，自此不再理他。

她还记得与罗斯相处的美好时光，记得每一个细节。

她记得她与罗斯第一次见面是在施瓦布药店。她当时觉得罗斯实在是帅呆了！他就像是金光闪闪的上帝一样慢慢地走过来要一杯咖啡，她当时都不敢相信自己的运气。

她还记得他们第一次做爱。罗斯的手附在她的胸上，他坚硬的下身深深地挺入她柔软的私处……

她还记得他们的纽约之旅。罗斯当时要上《今夜秀》节目展示自己。当策划成功时，他们兴奋得连声尖叫。他们坐着敞篷马车穿过中央公园，一起在时代广场欣赏罗斯的广告牌，一起在第五大道上吃热狗。

26 年之后她仍然会感觉到罗斯用手抚摸自己的胸部。"我是个迷恋奶子的男人。"他常说，"你的奶子是最好看的，宝贝！"

这种浓情蜜意一直持续到更好的猎物出现。那些女人包装得要比她漂亮得多。然后罗斯就这样拍拍屁股不管不顾地走出了她的生活，连声谢谢都不曾对她说过。

到现在她还是会觉得心痛。这是一种失落感，一种蒙耻的愤怒。

车子驶过日落大道，她茫然地望着车外。

和罗斯分开后，莎蒂·莎乐只跟一个男人交往过，但他算不上什么。这倒不是因为她没有机会。毕竟她在自己的领域也是个响当当的明星，很多男人争先恐后地想跟她上床。莎蒂·莎乐并不是一个绝色美女，甚至连漂亮都谈不上。但一旦她登上了成功的顶峰，那些男人就会主动跑过来找她了。

她偶尔会跟女人上床。对她来说跟女人上床并不是一种威胁，而是一种消遣。莎蒂在这过程中喜欢发号施令。她喜欢这种感觉。

她变得酷爱工作。这对她来讲就足够了。成功能使人得偿所愿。

但是现在已经过去太久了，确实是太久了。这 26 年来她一直伺机报复，今晚是时候了。

4 点 55 分左右，罗斯到达百货商店。

5 点 10 分左右，他和伊莱恩肩并肩走出百货商店。

他们紧抿双唇坐进英国劳斯莱斯汽车内，两人都缄口沉默。在他们驱车回家途中一句话都没说。

在房子外面，伊莱恩冷淡地说："要知道这件事完全是个误会。"你这个混蛋，你真的以为是我偷了手镯吗？

罗斯点点头："任何人都有可能犯错。"他公道地说。该死的蠢女人，真的要偷也行啊——但不要被抓到啊。

他们走进房子。一头乱发的年轻人把一根保险丝烧断了；穿着长裤西装服的女人在歇斯底里地叫喊；那对眼神忧郁的意大利人正试图和新潮少女调情，而后者无视一切，耳朵上紧紧套着索尼双耳式耳机，在客厅跳舞；那对男同性恋在准备鳄梨调味汁，他们一边观看表演，一边做鬼脸；两个酒保懒洋洋地坐在沙发上吸大麻烟；莉娜和她的朋友们站在厨房门口随时准备快速离去。

"伊莱恩，亲爱的。"罗斯说，"我要去冲个澡。是你想要举办这场派对，那现在就全交给你了！"

.31.

加利福尼亚州的巴斯顿热得像火炉。压抑的高温，空气中不带一丝凉风，实在是令人难受。

迪克住进一间廉价的汽车旅馆。他住在一间布满灰尘的房间，躺在一块硬邦邦的床垫上，注视着天花板。风扇不停地转动着，发出吱吱呀呀的响声。几只苍蝇在一旁飞来飞去，想要逃出去。隔壁房间电视开得震天响，但是还是能听见一个女人在愤怒地大喊大叫。

迪克脱掉靴子、裤子还有衬衫。床边的桌子上放着钱、他随身携带的猎刀以及一张写着名字和地址的纸。就是他在费城的时候拿到的那张纸，那三个笨猪笑话他，嘲笑他这个除恶扬善的大侠。

如果他不是大侠，那么……不……在他出手之前他仅仅只是普普通通的迪克·安德鲁斯……什么都不是……这些坏蛋竟敢嘲笑自己……对，就是要干掉这些坏蛋。

他的身体突然一阵战栗。他把膝盖蜷缩到肚子上，紧紧抱住自己。要是乔伊也能跟他一起分享他的胜利，那该有多好……

乔伊穿着一件红色的迷你裙，一双白色的塑料靴子和一件廉价的粉红色衬衫。跟平时一样，脸上浓妆艳抹。

迪克盯着她看了一阵儿。对他来说，乔伊实在是太漂亮了，但是他知道他的父母是怎么想的。他们经常在看电视的时候说电视上面的女人全部都是妓女。

"这些好莱坞的女明星全是妓女。"他的母亲通常会这么说。

"这些女人是靠一路陪睡爬上去的。"他的父亲赞同她母亲的话。但是他们也并没有换台或直接把电视关掉。

迪克从来不跟他们一起看电视。他更喜欢躺在自己房间的床上想念乔伊以及该怎样把她安然无恙地带回家。

他要考虑的东西实在是太多了。他想要娶乔伊，但是他又害怕他母亲生气。

一直以来他都向乔伊表示他在意她，但是不管他再怎么努力都不够好。"有一天你会逃跑，离开九死一生生下你的母亲。"乔伊经常这么告诉他，"这会让我很痛苦。"

他老是否认有一天会离开。

"也许你会，也许你不会。"然后她又狡黠地说，"如果你留下来，他们所拥有的一切有一天就都会是你的。我知道不多，但是有房有车，哦，你老爹还有存款……"她每次讲到这儿声音都会变弱，好像这笔存款让她激动得连话都讲不下去了。

他在想这笔存款到底会有多少呢？他的父亲工作很卖力。父母两人既不抽烟也不喝酒。他们唯一的贵重物品就是那架彩色电视机。

有时，他会躺在床上幻想着他们俩死于车祸或者葬身火海，那样的话一切都归他了：房子、车子以及那笔存款……再也没有人在他耳边絮絮叨叨，让他觉得自己多么地卑微，多么地无足轻重和歉疚。

然后，乔伊走进了他的生活。他一直把她当成秘密保守了几个月。但是最后他还是鼓起了勇气跟他母亲坦白了，其实是乔伊逼他这么做的。

"我想……想……带一个……个女孩……回家。"有一天他结结巴巴地说。

但是现在他盯着乔伊看。乔伊穿得花枝招展，顶着一头橘黄色的刺猬头。他知道他母亲是绝对不会同意的。

"我们可以走了吧，大块头？"乔伊问着，把头歪到一边。

他点了点头。

她高兴地眨了眨眼睛："好，那我们就赶紧出发吧，快！"

"你这个脏兮兮，臭不可闻的废物！"隔壁房间的女人尖叫道。

传来一阵被打的声音，一个小孩开始恸哭。

他们是不是在召唤他？他是不是应该出手？

他突然坐了起来，伸手去拿他的刀，用手指抚摸锋利的刀片。

他还没做出决定，吵闹声停了下来。现在大侠可以休息了，这儿不需要他了。至少暂时不需要了……

.32.

一排车子在康迪家迂回的车道上蜿蜒前进。男女侍仆穿着饰有"超级运动员"图案的白色 T 恤候在车道上，一会儿他们要指挥整排车队，队伍中的车有：凯迪拉克、林肯、德罗宁、劳斯莱斯、保时捷、法拉利、宾利、奔驰和爱克斯嘉莱伯。

有六七个狗仔队员聚集在车道顶头边，他们手拿相机，高度警惕，等待着名人出现。他们等的不是那些制片人、明星经纪人或社交名流，而是真正的明星，那些脸孔全世界都认识的国际明星。

伯特·雷诺兹对他们报以微笑，紧随而来的还有罗德·斯图尔特和他花容月貌的妻子阿兰娜。这些狗仔们很尽兴，不停地拍照。

屋内，一切尽在掌控之中。伊莱恩服用了两片镇定药，穿上价值 1700 美元的新葛伦斯套裙，这些让她精神倍增。她跟宾客们打招呼，好像毫无尘世之忧的样子。她保持微笑，跟宾客们拥抱，交换亲吻，对每个人说"你看上去实在太棒了！"。她给那些素未谋面的人做引荐。只要她手腕轻轻一抖，就会有侍从走上前来。她魅力十足，聪明机智，优雅亲切，掌控着整个派对的局面。有谁会想到就在第一个宾客到达之前不久她还是一个满口语无伦次、尖声惊叫的疯婆子呢？

罗斯这个叛徒跑进去冲澡了，留下她独自一人努力把乱糟糟的局面变得平静而井然有序。她做到了。当年那个来自布朗克斯区的埃塔突然出击，现在她是贝弗利山庄的伊莱恩，正在跟宾客们点头致意。

要对付三个执拗的女仆、两个喝醉的酒保、一个歇斯底里筹备插花的女人、两个多愁善感的赞卡西三重奏成员、一个在现场跳迪斯科无比亢奋的摇滚乐队前成员外加他那个喝得醉醺醺的小女友并非一件易事。

越来越多的人纷沓而至，伊莱恩及时把众人归类，包括侍者、保安、停车服务员、赞卡西三重奏的最后一个成员，还有现场迪斯科二人组另一个成员——也是怪胎一个。

最后在离宣布派对正式开始还有 15 分钟时，她把自己关在更衣室内，逼自己匆忙准备就绪。她倒是想要有更多的时间，但是当一个人迫不得已要在短时间内做完一件事时，潜力实在是令人惊叹。她得意扬扬地出场了，准备迎接她的第一个宾客——山米·卡恩。山米承诺说今晚要在乔治·兰开斯特出场的派对上献唱他的一首名曲。

现在时间已经过去了，但是她的贵宾们还没有到场，莎蒂·莎乐也不见人影。但是碧碧和亚当·萨顿还是惊艳亮相了，而且后面永远都跟着个沃非·斯戈威克。碧碧穿着一件黑色的阿道尔夫丝绸裙，戴着一块令人窒息的卡地亚翡翠，看上去特别漂亮。亚当就跟往常一样英俊潇洒，一副神圣不可侵犯的样子。伊莱恩急忙上前欢迎他们。

克克化妆很有一手，安琪儿显得更加漂亮了。

"我不知道原来你手艺这么出色！"安琪儿看着镜子里面的自己，尖声叫道。

"亲爱的，因为是帮你化妆，所以并不难。"

她看起来精致极了。克克把她的前半部分头发往上提，让她的脸露出来，她后半边的头发就让它自然地搭在肩上。他夸赞安琪儿的肌肤洁白无瑕，上面还撒了点金粉。她的颧骨、眼睑甚至是嘴唇上也有一点。他用棕色的睫毛膏涂安琪儿长长的睫毛，并在眉骨周围涂上了粉色和青铜色混调的眼影，这让安琪儿的眼睛更加突出了。化妆的效果十分惊艳却又细致入微。

安琪儿穿着他选的黑裙和一件款式简单的露肩衬衫，他还帮她找了一条白色蕾丝项链来搭配。

"嗯……"他站在她身后仔细打量着安琪儿，"太棒了！"

汽笛声响了，是里德曼夫人的司机在按汽笛。

"我好紧张啊！"安琪儿的心怦怦乱跳，"你确定我要去？"

他亲切地在她的双颊上各亲吻了一下："亲爱的，祝你今晚玩得开心，为了你自己，也为了我，你要玩得开心啊！"

"餐前点心，莉娜。"伊莱恩略带不满的声音穿过厨房门，"它们上桌一定要快，一定要。"

莉娜点头应和。她并没有像威胁的那样离开，相反她和她的朋友们换上了干净的黑裙子，系上了褶皱边白围裙，高高兴兴地帮忙去了。只要康迪夫人在家，一切就都进展顺利，莉娜不用承担任何责任。她就是喜欢这个样子。而且，有传言说艾瑞克·埃斯特拉达会出席今晚的派对，只要一听到他的名字，莉娜就会热泪盈眶。

伊莱恩分别亲吻了布丽奇特和大卫·赫丁森，对戴安·卡侬招手，跟瑞恩·奥·尼尔握手，然后向刚刚跨进大门的莎蒂·莎乐走去。罗斯不知道在哪里，前面还看到他跟亚当·萨顿和罗杰·摩尔在攀谈，现在又不见了。

"真该死！"伊莱恩小声嘀咕着。关键时刻他总是不在。"你好，莎蒂。"她滔滔不绝地说，"你看起来真漂亮。快请进，我确信你一定认识在场的每个人。"

"你迟到了，巴蒂。"弗朗西斯·卡文迪什利落地说。她打开西班牙庄园的大门，然后嘭的一声把门关在身后。"真是悲哀，这是你的车吗？"她看着巴蒂停在路上的庞蒂亚克老爷车，"我们不能坐这辆车去参加派对。"

"为什么不行？"他挑衅地问。

"我的天，亲爱的，这不是很明显吗？"

"这对我来说，已经足够好了，小弗朗。"

"别叫我小弗朗。"她气冲冲地说，"开我的车去吧。在这等着，我去拿钥匙。"

弗朗西斯返回屋内，而巴蒂则闷闷不乐地候在路边。

她很快就回来了。她穿着一件稍微带有一股樟脑丸味儿的宽肩天鹅绒长裤西装服。为了今晚的派对，她翻出了一副镶着人造钻石的眼镜。

巴蒂在想她到底有没有结过婚。有传言说她是个女同性恋，但是从没有哪个女孩抱怨过弗朗西斯曾要求她们提供性服务。

她递给巴蒂钥匙，她的车是一架老式的大奔驰。然后他们出发了。

"这个是安琪儿。"里德曼夫人对每一个愿意听她讲话的人宣布，"就是她能通灵，让我的小福重新回到我身旁。她是不是很厉害啊？"

"你的什么？"一个长得高高瘦瘦，看起来好像鼻子下面老是有一股臭味的男人问。

"我的小福，我的小狗。"

里德曼夫人身着紫色的塔夫绸，和她佩戴的大钻石相映得彰，这些让碧碧·萨顿的翡翠相形见绌，显得非常一般。

"那个女人是谁啊？"碧碧嫉妒地问。

"不知道，"伊莱恩回答，"她一定是帕梅拉请来的。"

"乔治和帕梅拉在哪儿？"碧碧摇着头轻蔑地说，"他们来得太晚了，亲爱的。作为贵宾，他们应该最先到。"

伊莱恩当然很清楚这一点，这不用碧碧告诉她："他们在路上。"她恼怒地说，心里有点儿绝望，但是她希望他们是真的在路上。

梦塔娜开着她的大众在车道上疾速前行，她前面有一辆银白色凯迪拉克加长豪华车，当车内的人走出来时，梦塔娜在后面等了一会儿。她来的时间还真是不早不晚，巧的是从凯迪拉克里面走出来的正是乔治·兰开斯特和帕梅拉·伦敦。

她当然不会躲在车里等他们先进去。她快速地从车中出来，走向这对硬汉和富婆。

"你好吗？乔治。"她热情地问，"我渴死了，能给我拿杯饮料吗？"

8点整，赞卡西三重奏开始弹一些优雅的背景音乐。罗斯在派对上来来回回忙了很久了，于是抓住这个机会偷偷溜进嘈杂的厨房，往嘴里塞烤面包片。

伊莱恩就在他后面不远处："你跑哪儿去了？"她不满地问，"帕梅拉和乔治才刚刚到，莎蒂·莎乐已经到了 20 分钟了，让你出去跟他们见面就那么难？还是你想一整晚都待在厨房里？"

"我刚才已经跟德科尔多瓦夫妇、拉扎尔夫妇家和怀尔德夫妇交谈过了。你到底还想让我怎么样？该死的臭婆娘。"罗斯极力为自己辩护。

"我想让你去跟我们的贵宾打招呼。当然，如果你不觉得麻烦的话。"

他们对彼此怒目而视。两人都竭力把注意力集中到派对上，却又各怀鬼胎，难以平静。

"好。"最后罗斯妥协了，"我去拍他们马屁。如果让你去各个房间走动，伊莱恩，没准你能偷到一两个钱包。"

"这个是安琪儿。"里德曼夫人对帕梅拉·伦敦说，"是她救了我的小福。"

"天哪，埃希！"帕梅拉叹了一口气，"你还留着那只讨厌的小狗啊，就是那只在我纽约的公寓里面到处小便的小狗？"

"小福已经 13 岁了。"里德曼夫人自豪地说，"换成人类的岁数来算的话，他已经 91 岁了，但是它看起来还是像一条小狗崽子。"

帕梅拉观察着安琪儿。这个女孩实在是太漂亮了，但她不是惯常被男人猎艳的明星新秀类型。"你是怎么救小福的？"她温和地问道，"因为我不知道是该夸奖你还是该批评你。这条狗被宠坏了，毁了我一张波斯地毯。"

"帕梅拉！"里德曼夫人亲切地叫道。

这两个女人互相拥抱了一下。她们两个相识于大学时代，而且埃希·里德曼跟帕梅拉一样富有，因而她们的友谊存活了下来。富人只有跟富人交朋友才会觉得自在。这两个女人都知道这一事实，虽然埃希比帕梅拉更爱到处炫富。

这样的房子，这样一群人，这样的气氛。置身其中，安琪儿感到眼花缭乱。她，安琪儿·哈德森现在在一个真正的好莱坞派对上，四周都是明星。她发现了姆斯·凯恩、埃利奥特·古尔德、丽莎·明妮莉和理查·基尔。天哪，理查·基尔！！就算现在让她去死，她也觉得心满意足了。

如果巴蒂这会儿在这里跟她一起分享她的快乐就好了。

巴蒂。

她皱起了眉头。巴蒂并不是原先她以为的那样，也不是她真正嫁给的男人，现在她必须把他忘得一干二净。

埃希和帕梅拉两个人在叙旧，无视她的存在。她敬畏地环视四周。

"我当初真不应该拒绝《愤怒的公牛》这部电影。"那个穿着蜥蜴皮靴的演员说，"这是我职业生涯中犯的关键性错误。"

"他付钱给我，我觉得这让他很兴奋。"一个穿着貂皮斗篷的红发女人说。

"我买衣服给她们穿，带她们去阿卡普尔科玩，难道我还要把命也给她们吗？"一个帅哥愤怒地说。

梦塔娜从房间走到吧台时，这几句话飘进了她的耳朵。她今晚特别惹人注目：六英尺高的身材，白色的丝绸骑马裤塞进了及膝高的长筒靴内，白色丝质衬衫纽扣解到腰部，穿着一件边上镶有印度珍珠的白色长皮革马甲。她将乌黑的头发编成了辫子，并且用珍珠和流苏加以装饰。她的脖子上戴着一条镶嵌着绿松石的纯银项链，耳朵上垂挂着一对浅银色的铁环。

尼尔还没有到派对，不能欣赏她现在的样子。但是奥利弗看到她时多看了她一眼，赞扬说她今天的打扮真是她的本色风格。得到奥利弗表扬，她不知道自己是该觉得荣幸还是失望。

这真是一群虚情假意的人，环顾四周，她想着，他们一生的快乐加起来还不如我今天在海滩上收获的多。

她不是十分肯定，但是她觉得自己看到了尼尔的前妻。她是一个金发碧眼的美女，精心打扮，一副矫揉做作的样子，看上去就是一个典型的贝弗利山庄女人。

玛瑞丽一定是感到梦塔娜在盯着自己看，她转过身，两人四目相对了片刻。

"莎蒂，我真高兴今晚你能来，这对我来说太重要了……"罗斯直勾勾地盯着她。

莎蒂觉得自己不管什么时候见到他心都会揪紧："罗斯，"她小心翼翼地说，"我很高兴能来参加今晚的派对。"

罗斯又进一步问道："仅仅是很高兴吗？"想试探她的反应。

她从容不迫地迎上他的目光："我很喜欢你的房子。"

"是还可以，没错。"他靠近莎蒂，"你知道吗？你看上去实在是漂亮极了！"

"谢谢。"她说，慢慢走开。在跟他周旋之前，她需要再喝一杯酒。

"我的小莎蒂，你真的做到了，对不对？"

天！他还是跟以前一样毫无新意。她后退了一些，看到一个朋友向她走近，松了一口气。"你认识埃米尔·莱利吗？"她飞快问道。

"当然认识了，很高兴见到你，埃米尔。"

"我也是，罗斯。"埃米尔回答，"这个派对多棒啊！我特别喜欢那些插花，我一定要好好祝贺一下伊莱恩，她在哪儿啊？"

莎蒂迅速抓住她的胳膊："我们一起去找她吧！待会儿再见，罗斯。"

这位大明星的眼睛还在放电："那是一定的。"

他看着莎蒂穿过房间。这个厉害的女人是全镇最热的经纪人。她曾经当过一阵子自己的经纪人，他确信她还会是自己的经纪人。今晚只是个开始而已。

凯伦出现在他身旁："我想跟你谈谈。"

她穿着一件薄薄的金色闺房睡衣。薄薄的丝质材料并不能遮掩她那对大得惊人的乳房。罗斯有一股想触摸它们的强烈冲动。但是他忍住了。

"欢迎你来到我家。"罗斯说。

"欢迎你个鬼啊。你知不知道伊莱恩今天打电话跟我说要找你啊？"

"找我？"

"是啊，就是找你。"

"为什么找我？"

"我知道了还会问你吗？"

罗斯皱起了眉头："出现了一些状况。今天在罗迪欧大道有个混蛋找过我，往我脸上扔了一些照片。"

"什么照片？"

"我们在床上的照片。"

"什……什么？"

"亲爱的，你跟凯伦为什么那么亲密？实在是太淘气了，我要去跟伊莱恩说。"碧碧·萨顿当然是在跟他们开玩笑，但是他们就跟被烫伤的猫一样，立马跳开。

沃非·斯戈威克就在后面不远处，他穿着一件天鹅绒套装，一件带褶皱边的衬衫，一双绣花晚宴便拖，看上光彩照人。他的头发最近刚刚烫过，框在他小眼睛的圆脸周围。他长着一个塌鼻子，嘴唇丰满，牙齿长得跟白鼬的一样。有的人说他长得就像一条争强好胜的金鱼。

"这个派对太棒了，罗斯。碧碧刚刚还跟我说过。"

"谢谢你，沃非。"

"不用说谢谢。我跟碧碧总是表扬值得表扬的东西。"

"这样挺好。"罗斯实在受不了这个男人。他在想彬彬有礼的亚当·萨顿个性真是温和，竟然允许他来参加派对。

凯伦也加入了他们的谈话中："你的衣服真好看，碧碧。"

"是吗？你真这么觉得？这衣服不怎么样啊。"

"不怎么样，我的天。"凯伦说，"这裙子至少得花老亚当 2000 美元。穿上它，你就使劲炫耀吧，碧碧。"

"亲爱的，你真是太粗鲁了。"

"因为我是我爸爸的女儿——我就不用跟你说我爸爸是个什么样的人了吧，碧碧？"

有什么方法能够最快甩掉弗朗西斯·卡文迪什呢？

这个问题问得好。

巴蒂在一旁观看派对时思考着这个问题。众人在讨论拍电影的事。他的心早就飘向那些明星那儿了。这个派对可真是拥挤。

"如果你想到各个房间走动，没门。"弗朗西斯·卡文迪什好像能看穿他的心思似的，刻薄地说。

"走动，谁要去走动啊？"巴蒂愤怒地说。

"就是提醒你一下而已。"

"那我总可以去趟厕所吧？"

"现在就去？我们才刚刚到。"

"那你想让我怎么办？难道要我尿裤子？"

"快去快回。我把你带来可不是让我一个人来这里消磨时间的。"

他并拢脚后跟说："遵命，夫人。"

"你好，伊莱恩。"

"你好，罗恩。"

为什么自己会邀请他来呢？他穿得太不合时宜了。

"这个聚会举办得……嗯……真不错。"他拖着调子说。

"谢谢。"

"我很想去跟克林特·伊斯特伍德见个面。"

谁不想去啊？但是伊莱恩并不打算把他拉过去帮他引荐。

"不好意思，罗恩。我还有好多事情等着要做呢。"

"放松，伊莱恩，不要紧张。你有没有服用我给你推荐的维他命？"

伊莱恩冷淡地点了点头。她觉得他像一只毛发蓬松的大狗。她怎么在他的办公室里就没有发现他满脸都是痣，而且他耳朵和鼻子还长出了难看的黄色粗毛呢？

你怎么可以跟这样的人上床，伊莱恩？

真是饥不择食！

"她就像个芭比娃娃，你把她惹生气了，她就开始买新衣服……"

"只要他觉得有利可图，他连一块木头都上。"

巴蒂在房间里迂回穿行，他觉得自己好久没这么兴奋了，这才是属于他的地方，只要他能拿到《街头路人》那个角色，他就能永远留在这样的地方。

他对安·玛格丽特微微一笑，结果她回他一笑。他对迈克尔·凯恩说了一句"你好吗？"，结果得到一个友善的回复。真该死！他是在做梦吗？

然后他看到了她——安琪儿。他的安琪儿。他不敢相信自己的眼睛，但是她就站在那里。

奥利弗·伊斯特恩跟梦塔娜讲了几句话，整个对话十分别扭。他们彼此都不喜欢对方，但是这部电影却把他们拴到了一块儿。

"尼尔在哪儿？"奥利弗看了一眼手表问道。

"我还以为你知道他在哪儿。"梦塔娜回答，"他有个会要开，他会来这儿跟我见面。"

奥利弗大汗淋漓。虽然他已经全身冲洗了两次，但是他觉得还是能闻到自己的汗臭味，很是恐慌。"对不起。"他说，"我得去一趟洗手间。"

他把自己关在宾客的卫生间里，扯开夹克衫和衬衫。他快速地闻了一下，发现自己的身子的确臭不可闻。他匆忙从银肥皂盒中抓起一块肥皂涂抹他那惹是生非的腋窝，然后他脱下裤子，将一只满是泡沫的手伸到内裤里，以防万一，也没有检查一下厕所的门有没有关紧。这时，帕梅拉·伦敦突然闯进来。两个人互相盯看着对方，十分震惊。

"你在干什么？"帕梅拉刺耳地问。她并不知道这个男人是谁。

奥利弗没有认出她即将在自己电影里面担任主角乔治的妻子。"我操！"他马上说，"你干吗要多管闲事？"

"安琪儿？"

"巴蒂？"

有那么一瞬间，他们几乎要投入对方的怀抱。然后安琪儿的脸暗沉下来，她记起和雪莉在电话里的谈话。巴蒂也沉下脸，记起了安琪儿让雪莉捎给他的口信。

"你在这里干什么？"他们不约而同地问对方。

那个刚刚花了 30 分钟跟安琪儿搭讪的烂情景电视剧演员认为安琪儿是自己的，一只手拉着安琪儿的手臂问："我的宝贝，你还好吧？"

我的宝贝！巴蒂真想一把拽住他后面显而易见的假发，打得他满地找牙。

"我很好，谢谢。"她很有礼貌地回答。

"嗯，听着……我们可能得谈谈。"巴蒂快速地说。

"我不知道……"

"你是什么意思——你不知道？"

"我——"

"这位小姐说她不知道。"情景剧演员说，"你为什么不待会儿再来看看呢？小子。"

"你给我闭嘴，小子！"

"大家快看啊——"

他们的谈话被打断了，只见帕梅拉跟发了疯似的，从宾客卫生间里冲了出来，追着半裸着身子的奥利弗·伊斯特恩。

"你竟敢这样跟我讲话——你这个下流的小个子男人！"帕梅拉大声嚷嚷着，手上挥舞着一把头梳。

"你是不是有毛病啊？你这个更年期的老太婆。走开，你他妈的神经病！"

"这是怎么一回事啊？"乔治·兰开斯特从一群马屁精当中抽身出来，大吼了一声。

"我在洗手间的时候，这个无耻的男人竟然在手淫。"帕梅拉扯着嗓门大声宣布。

"这个女人是个疯婆子！"奥利弗愤怒地尖叫。

"这个女人是我妻子。"乔治·兰开斯特说，"亲爱的，你没见过我的制片人——奥利弗·伊斯特恩吧？"

.33.

再傻也傻不过老傻瓜……

或年轻傻瓜……

或中年傻瓜……

这些都是老调重弹。

吉娜·杰曼也不是什么新鲜尤物了。但是她是个绝妙佳人：热辣性感、金发碧眼，而且还是个大波霸，跟她做爱实在是爽！

我完全沉沦在她的温柔乡里了。尼尔·格雷想着，我对此毫无抵抗能力。

我是一个怎样的傻瓜？

我该找谁帮忙呢？

为什么会在这个时刻想起布里克斯的新歌呢？此刻美国年度金发女郎正坐在我身上。

这让尼尔·格雷想入非非。

第一个跟我上床的女人穿着黑色的长筒袜和吊袜腰带。她叫埃塞尔，来自苏格兰。我那时 15 岁，她 23 岁。

虽然美国人给吊袜腰带取了个这么好听的名字，但是梦塔娜是绝对不会穿吊袜腰带的。如果他当着她的面说吊袜腰带能让自己性趣高涨，她一定会笑话自己。

哦！天哪！

吉娜翻下身，抽离出他的身体。

"我没有做好准备。"他拒绝了。

"我知道。"她安抚着他，"但是我给你准备了一个惊喜。"

"不会是还藏着一个摄像头吧？"他抱怨道。

"不要担心，这是我们的庆祝仪式，我要让今晚刻骨铭心。"

"但是那个派对——"他看着吉娜朝门走去，沙哑地说。他希望她能回来熄灭她挑起的情欲。否则就要用一桶冷水来熄灭他的欲火了。

"我们能赶去参加派对的。"她轻吟道。"一定会去。"

他靠在椅子上，等着她过来。

再傻也傻不过老傻瓜……又或年轻傻瓜……又或是中年傻瓜……

第二个跟尼尔上床的女人是一个皮卡迪利大街上的妓女。她收了尼尔 5 英镑，让他染上了淋病。尼尔当时 16 岁。那个妓女没有穿吊袜腰带。

他突然想到这两个女人。

还有吉娜。她性感撩人，水性杨花，是全美人心目中的性感女神。

在吉娜身旁，是个体格纤弱的欧亚女混血儿。她皮肤是深橄榄色，一头乌发像帘子一样垂到大腿顶部。她的胸很小，腰也很细。她全身赤裸，只穿着一条白色蕾丝吊袜带，这让她的阴毛显得更加柔软杂乱。

"这个是思奥林。"吉娜说，"她是我为我们准备的礼物。她不会说英语，但是她听得懂。她从小就接受过做爱技巧的训练。我们应该庆祝我们签订的合同，尼尔……然后我们再去参加派对……"

.34.

"什么，你是？"奥利弗恐惧地说，看到他千挑万选的好演员在他面前脸色暗淡下来。

"什么，你是？"帕梅拉尖叫道。然后她开始笑起来，笑得全身发抖，"这就是奥利弗·伊斯特恩？"她在剧烈的笑声中喘着气说，"这……个……愤怒的小男人？"

乔治也开始笑起来："是啊，你这头蠢猪。不要辱骂制片人，他可是付钱给我们的人。"

她笑得说不出话来："对，他是。"

奥利弗将自己的愤怒和尴尬收起来，无力地笑着，用仅剩的一点点尊严努力将裤子拉起来。他知道什么时候该忍气吞声。

"兰开斯特先生，"他卑躬屈膝地说，"请您原谅我。我不认识……兰开斯特太太，能见到您真是我的荣幸，兰开斯特太太。"

"看在老天的分上，请叫我帕梅拉。我想我们俩应该也够熟悉了，对不对？"

说完这些，她突然整个人又大笑起来，不能自已。

奥利弗·伊斯特恩跟帕梅拉·伦敦之间的闹剧结束了，但是情景剧演员还是没有从安琪儿身边走开。

巴蒂尽量忽视他的存在："我们必须谈一谈。"他抓住她的胳膊，急切地说道。

她躲避他的触碰："我……我觉得我们之间没什么好说的。"

"还有很多东西没有讲清楚。"

"你怎么就死缠烂打呢，哥们儿？"那个情景剧演员说。

安琪儿感觉巴蒂的怒火在燃烧。她紧忙说："拜托了，别引起纠纷……稍后我们可能可以谈谈。"

她怎么能这样对他？她到底在玩什么愚蠢的游戏？她可是自己的妻子，而自己是她的丈夫。

"现在就谈谈。"他果断地说。他有些东西必须马上说清楚，不能再等了。

情景剧演员问："这个蠢货是谁啊？"

在安琪儿插话之前，巴蒂一记猛拳掠过情景剧明星的下巴。这个明星之前做过特技替身演员，他躲过了那一拳，迅猛地在巴蒂的肚子上还他结实的一拳，彻底击垮了巴蒂。巴蒂痛得弯下了腰，等到他能够站直身子时，安琪儿和她勇猛的护花使者已经到另一个房间去了。

玛瑞丽·桑德森生气地弹打着她层次分明的金发。伊莱恩已经提醒她说会邀请尼尔夫妇参加派对。但是尼尔在哪里？为什么梦塔娜跟一个精神错乱的印度人一样，趾高气昂地到处走来走去？这个女人的辫子和流苏看上去可笑极了，她以为自己几岁啊？

尼尔怎么会娶这样一个女人，这让玛瑞丽很受打击。她简直就是个怪胎，长得太高了，看起来也太狂野了，一切都太过了。

兰迪的手悄悄地攀上她的大腿，她就像赶一只讨人厌的苍蝇一样把他的手拍开。兰迪的床上功夫了得——实际上非常棒。但是在这样的派对背景下，他就显得黯然失色了。他认识派对上的人吗？他没有她爸爸所说的"人脉关系"。她以前从来没有想过这个，但是今晚兰迪就是不肯从她身边走开，这让她很生气。也许凯伦和伊莱恩是对的……虽然她们什么都没说，但她知道她们并不赞同。你不能先跟尼尔·格雷这样的大人物结婚，然后又跟兰迪·菲利克斯这种小人物混在一起……另外，她开始怀疑兰迪是个穷光蛋，没有人可以分到她一分一毫的遗产。这一点上绝不能出错。

"我见过一个蠢货长得最壮，老二却小得可怜。"一个穿着时髦黑裙子，装扮整洁的中年妇女尖叫道。

"如果拉屎要花五分钱，他宁愿从嘴巴里吐出来。"一个制片人滔滔不绝地说。

"她每天都来我的办公室，锁上门，在桌子底下吸我的小弟弟。"一个摄影棚的老板说。

这些都是好莱坞圈子里面的谈话，罗斯以前就都听过。罗斯现在脑子里装满了疑问：为什么伊莱恩会打电话给凯伦找自己呢？是不是她已经看过那些照片了？小圣·士提兹想要 1 万美元。如果伊莱恩看到过那些照片，这个蠢货就别指望能拿到钱了，不管怎么样，很可能这个蠢货横竖拿不到钱。他是不可能筹到 1 万美元的，他在各方面都已经严重超支了。他的经纪人每天给他打电话，要求开个会。等到这个派对的账单蜂拥而至，他的经纪人估计得吓死了。

他只希望莎蒂·莎乐能够帮他脱离窘境，让他重新登上属于自己的巅峰。她之前就这么做过一次……

奥利弗·伊斯特恩绕过房间，想找个没有目睹他在乔治讨厌的老婆陛下那儿受辱的人聊天。这个臭婊子！虽然她腰缠万贯，但是这个耻辱还是会让他难以入眠。虽然大家都知道奥利弗可以为了钱做任何事情。

他跟一个红发女人一起大笑，虽然心里面非常混乱，而且胃溃疡和痔疮也让他十分难受。总有一天他会一雪前耻的。只要这部电影拍完，他口袋里的钱就会比他们任何一个人的都多。

要不是有利可图，奥利弗是不会做这笔交易的。

晚餐上桌了。但是位置应该怎么坐呢？在贝弗利山庄，座位的顺序就跟派对本身一样重要。

伊莱恩花了好几个小时研究宾客名单，决定每个人应该坐哪儿。她一共准备了 20 张桌子，每张桌子坐 12 个人，上面摆着巴卡拉水晶、英国骨瓷和博豪餐巾纸。另外，每张桌子上面还有雏菊、银莲花、小苍兰插花，装在精美的沃特福德玻璃托里做中心装饰物。席次牌是雕刻上去的——伊莱恩跟罗斯在最上方，下面是用漂亮的美术字写的每个宾客的名字。

伊莱恩将自己的座位摆放在乔治·兰开斯特和亚当·萨顿中间，她把罗斯安排在莎蒂·莎乐和帕梅拉·伦敦座位之间。

帕梅拉和奥利弗的事件发生后，伊莱恩跑上楼又吞了一片镇静剂。等到她下来时，一切归于平静。奥利弗道了歉，帕梅拉跟乔治好像觉得这整件事可笑至极。当乔治大笑时，大家一起哄堂大笑。伊莱恩这才松了一口气。

罗斯看着莎蒂走向他这一桌。现年五十几岁的她当然要比她二十几岁的时候看上去漂亮得多。她的身材很苗条，十分诱人。罗斯在想她现在是不是还会煮饭？她的厨艺多棒啊！跟她上床多爽啊！她的奶子多好看啊！但她那个时候和自己不合适。

她坐了下来。

"好久不见，"他亲切地说，"太久了，你看上去太漂亮了。"

她深情的黑眼睛注视着他——她的眼睛一直都是她最好看的特征之一："你已经跟我说过了。罗斯。"

"你太漂亮了，我不得不再夸你一遍，真是漂亮得不得了！我们俩终归会回到过去，会永远在一起，对吧？"他神秘地靠近她，"记不记得可怜的老伯纳德·乐福特科威茨？还有那天晚上你正给他煮饭，我突然出现在你家公寓？"

她怎么能忘得了呢？"伯纳德，谁啊？"

"伯纳德·乐福特科威茨啊。你不可能忘记伯尼这个笨蛋的。他当时都准备好要跟你求婚。你再想想啊，莎蒂，就在那天晚上我跟你……我们第一次……"他降低声音，咧着嘴笑道，"你该不会告诉我你连这个也忘了吧！"

她轻轻一笑："你也知道这就是好莱坞啊！什么都来得快，去得也快。"

一个服务员端着酒踉踉跄跄地走过来。

"终于来了！"帕梅拉·伦敦大声说，好像她已经坐在那儿渴了好几个小时，而非短短的五分钟，"给我看看商标，服务员。如果不是上好的赤霞珠干红，你就把它端回去！"

"哼——你自己去睡去吧！"一个高个儿红发女人对一个走来走去的电影明星说。然后她转向她的朋友，"那家伙太落伍了，他需要一张地图才能找到回家的路！"

"我知道。"她的朋友回答，"他还很小气。他把我带去看球赛，连颗糖都不给我买，因为他不想把大钱找开！"

奥利弗·伊斯特恩穿过她们，直接撞上了凯伦·兰开斯特。与此同时，他觉得自己看见了在海滩上遇见的那个女孩，她正和一个年纪稍大一点的女人朝帐篷形的露台走去。

"失陪了。"他马上说。

"怎么了？"凯伦带着嘶哑笑声问道，"又要去卫生间吗？"

他不理她，走了出去。那个女孩坐在一张桌子上，帕梅拉·伦敦也在那儿。虽然他很想抓住她，把她变成明星，但是他可不打算再跟那个女人碰面了。

梦塔娜不想加入其他宾客中。她不觉得饿。她已经看过席次牌了，发现自己夹在两个不认识的人中间。除此外，尼尔还没出现，这让她很愤怒。我究竟在这儿干什么？她想。我要离开也行，反正这也没我什么事儿。

然后她看到巴蒂·哈德森在吧台附近徘徊，他看起来就跟自己一样不开心。也许她有办法让他脸上露出笑容。她走过去轻轻碰了一下他的胳膊："看到我吃惊吧。你是不是跟我一样玩得很开心？"

巴蒂转过来看到一个打扮得放荡不羁的女人：刘海编成了辫子，留着一头乌黑发亮的秀发。

"我是梦塔娜·格雷。"她发现他一脸困惑，于是说，"我不工作的时候看起来不太一样。"

他轻声吹了声口哨。还好弗朗西斯没有找过来，他松了一口气。他见到梦塔娜很高兴："你说得没错。"

"你是新娘子还是新郎官的朋友啊？"

"啊？"

"我觉得康迪夫妇就是新娘，因为到最后他们会麻烦缠身，更不要说还要支付整个派对的费用了，而兰开斯特夫妻就像新郎，因为他们除了自己之外，对别人毫不在乎。"

他哈哈大笑，将心中的不安抛诸脑后："我是跟别人来的，我一个都不认识。"

"这样最好不过了。"她抿了一口手里端的水兑法国茴香酒潘诺，面露苦相说，"讨厌这酒的味道，但是喜欢它给我带来的感觉。"

巴蒂非常纠结。是要继续跟梦塔娜聊天还是去找安琪儿呢？直觉告诉他要跟梦塔娜待在一块，但是他的心却告诉他去找安琪儿。

"发生什么事了？"他忍不住问道，希望能听到另外一句该死的"我们还是对你很感兴趣"。

"我本想明天给你打电话，等乔治·兰开斯特开完记者招待会后。"她咧嘴笑道，"现在既然你在这儿……"

哦，天哪！她是不是要对他说他刚刚觉得她会说的那句话。

突然间，他觉得口干舌燥："什么？"

"你就是温尼，小伙子。"

有那么一瞬间，他觉得自己会尿裤子："噢，天啊！上帝啊！我实在是不敢

相信！"

他大声呼喊着，但是又有什么关系呢？

"嘘……"梦塔娜大笑，很高兴他会这么兴奋，"我又不是任命你当总统。"

他情绪十分高涨："我就跟当了总统一样高兴！"

"见你这么兴奋，我很高兴。"

"让我喘口气——我现在脑袋瓜有点乱。"他跟梦塔娜拥抱了一下，"你说的是真的？你没有在糊弄我吧？"

"我为什么要骗你？"

"天哪！我实在是不敢相信。"

"你就相信吧！"

"我……我一定是在做梦。"

"巴蒂，我从来没有小看过你。冷静下来，这不过是一部电影。"

"对你来说这只是一部电影，但是对我来说，它却是我的生命。"

奥利弗·伊斯特恩的事迹在大家的笑声中一桌一桌地迅速传开了。安琪儿不明白她听到的那些——在她看来，他的声音令人反感。她认得他就是她在海滩遇到的那个男人。她希望他没有认出自己。

她现在脑袋里全是巴蒂。她想要对他说"我爱你"。但是他毁了一切，他们之间再也不能回到过去了。

只是今晚的他看起来好帅……而且她还怀着他的孩子……不管怎样，也许他们真的该谈谈。那个情景剧演员打了他，她觉得很难受。但是这个只能怪他自己，是他先出手的。

她叹了一口气，心里非常乱。她想要跟巴蒂在一起。不，她不想跟他在一起，但是她仍然爱着他。

"你还好吗？"里德曼夫人把身子从餐桌那头探过来，"你的脸色有点苍白。"

"我很好。"她礼貌地回答。她本来可以玩得很愉快，但是巴蒂把这一切都给搅和了。

坐在她左边穿着纯白西装的鬈发男人靠近她，醉醺醺地说："我得去和大家寒暄寒暄，你觉得我容易吗我？亲爱的，你是谁啊？"

他长得挺帅，但是没有巴蒂帅。

"……什么？要用我的公寓？我连纸巾都不会让你用。"

"……你知道那个混蛋对我说什么吗？他说——别在我的东西上面乱搞，你想鬼混，到别人付费的床上去……"

伊莱恩观看着周围的宾客们，呆滞地对乔治·兰开斯特微笑："大家好像都玩得挺开心的，您说对吧？"

"他们当然很尽兴，但是为什么我后面有个空座位呢？"他抱怨道。

伊莱恩这才注意到："实在是对不起，本来吉娜·杰曼要坐那儿的，您有没有见过她？"

乔治色迷迷地笑道："如果我见过她，我肯定不会忘记。她可是有着很大的……"

"也是。"伊莱恩简短地说，"我去看看能不能找到她，她可能还在里面，我一会儿就回来。"

"没问题，小宝贝。"

她急匆匆走进房间，里面还待着零零散散的几个宾客。她看到梦塔娜·格雷在吧台那边跟一个她不认识的男人聊天。在他们旁边是肖恩·康纳利一家和罗杰·摩尔一家在热聊。凯伦·兰开斯特和莎朗·里奇曼从宾客卫生间走出来，咯咯大笑。

噢，凯伦。我还没找你算账呢！贱人，实际上，我还没有开始发飙。

她又跑到前门去和保安确认，吉娜·杰曼还没有到。

"尼尔在哪儿？"帕梅拉·伦敦大声说道，"我一整晚都没有见到他。"

罗斯正试图把精神都集中在莎蒂·莎乐身上，她仿佛是真正的贵宾。她看起来像是戴着一顶可怕的艳红色假发。为什么就没有人跟她说说她的头发呢？

"他在的，不是吗？"

"我没有见到他，他本应该是坐在我旁边的。"

天哪！罗斯想着。这到底是怎么安排的？两个贵客后面都是空座位。难道伊莱恩一件事都做不好吗？

伊莱恩一离开桌子，碧碧就立马动起来，移到了乔治旁边。

"乔治，亲爱的。"她叹了一声，"这个派对是不错，但不是独一无二的。我也为你和帕梅拉准备了一个特殊的派对，就几个朋友聚一聚，你觉得怎么样？"

"我觉得你这一大把年纪了，保养得还不错。"他揸了一下她的大腿，"还是很性感。"

"乔治。"她把他的手推开,假装受到羞辱。但是并不管用。乔治·兰开斯特从她 16 岁在香榭丽舍大街上当妓女时就认识她了。她希望乔治早已忘了这码事。

梦塔娜把手指掩在唇上说:"先别跟别人说,巴蒂。我本应该要等兰开斯特公布消息以后再告诉你的。"

"我即将出演你的电影,你却让我不要提起?不是吧,我可没有那种自制力。"

"那就要学。"

"如果我有老婆,我能跟她说吗?"

"你有吗?"

他迟疑了片刻,意识到现在并非揭露真相的最佳时机:"我看起来像是有老婆的人吗?"

她大笑起来:"那你干吗要问这么蠢的问题?"

"我就是不明白。"

"嗯……不明白。你要知道为了你的自身利益,你不能说一个字。这就是好莱坞的生存法则,老兄,别自毁前程!"

"接下来会怎么样?"

"我们会给你的经纪人打电话。"

"我没有经纪人。"

"那就去找一个。"

"我既然要守口如瓶还怎么去找经纪人?"

"经纪人就像牧师一样,你可以向他们倾诉。我跟你说,我会跟莎蒂·莎乐谈谈,也许能为你们安排个见面,怎么样?"

"我真是爱死你了。"

他们都笑了起来。

他远远地看见弗朗西斯·卡文迪什正向自己走来,脸上带着愤怒的表情。

"看起来我得走了。"他匆忙说,"那个……嗯……我今天晚上陪的人走过来了,我不想让你听她胡言乱语。"

"我懂。"梦塔娜严肃地点点头。她喜欢他,她本能地知道他的出身,知道他并不容易。她很高兴他有机会出演这个角色。

他紧紧握着她的手:"谢谢你。我觉得你拯救了我。"

"少来，不要在我这儿煽情，还是留着点给摄像机吧。"

凯伦怒火中烧。她怎么会被安排到房间里最烂的一张餐桌上，和一群无名之辈待在一起？伊莱恩怎么可以这样对她？

最令她感到羞辱的是罗恩·哥迪诺刚刚漫不经心、大摇大摆地走过来坐下了。她竟然坐在罗恩·哥迪诺——这个该死的健身教练旁边！她究竟做了什么要遭此待遇？

我要杀了伊莱恩·康迪，她想。她这般羞辱我，别想相安无事。更好的方法是我永远把她的丈夫抢走，而且以后我开派对，绝对不会邀请她。

埃塔·格罗丁斯基这头肥猪。哦耶！我知道你所有不堪的过往。你亲爱的、甜蜜的、不忠的老公全都告诉我了。

"嗯……这个派对真不错。"罗恩·哥迪诺拖长声音说。

"告诉我，"凯伦说，笑得甜得发腻，"你把我们的女主人撩倒过多少次？"

.35.

女人的大腿、手臂、胸部……耳鬓厮磨，唇齿交融。炙热的呼气、湿热的口水。他们品尝抚摸着对方，享受着各种感官上的快意。

他很久没跟两个女人一起做爱了，可能有十年了。那是在巴黎，跟一对长得一模一样的双胞胎姐妹。

这次不一样。这次是跟两个来自不同文化的女人做爱，她们一起把他送进他以为再也不可能到达的极乐世界。

他早已忘了梦塔娜，忘了《街头路人》那部电影，忘了今晚的派对。

他正在进入天堂。

.36.

晚 11 点整，赞卡西三重奏停了下来，取而代之的是《教父》中深情款款的主题曲。一摆放好音响，里克和菲尔就开始甩动狂野的长发，扭动起来。《一起来吧》

的歌声从七个隐形扩音器中咆哮出来，库尔伙伴乐队在呼喊大家伙儿一起动起来。

"该死！"罗斯从椅子上站起来，"吵死了！"

有一块地方被清空出来跳舞。帕梅拉以为罗斯在邀请自己跳舞，也站了起来："来，罗斯，让我们给他们展示一下这舞该怎么跳。"

身高 6 英尺，满头红发的帕梅拉·伦敦把他拖到了舞池。

莎蒂很高兴能暂时逃离他的魅力诱惑。他一整晚都在朝她猛放电。虽然她知道这不过是一场游戏，但她还是情不自禁地被他魅惑。她感到浑身燥热。他依然有本事说寥寥数语就让她激动不已。如果他没有抛弃她，这一切该是多么不同啊……

"想跳舞吗？"凯伦·兰开斯特问巴蒂·哈德森。

他坐在她和弗朗西斯·卡文迪什中间，感觉很困惑。他应该感觉很棒才对，但是他一直关注坐在房间对面桌子上的安琪儿。他胃里一阵痉挛，告诉自己在合同还没签之前一定要控制好自己。

该死！这是他人生中最美好的夜晚，也是最糟糕的。跟安琪儿在一起的那个混蛋究竟是谁？

他决定再过去邀请她跳舞，然后把她带到一个安静的角落，问问她："你为什么要拿掉我们的孩子？为什么要离开我？我们为什么就不能再试试？"

"我说我们去跳舞吧。"她含糊地说。她个子很高，瞳孔很大。她跟雪莉简直就是天生一对。

他想说不，但是乔治·兰开斯特是她爸爸，他想最好还是答应她吧。所以他转向刚刚从卫生间抽完大麻烟回来的弗朗西斯："你介不介意我去跳舞？"

"你想跳就跳吧！"弗朗西斯恼怒地回答。她不是很高兴。巴蒂并不是她料想的体贴的好陪同。他休想拿到环球公司的那个工作。一会儿等他送她回家时，她再跟他说。

"好啊！当然可以，我们去跳舞吧！"他们加入到全球第三富婆和罗斯·康迪的队伍中。这两个人都不会跳舞，舞池乱作一团。

跳得最好的是凯伦。她跳的时候身子甩向一边，但是她没穿胸罩的乳房外加她醒目的乳头却甩向另一边。

"哈——"巴蒂喊道。他喜欢跳舞，而且在这群人中间跳舞让他很高兴。

安琪儿，宝贝，你要理解这仅仅是交易。

凯伦靠近罗斯："帕梅拉，想不到你还是把老手。"她轻蔑地说，"想不到你还挺赶时髦的。来，巴蒂，你过来跟老帕跳，我跟罗斯跳。"她娴熟地在他们中间游走，然后巴蒂发现跟他面对面跳舞的是帕梅拉，这让他感觉很扫兴。

他礼貌地咧嘴笑笑，她也回了他一笑，露出黄马牙。

"快来，伊莱恩，他们都能跳，我们也去跳吧，老大姐。"乔治·兰开斯特吼了一声，一把把她拉了起来。

伊莱恩勉强挤出一个笑容。她不太喜欢"老大姐"这个称呼。可恶的凯伦紧紧抓着罗斯，令人作呕地把身体压向罗斯的大腿，就跟发情的婊子一样。整个派对上的人都在看。

要微笑，伊莱恩。

见鬼去吧，埃塔。

"我觉得在你膝盖上体验到了高潮。"凯伦撩人地在他耳边低语。

"收敛一点，大家都在看。"罗斯简短地说道。

"那又怎样？"她一副满不在乎的样子。

"所以冷静一点。"

"冷静……冷静一点……"她把手举到头上，像脱衣舞女一样扭动起来。

"那是我女儿！"乔治叫喊着，丢下伊莱恩跑到他女儿面前。

罗斯发现自己的舞伴是伊莱恩，非常不乐意。这时早上开着保时捷跟他打招呼的金发女人从旁边挺着胸脯走过。现在他认出她是夏龙·利奇曼德。

"你今天早上去拜访谁啊？"她咯咯大笑，"被我逮住了，是不是？"她又咯咯大笑，"只是开个玩笑，伊莱恩。我知道在那栋楼里只住着三个牙医。"

她的男伴感觉到罗斯的愤怒，把她拉走了。

伊莱恩眯起眼睛："你这个混蛋！"她轻声说。

他们一起离开了舞池。

"慢跑逊透了！"一个鬈发女人很不淑女地咳了一声。

"你知道我想要什么吗？"她的朋友穿着一件很有品位的裙子，肤色跟宝·黛丽①一样浅黑，沉思着，"我想要一个能为我擦窗户的大明星。"

充满机智的谈话，梦塔娜想。

自从里克和菲尔接过音乐演奏之后，大家就不再压制自己，豪饮了三个小时的

————————

① 美国的女演员兼模特。

酒。派对十分热闹，只是这热闹并不属于她。如果尼尔来参加派对了，她可能还会玩得尽兴。但是他的缺席开始让她感到担忧。奥利弗不知道他在那里。她已经追问过他的秘书，她也不知道。突然间，她的脑海中闪现他开玛莎拉蒂时的样子，开得很快，实在是太快了。他可能出了事故。

帕梅拉一离开桌子，奥利弗就跳站起来，匆忙朝安琪儿走去。"是你，对不对？"他说，身子探向她的椅子。

她吃了一惊："对不起？"

"你就是海滩上的那个女孩，不要告诉我我看错人了，我知道是你。"

"哦……是我……"

"我一直派人找你。你有兴趣当明星吗？"

"我……我……"她想到肚子里还怀着巴蒂的孩子，这远比什么一夜成名重要得多。"不想。"她说。

"不想？"他难以置信地重复道。

"对，不想。"她斩钉截铁地重复了一遍。

"怎么了？你不是有毛病吧？没有人会拒绝当电影明星。"

"我的确是。"她弱声嘀咕。

"莎蒂，我们曾经度过了那么美好的时光，我们之间到底是出了什么问题？"

我们？他竟然敢厚脸皮说"我们"？罗斯·康迪是一个多么自私自恋的自大狂啊！

他还有别的什么新花招吗？

她跟姗姗来迟的沃伦·比蒂和杰克·尼克松挥手致意。

"有时候我会在半夜醒来，"他继续说，"然后问自己，为什么跟我躺在一块儿的不是莎蒂？为什么她不在我身旁？她的身体是多么暖和舒适，她的奶子是多么丰满迷人……"

这个男人竟然还是当着她的面叫它们"奶子"。他希望她听了会受宠若惊。他难道不曾听说过女权运动和性革命吗？他一直在勾搭她，就好像她是个笨蛋，只要他说些甜言蜜语，她就会跟他上床。

可怜的罗斯。这些年来没什么长进。

他越说越放肆："我想要你，莎蒂，"他轻声说，"我太想要你了，只要你把手放到桌下你就会感到我有多想要你。"

"送我回家。"弗朗西斯·卡文迪什冷冰冰地说。

"现在？"

"不是现在，难道还要等到明天早上啊？"她眯起冷酷的双眼，"现在就走，巴蒂。"

"但是派对才刚刚开始。"

"对我们来讲，它已经结束了。"

有那么疯狂的一刻，他想告诉她自己滚吧，反正他已经有了《街头路人》了，谁还需要弗朗西斯·卡文迪什？但是常识制止住了他，他决定载她回家，然后再返回派对，截住安琪儿，把事情完全讲清楚。

"那走吧。"他说，对自己的决定感到满意。

"我得跟康迪夫妇告个别。"

这正是他期盼的。当弗朗西斯感谢伊莱恩时，他溜到安琪儿的桌上，俯到她肩上对他说："我必须先去一个地方，但是我会在 20 分钟之内赶回来。我希望我们两个能谈一谈——不要任何傻瓜插手。你再怎么说也欠我一个解释，不是吗？"

她皱起眉头："我什么都不欠你的，雪莉跟我说——"

"她跟你说什么了？"

"她说你跟她……"她迟疑了一会儿，没有办法重复她听到的话，"真的是这样吗？"

该死的雪莉！她和安琪儿又联系了，为什么不告诉他？

"怎么了，亲爱的？"她左边的鬈发男人问道，他看起来没有那么整洁了，而是头发蓬乱，相貌狂野。安琪儿没有理会他，把她的椅子推开桌子，"好啊，那我们就谈谈，去个比较安静的地方——"

"巴蒂，我在等你呢！"弗朗西斯·卡文迪什走过来，带着命令的口气说。

真该死！"等我 20 分钟。"他用沙哑的声音绝望地低声说，"我要先把这个老女人送回家，这仅仅是交易，你知道的？"

她伤心地点点头。他还是没有变，跟他谈又有什么用呢？

"我跟你说，梦塔娜，她最适合这个角色，比我们试镜过的那些都合适。"奥利弗兴奋地说，"我想要你去跟她谈谈，没准她会听你的，当——"

"你说尼尔是不是出事了？我是不是应该报警？"梦塔娜焦急地打断他。

"你疯了吗？我在跟你说妮吉的最佳人选，你却在说警察？"

"我担心尼尔。"

"他是个大人。"

"是吗？"她嘲讽地说道，完全把他的话当放屁。

"得了，忘了尼尔吧——他会照顾好自己的。我想要你跟这个女孩讲点道理，她叫安琪儿。你相信吗？我想到时候我们可以叫她'天使安琪儿'，媒体会爱死这个名字的。我们走吧，梦塔娜，你跟这孩子讲讲道理吧。谁不想演电影啊。"

.37.

他高潮跌宕，思奥林在他的鼻子下方捏碎了一瓶硝酸戊酯药水。

他还在不停地冲击，冲击……

这才是他所希望的甜美生活：无休无止的性高潮，在天堂和极乐世界里畅游，多快活啊！

突然一阵疼痛袭来，太突然，太出其不意了。一股震痛袭向他胸前，朝一边向下蔓延，那么剧烈，简直要了他的命。

"哦，天哪。"他说。至少他觉得他在说，但是他没有听到自己的声音。

他的小弟弟依然坚挺，还在有规律地运动，但是他再也体会不到那种快感，也没法跟大家说他已经不行了。

两个女人没有察觉出异样。他的体重并没有令吉娜困扰，而只是让她更加兴奋。然后，当她的高潮结束时……

"尼尔？"她小声说，"尼尔，快点移开，你压死我了。"她抬高声音，"尼尔？"她试着把他推开，"别闹了，这不好玩儿。"

他呻吟道："我……很……难……受。"

天哪！不会吧！这个英国蠢蛋不会是心脏病暴发吧。老天！不要啊！千万别在她身上，在她的房子里。噢，不！

她惊恐万状，想把他推开："从我身上下来！"她刺声尖叫。

胸口的阵痛稍稍平息下来，他试图从她的湿热中抽离出来。

他觉得非常奇怪：他没有办法拔出来。

"吉娜，出事了。"他虚弱地说。

"快拔出来，尼尔！"她愤怒地厉声喝道。

啊！他倒是想……

.38.

"有件事我一直记得，宝贝，我永远都不会忘记。从没有人像你对我那样好。你也有同感，对不对？"

莎蒂一方面希望他能停下来；另一方面她又很享受这虚情假意的每一分钟。

"你过去是不是一直觉得我们是最般配的一对？"他继续道。他希望里克和菲尔能把他们该死的音响声音调小点，吵闹的摇滚乐根本就没法制造浪漫，但是他还是觉得自己做得不错。虽然他还没有让她把手放在他的老二上，但是她一直很专注，欣然接受他说的每一句话。"嗯？"他决定从她的口中得到答案。"还有更适合你的人吗？"

她知道他想要什么。她决定不让他这么痛苦了："你是不是想让我做你的经纪人？"

"什么？"他假装震惊。

"我说，你想不想让我重新当你的经纪人？"

"莎蒂……我真的从未这样想过……"

"你几年前就已经这样想过。记不记得，在福克斯家的派对上？"

他随意地笑了笑。他向来都不放过挖苦别人的机会："对。我记得。你当时要我滚蛋什么的。"

"事实上，我当时说如果我要指望你混口饭吃的话，我肯定会活活饿死。"他装得好像不记得的样子。

"你有那样说过吗？"

"我从那时起就变得成熟了。"

"希望如此。"

"那，你想不想让我当你的经纪人呢？"

他装出一副不愿意的样子："我对我现在的经纪人挺满意的……"

"真遗憾，如果是这样的话——"

"不，不。其实我也不是那么满意。我想有件事你可以帮我办到。"

"是吗？"

"对，是这样的——"

"现在不是时候，罗斯。你明天来我办公室吧！5点钟你有空吗？"

他有空。但是他有必要像个有求于她的客户一样不得不去她的办公室吗？为什么就不到芭堤雅酒店或小酒馆花园吃午饭呢？作为经纪人，她不是应该跟在他的屁股头后面吗？

别瞎想了。你以为你在跟谁开玩笑啊？你现在是要把她重新叫回你身边。现在你得赶紧走开，不能再跟她眉来眼去了。满屋子的人都可以看到你跟莎蒂·莎乐在一块儿。

"那行。"他说。

"好。"她回答，站起身来，"失陪了，我想跟乔治待一会儿。"

他看着她走远。

重新要回你也不是什么难事，莎蒂。可能你有点难搞，但是跟我比，你还是嫩了点儿。

迪斯科的嘈杂震动声变慢了，舞池里挤满了紧紧依偎的一对对。有个狗仔成功闯进来，爬到树上，危险地蹲在那儿，想在被安保人员赶下来撵出去之前努力多拍些照片。

有那么一刻，罗斯想到了小圣·士提兹和那些罪证照片。凯伦有的是钱，也许她会想把这些底片买下来……

他环顾四周，大家好像玩得都很开心。都已经过12点了，但还没有人有想走的意思。好莱坞基本上是个早睡的城市，过了12点就已经很晚了。看来伊莱恩的派对举办得很成功。

他的思绪停留在伊莱恩身上。她怎么会想去偷手镯呢？她是不是疯了？她难道就没有想到会带来什么样的后果？毫无疑问，应该要带她再去看看心理医生。

她究竟跑哪儿去了？他的眼睛四处搜寻着她，发现她跟一个人高马大的家伙在跳舞。唐娜·莎默尔跳动的音乐节拍轻抚着他们。罗斯的身子从餐桌上探向玛瑞丽："跟伊莱恩跳舞的那个家伙是谁？"

玛瑞丽看了一眼说："哦，那个是罗恩·哥迪诺，他是我们的健身教练。"

凯伦的话在她脑中一闪而过。我觉得伊莱恩正在玩"扮医生"的游戏。

他专注地凝视着那肢体纠缠的一对。是因为灯光的缘故，还是那个混蛋真的在啃她的耳朵？

不可能。伊莱恩是他的老婆,她不敢乱来的。

她真的不敢吗?

"我想我们得走了。"里德曼夫人说,"可怜的小福会在想妈妈跑去哪儿了。"

安琪儿无助地望向四周。巴蒂说过20分钟会回来,但是已经过去一个小时了。很明显,他已经不在意她了,就像雪莉所说的那样……

她的眼神阴云密布。她意识到她必须坚强起来,彻底将他忘记:"你想什么时候走我都可以。"她决然地说。

"我就不必问你玩得开不开心了,"里德曼夫人高兴地说,"我一直都在关注你,你可是全场的焦点啊。"

安琪儿惨淡地笑了笑。有人邀请她出演一部电影,但是她越是说"不",他们似乎越想说动她。奥利弗·伊斯特恩甚至还把写这部电影的女人带过来了。"她就是妮吉。"他坚持说。那个女人眯着眼睛说:"也许吧……如果她会演戏的话。"

"但是我不感兴趣。"安琪儿抗议道。

不管她感不感兴趣,奥利弗都坚持让她明天给他打电话。她最终答应给他打,虽然她不想这么做。

里德曼夫人说:"我们就别去告别了,我最讨厌告别了。而且我明天还要跟帕梅拉一起吃午餐。"

屋外,里德曼夫人的司机笔挺地站在她奶白色的劳斯莱斯门边恭候大驾。

安琪儿坐进豪车,车飞快地驶出车道。

如果她往车窗外看,她就会发现神情烦乱的巴蒂在路边付出租车费。他的钱刚刚够付,但是没有钱再打车回兰迪家了。多糟糕的一个夜晚!好莱坞的新星分文不剩了。他跑回热闹的派对,焦急地寻找安琪儿。他按顺序一间房一间房地搜,查看了宾客卫生间,跳舞的人群,屋外的桌子,但就是没有找到她。他庞蒂亚克老爷车今晚的好运算是到头了,抛锚了。不过还好当他放下恼怒的弗朗西斯·卡文迪什时,她在门边告诉他她觉得他不适合环球公司的电影角色。"我看错了。"她说,以为他会崩溃。

"本来就是这样。"他兴奋地回答。

她愤怒至极,他的回答剥夺了她这恶毒的胜利一刻的快感。

他找不到他美丽的安琪儿。她至少也应该等等他啊。他又没有她的地址或电话。他怎么能再次让她走掉呢?他怎么这么傻啊?

但是……她打掉了他的孩子……甚至连说都不跟他说一声……她已经走出了他的生命了。

他走到吧台，一口气喝了一瓶毕雷矿泉水。

"哈……"凯伦·兰开斯特跟跟跄跄地走了过来，"原来你在这儿啊，跳舞的。让我们给他们秀一段舞步……秒杀他们……要让他们看得眼珠子都掉下来！"

梦塔娜觉得打电话给警察实在是愚蠢，但是她还是把自己关在康迪家的卧室里，给贝弗利山庄警察局打了个电话。警察局那儿没有消息，所以她又打回家。但是就跟前两个小时一样，还是没有人接电话。

尼尔是个大人了，他能照顾好自己。奥利弗·伊斯特恩这么跟她说。他有没有可能知道尼尔的下落？

她在卧室里静静地坐了一会儿，整理自己的思绪。

对，奥利弗知道，他肯定知道，所以一点都不担心。

她找到了奥利弗。

"好，废话少说，他在哪儿？"

"我不知道你在说什么。"

"你知道的。如果你不告诉我，我就当众大吵大闹。你想要这样吗？就在今晚，就在这儿，而且当着你亲爱的老朋友乔治和刚刚认识的好友帕梅拉的面？"

"我从来都不觉得你是个爱争风吃醋的妻子。"

"我爱争风吃醋？我只不过是想搞清楚我家男人是不是躺在哪家医院里。然后我就可以离开这场烂派对，回家睡觉去了。"她停下来，盯着他，"我可不像你，奥利弗。我又不用到房间里到处去溜须拍马，我可以回家。他现在在哪儿？"

奥利弗很难受。他的胃溃疡发出一阵阵刺痛，他的痔疮也让他疼痛难忍。而且跟乔治·兰开斯特那个粗俗的有钱老婆的闹剧让他觉得尴尬至极，至少会让他耿耿于怀上两天。

更重要的是，他不想再跟梦塔娜打交道了，他们已经拿到了剧本，不再需要她了。但是为什么自己要掩护尼尔呢？这个蠢货都懒得到为他们电影的主演举办的派对上露个面。

"他和吉娜·杰曼要见个面。"他说着，品味着这一刻，"谁知道呢？没准还在会面呢！"

她盯着他，偌大的眼睛如西伯利亚一样冰冷："谢谢。"她讽刺地说。

他努力迎上她的目光，但是没法做到："我很荣幸。"

"你知道些什么，对不对，奥利弗？"她大声说道，"你这个讨厌的蠢货，而且你真臭毙了。"她怒气冲冲地大步走开，而奥利弗则在鬼鬼祟祟地检查自己的腋窝。

帕梅拉·伦敦正要去化妆间，刚好看到了他的这一幕。

"天哪！"她尖叫道，刺耳的声音传遍了整个房间，"我有听说过变态的，但是你实在是太荒谬了。"

跟凯伦·兰开斯特跳舞所带来的快感是他所不需要的，她喝得醉醺醺的，精神恍惚。而且她是在利用他燃起罗斯·康迪的嫉妒。但是他又不能太粗鲁，毕竟，如果不是遇见了安琪儿，他会很喜欢邂逅凯伦的。但是现在……那又如何？他又不是兰迪，又不想伴一个款婆。他现在属于他自己，而且他也向自己承诺过，不管自己有没有跟安琪儿和好，他都不会再出卖自己了。从现在开始，最重要的是自己要自重，真诚。

凯伦向他移近，罗斯不理会她旋转的舞姿，她可不喜欢这样。

"再……问一遍……你叫……什么……名字？"她含糊地问，将大汗淋漓的身体压向他白色的阿玛尼夹克。

"巴蒂·哈德森。"他说着，轻轻将她推开。

"巴蒂，是吧？"她又靠向他，拽着他的翻领来维持身体平衡，"想不想成为我的人，巴蒂？"

这突如其来的幽默感让她自己捧腹大笑。当她大笑时，巴蒂发现兰迪和玛瑞丽坐在一张半空的桌子上专心地聊天。他把她带过去，让她坐在椅子上。

"凯伦，"玛瑞丽叫道，很高兴有人过来打断他们，"你看上去就像一杯浓咖啡，不过也挺好的。"

"去他妈的咖啡。"她含糊不清地说，"我知道自己需要什么。"她转向巴蒂，"坐下。"

他照做了，有意避开兰迪的目光。

"现在……让我……瞧瞧……"她继续说，"这是玛瑞丽……这是她的朋友，我忘了他的名字了……"

"兰迪·菲利克斯。"玛瑞丽紧张地摆弄着汤勺，说道。

"我怎么会忘记兰迪这个名字呢？"她咯咯大笑，"你是干什么的啊，小甜心？"

玛瑞丽皱起了眉头："凯伦——"她开始阻止她。

"对……不起，不能问兰迪是干什么的。"她抓住一个正在走来走去的服务员的袖子，"我要伏特加酒，要加冰块的，现在就要。"迷迷糊糊的她紧紧抓着服务员的夹克衫不放，巴蒂费了好大的劲才把她的手指掰开。

她一本正经地盯着他看："这是小巴，"她说道，"他是个舞者。"

"你好。"玛瑞丽有礼貌地说道。

"很高兴见到你。"兰迪冷冷地说。

凯伦先看看巴蒂，然后又看了看兰迪："我以为你们俩互相认识，我不是在芭堤雅酒店见过你们在一起吗？"

"我们不认识。"兰迪厉声叫道。

巴蒂不想争辩什么。他跳起身。"抱歉，"他说，"我在这边跟人有约了，她现在可能在找我。"

"好啊，"凯伦含糊地说，"赶快去找她吧，要给我打电话啊，小巴。"

他松了一口气，赶紧逃走。

乔治·兰开斯特做好准备要发表演说。梦塔娜决定自己真的该离开了。她的头脑一片混乱。尼尔……跟吉娜……

尼尔竟然……鬼混……

该死的尼尔！

这也许不是真的。

巴蒂·哈德森在门口碰见她："你要走了？"

"嗯。"

"我能不能搭你的便车？"

"你自己的车呢？"

"在日落大道那儿熄火了。"

"你住哪儿？"

"就在日落大道附近。"

"走吧。"

梦塔娜大步走出大门，他正打算跟着她，恰巧这时候看到沃非·斯戈威克从宾客卫生间里走出来，他立马停下了脚步。

瘦了很多……发型也不一样……但是他不会认错他那对凶狠的小眼睛、那张圆脸以及露在丰唇外面跟白鼬一样的牙齿。

他是那个胖子……12 年前……派对上的那个胖子……托尼血肉模糊的身体躺在太平间的厚木板上……

沃非一定是感觉到他在盯着自己看，他看了巴蒂一眼，误以为他这样专注地盯着自己是对自己产生了性趣，于是他对巴蒂打招呼，"你好。"

"你要不要搭我的便车？"梦塔娜重新出现在门口，用烦躁不安的声音问。

巴蒂把视线从胖子的身上移开。他一定搞错了，不可能是同一个人。

为什么不可能？

他跟着梦塔娜走到外面："刚才那个人是谁？"他急切地问。

"哪个啊？"

"就刚刚在大厅的那个。"

她皱起眉头，心不在焉："好像叫沃非·斯瓦茨还是斯戈威斯，不对，是斯戈威克，他老是跟碧碧·萨顿混在一起。"

"沃非·斯戈威克……"巴蒂慢慢地重复这个名字。他要牢牢记住。

乔治·兰开斯特站起来，用刀叉轻敲他的香槟酒杯，大吼一声："大家稍微安静一下。"

派对上形形色色的人安静了下来。

"我要在这里说几句话。"他宣布。

人群中发出了一些和善的抱怨声和嘘声。

"无——聊！"帕梅拉大喊道。整个帐篷露台笑声一片。

"不要管这只老母猪，"乔治吼道，"我早就应该把她赶回猪圈！"

大家笑得更凶了。

"但是大伙们，说真的，"乔治继续道，"今晚在这儿见到所有老朋友，我真的很高兴……有几个比我记忆中的老了一点……"大家放声大笑，"但是没关系……一头假发，一套假牙在朋友间算得上什么啊？"

大家笑得前俯后仰，无法自制。

"你们可能都在想为什么我又回到好莱坞，为什么他不跟他那个有钱的臭婆娘在棕榈滩闲待着，是不是？你们真的很想知道，对不对？"

"接着说啊。"帕梅拉尖声叫道，享受着每一刻。

"我要复出了，"乔治咆哮道，"你们知道我的意思——弗兰克可是每年都复出一次！"

"没错！"有人在大声喊。

"我将要出演我的朋友奥利弗·伊斯特恩和尼尔·格雷合作的一部电影，因为尼尔游说帕梅拉，说她在这儿的生活将会多么多姿多彩。奥利弗的出价让我无法拒绝。而且他们不能请到倍特——"

他滔滔不绝，但是伊莱恩跟罗斯都没有在听，他们互相交换着震惊的眼神。乔治·兰开斯特要接演《街头路人》？但是据他亲爱的女儿说，他几个月之前就拒绝了。他们还为他举办了一场派对，花一大笔他们根本无力支付的钱——这究竟是为了什么？

伊莱恩不敢相信。她只想什么都不管不顾，爬上床睡觉。

罗斯更是震惊。他一直觉得这个角色是自己的，而且还一直说服自己只有他能演好这个角色。另外莎蒂·莎乐也是他这一边的……失望袭向他全身，他几乎能尝到那种苦涩的味道。

.39.

美国航空公司的飞机十分拥挤，但是米莉并不介意。这是她第一次坐飞机，她兴奋得忘乎所以。

莱昂也十分兴奋，但是另有原因。

时机是一件很奇怪的事情。你一直苦苦等候，期待发生什么，但是却什么都没发生。然后你朝前走去，制订了新的计划，却又跟它不期而遇……

电脑上有两份报告。第一起是发生在匹兹堡的双尸案，一个妓女跟她的皮条客被砍死。另一起是得克萨斯州的一个搭便车旅行者被捅了28刀。

在这两起案子中，迪克·安德鲁斯都留下了他的痕迹——指纹。

莱昂本来想要取消度假计划，调查新的进展。但是他不能这样对米莉。这也太残忍了。

一位叫厄尼·汤普森的年轻侦探被派到匹兹堡和得克萨斯州去调查新的发现。不管他在哪儿，他都会向莱昂报告情况。但是莱昂对这样的安排并不是最满意的——很明显，他更喜欢自己跑一趟。但是以现在的情况来看，好像也只能这样了。

"我实在不敢相信我们真的上路了！"米莉紧搂着他的胳膊，在他的脸颊上亲了一下。

他回应了她的亲吻。没错,他们是在去的路上。他们好像跟迪克·安德鲁斯前往的方向是一致的。

.40.

他们成了连体人,吉娜·杰曼——全美第二受欢迎的金发女郎,尼尔·格雷——备受尊崇的电影导演。

吉娜就像一条被刺中的鱼,不停地呜咽。

尼尔只是呻吟着。他就像蜘蛛网上的一只苍蝇,困在自己的欲望中,觉得既虚幻又虚弱。他之前的痛已经平息下来了,但是他还在为那痛的强度感到害怕,同时也被自己目前所处的状况吓坏了。他发烧了,感到筋疲力尽。他太累了,什么都不能做,只能趴在吉娜身上,等她把自己解脱出来。

思奥林不再是一个温柔顺从的性爱工具了,而是在竭尽全力,尽一切办法将他们俩分开,包括往他们的下身倒冷水,猛拉尼尔的下体,往他们的合处涂抹大量凡士林。但是无一奏效。

"真该死,吉娜!"她突然说出一口浓重的纽约街头口音,厉声叫道,"别他妈的乱叫了,跟我说你想让我怎么办?"

"天啊,"吉娜啜泣道,"我究竟做了什么,竟会落得如此下场?"她非常难受地扭动着。尼尔可不轻。她觉得就好像有人在她体内塞了一根冰黄瓜,就把它留在那儿了。她知道再不赶快采取措施,她非疯了不可。

"也许我应该打电话给医务人员。"思奥林建议。

"噢,上帝啊!"吉娜呻吟着,"我们会成为整个好莱坞的笑柄的。再泼点冷水,快,赶紧!"

大众小车疾速行驶在路上。到日落大道时,没有朝好莱坞开,而是转到了本尼迪克特峡谷方向。巴蒂说:"我想你忘了转弯。"

"不,我没有。"她沉闷地说,"我只是想去确认一件事。你不会介意的,对不对?"

他能介意吗?她才是掌舵的人。

车疾速驶上本尼迪克特,向右急转上了塔路,在圣西斯罗街来了一个更急的右转，最终在一道重金属门的街对面缓慢地停了下来。

梦塔娜熄灭了引擎，摇晃地从一整包烟中抽出一根烟，点上火，深深地吸了一口，然后说："我需要你的帮忙。"

他乐意地点点头："为你，我赴汤蹈火，在所不辞。"

"嗯……我请求你好像有点愚蠢。"她犹豫地说道。

他不知道她想干什么，希望跟性没有关系。她是个漂亮的女人，但是他需要别人认可他的才华，而不是他的床上功夫。

"你想要我干什么？"

她吸着烟，茫然地望着车窗外："去翻过这些铁门，检查这所房子的车道和车库，看看有没有停着一辆红色的玛莎拉蒂。"

他开始分析她的请求。他怎么能攀过这些墙？难道爬过去？如果主人误把他当作窃贼（这在凌晨 1 点是非常有可能的）朝他开枪怎么办？毕竟，大家都知道贝弗利山庄的大多数居民可都是全副武装，准备随时反击的。

"嘿，听我说——"他开始说。

"你没有必要这么做。"她淡淡地说。

"这到底是谁的房子啊？"他问道，为想明白整件事情争取时间。

"吉娜·杰曼的。"

真是倒霉。电影明星的房子。她家门口可能有武装警卫在那儿睡觉呢。

"我去。"他不情愿地说道。毕竟，她都给了他温尼这个角色，他必须为她做些什么作为回报。

奥利弗·伊斯特恩开着一辆闪亮的 1969 年产英国宾利，这一年的宾利汽车很畅销。整辆车一尘不染。不过也应该如此，因为不用的时候，它都是用几块白布包住，停在奥利弗租的贝尔艾尔房子的四车库中，就在碧碧和亚当房子从右边数起第三幢别墅内。这辆宾利一出产就跟着他了，奥利弗·伊斯特恩直接向工厂要了这辆车。一辆完美无缺的车配一个完美无缺的人。

他回想他这一天。帕梅拉·伦敦把他这一天全毁了。当然还有梦塔娜。她们都太自以为是了。如果梦塔娜跟尼尔因为他刚刚说溜嘴的消息而掰了，那样最好不过。他会感到高兴。她居然有胆那么跟他说话，当着众人的面叫他马屁精。难道她不知道这是工作需要吗？

你是制片人，你就必须拍马屁。在这个镇上没有哪个制片人不为自己的利益溜须拍马的。

今天早些时候还不错。为尼尔的新计划签下了吉娜·杰曼，这挺不错的。他期待看到梦塔娜听到这个消息时脸上的表情。

一回到家，他就去冲了个澡。喝了点乳白色的浓稠液体来平息他的胃溃疡，又在屁股上涂了点痔疮膏。然后他穿上新丝质睡衣，在稀薄的头发上戴上发套，爬上了床。他在床上想着安琪儿，她天然的美和清新是多么适合演妮吉啊！他必须说服她出演这个角色。她是如此完美……

他睡着了，在梦里还在想着金发的安琪儿。

巴蒂打量着重铁门，顶端还带有钉子，大概有 10 尺高。"真该死！"他嘀咕着，脱掉白夹克衫，把它叠起来，放在地上。他又研究了一下这些门，它们每一边都被一堵 16 尺高，根本没法翻过去的篱笆围住，而且还是电控的。唯一翻过去的方法就是爬过去。

然后他注意到在门的每一边都贴有这样的告示。第一张上面写着"内有安全警卫犬"。第二张上面写着"内置 WESTEC 安全警报"。

"喔，不。"他轻声嘀咕道，"我究竟在这儿做什么啊？"

他设想整个场景。自己终于抓住了机会，但是结果却被一头大猎狗咬，或者更糟糕的是被枪射死。

他匆匆跑回车里，梦塔娜独自一人坐在黑暗之中。

"里面有狗还有武装警卫。"他愤怒地说。

"别管这些告示，每个人都会贴的。"

好，真感谢你，梦塔娜。又不是你去。

他不情愿地回到前线，开始小心翼翼地爬铁门。还好这些门极具艺术装饰风格，还是可以爬过去的，虽然要翻过顶端的长钉有点困难，而且他能感觉到自己的裤子裂开了，这让他很生气。他咒骂着，翻了过去。

旁边有一条陡峭的车道，被路上等距分布的绿灯照亮，他疾速靠边爬上车道，屏住呼吸，向上帝祈求他不要碰到一只警觉的德国牧羊犬。

匆忙之下吉娜突然想到奥利弗是唯一能帮上忙的人，如果他都不能守口如瓶，那还能指望谁呢？这两个人一个可是他电影的导演，另一个是他下部电影的主演。这是他的义务。如果制片人不能让你摆脱困境，那要制片人干什么呢？

"打电话给奥利弗·伊斯特恩。"她对穿好衣服，准备匆忙离去的思奥林呻吟道。

"谁？"思奥林傲慢无礼地问。

"快！"吉娜尖叫，"别问了！"她使劲推开尼尔沉重的身子，击打他的胸脯，又一次发出呻吟声。尼尔艰难地呼吸着。他之前竟然还晕过去了，这让她十分恼火。她可是卡在他身下的人！他除了像一艘巨船一样趴在她身上，什么忙都帮不上。"去叫医生。"在失去意识之前，他喘着气说。这个英国蠢货！难道他真的以为她会让医生看到他们现在这个样子吗？

"奥利弗的电话号码在我桌子上的书里面，打个电话给他吧，拜托了。他接通电话后，把电话递给我。我觉得我快要没命了！"

"把那留给大屏幕吧，姐姐。"思奥林小声嘀咕道。

"什么？"吉娜喘息着。

"算了吧。"思奥林说着。她找到了奥利弗的电话号码，"我希望这哥们儿在家，因为我得走了。"

"你得干吗？"吉娜喘着气，十分愤怒，"这事儿你自始至终都有份的，你这个荡妇。"

思奥林神秘地微笑着。她知道奥利弗·伊斯特恩一到，她就可以走了。发生这种事情对她的生意影响不好。对思奥林来说，做生意是至关重要的。

电话的声音粉碎了他甜美的梦。

"奥利弗！"歇斯底里的吉娜喘着气说，"我需要你，快点过来！"

奥利弗·伊斯特恩匆忙穿好衣服，穿上一件深蓝色的山羊绒毛衣，一条褶皱完美的牛仔裤，一双意大利制便鞋。但是他的头发有点杂乱，他需要些时间打理头发。

吉娜·杰曼歇斯底里的电话让他很慌乱。半夜接到的电话都是不祥之兆，这个肯定也不例外。真是倒霉！

他飞快地开过空无一人的贝弗利山庄街道。他走时还一口气喝了一瓶抗酸药，嘴里咒骂着，但是心里在想——现在是什么状况？

车道末端的西班牙式房子位于一所方方正正的院子之中，每扇窗户都灯火通明。巴蒂并不需要去找那辆红色的玛莎拉蒂，它就停在前门外，大家都能看到。他沿着阴暗的地方走，准备撤退。

终有一天他也会有一座带有警卫犬和武装保安人员的房子。这一天很快就会到来了。但是他要确保他的警卫犬随时都能逮住爬过他家大门的笨蛋。

他往下走，绕过车道，感到他裤子至少裂了一条十英寸的裂缝。他又咒骂了一番。

突然嗖的一声响，电门打开了，吓得他魂飞魄散，站在那儿一动不敢动。然后一辆全速前进的车打着车灯呼啸地驶过车道。说时迟，那时快，他跳向右手边的灌木丛中，发出一阵痛苦的呻吟声。因为洒水机一直在喷洒，地上湿漉漉的。他在泥土中翻滚。

他听到一声狗叫，吓呆了。

一个娇小温柔的亚洲女孩给他开的前门。

奥利弗·伊斯特恩喜欢东方人，他们有自知之明。"奥利弗·伊斯特恩，"他恭敬地说，"杰曼小姐打电话找我。"

"你他妈的去哪儿了？"那个并不温柔的亚洲女孩粗鲁地说，"跟我来。"

这声招呼让他好感全无，他紧随着她来到楼上的卧室。他在那儿看到的景象可谓是触目惊心。吉娜·杰曼——美国的性感女神，四肢摊开躺在那儿，就像一只受困的大白鲨一样。趴在她上面，毛茸茸的屁股裸露在外面的正是尼尔·格雷。

"老天！"奥利弗尖叫道，"你让我起床就是过来看你们俩上床吗？你不知道我早就见过了，只不过是跟一个级别更高的演员。"

"你这个笨蛋！"吉娜使出浑身力气尖叫道，"快想想办法，该死的！你可是这里的制片人啊。"

.41.

"我找一个女人。"迪克沉闷地说。

一个身材丰满、穿着紫色毛衣和黑色短裙的女人将一个小孩挎在她屁股上，笑着说道："你该不是找每个女人吧？"

她站在她破旧不堪的家门口，期待他能说点别的。

"我找卡罗尔夫人，"他说着，一边摸索着那张纸，虽然他非常清楚那上面写着什么，"卡——罗——尔，"他慢慢地重复道，按字母拼了出来。

那个女人茫然地摇摇头："不晓得。"那个小孩开始流鼻涕，她漫不经心地用手背帮他擦了擦，"不晓得。"她又重复了一遍。

"是谁？"出现了一个男人的声音。一个矮胖的男人也来到门口。"你是谁？"他咆哮道，"你想干什么？"

迪克用脚将门堵上："在你们之前，住在这里的是谁？"他冷冷地问。

他的眼神空洞冷酷，这让那个男人停止了反抗："是个老巫婆。"

"她是不是叫卡罗尔？"

"我不知道。"他试图推门将它关上，但是迪克的脚就是死抵着不放开。

那个女人大声说："他要干吗？怎么不走开？"

"我怎么才能打听到这里以前的住户？"迪克问着，黑色的眼眸中燃烧着挫败。

"我想你可以去问问租这个地方给我们的混蛋。"男人说着，他急着让迪克离开他的家门，"他会跟你说，我们什么都不知道。"

"我们不知道。"女人赞同他的说法，"我们只管过自己的日子。"

男人进屋，回来时拿了一块撕下来的报纸，上面潦草地写着一个名字和地址："你帮我们跟那个捞钱的家伙说一声，他承诺给我们换新屋顶已经五年了。"

迪克接过那张纸，将脚从门上移开，再没有多说一句就往街上出发了。

迪克飞快地走着，眼神直视前方。这一张纸，一小张纸，一定会有所发现……

他们肩并肩坐在附近一家酒吧里。迪克在抿纯可口可乐，而乔伊已经连续喝下三杯朗姆可乐了。

"很晚了。"她皱着脸说，"你跟你爹妈说我们几点到的？"

"不管什么时候到都没关系。"他回答。

"为什么？"她询问道，"难道他们要见到我都不感到兴奋吗？"

"他们当然很兴奋。"他没精打采地说。他想起他妈妈说的话，她凝视着他好像感觉到了这个不太一样："如果你坚持的话，那就把她带回家。我会告诉你我觉得她怎么样。"

"那我们晚餐时间过来行吗？"他鼓起勇气问道。

"晚餐之后再来，我可不想给一个我不认识的廉价妓女做饭。"

"她不是妓女。"他抗议道。

他的母亲浅浅一笑："如果是你选择了她，那她就是个妓女。"

"我们走吧，"乔伊抱怨，"我跟你说，亲爱的，我只要再喝一瓶，我就要吐他们一身了。"

迪克看了一下手表。9点45分："我觉得不太舒服。"他含糊地说。

"你可甭想又打退堂鼓。面对它吧。"

"我不是想打退堂鼓。"他愤怒地说。

"不是？"她轻声嘀咕，"鸽子都不拉屎了。"

他深吸了一口气："我们走吧，你准备好了吗？"

她突然从钱包里拿出一块脏兮兮的锡镜，盯着自己的脸看。然后她翻出一条唇膏，猛往嘴唇上面涂，"想要在你妈妈面前打扮好看一点。"她解释，"女人会注意一些像化妆之类的东西。你有没有像我说的那样告诉她我是一名模特？"

"我忘了。"

"哦，真该死！她会觉得那真的很时髦，有时候你真的很蠢。"

他紧紧地揽住她的腰："别那么说我。"

她松了口："好了好了，你知道我没那个意思。"她的声音变得跟小孩子一样，"给我笑一个嘛，帅哥，我是你的小宝贝啊。"

她调皮地拧了一下他的耳朵："宝贝最喜欢大块头了。"

他放松下来。

她松了一口气。她可不想去见公婆的事情又被耽搁下来。她知道只要他们一看到她，保准会喜欢她的。果真如此，那一切就容易多了。她需要一个家庭，一个属于她的地方。18岁的她已经身心俱疲。她从13岁开始就无家可归。这并不容易，但是她也熬过来了。她之前希望能跟那个警察有结果。他是第一个对她好的男人。她可以为他做任何事情。她还打电话给他，想给他最后一次机会。但是他装作不认识她，挂了她的电话。这条蠢猪！

莱昂这个警察结果跟其他人没什么两样，跟她上完床之后就拍拍屁股走人了。

然后是迪克。她一开始就知道他怪怪的。但是她小心翼翼应付他，并且很快就学会怎样推他一把，让他为自己所用。

有可能拥有家庭生活让她感到很兴奋。自己会是迪克·安德鲁斯的太太并且有一对父母亲。虽然是他的父母亲，但是他们会很爱她，就好像她是自己的孩子一样。

她叹了一口气。有一个迪克总比什么都没有好。如果他剪掉一头及肩的怪异长发的话，其实长得也不难看。她知道他母亲很讨厌他的头发。以后她会跟他母亲一起让他把头发剪掉。等他们结婚了，她会做很多事情。

"好了，帅哥。"她兴奋地眨着眼睛，"小宝贝准备好了。"

他从来没觉得天这么热过，就跟在沙漠中一样。这热度笼罩着他，令人窒息。

他去了一家理发店，要求把头发剃成光头。

"你想要我把它全剪掉吗？"理发店的老头问道。

迪克点点头。

"你头上是不是有虱子？他们有去除虱子的洗发水。"

"你到底要不要帮我剃头？"

"你是什么人？难道是宗教徒？"

他点点头。好像这是最简单的办法了。

老人开始剃头发，絮絮叨叨地扯东说西。

迪克不理会他。

剃完头时，他很喜欢自己的光头，它看上去又干净又好看。这是一个全新的开始，最适合天行者不过了。

他找到了写在纸上面的新地址，是一间坐落在一条偏僻街道上一层楼高的办公室。一个秘书独自坐在接待处那儿吃胡萝卜条。她把一份《我们》杂志撑在桌上，在那儿专心地看。"大家都出去吃午餐了。"她跟他说完后又埋头看一篇关于汤姆·赛立克[①]的文章。

迪克说："也许你能帮我。"

她头也不抬，说："对不起，我只是临时工。"

"你知道文件在哪儿，对不对？我想要妮塔·卡罗尔的资料。我需要她的新地址。"

她匆忙扫了她一眼，不喜欢他的外貌："你为什么不过一个小时再来呢？"

他没有时间可浪费了："这里是不是只有你一个人？"他问。

这里是只有她一个人，但是她不想告诉这个讨厌鬼："不。我不是一个人。你为什么不走呢？"

他迅速移动，将杂志敲落到地上，把她的两只手臂扣在身后。

"给我看档案系统，我不会伤害你。"他低声道，却发出致命的气息。

她开始浑身颤抖。他是个疯子。看他的样子她就应该立马知道的。"你这个光头混蛋，"她嘶喊着，仍然在颤抖，但是却不想示弱，"我之前被强奸过一次，我不会让这样的事情再次发生的。"她提高嗓门，"你敢碰我，我就杀了你，你这个

---

① 美国电影演员和制片人。

混蛋！"

他对她的反应感到惊讶，但是却又感到莫名其妙的高兴。

他本来不想对她怎么样，但是她传递的信息太强烈，太清楚不过了，她自讨苦吃。

混账东西！

坏蛋！

强奸犯！

他不知什么时候手上已经拿着刀了。她的喉咙已经在候着了。毕竟，他……可是……天行者，有些事情他不得不做。

.42.

最后一批客人在两点五分整离去。罗斯保持着微笑，直到他们身后的前门关上为止。然后他穿过空荡荡的房间走到吧台，忧伤地坐在一片废墟中，喝着双人份的威士忌酒消愁。他在等伊莱恩过来祈求他的原谅，并表达她的慰问。

他等了 20 分钟，她还是没有出现。他四处寻找她，发现她正在他的更衣室里愤怒地将衣服扔进一个敞开的箱子里。

他站那儿看了一会儿，非常疑惑不解。突然间，他明白是怎么一回事了，他大吼了一声："你他妈的在干什么？"虽然很明显她准备将他扫地出门。

"我——受——够——了。罗斯！"她咬牙切齿地说，脸因盛怒而扭曲了，"你——竟——敢……你——竟然——敢……和我——最好的……朋友……你这个混蛋。"

他打小就知道不论在什么时候受到怀疑都要死不认账。

"我不知道你在说什么。"他说着，尽量让自己听起来很生气。

"少在我跟前装。"她轻蔑地说着，将丝质衬衫扔到手工鞋子上，"把你的演技留给电影吧！"

他打小就知道最好的防守就是冒犯。

"你爱怎么说怎么说去。你跟那个身材魁梧的教练是怎么一回事？"

她本来在扔一件伊夫圣洛朗毛衣，手停在了半空中："你竟然还敢诬陷我？我一直都尽力做好一个妻子的本分，但是你从来都不曾感激。"她将毛衣砸到他脸上，勃然大怒,"竟然跟凯伦·兰开斯特……我还以为你品位有多高。"

他喘着气说:"你怎么会这么想我?我可是你丈夫,不是吗?"

她用力关上行李箱,把它塞到他手里:"滚出去!"她嘶喊道。

他当时不太理智,否则他是绝不会离开的。

"滚出去!"她重复道。

"别担心,我会走的。我已经受够你那该死的唠叨了!"

她送他到大门口:"明天我就打电话给马文·米切尔森。等我跟你离婚了,你就只能靠从凯伦·兰开斯特的奶子那儿挤奶过日子了。"

"你这个可悲的贱人!至少她的奶子货真价实!"

"滚出去!"她尖叫道。突然之间,凌晨两点半,他站在自己的车道上,不知道该去哪儿。

等到巴蒂站起身冲向大门时,大门已经关上了。他仍能听到远处传来的狗叫声,但是声音不是朝他这边传来的,这让他松了一口气。这样就好,他可不想让一群疯狗扼住他的喉咙。

他的胳膊因为摔了一跤而阵阵刺痛,也许断了。但是他能告诉谁呢?当然绝不可能是吉娜·杰曼。

他又闪过一个念头,他带着一条折断的胳膊可怎么演温尼啊?

更重要的是,他凭借一条折断的胳膊怎么才能翻过大门?他试了一下,但是却差强人意,没有翻过去,却把他的丝质衬衫撕破了。

"梦塔娜!"他焦急地朝黑暗中喊道。

她匆忙穿过大街:"你还在等什么?"

"我手臂受伤了,我想我爬不回去了。"

他们透过沉重的铁门对视着。

"你最好试试看。"她终于说道,"我们不能再在这儿耗着了,这块区域一直都有警车巡逻。"

"谢谢。"他苦涩地说。

"快啊!"她劝他,"你身体很强壮。先用一只手臂攀上去,然后再将自己抛过来。"

好像别无他法,他就按她说的做了,他重重地落在水泥地上,发出一阵痛苦的咕噜声。隔壁房子里两只狗开始狂吠。

"我们赶紧离开这儿。"她说着，匆忙朝大众汽车赶去。

等他跟到时，她已经启动了车，他将自己的身体甩到客座上，汽车扬长而去。

有一会儿，两人沉默不语，然后她用很严肃的口气问："里面有没有一辆玛莎拉蒂？"

"对，是有一辆。喂，你听我说，我可不是开玩笑的，我觉得我的手臂断了。"他停了一下，期待能听到几句同情的话，但是她一声不吭。"真该死！"他尖叫，"我把我的夹克衫落在房子外面的地上了，我们得回去取。"

"我们不要回去。"

"不行啊，那是我最好的外套，阿玛尼的。而且我所有的钱都在那件衣服口袋里。"

"我会给你买一件新的，赔偿你那些钱。一共多少？"

就一张 50 美元的钞票。他想说实话，但他捉襟见肘，等他手头宽裕了，他可以把钱还给她。

"600 美元。"他说。他小心翼翼地找了一个平衡点，既不能说得太多，也不想说得太少。

就在他们快要到日落大道时，她突然刹住车。哦，天啊，她要开回去。他想。

她把车倒过来，又朝着本尼迪克特开去，在克莱星顿向右急转。

"我带你去我家。"她果断地说，"我可以帮你看看你的手臂，然后再拿一些钱给你，好吗？"

他能拒绝吗？

莎蒂·莎乐就寝时有一些例行程序：首先她得长长地洗个香喷喷的澡，这让她很放松。然后她会从架子上摆放的整整齐齐的盒式录像带中挑出一张，放入录像机中，打开电视机，每天晚上都放一部罗斯·康迪的旧电影伴她入眠。

今天她选了她最喜欢的一张，1958 年一部大热的电影。那时罗斯还处于事业的初期，年轻莽撞，明眸碧蓝，头发金黄，身体光滑结实，一点赘肉都没有。今晚她发现他已经开始有小肚子，眼睛不如以前明亮，头发也没有之前金黄，皮肤因为岁月的洗礼而变得坚硬。

她在想他其他地方会是什么样子，并因为想入非非而浑身战栗，尽管她很讨厌自己这样。

很快她就可以再次拥有他。她会像他曾经利用自己那样利用他。

这次要轮到她拍拍屁股走人。

不打电话，不写信，不做任何解释。

什么都不干。

罗斯·康迪毁了她的生活。现在她要让他最终为此付出代价。当她甩了他之后，他就会后悔遇上她。

电视屏幕上罗斯在微笑，魅力令人无法抗拒。

莎蒂身子向后靠看着电影。这部电影她已经看过无数次了。

巴蒂在一间空旷的现代风格客厅里徘徊。他手臂的剧痛缓和了些，可能并没有骨折。

"你家的……男人……去哪儿了？"他若无其事地问道，这个问题已经困扰他一整晚了。

梦塔娜正在拨弄一幅画后面的墙壁保险柜密码，没有抬头。

"我的意思是……嗯……我是不是应该跟他见个面？他喜不喜欢我的试镜？他说了什么？"

她打开保险箱，从里面挑出一捆钞票，开始数百元美钞。然后她递给他一叠："1200 美元，补偿你丢失的现金和衣服的损失应该是够了。"

他真想亲她一下，但是同时一种罪恶感向他袭来。

"顺便说一句，"她补充道，"我跟莎蒂·莎乐谈过了，她让你明天早上 11 点钟去趟她的办公室。"

他今晚真是走运："哇，真是太棒了！"

她伸手拿桌上的烟，将它点上："小事一桩。现在让我看看你的手臂。"

"我觉得我之前可能判断错了。"他说着，一边舒展身前的手臂。

但是她还是坚持要看看，用她纤细的手指去找折断的骨头。"你没事。"她清脆地说。

现在他感觉真的很糟糕。他怎么可以骗她的钱呢？他可不是这么卑鄙无耻的人："嗯……听我说，"他开始道歉，"其实我的夹克衫里没有 600 美元，我只是……开个……玩笑。"

她严肃地盯着他看："你需要这些钱吗？"

他点点头。

她长长地吸了一口烟："这些钱就算是我借给你的吧。等你拿到第一份工资，再算上利息一块儿还给我吧。"

"你真是个好人。"

"谢谢。"她冷冷地说,"但是你别跟我说我有多伟大,因为我现在觉得自己既卑鄙又恶毒,一点都不好。"她似乎当即就为自己在他面前吐露心声而感到后悔,虽然她只说了几个字,"你自己随便喝点东西吧!"她冷淡地说,"我去换身衣服,然后再开车送你回家。"

"不用麻烦你了,我可以打的回去。"

"我承诺过要开车送你回家,那你就应该坐我的车回去。而且我一直喜欢开车。"

她离开客厅。巴蒂环顾四周,房子装修得非常舒适和现代化。这就是好莱坞的壮观场面。墙上有一张尼尔·格雷站在咖啡桌上的银框照片,上面题着一行字:致亲爱的梦梦,是你教会了我如何重新生活。

梦塔娜像一阵风一样回到客厅,一条褪色的紧身莱维斯牛仔裤塞进了结实的牛仔靴里,上身穿着一件简单的白T恤:"快走吧,大明星。"她说着,用力关上保险箱,"让我载你回家。我可不想让你明天带着两个黑眼圈出现在莎蒂的办公室里。我要让你看起来精神抖擞,是自《欲望号列车》中的马龙之后最帅的男演员。"

梦塔娜有一个优点,她总是知道该说什么。

镇静药让她平静下来。她知道她吃太多了,但是这又如何?在同一天晚上差点被拘留,举办镇上最热的派对,然后又把自己老公扫地出门。这种事情可不是天天都能碰上。

伊莱恩冷酷地点点头。这个混蛋活该。既然他想要走钢丝绳,他就必须要做好摔跤的准备。

你就别装蒜了,伊莱恩。如果你认为他有机会拿到那个电影的角色,你是不会将他扫地出门的。

住口,埃塔,你这个死肥婆,你什么都不懂。

我知道你现在已经变成一个可悲的贝弗利山庄婊子。对,他是跟凯伦上床了,但是你也跟罗恩做了,不是吗?

这不一样!

谁说的?

它们是她的过去以及现在。她多希望她的过去能够消失不见。为什么她老是要记起胖埃塔·格罗丁斯基呢?

罗斯今晚需要你。

罗斯甚至不知道她的话是什么意思。

她很想哭。但是她立马想到哭得红肿的眼睛，就放弃了这个念头。

伊莱恩·康迪，一个跟丈夫分居的妻子，她该怎么办？她该见谁？日子要怎么过？

她对妇女的解放从来都不感兴趣。女人就是要打扮得漂漂亮亮的，在派对中当女主人。男人就是要让女人过上好日子。

鬼话连篇。

我有权保留自己的观点。

她在空荡荡的房子里走来走去，反复查看防盗警铃。她希望自己养了一只猫、狗或者什么都行。

她不喜欢一个人待着。把罗斯扫地出门真是大错特错。他是个王八蛋，但好歹也是她的王八蛋。明天她就去把他叫回来。

梦塔娜开车送巴蒂下山时觉得很伤心。她为自己感到伤心，更为尼尔感到伤心。她对他的期望那么高，但是他竟然为了跟吉娜·杰曼这种贱货一时放纵而将他们的生活置于险境。真是遗憾，他们确实有过一段美好的日子……

有那么一瞬间，她非常生气。他怎么可以这样？怎么可以背叛自己对他的信任？

但是生气于事无补。他已经这样做了，没什么好说的了。现在她的问题是要继续留在洛杉矶等电影拍完还是要离开这里，让大家都好过一点？

不，等等，为什么我要走？她愤怒地想道。为什么我要放弃我投入了这么多心血的电影，把它交到尼尔、奥利弗和乔治手上？他们很可能把它搞得面目全非。

她做了计划。首先得搬出去，房子留给尼尔，她不要他一分钱。她将拿走自己的衣服、唱片、书本，还有她自己花钱买的车。她的银行账户里有足够多的钱，足够维持到她决定下一步该怎么做。出于直觉，她知道尼尔是不会轻易让她走的，他会试图找各种借口。可怜的尼尔，她对他感到非常遗憾。

巴蒂打断了她的思绪："你是不是开错方向了？"

"有吗？"她含糊地说，"我猜是因为我想太多了。"

他大笑："我真高兴我对你有那么大的影响力。"

她的一双大眼睛从他身上掠过。他觉得狂野性感的她实在是太迷人了。她也有烦心事。他一直沉浸在自己的思绪中，没有意识到她也有自己的问题。

她放慢车速，想找个地方转弯。

"嗯……如果你想开车转转，我可以陪你一起。"他鼓起勇气提议。

她喜欢有人陪她。她一言不发，一脚踩下油门，小车东倒西歪地驶过曲折的日落大道："我真希望现在能有一辆法拉利。"她柔声说。

他点点头，乘机理清到底发生了什么事。尼尔·格雷没有在派对上出现，吉娜·杰曼也没有参加今晚的派对，这个金发碧眼的电影明星家门口停着一辆红色的玛莎拉蒂。即使你不是名侦探科杰克，你也知道发生了什么。

他倾身向前，将一张磁带放入播放机中。放的是史蒂夫·汪德的《那个女孩》。一路伴着美妙的音乐，他们开到了海滩，两人都沉浸在宜人的寂静中。

梦塔娜想到要重新过自由生活。她也许会想念尼尔，但是只要一想到自由，她就觉得非常甜蜜。

巴蒂想起了安琪儿，想到自己拿到了电影里的角色，想到要跟传奇人物莎蒂·莎乐见面……然后他一脸阴沉，他记起在派对上的那个男人沃非·斯戈威克……还有那些他永远挥之不去的记忆……

她沿着太平洋海岸高速公路将车开向远处，最终停在一块悬崖边，下面是一片漆黑的波涛汹涌的海水。

"你想不想出去走走？"她问。

"为什么不呢？"

他们下了车，从一块斜坡上走下来，朝着海滩走去。此时正是白浪滔滔。他们停了下来，她脱掉靴子，他脱掉了鞋袜。

"我刚到洛杉矶的时候就住在海滩上，"他说，"现在正是来这里的最好时机，附近一个人都没有。"他深吸了一口气，"你知道我最挂念的是什么吗？是海水的味道。"

她在夜色中微笑："前面等待你的将会是年度新星，但是你真的一点都不像那样的人，对不对？你很善良，很体贴。这些会融为一体，在屏幕上显示出来，这实在是非常好的结合，千万不要把它弄丢了。"

他长这么大还从来没有人说他很善良体贴，但是这又有何不可？

"呵……"他咕哝着，不知道该说什么。

她轻声笑了笑："我们散步去吧，巴蒂。"

一辆金黄色的劳斯莱斯先是开往凯伦的世纪城公寓，然后又突然来了个急转弯，开回莎蒂·莎乐位于贝尔艾尔的房子，但是最终还是决定开向明星之家——贝弗利山庄酒店。

罗斯轻而易举就入住到酒店内，虽然正常情况下要预定才能入住。

"我是老板斯拉特金夫人的朋友。"为了防止订房间有麻烦，他跟夜班职员说。

"没问题，康迪先生。只要是您，总是有房间的。"职员热切地说。

"好。"如果伊莱恩不让他回去，那他就待在这儿不回去。她今晚已经向他表露了自己是一个多么冷漠无情的婊子，她比任何人都清楚《街头路人》对他来说有多么重要。她应该站在他这边的。

巴蒂从来都没有觉得跟女人相处可以如此无拘无束。他潜意识里觉得女人都是敌人，你要么跟她针锋相对，要么智高一筹，要么就被她征服。但是梦塔娜不一样。他跟她能真正聊得来，他跟她聊着，完全忘记了她的问题，有生以来第一次吐露了自己的心声。伴着海浪的击打声，他们沿着漆黑的海岸走去。他觉得很轻松自在。他一旦开了头，就很难停下来。她好像对他的生平经历非常感兴趣，虽然他的遭遇非常微不足道。

他先是跟她讲他的童年。他一讲到圣迭戈就开始滔滔不绝，但是他没有向她和盘托出。他省去了两件最重要的事：托尼的谋杀以及他妈妈来他房间的那个晚上……

他告诉她他到洛杉矶后发生的事。年轻的他一文不名，渴望出人头地。他白天在海滩，去上乔伊·拜伦的表演课。然后还讲到他在好莱坞的夜晚、他耍的小把戏、毒品、他的沮丧，还有从未兑现的诺言。他聊到了夏威夷，但是没有继续讲。由于某种原因，他不想提到安琪儿。她是他的秘密。"所以我就回来了。"他结尾说道，"然后我听到你的电影……然后……我们……现在就在这儿了。"

她喜欢他说这是她的电影，他是唯一这么说的人。她知道尼尔会吓唬他，乔治·兰开斯特会骑到他脖子上。但是她非常想让他抓住这唯一的机会，获得成功。

等他们返回车内时，太阳就快要升起了。一些孤零零的慢跑者开始出现在地平线上。

他们寂静地坐在车内观看了一会儿日出，然后她说："你的手臂怎么样？"

"嘿，你知道吗？我完全不记得这回事了。"他试着舒展手臂，"没事了，怎么了？"

"你知道我想干什么。"她急促地说道，"我想和你做爱，因为我喜欢你，我想你也喜欢我。这是我现在就想要的。不要太深的关系，只要……在一起。"她狂野的大眼睛充满期待地盯着他。

他没有真正想过要跟她发生关系。

自从他们离开她的房子后，这个想法就一直盘旋在他的脑海中。

奥利弗有位小心谨慎、收费昂贵的医生，一看这两个人如此痛苦，就马上把他叫来了。刹那间，他突然想起叫医务人员速度更快。但是要上头条的。在这点上他跟吉娜想到一块儿了。极少情况下，游戏规则是尽量避开媒体报道。

"我感觉糟透了，"她呻吟道，"我很不舒服，奥利弗，你快帮帮我啊。"

她丰乳肥臀，可不像是不舒服。性感的女人对他从来都是没有吸引力的。他喜欢低调，整洁，而且非常非常爱干净的女人。

他将视线从吉娜波涛汹涌的乳房上挪开，注意看尼尔。他看起来才真是不舒服，脸色发青，呼吸急促。

奥利弗并不熟悉急救措施，不知道该怎么办。他肯定是不想碰他们的，光是想想就觉得恶心。所以，他边等医生，边自然而然地干起活来了。他拿起身旁最近的一个烟灰缸，开始擦拭。

他们光着身子躺在海边的一家汽车旅馆内，感到十分放松。他们刚刚已经火急火燎地匆匆做完爱，现在该轮到梦塔娜讲了。她零星地跟他说起她的生活、观点以及意见，一次都没有提到尼尔。

然后他们又做了一次，这一次缓慢从容，就像是一对种子选手在较量。

她的四肢很长，性感，同时也具有攻击性，让巴蒂很兴奋，因为他以前并没有试过这样，他发现自己很喜欢。

她的身材非常棒，皮肤柔软光滑，有着深橄榄油的光泽和质地，肩膀宽阔，胸部高耸，腰身纤细，还有一双长腿。她是一个非常棒的情人。她技巧娴熟地找出让他兴奋的受压点，揉搓他的脖子、胸膛，然后再慢慢地慢慢地一路向下，直到她用手包住他的坚挺，俯下嘴唇。

这是一种极致的快感。两个参与者都很有技巧，很体贴，都非常享受这种游戏。

对梦塔娜而言，这是她所需要的释放。五年了，只有尼尔一个人，她都差不多忘了跟新的身体在一起是如此兴奋。

他们静静地上演着这一幕。

他们放纵地驶入高潮。

现在是将近凌晨 4 点，他们躺在各自的怀里睡着了。

过了一会儿，海滩上孩子的嬉戏声将他们吵醒。阳光照进屋内，有那么一瞬间，巴蒂记不清自己在哪里。然后他一下子全记起来了，下意识地摸索手表。

8 点 45 分，跟莎蒂·莎乐约的是 11 点，该起身了。她轻轻触碰梦塔娜的肩膀。她咕哝着说了些什么，然后像一只豹子一样伸展身体。

"快 9 点了。"他急忙说，"在跟莎蒂·莎乐见面之前，我得回去换衣服。你觉得我们来得及吗？"

"哇，你一大早还真懂得浪漫，嗯？"

他咧嘴笑了："喂，你要我怎么样啊？公事公办。我需要一个经纪人，不是吗？"

她用床单包裹住赤裸的身体，干净利落地说："这还要你说，见面是我安排的。你先去洗漱，我去订一些咖啡。别担心，我会在 10 点之前把你送回你家的。"

"没问题。"他冲进卫生间。

梦塔娜拿起床边的电话，说："两杯咖啡，再来两杯橙汁。"她觉得心情异常舒畅。性爱实在是绝妙的治疗。

她打开电视机，不停地换台，直到出现大卫·哈特曼令人欣慰的脸："早上好，美国。"她轻声说道。屏幕上尽是商业广告。她在想尼尔会怎么说，他肯定会说谎。自己还得跟他一起详细讨论这件事，真是郁闷。

"我是安吉拉·布莱克，现在为您播报最新消息。"屏幕上漂亮的新闻播音员说道。

估计她之前当过演员，梦塔娜得出结论，并没有认真听布莱克小姐继续播报新闻。都是一些坏消息，但是好像有什么不一样的地方。

"电影导演尼尔·格雷今天一早因大范围冠状动脉血栓症发作被匆匆送往医院。达斯黎巴嫩医院发言人说他已入住特护病房，情况稳定。在纽约，参议员——"

梦塔娜关上电视，脑子一片空白。她没有办法思考，尼尔……心脏病发作……大范围冠状动脉血栓症……特护病房……

她麻木地摇摇头，然后立即行动起来，开始穿衣服，急忙叫巴蒂出来。

"怎么了？"他从卫生间冲出来，身上还滴着水。

"出现了一件紧急状况。"她紧张地说，"我们得赶快走，现在就走。"

厄尼·汤普森打电话给莱昂的时候，米莉就在旁边，手里拿着一架傻瓜相机，身穿一条夏裙，一双白色的拖鞋与她的深古铜色皮肤相得益彰。他们正打算搭公车到圣迭戈旅行。他多想告诉她自己没法跟她一起去，但是她玩得很尽兴，他实在不忍心让她的美梦破裂。

"给我你的号码，我一会儿再给你打回去。"他极不情愿地对厄尼说。

"是谁啊，亲爱的？"他挂断电话后，米莉问道。

"没什么，工作上的事。"

她扬起一只眉毛，但是保持沉默。如果莱昂想告诉她，他会跟她说的。她不喜欢窥探打听。

他们花了一天的时间，上上下下公车欣赏圣迭戈的风光。至少米莉很喜欢，莱昂只是拖着沉重的步伐跟在她身后，想着厄尼有没有得到什么新消息，并盘算着要怎么给自己腾出一些时间。

他们在圣迭戈租了一辆车，然后开往洛杉矶，中途在卡特琳娜岛和长滩逗留了一会儿。在圣迭戈的最后一晚，他们在汽车上遇到的一对夫妇想让他们一起去拉由拉市共进晚餐，他拒绝了，而米莉坚持要去。在蒂华纳时，他的胃出了点毛病，他以此为借口，让她一个人去。

"把你一个人留在这儿？"她抗议说，"我决不。"

"如果你答应我 11 点之前回来，我想我没问题。"

她很受诱惑。拉由拉市，据她了解是一个古色古香的小海滩度假胜地，离这儿只有 20 分钟，有风景秀丽的户外餐厅和小商店，口味一绝的海鲜，这个地方决不容错过。

"好……"她迟疑地说，"如果你确定不介意我丢下你的话……"

米莉一走，他就马上打电话给厄尼，他们聊了 20 分钟。莱昂提问，重复厄尼的话并吸收他听到的一点一滴的消息。他在一张便笺纸上做笔记，并要求对方将打印好的报告送到洛杉矶的假日旅馆，他三天之后会到达那里。

迪克·安德鲁斯终于在匹兹堡和得克萨斯浮出水面了，这个混蛋大概就在那儿附近，他露出马脚了……

终有一天他会被抓获的。当他被捕时，莱昂一定要在场。

.43.

尼尔·格雷得心脏病的消息在贝弗利山庄传遍了。镇上的人都在议论冠心病，每个人似乎都有自己的一套方法来预防冠心病。

要保持健康。

要降低胆固醇。

要服维他命。

要戒烟。

要慢跑、跑步、跳绳、举重……反正要锻炼身体。

这种猛料是很难被隐藏住的，特别是在好莱坞这个对八卦趋之若鹜的地方。

"你有没有听说他当时是跟吉娜·杰曼在一起的？"

"你有没有听说他们连在一起就像一对正在交配的狗一样被送进医院？"

"你有没有听说他们在吸可卡因？"

"……吸大麻……"

"……嗑药……"

"……吸冰毒……"

"……做得很激烈……"

"他肯定是个男同性恋。"

"她是个女同性恋。"

"他们当时正在狂欢纵欲。"

天啊，八卦！天啊，好莱坞！

这样散布谣言，恶意诽谤别人，说一些赤裸裸的污言秽语多有趣啊。

梦塔娜穿着一身牛仔和 T 恤直接冲向医院，一头狂乱的长黑发在身后飘扬。摄影师排着队在那儿候着，还有媒体、电视台和广播台。

"病发当时你为什么不在场？"

"他当时跟谁在一起？"

"你是谁？"

"他为什么没有参加乔治·兰开斯特的派对？"

"你对这件事情有什么评论？"

"你能不能跟观众说几句话？"

她冲出他们的重围，奥利弗的一个随从用手臂护着她，把她护送到楼上交到大人物手上。

"你去哪儿了？"奥利弗劈头盖脸地问道。在走廊走来走去他停了下来，责备地盯着她看，"你想想媒体会怎么看？老公患心脏病，老婆却不知去向。"

她压制住自己的怒火，回问："他怎么样？"

"上帝，你问他怎么样？他现在在特护病房，就是这样。他已被送进医院，在跟死神奋战。"

她努力保持冷静："到底发生了什么事？"

他不知道是该告诉她实情还是向她撒谎。梦塔娜很精明，不是那么容易上当受骗的，而且自己之前也跟她提过尼尔跟吉娜在一起。

"嗯……"他抓住她的手臂，"我在这里有个私人房间可以用，我们去那儿谈。"

"我要见尼尔。"她倔强地说。

"我觉得他们不会让任何人进去的。"他轻声说。

"我不是任何人，奥利弗，"她冷淡地提醒他，"我是他的妻子。"

"你为什么不去跟他的医生谈谈呢？这不是我能决定的事。"

"我希望不是那样。如果是的话，我们麻烦就大了。"

一大早伊莱恩的电话就响了。她在睡梦中伸手找电话，准备听到一大串赞美她举办的派对有多盛大。她四处摸索着的手碰到玻璃杯，玻璃杯摔裂到地上，她吃惊地张开眼睛。她并不是像她所想的那样躺在自己舒适的床上，而是躺在客厅的沙发上，周围是举办派对之后的一片狼藉。

"罗斯！"她大叫道，然后呻吟了一声。

你把他赶出去了，你这个蠢货。

这还不用你提醒我，谢谢。

电话还在响，她站起来，小心翼翼地向电话走去。如果是罗斯打来，那她一定得措辞得当。这个混蛋不太好搞定，要说些甜言蜜语，连哄带骗才能让他回来。她接起电话，注意到现在才早上 7 点半，却一点都不感到惊讶。

"你好。"她温柔地说，以防是罗斯打来的。

"伊莱恩！"玛瑞丽呜咽道，"大事不好了。"

对啊，我是大事不好了，你怎么知道的？

"什么？"她急促地说。玛瑞丽早上这个时候吵醒她，看来情况真的不妙。

"是……尼尔。"

"尼尔怎么了？"

"他心脏病发作了，被匆忙送到医院。我要去看他，你能不能跟我一起去？"

伊莱恩十分震惊，沉默了片刻。不管是谁生病，她都会非常震惊。不知怎的，她希望大家都健康长寿。

"天……对不起……这太可怕了……"

"你能不能跟我一块儿去啊?"玛瑞丽哽咽地恳求道。

"现在我不行,我这里……出了点……问题。"

玛瑞丽听起来有些失望:"这样啊。"

"但是我跟你说,"伊莱恩恢复了精神,"我们一会儿见。"

"真是太谢谢你了,我不想在这个时候孤零零的。"

你从来都不是孤零零的,你还有你的亿万家财呢。兰迪跑哪儿去了?你对前夫重燃爱火,他会怎么想?

"当然,我理解。在哪家医院?"

"在达斯。"

"我会去的。"

她把电话放回原处,在镜子中看着自己,惊恐地喘着气。脸上隔夜的妆容花成一团,看上去就像个女巫婆。她怎么可以带着妆入睡呢?天啊!她一定是太沮丧了。

"派对上还有谁,亲爱的?"克克问道,"是不是特别棒?你玩得是不是很尽兴?你今天看起来如沐春风啊!"

安琪儿苍白地笑了笑。

"里德曼夫人是不是戴了很多钻石?"克克兴奋地继续问道,"她有没有把帕梅拉·伦敦比下去?乔治·兰开斯特是不是很帅?理查德·基尔呢?是不是看起来很棒?都有谁在?亲爱的,你都告诉我吧。"

她想要说巴蒂在那儿。我知道我应该忘了他,但是我这么爱他,这让我伤透了心。他甚至都不在乎我了,他没有回来找我,他的立场已经很明显了。

"非常棒,克克。"她打起精神说。因为她知道如果她不跟他做一个精彩汇报,他会有多失望,"真的非常精彩……"

在医院将梦塔娜放下车之后,巴蒂奔回兰迪家。梦塔娜把车借给了他,至少他出入方便多了。

他很担心那部电影。尼尔·格雷住院了,这意味着电影不得不延期拍摄。他的运气还真是背!

他闯进小公寓,惊讶地发现兰迪竟然在家,四仰八叉地躺在床上睡大觉。他现在要做的头等大事就是换好衣服，然后快速离开，可不能让莎蒂·莎乐等自己。问题是要穿什么去呢？自己最好的夹克衫、裤子和衬衫都毁了。他打开塞得满满的衣橱，可房间太暗，什么都看不见，于是他拉起窗帘。

兰迪烦躁地怒吼："把该死的窗帘放下来，在我眼前消失！我正在睡觉呢。"

这算是亲切的问候了。他快速翻了一遍堆在衣橱一端皱巴巴的衣服，抓起另一件阿玛尼夹克衫。衣服皱巴巴的，需要跑一趟干洗店。但也只能这样了。他挑选的裤子跟衬衫也好不到哪里去。他轻声咒骂，开始换衣服。

兰迪坐起身，怒视着他："给你自己他妈的找个地方，巴蒂！我这儿不是慈善机构。哥们儿，我受够你了！"

"是不是跟玛瑞丽出了什么问题，哼？"巴蒂同情地问。

兰迪很不高兴："滚开，别再回来！把钥匙留下。记得把你欠我的那些该死的钱还给我！"

巴蒂整理好自己的东西，把它们放到箱子里。他没有责怪兰迪，毕竟久住无益。

梦塔娜倒是没有想到自己会跟尼尔的前妻正面交锋。她保持冷静，简短地跟她握了握手，觉得非常羞辱，竟然得问她："你有没有见到他？"

守在看护病房外的玛瑞丽摇了摇一头金色鬈发："谢绝访客。"

我是他妻子，梦塔娜想到。不管他们喜欢不喜欢，我都要去见他。

医生出来了。他大概四十来岁，长相英俊，十分注重穿着打扮。梦塔娜一见到他就觉得他不可靠，他脚上的古奇牌鞋子和笔挺的大衣下的粗金项链让她觉得很不自在。

"格雷太太？"他平心静气地问着，直直地走向玛瑞丽。

"是。"玛瑞丽喘着气说。她是那种一紧张就会像小女孩一样说话喘气的女人。

"我才是格雷太太。"梦塔娜站在他们俩中间，强有力地说道。

医生疑惑不解地看了她一眼。他注意到她拔过眉毛，眼睛下方上了一点粉底来遮盖黑眼圈。

当他想起来这是在好莱坞时，脸上的疑惑被笑容所取代："哈……"他会意地叹了一声，"你们两个都是格雷太太？"

"说对了，医生。"梦塔娜急促地说，"我们可不可以找个地方私下谈谈？"

"你是现任的格雷太太？"

她没有给出那个充满讽刺意味的答复。

他领着她到一间私人办公室。玛瑞丽想跟着他们，但是她用眼神制止了她。

"格雷太太，"医生手指并拢盯着她说，"你丈夫现在病得很重。"

"我想我已经意识到了，医生。我想要知道到底发生了什么？"

他从桌上拿起几张纸，专心研究起来："你有没有跟伊斯特恩先生聊过？"

"嗯……是聊过，但是他什么都没跟我说。是奥利弗·伊斯特恩把人送进医院的吗？"

医生迟疑了片刻："是伊斯特恩先生打电话给我的，幸好他当时跟你丈夫在一块儿。"

但是奥利弗在派对上，为什么他要离开派对去拜访尼尔呢？她皱起了眉头。尼尔的玛莎拉蒂停在吉娜的屋外……她在大门口等巴蒂的时候有一辆车飞速赶到……仔细一想很有可能是奥利弗。

尼尔一定是跟吉娜在一起时心脏病发作，于是她把奥利弗叫来，奥利弗找来这个医生，让他不要把整件事泄露出去。

"是什么导致他心脏病发作的？"她冷淡地问道。

他耸了耸肩："这谁知道呢？格雷太太。有可能是工作过度，食物太过油腻，压力太大……"

"还有纵欲过度？"

他并非演员，英俊的脸上满是羞愧："也许是这样，任何东西都能引起……"

"跟吉娜·杰曼？"她打断他。

现在轮到医生皱眉了。这该死的奥利弗·伊斯特恩想出的什么鬼遮掩计划啊。他老婆知道，可能全医院的人都知道了。急症室并不是每天都有连在一起、不得不动手术分开的两人被送进来，特别是他们中的一位还是个电影明星。

他叹了一声："显然你已经知道了，格雷太太。我感到很不幸，但是我们都是普通人，都有七情六欲。而且我相信你最大的愿望也是让格雷先生站起来，离开这里。"他的口吻从一个善解人意的朋友变成了公事公办的医生，"他心脏病发作了两次。第一次是在送进医院前；第二次是在他跟杰曼小姐……分开之后……"

她不太确定自己有没有听清楚。

"什么？"她问道，觉得浑身一阵冷颤。

医生认真地解释整个经过："是阴道痉挛。阴道过度紧缩让格雷先生……嗯……"

她听不下去了，觉得很晕。尼尔患心脏病已经够糟的了……但是情况还……

她茫然地听着医生絮絮叨叨地说下去。

"无法动弹，虚弱……意识模糊……脉搏和血压为零……补救措施让情况有所好转……在看护病房……现在情况稳定……该做的都已经做了。"

她觉得身体一阵虚弱，感到很湿冷。突然间，她毫无预兆地晕倒在地上。

远处客房服务传来的沙沙声吵醒了罗斯·康迪，他房间外的走廊上响起一阵窸窣声，有盘子的碰撞声还有人在轻声说着意大利语。他舒展了一下身子，清了清嗓子，觉得一个人睡觉真是舒服。然后他想起了乔治·兰开斯特宣布的消息，生气地沉下了脸。真是糟蹋电影，乔治·兰开斯特法文大字不识一个，怎么能演好呢？这是众所周知的。

他的脸色更阴沉了，他抓起电话，订了一份丰盛的早餐。

伊莱恩想让他离开家，对吧？好，如果那是她所希望的，我可以让她如愿以偿。

伊莱恩这个唠叨鬼，这个烦人精，这个扒手。

他很烦自己被她叫去做这做那的，又是节食，又是去健身房。你长胖了，你变老了，你掉头发了。

他才没有脱发，真有的话，也是她掉的。她梳子上有大把大把的头发，他见过。他得意地提醒自己要记得告诉她。

什么时候？你不会再见到她了，笨蛋。

他起床，将混乱的威登牌行李箱里的东西掏出来。至少她还让他带上体面的行李走出家门。他其实一点都不在乎。他对名牌不感兴趣，从来都不。她才是靠牌子过日子的人。

他大声地打哈欠。"不要那样。"伊莱恩会这么说。他给她回了一个喇叭一样响的屁。"天啊，罗斯，你太恶心了。"她会这样抱怨，就好像她没放过屁一样。不过认真想想她似乎真的从来没有。现在如果有人能响出名牌屁该多好啊！

他大笑起来。他会活得好好的。离开家就意味着再也不用看到一大早送来的账单……

客房服务送来了满满一车好吃的。有鲜榨橙汁、热咖啡、咸牛肉马铃薯泥夹着两个单煎一面的蛋、荞麦土司，另外，还有一份马铃薯饼，他开始狼吞虎咽地向它们发起进攻。

应该打电话给凯伦。

他又不想打给她。不喜欢她在派对上俗气的行为，她配不上自己。而且既然他获得了自由，就不妨好好享受一番，游戏人间。现在他如脱缰的野马，他想到他想见的几个女人。吉娜·杰曼便是其中之一，她的大胸脯能让一军队的溺水士兵支撑住一周。

他对自己笑了笑，试图忘记失去电影角色和被扫地出门这些扫兴事。至少今天晚些时候他要跟莎蒂见面。如果说还有谁能拯救他低迷的事业，那非她莫属。

似乎尼尔做了不可理喻的事情。梦塔娜从未想到他铤而走险，被一个大胸电影明星迷住了。结果表明他跟其他男人没什么两样。他的背叛刺痛了她的心，因为她对他寄予了厚望。他这么软弱，软弱到差点儿让自己送了命，这让她很伤心。

她不恨他，但也不爱他。她对他的所作所为感到麻木，她知道他们过去的一切将一去不复返了。

她制订了计划。他在医院时，她会陪在他身旁。但是等他出来……那么……在她看来，他们之间是回不去了。

11 点整。对明星来说准时很重要。尽管他衣服皱巴巴的，巴蒂还是信心满满。

"我找莎乐女士。"他对正忙着锉指甲的接待人员说。

"谁？"她不连贯地问。

"莎乐女士。"

这激怒了她。她是个话不多的女孩。"你是谁？"她厉声问道。

"嗯……巴蒂·哈德森。"

她查阅了预约本，指着椅子说："坐这里等。"然后通过对讲机报上了他的名字。

5 分钟过去了，11 点 10 分。他看了一会儿《时代》杂志、《戏剧》以及娱乐报。

10 分钟过去了，11 点 20 分。他想起了安琪儿，回味他跟梦塔娜共度的夜晚。她是一个极好的女人，他希望他们还可以做朋友。昨天的性爱很棒，但这仅仅是他们在特殊时刻互相需要而已，并不会持久。

对讲机响了。

"去吧。"女孩伸出一只八英寸长的光滑指甲指着两边办公室林立的走廊说道。

他深吸了一口气。他很快就要飞黄腾达了，这真的让他很紧张。帅哥巴蒂即使与演员中的佼佼者交锋都能稳住自己，但是突然间这一切都来得太快了……

一位穿着红色超短裙的秘书朝她走来："欢迎你，巴蒂。"她微笑道，"请这边走。"

她带着他走到了走廊的尽头，推开一间外屋办公室的门，有个男人坐在里面打字。他抬起头，打量着巴蒂，快速地估摸巴蒂的身价。

"你好，"他说道，"莎蒂马上就到，请坐。"

"这位是弗尔迪·卡特莱特。"秘书小姐解释道，"他是莎乐女士的私人助理。"她微微一笑，走开了。

巴蒂坐下来，腋下积满了汗水。他希望不要渗透到他的外套上。

弗尔迪猛敲了一会儿，打完了字，把纸张从机器里拉出来："完成了！"他叫道，"这是莎蒂给芭芭拉的一封私人信件。"

巴蒂直视前方，默默演练他的开场白。

"莎乐小姐，"不对，"莎乐女士，从我踏入好莱坞的那一天起，我一直梦想着这一天。"

陈词滥调！

"莎蒂，你跟我……我们注定要合作。"

更糟糕。

"莎蒂·莎乐，"不胜崇敬地说，"镇上的传奇人物。"

真是该死！

"莎乐女士现在要见你。"弗尔迪的话打断了在他脑中嗡嗡作响的这三种声音。

巴蒂一跃而起。四周都是冷清的棕色。他跟在弗尔迪身后，弗尔迪带着他走进那间传说中的里屋办公室大门。

"莎乐女士，请允许我为您介绍，这位是巴蒂·哈德森。"弗尔迪很正式地说。

她坐在一张堆满了剧本的古色古香的大办公桌后，她是一个中年女人，留着一头黑短发，脸上除了一双乌黑发亮的大眼睛外，并无惊艳之处。说不上好看……但也不能说不好看……她带有一种熟悉的感觉，但他却说不上来。

她正在抽一根薄棕色的小雪茄，她用它向巴蒂打招呼，示意他坐下。

莎蒂立马就领会到了梦塔娜的意思。这个男孩不是走进她的办公室的，而是晃着胯气定神闲闯进来的，非常特别，很引人注目。他的身材很好——透过他穿的衣服都能一览无余。虽然他皮肤黝黑，但却让她想起自己第一次见到罗斯时的情景，一样从容不迫地迈着步子，一样用力地晃着胯。这种赤裸裸的性感会让你无法呼吸。她过去用它将罗斯推上了星途，重来一遍将多有挑战性……哦，她捧红了无数明星，但是还从来没有用过捧红罗斯同样的方式……

巴蒂在遍布全国各地的广告牌上看起来会怎么样呢？过了这么多年之后自己又将策划一次一模一样的宣传活动。巴蒂穿着一件褪色的牛仔短上衣，旁边写着"谁是巴蒂·哈德森？"

这个想法让她异常兴奋。

他紧张地坐在一张椅子边沿上，一句开场白都想不起来。她上下审视着他，就好像他是一块上好的牛肉一样，这让他非常不自在。

终于她开口说："我很高兴你能来，巴蒂。梦塔娜对你赞赏有加，我今天早上也看过你的试镜，我同意她的话。"

"真的吗？"他感到脑袋一阵嗡嗡作响。他实在是太走运了，一切都进展得如此顺利。"我太高兴了。"他咕哝道。

"等我包装完你，你会更高兴。你想成为明星，对吧？我想我就是那个能帮你实现愿望的人。"

他不敢相信自己听到的话，可是他这辈子都期待能听到这样的话。

两人黑色的眼睛四目相接。

"我准备好了。"他说。

"我知道。"她回答。

.44.

迪克知道他体内蕴含着充沛的能量，这种感觉由来已久。现在他把头剃光后，这种能量被释放了出来，他觉得他能够做任何自己想做的事，因为这力量的预兆会保护他。他是无往不胜的。他一个人在人渣泛滥的世界游走。如果他想的话，他单枪匹马就能给人们自由。

割断喉咙，看着血流下来，这是一种救赎。天行者不用再小心谨慎了，他是不可撼动的。

种种迹象表明这是对的。

他让这个接待员摆脱了痛苦，割断了她的喉咙，知道她血流一片，生命终止。然后他到附近的卫生间清洗自己，除掉他衬衫上的斑斑血迹，在冰冷的水龙头下拧走黏糊糊的血液，又把湿漉漉的衬衫穿到身上，搜寻文件柜。

他做这一切的时候并没有慌张失措，他非常冷静安心。

他找到他要找的，把其他文件从金属柜上摔到地上。然后他点着它们，在一旁看着烈焰燃烧。

他不慌不忙地朝他停在相距一街区外的货车走去。乔伊会为他感到自豪的。

现在他坐在沉闷的汽车旅馆房间里的硬邦邦的床上浏览文件，找寻他所需要的消息。

他母亲说："很高兴见到你。"她噘起薄嘴唇，一副不中意的样子。

乔伊笨拙地给了她一个拥抱，把她吓了一跳，然后在她脸上来了个惬意的吻。"妈妈！"她脱口叫道，"我以后就这么叫您了，迪克一跟我讲您，我就决定了。"

温妮弗德雷·安德鲁斯用力把这个女孩推开，努力恢复镇静。她讨厌别人碰她。"别这样叫我。"她说，瘦骨嶙峋的脸上冷若冰霜，"你这样不好。"

"是！"乔伊俏皮地眨眨眼附和道。

迪克站在收拾得干净整洁的房间门边，里面的每件家具和装饰物都一尘不染，摆放得当。他不想进去，他知道情况不妙，他将失去他唯一在乎的人。

"哇！"乔伊尖叫道，"这地方多整洁啊，实在是太……温馨了。我太喜欢了！"

温妮弗德雷·安德鲁斯左眼下方抽搐了一下。她是个严肃的女人，一头白发，表情很虔诚。她的丈夫威利斯看起来沉闷，饱受压迫，即使跟他身处同一个房间，也很难发现他的存在。

乔伊就是这样。她把所有的精力都集中在安德鲁斯太太身上，希望她能喜欢自己。"安德鲁斯现在在哪儿？"她羞答答地问道，"他是不是跟我的迪克一样帅啊？"

温妮弗德雷转过身来瞪着还在走廊里徘徊的迪克："过来把你……朋友介绍给你……父亲。"

他不情愿地走进房间，笨拙地给他们做介绍。

"哇……安德鲁斯先生，我没看到您坐这儿。"乔伊流露出一股活泼劲儿，"哇！您也是个帅哥！我能不能亲亲您？"

她不等他做出回答就在这个脸色苍白、身材矮小的男人双颊上各亲了一下。

威利斯紧张地看了一眼他的妻子。

"坐。"温妮弗德雷冷冰冰地说，"你叫约瑟芬，对吗？"

"对的。"乔伊回答，"但是我的朋友都叫我乔伊，这是我的绰号，您知道吗？"她坐到一张棕色的窄沙发上，并招呼迪克坐在她旁边。

他不情愿地坐了下来。

然后一片沉寂。

温妮弗德雷打破了沉寂："你们迟到了，迪克，为什么？"

328

"我跟他说过我们要迟到了。"乔伊责骂道,"我一直跟这个傻瓜说,但是他就是不听。"

迪克现在可是在一旁听着。她怎么敢在他母亲面前辱骂他呢?她怎么敢这样?

温妮弗德雷说:"跟迪克讲什么都没用。他从不听话,总按自己的方法做事,老是犯错,从不用大脑思考,也不考虑别人的感受。"

乔伊心领神会地点点头。

温妮弗德雷长长地叹息了一声:"对他,我们能做的都已经做了,无可厚非地牺牲我们自己。他有没有跟你说我生他的时候差点儿死掉?"

乔伊摇晃着她的刺猬头。

"他当然没告诉你。"温妮弗德雷接着说,"他怎么会记在心上呢?是我差点儿死掉,又不是他。"

"哎呀,这真是太糟糕了。"乔伊打断她的话,很高兴安德鲁斯夫人能跟自己吐露心声。

"你可能会以为在我经过那次大劫后,我应该会有一个体贴的儿子,一个关心他母亲的儿子。但是没有。迪克带给我的只有疼痛和担心。他……"

迪克听到从她母亲绷得紧紧的薄嘴唇里冒出一大段尖酸刻薄的话。他之前已经听过太多遍了……从小到大都是这样……

没用……一无是处……懦弱……不体贴……

乔伊不放过任何一句话,漂亮的嘴唇微张,迷离的眼睛扫向四处。她在点头表示同意,她竟然站在他母亲那一边。

他觉得自己被出卖了。他父母让他觉得自己一无是处。只有跟乔伊在一起时,他才觉得很了不起。他是她的亲爱的,她的爱人……这个妓女是不是在骗他?

一股愤怒慢慢在他心中升腾。他不会让她的母亲毁了他跟乔伊之间的感情。

他突然站起来:"我们打算结婚。"他说。

威利斯·安德鲁斯急忙走过去打开电视,好像觉得这能转移他们的注意力,接下来就不会有争吵。

温妮弗德雷看着迪克,就好像盯着一个堕落不堪的孩子一样。

乔伊就像小孩有了新玩具一样拍手,然后她说错话了:"您要知道,安德鲁斯太太,如果我们结婚了,我会让迪克改邪归正的,您跟我一起看住他。"她傻笑道,"我们会让他理掉他恶心的头发,给他买一些体面的衣服。"她的眼睛熠熠发光,"安德鲁斯太太,我跟您保证我会当好您的儿媳,您会喜欢我的。"她觉得浑身充满希望，"您一定会的。"

温妮弗德雷·安德鲁斯先是看了看乔伊，然后又看了看迪克。

"这是你想要的吗，儿子？"她难以置信地问道，"就……这个……妓女？"

乔伊的脸立马阴沉了下来。

威利斯·安德鲁斯盯着电视看。

"是的。"迪克说。

她噘起她的薄嘴唇："我是不是听到你说：'是'？"

"她爱我，我也想要她。"

"爱你？怎么会有人爱你？"

他开始头痛："她是喜欢我。"

"你有没有认真看过她？她是个妓女。"

"喂——"乔伊开口了。但是他们两个都不理会她。

"她对我很好……很好……"

"她是个低廉的街头妓女，但是对你来说，她还是太好了。任何女人都比你好得多，你知道的，不是吗？"

乔伊缩回棕色的旧沙发中。她一定是表现得太过火了，在事情回归正轨之前，最好先闭嘴。

温妮弗德雷继续诋损她的儿子，当她使劲儿羞辱他的时候，她的嗓音僵硬冷漠。

他一直都忍着，从来不曾为自己辩护过，也不曾顶过嘴，即使是当他们让他把车卖掉时也是如此，那可是他的骄傲和快乐之所在。但是现在乔伊坐在那儿，听着……

"我恨你！"他突然尖叫道，"你生我的时候怎么不死啊？我真希望你死了。你毁了我的人生！"

温妮弗德雷非常诧异，但是她只沉默了一会儿。

"你这只不知感恩图报的寄生虫，"她大怒，"下流坯子！竟然讲出这样下流的话。我们算是白养你了。即便你不是我们的亲骨肉，我们还是供你住、吃和穿。你亲生母亲抛弃了你——"

"温妮弗德雷！"威利斯抗议道。

"安静！"她勃然大怒，"该让他知道事情的真相了。"

迪克使劲地摇头，"她在说什么呀……"他不明白……

"你是我们买来的。"她说道，呆滞的双眼忽然炯炯有神，"就像买一条狗一样，我们挑了你这个废物。哈！还真是会挑啊！"

"你在胡说什么？"他痛声哀号。

"150美元，在那时候可是一大笔钱。"她神采飞扬，就好像是经历了一项成功的壮举，"你还有什么要说的？"

他浑身战栗："你撒谎。"

"我没有。"

他大叫："你骗我！"

"我没有！"她固执地重复着，然后穿过房间走向一张她老是上锁的桌子，打开了。房间里只有电视开着的声音。威利斯·安德鲁斯用手捂着头，嘴里念个不停。

乔伊坐在那儿呆若木鸡。这一趟来得实在是太糟了。本还以为会有和和美美的一家子张开双臂热情欢迎她。

温妮弗德雷拿出一张纸，塞到他手上。

"这里。"她说，"这是在加利福尼亚州巴斯顿把你卖给我们的那个女人的姓名和地址。一个婴儿贩子，谁知道她是从哪儿弄到你们这些人的……"

他觉得自己就要死了。他的生活就像一部电影一样在他面前一闪而过：那些打骂、羞辱、不断被告知自己一无是处的那种折磨……

还有罪恶感……

我生你的时候差点儿就没命了。你出生的时候差点儿就要了我的命。

他一直背负着这种罪恶感。

为了子虚乌有的事情？

她不是他的亲生母亲。哦，天啊，她不是……

他的头一阵刺痛，眼前一片模糊，心中的沮丧和愤怒让他窒息。

温妮弗德雷·安德鲁斯，这个陌生人开始无情地大笑。

这还没那么糟糕……没那么糟糕……

乔伊也笑了起来，这是她紧张的反应。

不，这太糟糕了。没错，我得有所行动。

威利斯也在大笑，或者在哭？这些都无关紧要了。

三头猪，三张笑脸。三个人的牙齿、眼睛和头发。这三头猪。

他要找的资料夹在泛黄的投诉信文件中，腐烂了，很潮湿，被老鼠啃过。妮塔·卡罗尔夫人1956年到1973年住在那栋房子里，后来从那儿搬到了拉斯维加斯。

她的新地址写在一张破烂的白卡片上，是工整的打印体。

妮塔·卡罗尔夫人。

他希望她还活着。在他探听到他赖以生存的消息之后，他就想要杀了她，体验那种大快人心的感觉。

.45.

周五午餐时间，吉娜·杰曼走进芭堤雅。酒店里的每个人都转过来盯着她看。一片死寂。但片刻之后，又恢复了正常营业。

吉娜加入了奥利弗·伊斯特恩，坐在他惯常坐的桌边，破口咒骂："这些该死的家伙究竟在看什么？"

"当然是看你。"奥利弗轻擦着桌布上的一块印记，回答道，"你现在应该习以为常了，你演电影都演多少年了？"

"至少久到我还知道在这间酒店，周五午餐时间，没有人会盯着别人看。就算是拉奎尔·韦尔奇赤身裸体地走进来，也没人会眨一下眼皮。"她惊恐地睁大双目，"大家都知道了，奥利弗，是不是？消息泄露出来了。"

他轻拍她的手安慰她，不明白她怎么会觉得她跟尼尔如殊死搏斗般卡在彼此身体里一并被匆忙送进医院这种事能瞒天过海。现在可是满城风雨，这可是猛料。如果她够聪明的话，她只能厚着脸皮，享受这般声名狼藉。

已经过去一周了。尼尔·格雷还是虚弱地躺在医院里，愈后情况并不乐观。奥利弗并没有闲着，他可不打算仅因尼尔没法工作就让电影前功尽弃。为了省去麻烦，他把在海滩上碰见的那个女孩抛诸脑后，重新考虑起用吉娜。经过几次会议慎重讨论之后，他觉得让乔治·兰开斯特和吉娜·杰曼主演这部电影是可行的。只要他们俩一起出演，财源定会滚滚而来。如果他能如期完成，这部电影可以打破票房纪录。这正是他想做的。

如果尼尔和梦塔娜不同意——去他娘的！他们没资格反对。

吉娜叫了一名服务员过来，点了一份血腥玛丽。她穿着一件白色无肩带裙，更加凸显出她的丰乳。奥利弗一点儿都不觉得她的胸部大，他觉得它们很恶心。但是作为制片人，他知道必须要投观众所好。选吉娜有一个优势：她很受无知大众的喜爱，非常非常卖座。

"为什么叫我来吃午餐，奥利弗？"她尖锐地问。

"我在重新考虑让你来演妮吉。"

"天！"她轻喘了一声，"你说真的？"

"我一直都想让你来演，但是尼尔和梦塔娜觉得你不合适。说句实话，我觉得你可以。"

她轻声说："我就一直说你这个狗娘养的很聪明。不论什么时候只要有人损你，我都挺你到底。"她眨着长长的假睫毛，紧握着他的手，"我很喜欢你，奥利弗。"

他迅速移开她的手："谢谢。"

"我说真的。"

"我知道你是。"

她抖开棉花糖似的白发，垂下她矢车菊般深蓝色的眼睛："那天晚上我真是太尴尬了，这整件事实在是太……丢脸了。"

"别担心。"他安慰道，"多想想你的未来吧！"

"没错，我是得这样。"她看起来已下定决心，"我就是太爱替别人着想了，这一次我必须为我自己考虑考虑。"她的声音里增添了一份深沉的真诚，"我非常想演《街头路人》，它什么时候开拍啊？尼尔还在医院里，还有……"她的声音逐渐变弱，"你是怎么打算的？"

他清了清嗓子，跟一些人挥手示意："这样，吉娜。"他开始说，"生意归生意。尽管尼尔……不幸因病住院……我感到很遗憾……但就像谁曾说过的那样……戏还得照演。我已经……想好了，可能会换一个导演。别担心，试想一下到时电影上面的字幕。"

"主演：吉娜·杰曼、乔治·兰开斯特。"她大笑。

他暗暗在心里说。

《街头路人》

奥利弗·伊斯特恩电影公司出品

制片人：奥利弗·伊斯特恩

主演：乔治·兰开斯特　吉娜·杰曼

"对。"他说，"我吃完午餐之后会给莎蒂·莎乐打电话。"

"你稍后有什么事吗？去我家喝一杯怎么样？"

他打了个寒战。想到和吉娜上床都让他感到胆战心惊："这份邀请留到下次吧。"他圆滑地说。

"那可就这么说定喽。"她向他调情着说道。

"那是一定的。"

伊莱恩想尽法子让罗斯回家，两人重修旧好，却不见什么成效。她先是花了两天寻找他。当她打听到他住在贝弗利山庄酒店时，他却不回她的电话。

她不敢相信自己会蠢到把他扫地出门。现在最重要的是如何在不当众出丑的情况下把他弄回来。在贝弗利山庄就是有这种麻烦，任何事情都众目昭彰。

屋子看起来就像一间花店：黄色的玫瑰花是帕梅拉跟乔治送的，现在已经有点枯萎了；兰花是碧碧跟亚当送的；此外还有郁金香、百合花、棕榈花和丝兰花……各种奇花被源源不断地送上门，上面的便笺纸写着"感谢康迪夫妇举办的盛大派对"。花店今天肯定乐坏了。通常情况下，伊莱恩会欣喜万分。但是罗斯不在，她觉得迷茫空虚，找不到人倾诉，除了玛瑞丽，可她荒谬地守在医院里，目前这才是她更上心的事。

"你跟尼尔离婚了。"伊莱恩坚定地指出。

"现在这无关紧要了。"玛瑞丽泪眼汪汪地回答，"我还爱着他，我想让他知道这一点。"

兰迪半路被判出局了，玛瑞丽拒绝谈到他。伊莱恩偶尔会到医院陪她。但是她觉得很不自在，尤其是当梦塔娜也来时，她大摇大摆地走来走去，就好像她才是这个地方的主人。

账单堆积如山。她把它们堆在前门，准备寄给罗斯的经纪人。现金越来越少了，她不知道该怎么办。她倒也不是需要特别多的现金，她都是用 Visa 卡或是美国通运卡购买东西。但是莉娜要现金，跟一个女仆坦白说自己没钱太过尴尬。

哦，罗斯。你为什么要这样对我？

他没有。这是你咎由自取。

罗斯离开一周后，罗恩·哥迪诺拎着一盆吊兰出现在她家前门。

"觉得你应该有地方放这个。"他慢吞吞地说。

她的眼睛被他跑步裤的胯部吸引住，他的男性部位在那里撑起一大块。

"谢谢。"她轻声说。他白天看上去比晚上顺眼。

他在她家门阶上徘徊，不肯离去，直到她最终邀请他进来喝一杯冰茶。虽然是大中午，他们坐在水池旁，莉娜还是怀疑地盯着他们看。

"你为什么……不去……健身房跟我见面了？"罗恩问，"伊莱恩，你要保持身材。如果身材……走样了，那其他的一切也会跟着打水漂了。你有没有服维他命？"

她点点头，颇被他的关心所打动，至少他在乎她。

"有谣言说你……跟……罗斯已经分居了。"

"谁跟你说的？"

"只是谣言而已。"

"我们只是给对方一个喘息的机会。"

"你看起来很紧张。"

"我很好。"

"你看起来需要……做一下……按摩。"

"今天不行，罗恩。"

"为什么不行呢？"

"我没心情。"

他倾过身，慢慢地将拇指探入她的脖根："神经紧绷的女士。"他慢吞吞地说，"你这样脸会长皱纹的。"

她疲倦地叹了一声："我已经长皱纹了。"

"躺下来。"

"不行。"

"为什么？"

她想到莉娜也在房子里："这是不可能的。"

"不是做爱，伊莱恩。"罗恩慢吞吞地说道，"我只是想要……帮助你……你需要按摩。"

她难道要为一个墨西哥女仆活着？她的确需要放松。

她把他带到卧室，锁上门。然后她脱得只剩胸罩跟内裤，脸朝下趴在床上。

他立马就动手了：将她的身体拉直，抚平她的肌肤，娴熟地放松她的身体。

"转过身来。"他指示道。

"我不要做爱。"她无力地抗议。

"我没……这种……想法，伊莱恩。"

他开始按摩她的脚，她特别喜欢这种快感。然后他慢慢地往上——脚踝、小腿和大腿，一路按摩她的大腿内侧，坚定有力的手指搓揉、按摩着她……然后卸去她内裤的底部，霸道地进入她，她毫无招架之力。

哦。罗斯。现在回家吧，我什么都不跟你计较。

哦哦哦……

罗斯整整这一周都没有四处鬼混。尼尔·格雷跟吉娜·杰曼出的事把他吓得半死，他想不到还有比这更糟糕的。任何有正常理智的男人可不再敢靠近这个温柔陷阱了。幸好自己从未遇见过她。

现在泡女人不是他所关心的，搞定莎蒂对他来说更重要。

他在她的办公室跟她见面。她摆着一副冷漠无情、公事公办的样子。她让她的同性恋助理一直待在办公室，用尖酸刻薄的语气评判他的事业。

"你犯了很多错。"她冷淡地说。

你都告诉我啊！

他们的会议持续了一小时。然后她轻松地打发了他："我要去想想我们能为你做些什么。如果我们觉得没有办法为你提供最好的，那么就算做你的代理，也是毫无意义的。"

他觉得自己就像一个奋力挣扎的小明星。小明星至少还不用这么拼命挣扎，他们只要躺着，张开双腿，然后红遍美国。

酒店的生活还不错，有电视、客房服务和监控呼叫，没人来烦你。偶尔绕着水池散散步，随意在咖啡店吃顿午餐，晚餐前在马可·波罗酒廊来点小酒。

他不理会伊莱恩的电话，决定要稍微惩罚一下她。伊莱恩不是傻瓜，她知道实际情况。她是因为嫁给他才算是个人物，不管他犯了多大过错。没有他的话，她不名一文。不管她喜不喜欢，这就是贝弗利山庄的游戏规则。如果她有钱有势则另当别论，然而她没有。她只有他，她不会蠢到连这一点都没意识到。

莎蒂迟迟没有打电话过来，他给她拨了一个过去，得到的回复却是"莎乐女士会尽快跟您再联系"。

莎乐女士却还是慢吞吞的。事实上，四天之后，他又打了一个电话，莎乐女士终于肯来接电话了。

"对不起，罗斯。"她还是一副公事公办的口吻，就好像那天晚上派对的事情从没发生一样，"我这周实在是太忙了。"

"我离开了伊莱恩。"他向她宣布这个消息。

她并没有大吃一惊："我希望你有一个好律师。赡养费多得简直可以要你的命。"

他对她的漠不关心感到很恼火："我以为你会给我打电话的。"

"我刚刚已经跟你说过，我这周忙晕了。"

"是，我知道。但是你也得让我知道我们还能不能一起合作啊？"

她故意停了很久，然后她说："这周末我要去棕榈泉。也许你可以到那儿跟我见面，我们到时候再谈。"

他不知所措。但凡游戏他一眼就能识破——他这辈子玩腻了。"要不今天晚上一起吃晚餐？"他反驳。

"我是想去，但是我要参加一部电影的放映。"

"那明天晚上呢？"

"恐怕只有这周周末了，其他时间都没空。"她停了一会儿，品味着这一刻，"怎么了？你不想跟我一起共度周末吗？"

他是想引诱莎蒂，但得由他来掌控全局，现在倒变成她来发号施令了。

"我再乐意不过了。"他说，努力扭转局面，"这样，我到时开车来接你，开车送你去。"

"那太好了。"她向往地叹息了一声，"但是我已经有其他安排了，我会给你地址，你星期六5点左右到那里就行了。"

他同意了她的条件。一旦他把她搞上床，情况就会不一样了。

罪恶感折磨着梦塔娜。但是她知道自己没什么好感到愧疚的。她盯着还躺在看护病房床上的尼尔，很想大声尖叫："你这是咎由自取！"她当然没这么做。

她这一周都过得晕乎乎的，搬到他隔壁的房间尽量离他近点。他一动不动地躺在那儿，脸色苍白，身体消瘦，好像生命已经从他的身体抽离。他靠插管、点滴和监视仪维持生命。他没法讲话，但是她感觉到他完全知道在进行什么。

那个医生，就是那个狂恋名牌、被她叫作古奇先生的那个，他说他对尼尔的恢复情况感到满意。

哪有什么好转？她想另请高明。但她调查了这位古奇先生却发现他声名远扬。

玛瑞丽老是待在那儿，金发碧眼，泪眼汪汪。梦塔娜觉得她不是尼尔口中的那个贱人。

奥利弗·伊斯特恩偶尔会露个面，通常身边都陪着好几个侍从。圈内对《街头路人》进行各种猜测，炒得沸沸扬扬的。但是梦塔娜根本懒得去读它们。

有一天，奥利弗沉不住气了，对她说："我们应该谈谈这部电影。"

她不敢相信他会在这种时候跟她谈电影的事，她实话实说了。

"别天真了。"他厉声说，"我有应尽的责任，延迟开拍成本太高。"

"那你想怎么样？"她嘲讽地问，"没有尼尔也开拍电影？"

"对。"他厉声说，"我请到了一名律师，他说我完全有权这样做。你去看看他合同中的疾病条款。"

她非常愤怒："你不能这么做！"

"那你就走着瞧吧。只要跟票子有关，我什么事情都做得出来。"

莎蒂·莎乐下达指令："巴蒂，我正在给你安排拍一组照片，请的是沿海一带最好的摄影师。我要你到时候拿出你最光彩照人的一面。所以，这意味着在你收到我的通知之前，你得早睡，还有多晒太阳。你能做到吗？"

就算是她想让他在日落大道上裸奔，他也可以做到。

"你吸毒吗？"她干脆直接地问道，"你有没有拍过色情片或是裸照？在我们开始之前有没有什么是我应该知道的？我不想你的过去突然浮现，对你造成不良的影响。所以请你一定要如实禀告。"

他并没有实话实说。他不想在什么都还没开始之前就毁了这一切。所以他变身为"纯男"，除了偶尔抽几口大麻之外，其他什么都没承认。

"家里呢？"她问，"有没有什么不光彩的家人？"

有那么一瞬间，他苦涩地想到他的母亲，然后他摇摇头。

"你结婚了没有？还是离婚了？是同性恋还是双性恋？"

他坦言自己绝对是个异性恋者，还说不管是过去还是现在都没有婚约在身。安琪儿算一个惊喜，一个令人愉快的惊喜。

他们谈论到《街头路人》、他的试镜情况，还提到梦塔娜跟他保证过他将饰演电影中温尼一角。

"在这个圈子里，没有什么是百分之百确定的。"莎蒂说，"你要学会这点，记住它，不管你以后有多大牌。"她顿了顿，"当然我会马上跟奥利弗·伊斯特恩推荐你。虽然尼尔·格雷还在医院里，但是我想他应该有别的打算。这部电影很有可能会推迟开拍，所以我们不会把目光局限在这部电影上。"

"我现在是你的人了。"他耸耸肩，"只要你觉得对我最有利就可以。"

"能有这种态度很聪明。要继续保持。"

这是他们开的第一次会议。他离开时头一次真的相信自己会成功。如果莎蒂·莎乐在他身上看到明星的潜质，那么这些年他就不是在做白日梦了。

最重要的是要先找到住的地方。他口袋里的钱至少足够他换一个比较像样的地方。他买了一份《好莱坞报道》，认真翻阅房地产版面。

在看了几个地方之后，他选定位于西木区附近威尔榭的一间家具齐全的公寓。房子非常干净整洁。房租贵得令人咂舌，但是地下室里有一家设施齐全的健身房，顶楼有一个又大又干净的游泳池，另外还能提供女佣服务。

他搬了进去，递给女佣 25 美元，让她检查一遍他的衣服，该洗的洗、该补的补、该送干洗店的送到干洗店。梦塔娜出于好意给了他 1200 美元，这些钱救他于水火之中。他下决心用自己的第一笔工资还清这些钱。

车现在不是什么紧迫的问题。梦塔娜说过在她用之前，他都可以借用她的大众车。他想打电话给在医院里的她，告诉她听到她老男人的事情后，他觉得非常遗憾。但她什么电话都不接。他留下他的新号码，以便于她想用车的时候能够拿到车。

当然，他一直都在思念安琪儿。但是在现在这种特殊时刻，对他来说，安琪儿更多意义上是一种责任，对他帮不上什么忙。所以他就暂时把她抛诸脑后了，莎蒂·莎乐说要早睡和多晒太阳，他谨遵教诲，只关注他的外形是否健美。等到他拍那一组照片时，他要让自己比以往任何时候都有形。

莎蒂没有让他久等。她跟奥利弗·伊斯特恩谈过之后立马就打电话给他，告诉他正如她所意料，一切都还没有定下来。他感到一阵焦虑。尼尔·格雷到底为什么要走？要心脏病发作？为什么偏偏是这个时候？

"你的拍摄时间安排在明天。"她继续说着，好像对电影的延期并不在意，"轿车早上 9 点会来接你，做好准备，努力工作。"

她并没有开玩笑。轿车 9 点到了，莎蒂本人坐在车后座上。

他一直都专心于晒黑皮肤和健身，看起来处于最佳状态，就像马上要开跑的赛跑选手一样。

"我对你很满意。"她说，"我的话你很听得进去。"

他咧嘴一笑。他会让所有人都对他赞赏有加的。然后他怀疑她是不是要勾引自己，他无可奈何，但愿她不会。

她会的。别人不会无故为你付出，他们总是有所图。

拍摄进展顺利。他们拍了足足九个小时，只在午饭时略微休息了一会儿。七个人围着他团团转：发型师、化装师、服装造型师、摄影师以及他的两位助理，还有莎蒂。

所有事都是她说了算。她跟大家商讨每一个场景。她知道自己想要什么，直到她觉得他们捕捉到了她想要的，她才停下来。

一天拍摄结束之后，他感到筋疲力尽，但还是非常兴奋。如果以后工作都是这样的感觉，那他想要体验更多。

"我什么时候能看到照片样张？"莎蒂放他下车时，他焦急地问道。

"很快，我会给你打电话。"她承诺道。

第二天他被叫到她办公室。当他走进内室时，她在打电话，朝他挥挥手，示意他坐下。

他能听到电话另一端一个男人在大喊大叫。莎蒂镇定自若，她把听筒拿开耳朵，耐心地听着。

他环顾四周。墙上一排排都是巨星的装框照片……她会把他的照片挂在哪儿呢？呀！他不敢相信正发生在自己身上的所有这些好事。

"别担心，乔治。"她对着电话安慰说，"我今晚要跟奥利弗见面，我一定帮你问到开机日期。"

更多叫喊声在办公室里回荡。

"一会儿就去，乔治。"她坚定地说，"相信我。"她挂断电话，手伸入一个银盒子，点燃了一根细长的小雪茄。

"我能看看我的照片吗？"他满是期待地问道。

"它们还没出来。"

"哦。"他开始觉得紧张不安。她为什么叫他过来？是坏消息还是好消息？

她若有所思地盯着他看："好吧，巴蒂。《街头路人》绝对是你的了。计划拍 10 周，每周 15000 美元。最好的是宣传台本上有一句你的宣传台词：'新人巴蒂·哈德森饰演温尼'。合同现在正在打印中。"

他一句话都说不出来，坐在那儿，目瞪口呆。

"你觉得怎么样？"

"每周 15000 美元？"他勉强缓过神来。

"难道你还想要卢布？"

"上……帝。"

"我很高兴你满意，只要有一个客户满意，我们就很高兴。"

他不知道该说什么。

"其他经纪人只能拿到给你这笔钱的四分之一。"她直截了当地说，"我要你将来记得这件事。"

"我绝不会忘的。"他紧张地吞咽着说。

"你自己都会吃惊你忘得会有多快。"她简明地说，"不到一年，我们就会谈到要给你高片酬，那时你就会忘了谁是你的伯乐。"

她并不算是他的伯乐，梦塔娜才是，她要感谢梦塔娜。但是毫无疑问，是她帮他弄到大价钱的，他会永远感激在心。

突然间他冒出好多问题："我什么时候才能领到剧本？是不是尼尔·格雷导演？什么时候开拍？"

她轻快地回答："具体日期还没定下来，但快了。一份剧本正在给我送过来。服装师一会儿会跟你联系。公关部想要你的最新简历和近照，不要跟他们提到我们拍的照片，这点很重要，这跟电影无关，我们先把它们搁一边。"她还没告诉他她打算将他的照片贴满全美国。

"我就要成名了。"他说着，自信满满，"我不会让任何人失望的。"

"但愿如此。"

"宣传台本上的那句话，我很感激。"

"你该感激我。"

他站起来，在办公室里徘徊了一阵，在想是不是该提起安琪儿了。

不行，还是先找到她，开始拍电影，然后再把她带到拍摄现场。

"我这周周末要去棕榈泉。"莎蒂漫不经心地说，"我在那儿有一幢房子。"

他就知道该来的总会来。

"你知道棕榈泉吗？"她问。

为什么总是要付出代价？

"我从没去过。"他警惕地咕哝着。

"我要你周日过来。去那开车很近。你有车，对吧？"

他看到一条生路："我的车出了点故障。"

"听起来你需要一辆新车。我提前给你安排安排吧。我有一名优秀的业务经理，他会帮你打理好的。"她匆匆写下一个名字和号码，递给他，"今天稍后给他打个电话，他肯定知道你是谁。"

"那棕榈泉——"他开始说。

"你必须得来，巴蒂。我为你准备了一个惊喜。你大概周日早上 10 点至 11 点到吧。"

他极不情愿地点头同意了，想着自己还要为自己的星途付出多少代价才不用再卖身？

真是该死！他痛恨这整个交易。

.46.

米莉在洛杉矶有一大群表兄弟姐妹，她很高兴见到他们，他们见到她也很兴奋。所以当莱昂说他要去巴斯顿出差一天，她并没有强烈反对。

他一大早开着一辆从赫兹公司租到的车出发了，趁着晨间交通还未到来，疾速行驶在好莱坞高速公路上。

米莉被好莱坞迷住了。她喜欢那里的一切，不管是人行道上镶嵌着星形的脏兮兮的好莱坞大道，还是贝弗利山庄棕榈树成排的林荫道。

莱昂讨厌这个地方。这里天气太热，不得安宁。他感到在这个镇上什么都可能发生，而通常真是这样。

一天下午，他们开车行驶在日落大道上，发现一个十几岁的妓女在跟一个豪华银色奔驰的司机讨价还价。那个女孩看起来不到 14 岁，脸上带着婴儿肥，身体尚在发育，穿着黑皮紧身热裤和短上衣。她让莱昂想起乔伊，他迅速把目光移开。

"你看见了吗？"米莉询问道，"天啊！小女孩在街上拉客。就没有人管管这事吗？"

这时他才意识到自己是绝不会供出乔伊的。"你怎么不帮帮她啊？"米莉愤怒地喊叫。他没有回答，这是他的耻辱。

巴斯顿天气炎热，四处灰蒙蒙的一片。他花了一天时间整理有关温妮·弗德雷和威利斯·安德鲁斯的资料。他们一起来这里正式结婚，但是之后就销声匿迹了。唯一的线索就是一名退休医生，他是莱昂在威利斯工作的地方翻阅旧病历卡时发现的，但是那儿没有一个人记得他。

他打电话给那个医生，他听起来有一把年纪了，而且脾气火暴。

"我不知道我能不能帮上你的忙，我已经退休 20 年了。"

"你有没有给威利斯·安德鲁斯看过病？"莱昂满怀希望地问道。

老医生轻声嘀咕着什么有一个地下室，里面装满很多病人的病历。

"我能看看这些病历吗？"莱昂要求道。老医生咕噜了一声同意了。

医生住在镇外，到那儿开车得一个小时。当莱昂驱车穿过干旱荒漠时，心中想道："我到这个鸟不拉屎的地方来干什么？有哪个破侦探会去调查乔伊·克拉韦茨的案件？"

等他找到那间屋子时，天色已晚。他汗流浃背又饥肠辘辘，但是他急着找到信息，哪怕微不足道。

一个看上去疲倦苍白的女人给他开了门。

"地方太乱了，不好意思。"她说着，带他走进一间舒适的客厅，"我们不经常有客人来。爸爸……"她大喊了一声，领着他走到一间地下室的大门，"警察到这儿了。"

"让他下来！"老人喊道。

莱昂走进地下室。这是一间潮湿发霉的房间，里面生锈的家具、纸板箱、旧自行车和一些日常垃圾堆到了天花板。坐在房子中间的正是那位医生。他看上去阴阳怪气的，满脸皱纹，留着一头蓬乱的银发，一对灰色的眼睛炯炯有神。莱昂估计他至少80岁了，但是保养得很好。他周遭都是一些旧笔记本和零零散散的纸张，很多箱子里的文件和资料都漫到冰冷的石地板上。莱昂看了一眼，就知道至少要花一个星期才能把这些文件看完。他伸出一只手介绍自己。

医生回了他一个有力的握手，差点儿把他骨头捏碎了。

"我们该怎么动手呢？"莱昂问道。

"这个问题问得好。"老人说道，示意这个地方有多混乱。

莱昂叹了一声："我想你不记得关于威利斯·安德鲁斯的事情了吧？"

老人哈哈大笑起来："哈哈，我现在只能想起来我今天早上早餐吃过什么。"

三小时之后，他开车行驶在回洛杉矶的高速公路上。医生答应他如果发现了安德鲁斯的文件，会打电话过来。这也无关紧要了，他简直就是在海底捞针，莱昂明白这一点。

他回到饭店是凌晨4点。米莉睡得正香。他爬上床躺在她身旁，她咕哝说了些什么，但是听不清。

他醒着躺了一个小时之后，最终进入梦乡。

.47.

棕榈泉，气温高达39.5℃。

莎蒂星期六中午抵达棕榈泉，随同的还有她的助理——弗尔迪·卡特莱特。弗尔迪已经为她工作了七年半了。他40岁，穿得整洁神气，说话尖酸刻薄，办事效率奇高。

她的房子位于幽静的幻象山庄内的沙丘道上，并非多么富丽堂皇，不过是个可以不时过来休憩的地方，反正莎蒂自己喜欢这么说。

能够陪她一起来，弗尔迪觉得非常开心，虽然她已经清楚不过地表示过他不能住在她的房子里。

"你的房子看起来太棒了！"他兴奋地说，飞快地在一间间房间中穿梭，他多希望自己是受邀的客人，而不是仅仅过来帮莎蒂为巴蒂·哈德森制造惊喜的。坦白说，莎蒂突然对哈德森这么感兴趣，甚至不惜重金，这让弗尔迪有点吃惊。她真的是喜欢女人吗？

她都这个年纪了，现在改变性取向也太奇怪了吧？

以她的地位，挑选一个失业的年轻演员会不会太不理智了？

不可否认，巴蒂·哈德森是个帅哥，但是好莱坞遍地都是帅哥。

他怀疑他们是不是已经干过那种肮脏的勾当了，还是他们这个周末要做？"弗尔迪，"莎蒂尖刻地叫道，"你喜欢我的房子，这我很高兴，但是你能不能帮我把车上的东西卸下来？"

他照做了。她必定要在巴蒂·哈德森身上下大功夫了。他颇不以为意地吸了一口气，希望巴蒂值得她付出，因为依他拙见，小白脸的床上功夫通常都不怎么样。

梦塔娜一直都是让尼尔打理生意的。他们两个人共用一个纽约的律师，这个律师非常出色，他帮尼尔争取到最高报酬，也能充分照顾到她的利益。她跟他不太熟，只开过几次业务会议，吃过一次饭。在跟奥利弗谈话之后，她直接冲向电话。他很适当地表示了自己的同情，说了一通无关痛痒的套话，但是之后他说了一件让梦塔娜极为震惊的事情："当然，你要知道奥利弗现在手上有《街头路人》的剧本，如果尼尔不能遵守合同中的条款……那么……"

她挂断电话，满腔怒火。她在房间里踱来踱去，然后走到医院外面，怒火沸腾。必须要想个应对的法子……绝不能让奥利弗对她的本子胡作非为。不对，是他的本子，她已经将它卖给这个混蛋了。

她心中慢慢产生了一个主意，她怎么就不能当导演呢？在尼尔恢复健康之前，她可以先接替导演的位子。

这个设想让她兴奋得浑身战栗，这个主意比再请个别的导演要好多了。如果奥利弗坚持原来的计划，她也准备好了。没有人会比她更了解这个本子。

但是她有这个能力吗？

她当然有。这也是她一直为之努力的目标。尼尔心脏病发作，给了她这个绝妙的机会，这并非她的错。而且，她也不会在他身后捅他一刀。等他恢复之后，他可以插手接替导演的职位。热血沸腾的她给奥利弗打了个电话，要求见个面。他同意了，约定第二天在马可·波罗酒廊一起吃午餐。

那天晚上尼尔有好转迹象，她立马知道她的决定是正确的。

四周都是郁郁葱葱的草木，伊莱恩觉得非常孤独。她以前没有清楚地意识到她每日生计完全仰仗罗斯。没错，她是在他耳边唠叨，朝他大吼大叫，但是他是她生活的中心，自己就像他娇惯的独生女一样。她做的一切某种程度上都跟他有关，包括罗恩·哥迪诺。她讨厌他，讨厌他讲话带着他老家慢吞吞的长音，讨厌他鬼鬼祟祟的手。

结婚十年来，他只跟罗斯分开过三次。他们是迫不得已才分开的，因为他在片场拍戏。他不在时，她将所有时间都花在他身上。她做的一切都是为了他，不管是买条新裙子，还是给她的腿上蜡。

这种意识强烈冲击着她。她其实爱这个懒惰、冒失又脚踏两只船的混账。

她去看心理医生，告诉他这些。

"我知道，伊莱恩。"他得意地说，"这就是我一直想告诉你的。"

传言一在贝弗利山庄不胫而走传开后，电话就不再响了。单身女人不会受到电影放映、聚餐和派对这些场合的青睐，除非她们自己本身有钱有名。伊莱恩自己一个人去也不安全，可能会有有妇之夫对她产生非分之想，以伊莱恩现在的立场来看，她会很难拒绝。

她发现她没有朋友，只有一些只能同甘不能共苦的泛泛之交。

当然还有玛瑞丽。自从她守在尼尔床边以来，圈内的人就不怀好意地给她起了个绰号，叫"圣女玛瑞丽"。

然后就是凯伦了。

去他妈的凯伦和她那对超大号波霸。伊莱恩对她恨之入骨。她只希望，其实是祈祷罗斯不要再跟这个贱人见面。

这周，罗恩·哥迪诺又出现在她家前门，这一次他带着一条全麦面包和几枚新鲜的农家棕色鸡蛋。

她躲进卧室，叫莉娜去跟他说她出去了。

他盯着她停在车道上的那辆蓝色梅赛德斯奔驰看了一会儿，然后终于慢慢走开，坐进他开的那辆荒谬可笑的吉普车中。

她开始喝酒。她以前从不在中午之前喝酒。但是午餐时喝白酒能帮助她，可能再来一小杯伏特加酒，她就能熬过一整个下午。6点过后，莉娜不在了，她就没什么好顾忌的，再喝点酒。睡前来上一杯或两杯伏特加再加上几杯口感醇厚的甜酒，她才能安然入睡。

有时她会忘了吃饭。没过多久，她就憔悴不堪。

星期六，罗斯让人把他的险路车清洗干净，并打了蜡。这过程中，他躺在酒店水池边的一张躺椅上，看着忙忙碌碌的世界和来来往往的游客们。有几个熟人朝他的方向挥挥手，但是没有人过来打扰他。

情理之中。他还没有红到别人跟他搭讪的地步，他甚至连不温不火都算不上。

他懒洋洋地观察着一个金发碧眼的妓女在勾引一个大汗淋漓、戴着金链子的外地蠢货。

金发女郎在那个男人的更衣室前晃来晃去好几次之后，那个男人终于注意到她。她穿着吊带比基尼，白色细高跟凉鞋，瘦骨嶙峋，浑身肌肤都涂抹上了厚厚的一层深色油，显得非常光滑。

"你好。"她终于温柔地说，"你介不介意让我看一下你的《综艺》杂志？"

"给我滚开，妓女！"那个男人说道，看来他并不是个外地来的蠢货。

"打扰了。"妓女愤怒地说着，又继续环顾四周，寻找其他下手的对象。她发现罗斯在观察她，就试探性地对他笑了一下。他转身趴在躺椅上，装作没有注意到。

他一定是在烈日下睡着了，直到他察觉有人在他后背滴冷水，他才清醒过来。有人用沙哑的声音对他说："你这个该死的流浪汉，你把老婆甩了，我已经在娱乐报刊中看到了，太帅了！"这声音一听就是凯伦·兰开斯特的。

他叹了一声，转过身来："你在这儿干什么？"

"我跟爸爸和帕梅拉在这儿吃饭。我还想问你，你在这儿干什么？"

"我住在这儿。"

"很高兴你能告诉我。"

"我现在不就告诉你了。"

"真他妈的了不起。"她噘着嘴说，"你至少也要给我打个电话。我是说如果我错了你就纠正我。"

"你跟伊莱恩说了我们的事。"

"我没有。"她强烈反驳,"你怎么会这样认为呢?"

"有人跟她说了。"

"不是我,她派对那天打电话来找你,我只是装作一副很吃惊的样子。"

"可能你的演技不怎么样。"

"这究竟有什么大不了的?你都已经下决心要离开她了。所以不要把她发现我这件事当借口。"她摘掉有色墨镜,瞪着他,"你可以直接来找我,为什么要住在这里?"

他想不出一个合适的回答。凯伦·兰开斯特无权要求他什么。

这时,乔治·兰开斯特、帕梅拉一行人出现在他面前,让他摆脱了尴尬的境地。在兰开斯特的帐篷屋,午餐的桌子已经摆好了。

"罗斯!"乔治大吼了一声。

"罗斯!"帕梅拉也附和了一声。

他早就应该知道,贝弗利山庄酒店绝不是个安安静静晒日光浴的好地方。

"跟我们一起吃午餐吧!"帕梅拉尖声叫道,她笨拙的身体穿着一件动物印花的穆穆袍①,看上去精神抖擞。

"对。"乔治坚决说道,他穿着一件白色的狩猎装,显得神采奕奕。

"我也喜欢那样。"凯伦沙哑地说道,重新戴上她的有色墨镜。

现在才刚过中午12点半,他只要5点到棕榈泉就行了。如果他2点左右出发,开车过去时间也绰绰有余。"为什么不呢?"他边说边起身穿衬衫。

帕梅拉挽着他的手臂:"你跟伊莱恩的事情我感到很遗憾。"她情绪高昂滔滔不绝地说道,"但是这种事的确会发生。"她哑声大笑,"我当然很清楚,我有过这么多的老公。"

星期六通常都是最忙碌的一天。克克像个疯子一样四处打着招呼,雷蒙多还是跟往常一样跟别人抛媚眼,打情骂俏。安琪儿负责接听电话,兼顾负责预约,还要打电话叫快餐,基本上什么都要管。

"如果没有你,我都不知道要怎么办。"克克叹了一声,"达莲娜那个懒鬼,让

① 尤指色彩鲜艳的夏威夷传统女式宽大长袍。

她去点一份金枪鱼三明治就好像是让南希·里根穿现成的礼服一样难。"

安琪儿虚弱地笑了笑。参加完派对之后，她一直觉得不太舒服。她也不安寝，每天早上她都觉得筋疲力尽，非常难受。

克克敏锐地看着她："你觉得怎么样？"

她漂亮的双眼里噙满了泪水："我很好。"

"很好？"他讥笑着，"你的脸色难看得就好像是世界末日一样。"

她不禁潸然泪下："我就是心里面太乱了。"

电话响起来了。一个头上还戴着卷发器的女人发疯似的冲到前台，大声叫喊："给我订一辆出租车，我都已经迟到十分钟了！"

雷蒙多的尖叫声从发廊后面传来："下一个八婆！"

克克给了安琪儿一个拥抱，安慰她："现在不是时候，亲爱的。先不要难过，今天晚上再说吧！今晚到我家吃晚餐，你可要跟我坦诚相告。好吗？"

"好。"她非常感激地抽泣着，她知道自己多么需要找个人倾诉，"我非常乐意。"

当罗斯跟兰开斯特一家子在游泳池旁边吃晚餐时，奥利弗·伊斯特恩跟梦塔娜·格雷则在马可·波罗酒廊各自点了自个儿的菜。

奥利弗把玩着一份煎蛋，梦塔娜随意地戳着一份菠菜沙拉。

两人各怀鬼胎，但还是有礼貌地聊着。他们讨厌彼此，但也相互需要。梦塔娜前一天已经意识了到这一点。在梦塔娜巧言善辩一通之后，奥利弗开始接受这个现实。她还是滔滔不绝地讲在尼尔痊愈接替导演这个位子之前，她是这部电影导演的唯一人选。

起初，他当着她的面哈哈大笑。她把他当成什么了？疯子吗？但当她阐释理由时，他觉得她说得挺在理。

她比任何人都懂这个本子。

她比任何人都了解尼尔亲手精心挑选的工作人员。

除了乔治跟吉娜之外，其他演员她都试过镜（他还没有跟她讲吉娜要演这部电影，想给自己留些小甜点）。她发现了巴蒂·哈德森。据莎蒂说，他会大红大紫。

她之前导过一部电影。虽然只是一部低成本短片，但是她却因为那部电影获过一个奖项。

而且她这么想要这部电影，可能会什么薪资都不要，这一点是最重要的。在奥利弗联系的三个导演中，有两个跟他狮子大开口，还有一个简直是要他的命根。

让梦塔娜导演这部电影也并不是什么坏事。

他当然没跟她这么说。他很享受她现在对自己敬重有加的样子，他要觉得她在苦苦哀求自己，但是她没有，至少还没有。

"我不知道……"他支支吾吾地说道，"你没有什么经验，我怀疑乔治可能不会接受你。如果我向我的投资商们推荐你，他们可能会笑掉大牙。"他使出撒手锏，"如果你张口闭口叫我蠢货，我想他们也会有样儿学样儿。"

她透过漆黑的阅读眼镜冷静地注视着他："我向你道歉，奥利弗，我有时说话没有经过大脑。"

"你得告诉我们你要去棕榈泉干什么？"乔治大声吼道。

"只是有点正事。"罗斯说道，想从一顿乏味的午餐中解脱出来。

"我才不信。"凯伦愤怒地嘀咕着。

"我到棕榈泉唯一的正事要么就是打高尔夫球，要么就是泡妞。"乔治色迷迷地说道。

罗斯礼貌地笑了笑。

"你一定要来拜访我们。"帕梅拉大声说道，"如果乔治那部该死的电影再不赶紧开拍，我们就会回家，摆脱这里，回我们的安乐乡。这个地方实在是无聊死了。你的派对是这里最有意思的。"

"是的，我应该打电话给你妻子，她是个好女人。"她大笑，黄马牙一晃而过，"虽然我相信你不是这么想的。"

"电影什么时候开拍？"他随意问起，从桌子旁站了起来。

"天知道。那个叫伊斯特恩的怪人昨天还跟我们唠唠叨叨说了半天，他抱怨说要找一个合适的导演。我已经跟乔治说过了，如果再不马上开拍，我们就走人。"

"你什么时候回来，罗斯？"凯伦紧问道。

他不知道莎蒂是怎么打算的。也许他们会在床上耗上两天，也有可能是三天："星期二或星期三。"

"你要待在哪里？"

"我的天哪，凯伦。亲爱的，你听起来像是这个可怜男人的老婆。"帕梅拉尖叫道。

凯伦对她怒目而视，罗斯趁机溜之大吉。他大步流星地朝着酒店走去，差点儿就错过了从里面出来要去游泳池的奥利弗·伊斯特恩。

"奥利弗!"他大声叫道,刚好来得及,"你好吗?"

这个蠢货就没发现我是唯一适合他那部破电影的男主角吗?

"你好,罗斯。最近怎么样啊?"

上帝啊,救救我吧,不要让我再继续做一个穿着马德拉斯棉布短裤的过气明星!

"很好,从来没有这么好过。"

看着我啊!我看起来多出众啊!我现在仅仅需要你那部该死的电影,然后东山再起。

"那就好,就好。回头见。"

他们分道扬镳。罗斯准备去棕榈泉见莎蒂,而奥利弗要出去找他的电影主角,并且安抚他。

莎蒂精心挑选着装,最后她选定一件甚合她意的白缎子浴袍。

4 点 45 分。她希望罗斯会准时到。但这是不可能的,罗斯·康迪这一辈子从未准时过。

她盯着镜子中的自己。就跟往常一样,她对自己看到的大失所望。她已经竭尽全力了,但却还是改变不了她只是个姿色平庸的女人这一事实,即使她有一双漂亮的眼睛和一头浓密发亮的头发。

她打开立体音响,放上罗斯一直很喜欢的一张唱片。斯坦·盖兹的《巴萨诺瓦》。哦!他们曾经一起在房间里翩翩起舞、一起放声大笑、互相嬉笑打闹、计划他们的未来……

罗斯。26 年之后她将再次拥有他。她感受到她两腿之间一阵骚动,把额头靠在冰冷的镜子上。

如果她没法执行整个计划那该怎么办?如果她陷在这个男人的激情当中……激情似火的罗斯……

她把音乐声音调大,检查银冰桶中的香槟是否足够冷却,然后等候罗斯的到来。

克克以前从来没有邀请过安琪儿去他家。有时下班之后,他会开车送她回家。他偶尔会到她家聊会儿天,但是她真的对他了解不多。

他带她来到位于好莱坞山庄的一幢漂亮的小房了。她惊讶地发现他并非独居。他把她介绍给他的朋友——艾德里安,一个三十出头的帅哥。艾德里安没有站起来招呼她。有那么一瞬间，她觉得他可能是对克克把自己带到家里感到很生气。但是他看上去很友好，跟安琪儿讲话很有礼貌。同时，克克正在厨房里面忙着做**青酱扁意面**。晚餐准备好之后，克克才冷静地把他移到轮椅上，她这才发现他下肢截瘫。

艾德里安感觉到她的目光，说了句："越南。"并未解释。

青酱扁意面非常美味，随后上桌的柠檬慕斯的味道也非常好。

"克克厨艺一流。"艾德里安热情地看着他的朋友说。

"这点毋庸置疑。"克克反驳道。

两个男人四目相对了片刻。安琪儿感觉到爱意在他们之间流淌。她马上想到了巴蒂和他们的过往，眼里噙满泪水。

"现在，亲爱的。"克克安慰她，"在我们面前不要这么伤感，等我收拾完盘子，我们再聊聊。"

艾德里安吃完晚餐之后就小心地进了卧室。

"他累了。"克克解释道。

"这实在是太可怕了……"她轻声说。

"这一点都不可怕。"他厉声说，"这就是生活。如果艾德里安能够接受，那我不明白别人为什么没法接受。要知道，截瘫又不是什么疾病。"他生气地摇头。

"对不起。"她说。

他叹了一声："不要这样。这确实是很……可怕，但是我不允许我自己这么想。"他深吸一口气，"现在让我们来谈谈你的事。你就是为这个来的，不是吗？"

她觉得非常有必要向克克倾诉。他亲切善良。不知怎地，她知道自己可以放心地向他吐露自己的秘密。但她还是犹豫了一会儿。

"快点说吧，宝贝，从头说起。"他鼓励她。

她犹豫地开始了。她告诉他在路易斯维尔的事。她是个养女，收养她的家庭对她并不好。然后她赢了杂志上的比赛，来到好莱坞，她还讲到自己当时所有的希望和梦想。

他认真听她讲达芙妮、讲夏威夷，最后终于讲到巴蒂。当她讲起巴蒂时，脸色恢复生气，眼睛熠熠发光。

"他实在是太棒了，克克。"她很快纠正自己的话，"我的意思是他以前实在是太棒了……"

她还告诉他那间借来的公寓、怀孕、缺钱，然后还讲到了贾森·斯万克鲁和海滩上的房子。

当他听到巴蒂跟贾森疯狂购物时，他轻蔑地扬起一只眉毛。

"我们离开海滩后，一切都不对了。"她悲伤地继续说道，"兰迪、雪莉还有毒品……巴蒂好像变了个人似的……所以一天早上我离开了……就是我来到发廊遇见你的那天。"

"从那之后你就没跟他联系过？"

"差不多是……"她提到雪莉接的那个电话，和她在电话里说的那些难听的话。最后她还讲到康迪家的派对，无奈地耸耸肩，"我就是不知道该怎么办。我应该忘记巴蒂吗？如果他一点儿都不在意我，我还一直惦记着他，这也太傻了……"她开始哭泣。

克克伸手抱着她，来回轻轻晃动："我可怜的宝贝，"他安慰道，"真是个活生生的现代版灰姑娘——上帝，千万别问我灰姑娘是谁。"

她喜欢依偎在他温暖的臂弯里，柔软的毛衣中。被他拥抱的感觉真是……舒服。他用纸巾擦拭她的眼睛："你在派对上见到巴蒂时，他有没有提到孩子？问你怎么样或者之类的？"

她伤心地摇摇头。

"在法律上，他有义务抚养你跟孩子。我们现在需要一名厉害的律师。"

"巴蒂没有钱。"

"那他就得出去给自己找一份我们普通老百姓干的活。"克克冷静地说道，"要知道，这又不是让他去死。"

她固执地摇摇头："我什么都不想跟他要。"

"你不要那么傻……"

"我说真的。"

他一脸困惑："这件事，我们还是留到明天再说吧。明天你可能就不这么想了。"

"我绝对不会拿他一分一毫的。"

"嗯……如果那样的话，我们就得帮你再找个有钱的老公，对不对？"

"克克！"

他把手指放在嘴唇上："别担心，只是开玩笑。"

她勉强挤出一个浅浅的微笑："那就好。"

他给她一个拥抱："喏，你已经觉得好受一点儿了，对不对？"

她点点头。确实如此。不管怎么样，她以后不再是自己孤单一个人了。

罗斯准时出发，开着他的金色劳斯莱斯险路沿着高速公路一路疾驰，就像是电影《宾虚》①中该死的查尔顿·赫斯顿一样。乔治·兰卅斯特可能会退出这部电影，这个消息让他很兴奋。莎蒂是乔治的经纪人，一有什么风吹草动，她肯定知道。如果乔治离开了，她将是第一个知道的人，到时罗斯·康迪就万事俱备，只要在那儿候着就行了。

他在炙烤的街道上一边寻找她的地址，一边哼着歌。棕榈泉非常炎热。他停在一家加油站问路时打开窗户，一股热气就像黏糖浆一样朝他涌来。

"你是罗斯·康迪。"加油站的老太婆对他说，就好像他自己还不知道一样。

"对。"罗斯亲切地说，"我是。"

"不喜欢你在那部电影里头演的。"

"哪部电影？"

"好像叫什么似火之类的。"

"我没有演过《热情似火》。"

她朝他摇晃着一根手指，谴责他："不对，你在里面。"她往窗户凑近了些，露出一口烂牙，眼神显得老练尖利，"玛丽莲·梦露到底长什么样？"

他懒得回答，开车扬长而去。他起初还被当成是杰克·莱蒙和托尼·柯蒂斯过。

他到莎蒂房子时已经5点半了。他将车驶入弯弯曲曲的车道，停在前门外，按了好几次喇叭，想让莎蒂知道明星已经到了。然后他跳出车，打开后备箱，拿出他的行李箱。

这时莎蒂已经在门口了。

"欢迎你。"她递给他一杯冰镇香槟，说道。

他这才恍然大悟，她穿着一件睡衣。看来她是想速战速决了。

他朝她走近，丢下行李箱，接过她递给自己的玻璃杯，亲吻她的脸颊。

她像老虎钳一样紧紧地抱着他，舌头有力地探入他的咽喉，差点儿呛着他。

他透了口气，感到极为震惊。应该是他主动出击才对吧。

"我们去床上。"她用喉音说道，"我已经等了很久了。"她拽着他的手，把他拉进房子，用脚把他身后的门踹上。

---

① 1960年《宾虚》在第32届奥斯卡上共获得11项大奖，创下奥斯卡历史最高纪录。Judah Ben-Hur 由 Joseph Morgan 扮演。Ben-Hur（宾虚）本是一位犹太王子，后被朋友 Messala（Stephen Campbell Moore 扮演）出卖，沦为奴隶。Ben-Hur 几经磨难，终于重获自由，向仇人发起了挑战。

这跟他印象中的莎蒂不一样。她有着一对巨无霸，在床上很含蓄拘谨。他们以前住在一起时，她从来没有主动扑向他。但是这么多年过去了……大家都变成熟了……

她把他拽到凉爽的卧室中。窗帘紧闭着，空调发出的嗡嗡声被淹没在立体音响播放的斯坦·盖兹的歌声中。他匆匆忙忙地喝了一大口香槟酒，能喝上算是幸运的了，因为她立马就拿掉他的玻璃杯，把它放在床头柜上。

"我现在就想要你。"她扒着他的衣服，急切地说。

"稍等一下……先等等……至少也要先让我冲个澡。"他抗议道。

"我现在就要。"她坚持道，继续解开他的衬衫纽扣，将它从他肩膀上扯下来，然后再伸向他裤子前面的拉链。

他知道他现在根本硬不起来。事实上，他的老二估计跟一只受惊的小兔一样，蜷缩成一团了。

"就等我一会儿。"他大声抱怨，"我没法按要求行事。"

她立马停了下来："我以为你也想。"她冷淡地说。

"我当然想。但是我刚刚到这儿，开了很长时间的车……我觉得身上脏兮兮的，而且又很累。我不想这样就开始。"

天啊！他听起来就像个女人一样。

她勉强露出既恶心又受伤的神情："对不起。可能是我误解了。"

他现在完全搞不清楚状况。在派对上，她还是相对沉着冷静。在她的办公室，她又是一副麻利、公事公办的样子。他就是没有想到她现在会这么猴急。她把他耍得团团转，他觉得自己就像个傻瓜。

"房子不错。"他漫不经心地说道。

"浴室就在那边。"她指向一扇门，"里面有香皂，毛巾，还有所有你会用到的。你随便用。"

他溜进浴室，感觉像是做错了什么，但又不清楚到底是什么。他在喷头下安全地待了十分钟，希望等自己出去时，她已经冷静下来了。

他才没有这么走运。她坐在床上，靠在软垫床头，一边抽着一根细长的黑色小雪茄，一边抿着香槟，在那儿候着他。

他已经穿上裤子跟衬衫，但是并不干扰她的性趣。

"过来，"她轻拍她身边的空间，"太久了，我都不耐烦了。"

他小心翼翼地靠近床。她究竟想从他这里得到什么？他都已经准备好将身体献给她了，她难道就不能等等？

"你难道不打算脱衣服？"她询问道，就像一个饶有兴致的男人正在跟一个羞答答的处女讲话。

他又觉得自己像个傻瓜。他脱掉衬衫，卸去裤子，但是他的内裤还是紧紧地裹着他的"小康迪"宝贝。

"这就对了嘛！"她说着，张开手臂欢迎他。

他想到她那对巨大无比的奶子……它们应该能让他兴奋起来。

闭上眼睛想想凯伦吧！

为什么是凯伦？你对她已经没激情了。

总之，闭上眼睛，你这个蠢货。

她又一次用舌头攻击他，探索他的牙齿、牙龈，锋利地舔着他的上腭。

"记得你在派对上说的话吧？"她低声说，"你说我们过去在一起多么美好，你跟别人在一起时从来都没有感觉那么棒过，记不记得？罗斯？"

他真的这么说过吗？

她的舌头不知不觉地探入他的耳朵，他这才开始兴奋起来。她身上的气味勾起了他湿热美好的回忆。一股麝香味，女人味十足……这就是莎蒂的味道。他深吸着气。每一个女人身上都散发出特有的香味，这总让他欲火焚身。

他伸向她的胸部，一股失望感向他袭来。那对大奶子不见了！好莱坞最棒的一对奶子现在变成两坨坚硬的小土堆，只要一只手就能抓满了。

"你的奶子怎么了？"他喘息着说。

"我把它们整小了。"

"它们没有什么过错！"

"错了，它们有错。"

"我以前很喜欢你的奶子。"

"那就对不起了，如果我知道你 26 年之后会回到我身边，我会留着它们的。"

他用力压她的乳头，它们跟橡胶一样硬："你犯了个大错。"他呻吟着说。

"看在上帝的分上！"她愤怒地咆哮道，"我们到底是要上床，还是要给我的奶子举办个葬礼？"她停顿了片刻，然后补充道，"我想你应该知道，罗斯，任何一个不想被叫作大男子主义蠢货的男人都不会再叫它们奶子了。"

"莎蒂，你变了。"

"妈的，但愿如此。"

巴蒂跟莎蒂推荐的业务经理见了面。那个男人把他当作大人物一样接待——为什么不呢？如果他一星期赚 15000 美元，他就不再是个小人物了。他从来没想到这个只管那些日进斗金者的男人愿意处理他的事情仅是卖莎蒂一个人情。

"莎蒂跟我说你需要一辆车。"他说，"我可以帮你弄到一辆价格非常优惠的全新野马 G.T，你觉得怎么样？"

"我……还没有那么多钱。"

"没关系，一切都打理好了。等你有收入后，钱会从里面扣除的。还有，告诉我，你现在还需要多少现金？"

有时候，巴蒂觉得他只有掐一下自己，才会醒过来。一切都变得这么顺利似乎不太可能，除了安琪儿……

他周六下午去取车。车是黑色的，皮革座椅，最好的一点是有四个扬声器和一个磁带卡座。他直接开向淘儿音乐城，他在那儿买了 200 美元的磁带。其中大部分都是滚石乐队的，很多他们早期的作品。然后一边听着《心满意足》《疯狂的杰克》和其他金曲，一边四处随便兜圈子。

他在想要怎么样才能找到安琪儿。她显然没有跟他之前想的那样跑回家。

他皱起了眉头。也许他应该在报纸上登广告，希望有人看到后会给她看。唯一的麻烦是莎蒂会看到。

星期天早上，他早早就得出发前往棕榈泉。小车飞速行驶在路上。他 9 点就到了，早了一个小时。

他停下来吃早餐，发现一点胃口都没有。他愁眉苦脸地盯着窗外看，只想让这整个事情快点过去、早点结束。

星期天早上，莎蒂比罗斯提前醒过来，匆匆跑到浴室，收拾昨晚缠绵之后留下来的残迹。她看起来一团糟。黑色的头发乱成一团，缠在一起。精心设计的妆容全都渗进皮肤里。眼睛下面顶着两个黑眼圈，无情的岁月在她脸上刻下了深痕。

她重新涂眼影时，手轻微颤抖。昨晚就跟她原先计划的那样——正中要害。她用"把你的裤子脱下来"这个方法把罗斯要得团团转。他惊慌失措，而她则尽情享受他的每一分不安。

但是……最终……他还是占有了她，而且是完全占有她。有那么一会儿，事情不太一样了。

她讨厌自己这么软弱。她痛恨他只要用超强的性能力就能击退自己。

她一阵战栗，怀疑自己还能不能继续执行她的计划。她会很轻易让他回到自己的生活中，但是她知道接下来会发生什么。只要对他有利，他就会利用自己。然后他就会甩了自己，投到胸大无脑的漂亮妞怀中。

绝不能相信罗斯·康迪，应该要给他个教训。

她穿好衣服，回到卧室。罗斯还四仰八叉躺在床上睡大觉。

她盯着熟睡中的他看，愤然发现自己还爱着他——不管是哪一种爱。她这一辈子，从来没有人能够让她有他给自己带来的感觉。

她愤怒地走向厨房。他是个自私自大的混蛋！他除了变老了一点之外，其他都还是老样子。

他最后打了个鼾，猛地一惊，然后醒了过来。

有那么一瞬，他感到晕头转向。他究竟是在哪里？是在自己家？在凯伦家？还是在贝弗利山庄酒店？然后他一下子全记起来了。莎蒂终归没有那么难搞定。她外表冷漠，刀子嘴，但是只要他稍微向她施展他的秘密武器……

他打了个哈欠，大笑起来。她的大奶子是不在了，但是她的激情却没有消退。他让她呻吟、尖叫、苦苦哀求，就像过去一样。

他一直都很喜欢把莎蒂弄得情迷意乱。有一次，他教她做爱时说一些话，这曾经让多年前的她面红耳赤。现在比起他她可能把那些词记得更牢，但昨晚他让她把每一个词都重复上十遍，这让她体验到了久违的快感，气喘吁吁。

他又回到她的生活了。现在他们两个可以一起把注意力集中在他的事业上了。

他舒服地舒展了一下身子，对新的一天充满期待。

巴蒂付完钱，出发。

也许他会告诉莎蒂实话，也许她会取消合同，收回他的车，那一切都前功尽弃了……

呸！朋友之间究竟有什么他妈的真心！

就是。

呸！

罗斯从后面抱住她，一大早的他自信满满："早上好，宝贝。"他柔声细语道。

整个人赖在她身上，一只手探入她的丝质衬衫。

她快速转过身来，把他推开："看在上帝的分上，穿好衣服。没有什么比一个没穿衣服的男人更让我倒胃口了。你看上去可笑极了。"

他非常震惊。昨晚不停呻吟、气喘吁吁、苦苦哀求自己的女人去哪儿了？

"记得我不？我是你的罗斯宝贝啊。"他伸手抓她的奶子，莎蒂把他的手一把扇开。

"我建议罗斯宝贝先去把衣服穿上。"

他下身已经半挺在哪儿了，准备随时发起攻击。

"我还以为一大清早能勾起美好的往昔回忆……"

"你想错了。"

他还是没有完全摸透她。她明显就是在装双重性格。但是他也会耍花招，今天晚上他一定要让她跪地求饶。他举起双手以示认输："好，好。我还没有强迫过哪个女人。"他想在她脸上来一下，但是她急忙转开。他发现自己在亲吻空气。他感到有点困惑，于是回到卧室，穿上泳裤。

今天他要搞定一些事情。首先是《街头路人》；其次是他跟莎蒂的关系。

吃点早餐，出去晒几小时太阳，可能她过会儿心情会好点儿。现在估计她感到罪孽深重，因为她昨晚过于放纵自己了。有些女人就是这样，特别是那些年纪大一点的女人。

10 点整，巴蒂按响了莎蒂·莎乐棕榈泉房子的门铃。他一边等一边不耐烦地捏响指关节。

莎蒂在厨房里。她向还在卧室里的罗斯大声喊道："你能不能帮我开一下门？"

他穿着一条条纹马德拉斯棉布短裤出来了："你是在等什么人吗？"

"你到底要不要开？"她不耐烦地吼道。

他走到前门，打开门，跟巴蒂直接打了个照面。

两个男人互相盯着对方。巴蒂立马就认出了罗斯，怀疑自己是不是找错房子了。

罗斯也认得巴蒂，虽然他不知道巴蒂的名字。他只记得巴蒂是凯伦在派对上喝得醉醺醺卖弄舞技时的舞伴之一。"什么事？"他冷淡地问道。他对年轻的帅哥从来都冷眼相对，因为他们让他猛然想起了自己逝去的青春。

"嗯……请问这里是不是莎蒂·莎乐的家？"

"是。"

"她……在……家吗？"

"为什么找她？"

莎蒂走到罗斯身后，脸上绽放出欢迎的微笑，容光焕发："巴蒂，我真高兴你能来。"她仔细看着他的身后，"我看你已经领到车了。你满不满意啊？"

"您真会开玩笑，这车太好了。"

"进来吧。你认识罗斯·康迪吗？"

"嗯……康迪先生，很荣幸见到您。"他伸出一只手，但是罗斯却不理会他。

"罗斯，这是我即将推出的新星。"莎蒂说道，品味着这一刻，"巴蒂·哈德森，记住这个名字，他会大红大紫的。他已经签约电影《街头路人》，成为主演之一。"她抓着巴蒂的手臂，领他进来，"我为你准备了一个惊喜，我知道你一定会喜欢的。罗斯，跟我们一起来，我想你也会感兴趣的。"

罗斯在想为什么她没有跟自己说她在等别人，这演的是哪一出？什么狗屁"我即将推出的新星"？还有什么"巴蒂·哈德森，记住这个名字，他会大红大紫的"？

曾经一度她也这么说过他。她总是以这句话开头来介绍他——"罗斯·康迪。记住这个名字，他会大红大紫。"

他跟着他们穿过房间，对事态最新的发展并不满意。

她拽着巴蒂的胳膊，摆着一副主人的姿态，这真的让罗斯很愤怒。事情哪里不太对劲。经过昨晚之后，她现在拽着的应该是他的手才对啊。

他们穿过一个闪闪发亮的蓝色游泳池，抵达客房外面。莎蒂耀武扬威地打开房间锁，打开灯，他们三人走进一间白色的大房子，房间空荡荡的，只有一张广告牌大小的海报贴满整面墙壁。海报上面的巴蒂一头黑色鬈发，迷蒙的黑眼睛，古铜色的身体完美无缺，身上除了一条褪色的莱维斯牛仔裤什么都没穿，看起来活色生香。

这张照片拍得实在是太好了！很多年前，罗斯也是摆着同样的姿势拍了同样的照片——一头蓬乱的金发，眼睛幽蓝深邃，古铜色的身体完美无缺。

一行醒目的红色字体写着一句神奇的宣传词："谁是巴蒂·哈德森？"

"上……帝！"巴蒂尖叫起来，"这实在是太棒了！但是这是拿来干什么用的？"

"这是让你成为明星的万全之策。"莎蒂说道，"这张海报将会出现在全国各地的广告牌上。"她转过来，直视罗斯，"我之前这么做过一次，我也可以再来一次。这只需要我稍微进行操控和有一个懂得感恩的客户。"她定睛凝视着罗斯，一直到她确信他听懂了她说的话。然后她挽着巴蒂的手臂，说道，"我们开车回洛杉矶吧，这个周末在棕榈泉过得实在令我大失所望，我以后再不这样过了。"

.48.

拉斯维加斯虎视眈眈地迎接着迪克。他在黑夜中驱车穿过黑漆漆的沙漠，突然远处一片明亮，无数盏灯闪闪发光。这就是拉斯维加斯，他以前从未见过这样的景象。

他缓慢地将车开往市区，盯着赌场、闪烁的霓虹灯和来来往往的行人。他们就像蚂蚁一样四处乱窜，进进出出，哈哈大笑，喝得醉醺醺的，有的人紧拽着硬币跟银币满溢而出的纸杯。

他想起他跟乔伊一起去大西洋城。她喜欢赌博，喜欢往那些银光闪闪的机器里头塞钱，就像是喂养一大批饥肠辘辘的鲨鱼一样。

他应当制止她的。这些机器太邪恶了，它们简直就是在吃钱。金钱实在是万恶。那些赌徒就跟食人族一样。这些吸人血、邪恶的食人族。他们逮住了乔伊，把她生吞活剥。

他非常疲惫，而且又困又饿，他需要冲个冷水澡，洗掉身上的污垢。

上百家廉价的汽车旅馆在召唤他。它们为顾客提供游泳池、水床、闭路色情电影、老虎机还有免费的早餐。乔伊肯定会喜欢拉斯维加斯的。

可爱的乔伊。她现在在哪儿呢？他好想念她。

他皱起了眉头，迷糊了片刻。然后他想起来了，她跟他母亲在家呢。她很安全。

他住进了一家汽车旅馆。虽然他感觉筋疲力尽，但是却无法入睡。

也许在他好好休息之前还有些事情不得不做，毕竟，他不是什么普通人，他可是**天行者**。他必须担起一些责任……也许出了什么状况……

凌晨3点，他步行到闹市街道，在那儿附近搜寻。他很想睡觉，他努力睁开酸涩的双眼。但是还有事情等着他做……他一定要等到什么蛛丝马迹……

他发现了一个妓女，其实那个妓女早就看到他了。他把头发理成光头，眼睛瞪得老大，是个十足的怪人。但是一单生意就近在咫尺，她必须得拿下。再说了，这年头怪人算什么啊？只要她到时候拿着钱走人，他不痛打她，那她又有什么好在意的呢？

她跟了他一会儿，然后轻拍他的肩膀："哈呀！**帅哥**，想不想开心一下？"

他转过身来，眼圈红得可怕。那一刹那间，妓女想到要放弃。但是她又想：发什么神经，他只不过又是个蠢货罢了。

"乔伊？"他问道。

"谁？我吗？别开玩笑了，我可是个货真价实的女人，想不想看看我是不是？只要 20 美元，你就能得到很多。"

迪克知道他必须跟她去，因为她就是乔伊，需要自己伸出援助之手。她叫自己"帅哥"，这就是信号。

他在衬衫的口袋里摸找钱，一张一张地数了 16 美元。

"你只有这点儿？"她厌恶地问道。然后她拽住他的胳膊以防他变卦，"我想，这些也行了。"她急忙把他拖到街上。

他心甘情愿地跟着她走。

走了五分钟之后，他们远离了灯火通明的地方，走到四下无人、灯光昏暗的街道上。她把他拉进门口，拨弄裙子上的腰带。裙子开了，她底下什么都没穿。她随意地靠在墙上，又开她的双腿。

"既然你凑不到 20 元，就只能站着来了。"

她伸手拉他的拉链。

他伸手拿他的刀。

她的出手比他快了些。他还没回过神来，她就已经把他的裤子脱了，开始很有技巧地爱抚他。

他愣在那儿，手上的刀一动不动。

过了片刻，她不耐烦地抱怨："快来啊。"

他没有动。深夜里，不知从哪里传来一个女人醉醺醺的咒骂声。

女人又抚摸了他一阵，然后说："你究竟是怎么一回事？是不是有毛病？"

他又拿起了他的小刀，他真正的武器，这种释放的感觉真是酷毙了。

她像一只野兽一样尖叫，远处那个醉酒的女人还在继续大喊大叫。

当她倒在地上时，他浑身沾满鲜血。他脱掉衬衫，扔到她身上。

"你现在可以安息了，乔伊。"他低声说，"当我完成使命之后，我就会去找你。"

.49.

这一切来得太快了，巴蒂感到头晕目眩。他前一刻还只是一名四处寻找机会的演员，下一刻就被莎蒂·莎乐发现，成为了一部炙手可热的新电影中的主角之一。

谢天谢地，莎蒂仅仅挖掘他，完全没有勾引他，这让他松了一口气。他之前认为她让自己来棕榈泉肯定是想试着对自己表达爱意，但并非如此。她已经给他看过海报，然后他们开车回了洛杉矶，他在她家门口把她放下。仅此而已。

莎蒂·莎乐跟罗斯·康迪，这一对实在让他觉得云里雾里。但是他四处打听之后，才发现这并非不可能。好莱坞有谣言说是莎蒂发现了罗斯，让他成为了明星，但是他成名之后，立马甩了她。

"我希望你会喜欢你的海报。"巴蒂星期一来办公室时，弗尔迪狡黠地哼了一声说道，"我得一路把它拉到那儿，又得一路把它拉回来。"

"我真希望我长得跟海报上一样。"巴蒂开玩笑说。

弗尔迪勉强挤出一个微笑："你周末过得怎么样？"他忍不住问起他来。

"哈，这周末过的，我才刚到那儿，莎蒂就让我开车载她回洛杉矶，我都没有机会坐一会儿，晒晒太阳。"

"你的意思是你没有在那儿过夜？"弗尔迪问。

"没有。"

他显然觉得非常惊讶："哦，莎蒂一会儿就来见你，她正在跟奥利弗·伊斯特恩通电话。"

"没问题。"他在房间里走来走去，认真观看起贴在墙上当装饰用的明星签名照。他的眼光落在乔治·兰开斯特派对上一直缠着安琪儿的那名情景喜剧演员的照片上，"你认识这个家伙？"

"我从不挂陌生人的照片，"弗尔迪利落地回答道，"他是我们旗下代理的明星。莎蒂当然不会亲自带他，我们有个电视部。"

"你能不能帮我个忙？"

"那要看是什么忙，我为莎蒂的客户做很多事，但是我可不会提供毒品或者异性服务。"

"该死！"巴蒂爆笑起来，"如果我需要别人帮我这样的忙，我也绝对不会问你的。"

"多谢了。"弗尔迪愤怒地说道。

"你不要见怪了。我正在找一个女孩，她去参加过乔治·兰开斯特的派对，可能是跟这个蠢货一起去的。"他指了指那张照片。

"她叫什么名字？"

他可不能告诉他她叫安琪儿·哈德森，不是吗？

"我没有问她叫什么，好像是叫安琪儿。她是个漂亮的金发女郎，的确非常漂亮。"

"我尽力而为吧。不管怎么说，好莱坞叫安琪儿的也不会特别多。"

在宣布梦塔娜导演《街头路人》的那一天，乔治·兰开斯特离开了，他甚至都没有留下来抗议。他跟帕梅拉坐上她的私人飞机，头也不回地飞往棕榈泉。

乔治·克里斯蒂在好莱坞报道中提到帕梅拉曾说："好莱坞实在是糟糕透顶。"然而，大家都知道帕梅拉从来都不是圆滑之人。

起初奥利弗非常愤怒，他觉得他的电影就要打水漂了。然后他稍微脑子一转，算出不请乔治·兰开斯特能省下多少钱，发现事情也没有那么糟糕。单单有吉娜就能撑住整部电影，而且他出她平时的半价就把她拿下了，这让莎蒂很不满。另外付给巴蒂·哈德森的也只是小数目，给梦塔娜的钱更是少得可笑。

他决定加大巴蒂·哈德森的戏份来占取年轻人这块市场。虽然他很讨厌称赞梦塔娜，但是她确实是慧眼识金，这个小伙子星途无量。

他现在要做的就是想出如何改拍刚刚遭拒演的麦克这个角色，不管怎样，他决定重写这个角色，减少这个角色的戏份，让它不再那么重要。

谁还需要另外一个像乔治·兰开斯特这样的演员？反正奥利弗不需要。他只要一个相对靠谱的演员，虽然名不见经传，但是不会向他漫天要价，这样就行了。

当罗斯·康迪的经纪人扎克·谢弗打电话推荐罗斯时，他觉得罗斯·康迪听起来还不错，倒不是说他是镇上唯一的人选，有很多经纪人都急切地打电话过来推荐演员。但是奥利弗喜欢罗斯·康迪那股特有的味儿。这样选角标新立异。康迪帅哥扮演一个蓬头垢面的老警察，这可是他第一次演一个像样的角色，那些杂志会喜欢的。他似乎现在就看到《人物》杂志的封面了。而且罗斯又要离婚了，这就意味着会有更多好报道。另外罗斯跟吉娜两人之间的关系应该会引起一片哗然，谁都知道罗斯是个恋奶狂。

把他们放在一起，会怎样？

当然电影会上更多的报纸头条，就是这样。

没错，奥利弗喜欢这种炒作风格，他喜欢把最后的包装也合计在内，特别是当一切都顺着他的意愿发展时。

尼尔·格雷心脏病发作三周后得到允许可以离开医院，回到了家中。但是他回的并不是家，而是海滩上的一间出租房，由一个私人护士陪同他。

这整件事都是梦塔娜安排的："这样是最好的。"她说。

"那你呢？"他问着，觉得自己就像从鬼门关被拖回来一样，其实事实就是如此。

"我尽量周末过来。"她含糊地说。

他们一直都没有聊到他心脏病发作的原因，没有大声吵架，梦塔娜也没有责骂他。但是尼尔知道她清楚情况，他绝望地想要留住她。

"说定了？"他问道，讨厌听到自己声音中带着的恳求的语气。

"我会尽量的，但是电影还有这一切……"她的声音逐渐变弱。

"梦塔娜——"他开始说。

"我现在不想聊这件事。"她气愤地说，"我还没有做好心理准备。"

就这样，他遵从好好休息、重新恢复健康的指令被驱逐在海滩边，而他的妻子则接手他的电影，吉娜·杰曼当主演，这让整件事情显得异常怪异。

他想要问她为什么会同意让吉娜出演这部电影，但是他难以开口提那个女人的名字。

如果他问起的话，她会回答这根本不是她的选择。而且如果她想要当这部电影的导演，她就不得不一切都顺着奥利弗·伊斯特恩的意愿，要不然他就雇别的导演去了。

"你要么接受，要么这个导演你就别当了。"奥利弗这样说过，很享受每一分钟，"但是记住——接受了以后，别给我惹什么麻烦，这部电影全权由我掌控，你不喜欢也没有办法，这就是游戏规则，知道吗？"

这个蠢货。只要电影一开拍，她就会掌控全局，大家都知道只要电影开拍，制片人就会被导演压得死死的。

奥利弗竟然签下了吉娜，这实在是令人难以置信。但是已成定局了，她别无选择，只能接受这个事实。因此，她让吉娜来录影棚开个会。不知怎么地，她下定决心要想方设法让她在这部戏里头有出彩的表现。

"听说尼尔的事情之后，我感到非常难过。"吉娜滔滔不绝地说道，一双眼睛睁得老大，一头金发，胸部奇大无比。

梦塔娜用洞悉一切的眼神看着她，让她很不自在，然后说了一些要她命的话："我希望你减掉 20 磅。你的头发不够自然，要换一个发型。不能穿特意订做的衣服，穿现成的。至于你的妆容，不能戴假睫毛，涂唇彩或者是眼影。"

吉娜怒视着她。

"我不想在银屏上看到电影明星吉娜·杰曼的形象,你必须要努力捕获妮吉的单纯。"

吉娜显得有些不耐烦。

"我们俩别拿对方开玩笑了。"梦塔娜继续说道,决定开门见山,直接把话说清楚,"我不想让你演这个角色,你很可能也讨厌由我来当导演。但是基本上我们都有一个共同的目标——拍一部好电影。所以我们就不计前嫌努力把电影拍好,我们在这一点上能握手达成共识吗?"

吉娜露出一副吃惊的样子:"为什么不呢?"她最终说道。两个女人互相握了握手。

"他今天想跟你吃顿午餐,在芭堤雅酒店。"扎克·谢弗说道,"我想我们可能能拿到这个角色,钱虽然不多,但是你应该好好抓住这个机会。"

这个蠢货现在才跟他说应该好好抓住这个机会。数月以来,为了《街头路人》,罗斯到底是一直在催促谁?他一听到乔治·兰开斯特出演有变故,他就联系扎克,让他马上给奥利弗·伊斯特恩打电话。

"我给他打过无数次电话。"扎克抱怨说。比起帮他的客户拿到工作,他对吸毒跟泡妞更感兴趣。

"所以再给他打个电话,立刻就打。"

时机刚刚好。乔治辞演的消息还没见报,凯伦提前提醒过他。她终于给他打了一个他感兴趣的电话,通常她打电话来都是问"我为什么没见到你?""你怎么了?"

他不知道自己怎么了。自从在棕榈泉跟莎蒂的那段插曲发生之后,他就一直黯然神伤。她把他当性爱工具一样对待,利用自己让她的新宠心生嫉妒。他这辈子第一次觉得自己遭人抛弃,跟个傻瓜一样。这种感觉实在太糟糕了,这个可恶的女人!

他把自己关在酒店房间里,日夜看电视,有事就叫客房服务,连胡子都懒得刮。

他连续萎靡不振了几天之后,觉得再也受不了自己这样,这让他觉得自己很老很脆弱,雪上加霜的是他发现自己长出了灰白胡须。上帝啊!白胡须再加上晒黑的皮肤逐渐褪去,他看上去就像个该死的老头儿。

于是他决定振作起来,刚好凯伦打电话过来告诉他乔治马上就要离开了。

伊莱恩的留言一天天变多。一开始她只是留下她的名字,要求他打电话给她。

但之后她从门下缝隙塞进的留言就比较私密，真是尴尬。她是想让全世界的人都知道发生了什么事情吗？

他不得不对她采取一些行动，去跟他的律师谈离婚事宜。但是认真一想，他并不确定自己是不是真的想这样。

她就不应该把自己扫地出门。让她再遭一阵子罪吧，然后也许他会考虑看看……

巴蒂从来都没有这样忙碌过，但是他很喜欢这样。他忙着做发型、化妆、试衣服、开剧照会，还要跟宣传人员一起想出一份适宜的个人简介。晚上他躺在床上筋疲力尽。周五是他第一个空闲日，他决定去看看雪莉和兰迪两人，保不准他们有安琪儿的消息。他也想把他借的那些钱给还清。

他到兰迪那儿时已经中午了，他按了好几分钟的门铃，雪莉才终于跟跟跄跄地走到门口。她只穿着一件大号的 T 恤，红色的鬈发一团乱，神志不清的眼睛里满是困意。

"什么事？"她咕哝地说道，都没认出是他。

"喂——能被人记住可真好。"

她怔怔地盯着他，认出来是他。"巴蒂。"她含糊地说，"见……到你真高兴，巴蒂。"

他跟她走进小公寓，看到兰迪四仰八叉地躺在床上睡觉。这个地方比平时更乱了，到处都是衣服、磁带、空酒瓶、吃了剩一半的比萨，床旁边的桌子上有一瓶打翻的安眠药、注射剂跟针，锡铁盒装着少量可卡因。

巴蒂一眼就看到了这些："你们俩还真是一对啊！"

"为什么不呢？"雪莉反驳道，她打着哈欠，用手梳理乱糟糟的头发，"好过一个人睡。"她捡起一条牛仔裤，使劲地抽了一下一动不动的兰迪，"醒来了，巴蒂来看我们了。"

兰迪喃喃地说："滚开。"

"我们昨晚太猛了！"她解释，迷迷糊糊地指向吸毒用具，"事实上我们这一整周都太猛了。就是要好好珍惜开心的时刻。要不要来一点？"

巴蒂摇摇头。他以前真是他们中的一分子吗？难怪安琪儿会离开他。

"是这样的，"他匆忙说，"我只是过来还我向你们借的钱。"他伸手拿钱。

她歇斯底里地大笑起来："你哪儿来的钱？去抢银行了？兰迪！快醒醒，巴蒂来了，他有钱。"

兰迪突然坐起来，对她怒目而视："该死的！别再这样对我大喊大叫了，我讨厌这样。"

"你太坏了。"她转身背对着他，弯下身，在他面前扭动她的光屁股。

他狠狠地拍了一下。

巴蒂有种幽闭症发作的感觉。这整个场景让他很难受。他真的不想再待下去了。

"你哪儿来的钱？"兰迪质问，他看上去就像快要散架了，苍白憔悴的脸上一双眼睛狂妄呆滞。

"你怎么了？"巴蒂指着注射器问道，"你什么时候沾上这些东西的？"

"哈，你少假惺惺地关心我。只要把钱留下，然后给我走人。"

有那么一瞬，巴蒂觉得自己应该插手，至少应该试着跟他们谈谈。但是他又想——我是怎么回事？疯了吗？他们两人都能照顾自己。

"给。"他抽出一些钱递给他，"我想这些应该够了。"

"找到工作了，巴蒂？"雪莉含糊地说。

"对。"他回答。他可不会将自己的好事告诉这两个神志不清的活死人，"哦……听着，我现在搬到了一个新地方，如果安琪儿打电话过来，我希望你们一定要给她我的电话号码。"他把电话号码写在电话旁边的便条上，"拜托了，一定尽量让她告诉你们她在哪儿。我真的需要联系上她。"

"她就像是温室里的花朵，哥们儿。"雪莉搓揉着眼眶发红的眼睛，咕哝道，"经受不起任何风吹雨打。"

"那——我想我们回头再见了。"巴蒂退向大门说道。

"你又出去卖了？"雪莉质问。

他没有回答。他走出公寓，跑下楼梯，跳进他的车内，让自己远离自己过去的一切。

"我跟艾德里安已经谈过了，我们俩都觉得你应该搬过来和我们一起住。"克克说。

安琪儿开始提出异议。

"这没得商量。"他坚定地说，"而且我收到把公寓出租给你的那个女孩的来信，她就要回来了。所以你看，就这么定下来了。"

她想要反抗，维护自己刚刚获得的自立。但是一想到搬进去跟克克和艾德里安同住实在是太有诱惑了，她没有办法拒绝。他们可以暂时成为她的家人，这有什么不好呢？

几天之后，他们把她的行李装上了克克的车，她搬进了那间位于山中的小房子。

一开始，她觉得尴尬不安，很不自在。但是艾德里安对她很友善，而且克克又这么亲切，她马上就觉得像在家里一样轻松自在。

孩子慢慢开始显现出来了。

"啊哈！"一天早上雷蒙多嗤笑起来，"你不想跟我这个大帅哥出去玩，但你肯定到哪儿去玩乐了。"

"赶紧去招待客人。"克克尖刻地说，他跟往常一样忙里忙外。

"我们这儿有一个人肯定会很乐意去的。"雷蒙多厉声回答，"这样对生意好，知道吗？哥们儿？"

"上帝啊，请帮我们脱离这个淫荡的波多黎各人吧！"克克轻声抱怨道。他转向安琪儿，"我给你找了一个医生，他在孩子出生之前会一直照顾你。事实上，他甚至还将帮你接生这个小怪物。"他假装叹了一声，"我们房子那么小，要拿孩子怎么办呢？这可难住我了。"

他给了她一个保护的拥抱："但是别担心，我们没问题的，我很可能会喜欢孩子哇哇大哭的。"

她紧紧握着他的手："我太爱你了，克克。我会永远感激你为我所做的一切。"

他罩在古怪的鬈发下的脸刷的一下红透了："拜托！亲爱的，别跟我说这些肉麻兮兮的话，我受不了这种煽情的东西，这会让我内分泌失调。"

奥利弗喜欢玩弄急于拍片的演员，特别是名演员，通常他们都把他压得死死的，通常他们压榨他比汹涌的水道来的劲更狠。但是罗斯·康迪却完全在他的掌控中，他很喜欢这样。其实他是非常喜欢，因为他坚持让梦塔娜加入他们之中。吉娜·杰曼跟罗斯·康迪这一对放在一起，估计会把她气得够呛。

"天哪！奥利弗。"她听到这个决定时愤怒地说道，"我能理解为什么乔治·兰开斯特对你那么重要，但是周围还有那么多好演员，你为什么偏偏要选罗斯·康迪呢？"

坐在芭堤雅酒店他常坐的那张桌旁的他现在实在是得心应手，甚至他的痔疮都消退了，这只能证明他的情况并没有恶化，一切都遂心所愿。

梦塔娜急了，失去了她惯有的冷静。

罗斯拿出最好的德行。奥利弗就跟一只恶猫一样玩弄他于股掌之中。

"我觉得这是我读过的最棒的剧本之一。"罗斯急切地说。

至少他喜欢这个剧本,梦塔娜想。这总比兴许从未读过的乔治要好。

"莎蒂今天早上给我打过电话。"奥利弗说道,一边用力地用餐巾纸擦拭叉子,"她好像觉得亚当·萨顿也许感兴趣……"

罗斯忍住怒火,默不做声。他知道奥利弗在玩什么把戏,他能做的就是坐着听他讲完。

"当然,亚当开的价格实在是荒谬。"奥利弗朝达尼跟哈尔·尼达姆挥手示意,继续说,"但只要碧碧在片场,这个可怜的混蛋就没有办法再拍戏。但是……他很受欢迎,特别是在欧洲。"他擦完刀叉,开始欣赏自己的杰作,"你知道,罗斯,扎克不好讲话,我清楚你有自己的身价……"他耸耸肩,"但是我想我应该告诉你,这部电影还没开拍,却已经预算超支了。"

罗斯开始流汗。午餐前,他已经跟扎克谈过了,奥利弗开的价格简直就是在侮辱他。难道他还想开更低的价格?

"坦白说,"奥利弗大方地说,"如果我们能在价格上达成一致,这个角色就是你的,但是如果不成的话……"他再次耸耸肩,"我今天 4 点前必须要做出决定。"

梦塔娜站了起来:"请原谅我的冒昧,"她说,"我这一阵不能花时间慢慢享用午餐了。我们一周之内就要开拍,还有一大堆事情等着我做。"

"一周?"罗斯咽了口气。

"没错。"她说。她喜欢他,觉得让他演的话也许也不错。她对奥利弗简短示意:"再见。"然后就走掉了,这让他很恼火。

"我觉得她肯定会拍出一部佳作。"奥利弗勉强说,"虽然她是个女人。"

"她的剧本写得实在是太好了。"

"对,是很好。"奥利弗被迫承认,"当然,我得做一些改动,但都只是小改动。"他抿了一口毕雷矿泉水,瞥了一眼餐厅四周,"那不是你老婆吗?"

罗斯转过来,刚好看到伊莱恩跟玛瑞丽走进来。

天啊!真是太不凑巧了。他赶紧摆正椅子,看向别处,希望她没有发现自己。

他才没有这么走运,她一进来就看到他了。一等玛瑞丽在桌边坐下来,她就婀娜多姿地走过来。

"你好,奥利弗。"她勉强挤出一个奉承的微笑说道,"你好,罗斯。"眼神既委屈又带着责备之意。

他们都回应了她的问候。

一阵尴尬的沉寂。

"你一会儿能不能跟我一起喝杯咖啡,罗斯?我有些事情想跟你谈谈。"

至少她还清楚在奥利弗面前不能对自己出言不逊:"为什么不呢?"他很有风度地答道,但根本无此意。

她略一点头。这对伊莱恩来讲已经算是非常客气的了:"谢谢。"她不再多说什么,起身回到玛瑞丽那儿。

"我听说你们俩分开了。"奥利弗说道,就好像大家还不知道似的。

"只是暂时而已。"罗斯轻描淡写地说道,"没有什么事情是我们没有办法解决的。"

"这样就好。我可不想让别人觉得你在吉娜身旁很放荡……"

奥利弗说得好像他已经拿到这个角色。

"吉娜跟尼尔的故事有几分是真的?"罗斯对此略感兴趣,问道。

"把你听到的乘以三倍。"

"真的吗?"

"你已经听过'陷在阴道'这个说法——吉娜就是这样的——毫不夸张。"

两个男人哄堂大笑。所有的男人都松了一口气,庆幸是尼尔·格雷这个笨蛋被卡住而不是他们。

"我有种感觉,我们在这部电影的合作上还可以再商量商量。"奥利弗说道,"只要跟你的经纪人谈谈,就剩那点钱了,我根本就拿不出那么多。只要你们要价合理,我想我们是可以合作的。"

这个混蛋东西,罗斯想。你不用付给乔治·兰开斯特的那笔钱哪儿去了?如果现在莎蒂是他的经纪人的话……

但是她不是。而且只要一想起她,他就觉得蒙受了奇耻大辱。他不习惯这种感觉,也不想再激起这种感觉。

"他看上去一团糟。"伊莱恩苦恼地说。

"我看他一点变化都没有。"玛瑞丽回答。她还想补充说——是你自己看起来一团糟。

"他的头发太长了,眼睛下面有眼袋,而且他变胖了。"伊莱恩说,"他在自暴自弃。"

你也一样，玛瑞丽想说。她以前从来没有——真的没有见过伊莱恩指甲油剥落过。而且既然谈到体重增加一两磅这个话题，她的朋友看上去双下巴明显，才是那个变胖的人。至于她的头发——她前面那缕白头发是不是太醒目了？

玛瑞丽轻轻拍打着她自己那完美无瑕的金发，在想着伊莱恩不管正在经受什么样的个人危机，总有时间梳妆打扮吧。伊莱恩自暴自弃成这样，真是大错特错。

"我在想罗斯跟奥利弗正在干什么。"伊莱恩沉思。

"有传言说他可能会顶替乔治·兰开斯特。"玛瑞丽说。

"多谢你告诉我。"伊莱恩冷冰冰地厉声说道。

"我也只是听说，我一知道就来找你吃午餐了。"她停下来，决定转入她希望讨论的话题，"是尼尔告诉我的，我每天都跟他讲话，他现在身体恢复得很快。"

"如果我说错了请指出来。"伊莱恩急躁地说，一只眼睛盯着她那出轨丈夫的一举一动，"但是他还跟梦塔娜在一起，对吧？"

"我想是……某种程度上……但是我觉得这不会持续太久的。"

伊莱恩难以掩饰自己的惊讶："那你想把他要回来吗？在他那样子抛弃你之后？"

伊莱恩傲慢地扬起她那金色鬈发："你根本就没有资格说我被甩。你就不会再要回罗斯吗？"

伊莱怒气哽喉："罗斯没有甩了我。我把他赶出门是因为他有外遇，就跟我们的好朋友，凯伦。既然我们谈到这个话题了，你一定早就知道发生了什么。你为什么不告诉我？"

玛瑞丽瞪大一双碧眼，她的眼睛这么漂亮，压根儿就看不出有整过："我不知道啊。"

"你是有可能不知道。你要忙着你的兰迪呢，他跑哪儿去了？是不是他的银行存款跟他的硬根不相配啊？"

玛瑞丽迅速戴上一副白色太阳镜："我真不知道你是怎么回事。你真的说了一些朋友不该说的话。"

"如果朋友都不说这些，谁还会说？"伊莱恩有条不紊地说。一个服务员走过来，她逮住他，"再上一杯伏特加马提尼。来两杯，我喝酒中途讨厌停下来。"

巴蒂正在做俯卧撑，弗尔迪找到了他。

"你必须得有一台应答机。"弗尔迪在电话里斥责他，"要不要我帮你安排一下？"

"为什么不呢？"巴蒂下定决心。如果他要成为明星，最好还是从这些配件做起。

"我有你要找的那个女孩的电话。"弗尔迪一本正经地说道，"她叫安琪儿。她在大道那边的一家发廊工作。"他接下来给了巴蒂电话号码，然后再给出建议，"你要知道，你现在约会要小心谨慎，很快你做的一切都会被拍下来，写下来……一般情况下，最好还是跟懂得怎样处理这类事情的女演员约会。"

巴蒂咧嘴笑了笑。有时候弗尔迪听起来就像是莎蒂的翻版，只不过比较无力些。她也已经跟他讲了同样的话。

"谢谢，我会记住的。我得走了，琳达·埃文斯还在热水澡堂里等着我呢！"

"自以为是的蠢货。"弗尔迪无礼地说。

"你难道还不了解我吗？"

巴蒂挂了电话，深深吸了一口气。

安琪儿，你今天就要回到我身边了！

他拨打弗尔迪给他的那个电话，拨通之后不耐烦地等着。

是一个男人的声音："克克美发沙龙。"

"嗯……嗯……我找安琪儿。"

那头停了一会儿："你是谁？"

"跟她讲是她的一个朋友。"

"我知道你是，但是安琪儿现在不在，所以请留下你的名字和电话号码，我会让她给你打回去。"

他妈的！真是个刻板的怪人。

"我一会儿再打过来。"巴蒂很不满意地说道。

"再见。"克克哼唱着说道。

巴蒂放下话筒，凝视远方。他应该问他地址，然后跳上车，开车去那儿。

然后他就可以确定无疑地让安琪儿重新回到他的生命中。

但也许她不愿意回来……他不得不承认，这个想法让他胆战心惊。

"有人给你打了个电话。"克克对刚从医生那儿回来的安琪儿说道。

"是谁？"

"他不愿意留下名字。"

是巴蒂，她想。噢！老天，一定要是巴蒂啊！

"他会不会再打电话？"她焦急地问道。

"不打过来是他的损失，是不是啊，亲爱的？"

他前一刻还在那儿，下一刻就不见。伊莱恩既无奈又愤怒地盯着罗斯的空位子。她只去了洗手间一会儿，这个混蛋就趁机溜走了。

"你有没有看到罗斯走了？"她冲着玛瑞丽吼道。

"没有。"

伊莱恩瘫坐在椅子上："我讨厌这个该死的地方，到处都是该死的骗子，不是担心这个派对，就是那个派对。而且如果你没有被邀请参加，你就不再是焦点，大家都会忘记镇上还有你这么个人存在。"

玛瑞丽眨了眨眼："什么？"

"没什么。"伊莱恩冷冰冰地说道，"我讲话开始跟罗斯一个调调了。"她叹了一声，"让我们再喝一杯吧！"

"我不想喝了。"玛瑞丽不以为然地说道，"我今天下午还要去上芭蕾课。"

"该死！"伊莱恩挑衅地尖叫道，"这个鬼地方尽是这些东西。"

3点55分，罗斯·康迪让扎克·谢弗给奥利弗·伊斯特恩打电话接受他提出的条件，不管是什么条件都行。

"如果我们降低你的价格，明天这个时候就满城皆知了，以后要再把价格提上来就很难了。"扎克放低声音，"你要知道，罗斯，演员就像是妓女，她跟人上床要么得到50美元，要么只会拿到5美元。你知道我在说什么吗？"

"我想要这部电影，扎克。我就是个愿意不惜一切拿到这部电影的妓女。给奥利弗打电话，现在就打。"

.50.

莱昂还在睡觉，医生打电话过来了。

"我，你要不要过来看看我，"老人说道，就好像他就住在隔壁似的，"我找到了安德鲁斯的病历了，这东西有点意思。"

"我现在不方便讲话。"莱昂懊恼地回答道，将米莉一动不动的身体缓缓移开，"你能不能稍等一下？"

他冲到浴室，关上门，然后坐在马桶上听着。有点儿意思的是这个医生一找到文件，好像就什么都记起来了。

"威利斯·安德鲁斯是个寡言、身材矮小的男人。"他回忆道，"他一开始是因为偏头痛来找我看病。其实他根本就没有偏头痛，是他的妻子让他很头疼。他性功能方面有问题……他找我三四次之后才跟我说出实情。要知道，当年可不像现在这样可以公然谈论性。"

"没错。"莱昂同意道。

"安德鲁斯先生的问题是他没有办法维持勃起，"医生继续说道，"这就引起了家庭矛盾。安德鲁斯太太好像非常急切地想要怀上孩子。"

"啊？"

"我跟他商量过。我们谈到了服维他命、规定饮食，还有技巧。"他停顿了一会儿，然后无比自豪地补充道，"要知道我当时可是走在时代的最前沿啊！"

"那是。"

"对啊，确实是。"老人窃笑道，"性爱一直都是我最喜欢的话题之一。我喜欢帮助在这一方面有障碍的人，这很有挑战性。"

"那你有没有帮助威利斯·安德鲁斯？"

"唉！没有。他是很渴望我帮助他。但是我记得在咨询了几次之后，我当时在想，问题可能不是出在他身上，可能是安德鲁斯太太有毛病……"

"你有没有见过她？"

"很不幸，没有。我建议他说这是个好主意，但是他变得非常烦躁不安。鉴于后来发生的事情，我希望当时我能坚持这个提议。"

"后来怎么了？"莱昂好奇地问道。

"我是从报纸上剪下那篇报道，放入他的档案中的。"

莱昂追问："什么报道？"

"安德鲁斯夫妇领养了一个小孩，是个女孩。后来发生了意外……孩子遇害了。他们说她是从楼梯上摔下来的。邻居们却称那个孩子是被活活打死的……他们被拘留了，但是关了一阵之后，控诉撤销了，好像是证据不足之类的。他们自然离开了镇子。我无法理解这整件事情，威利斯·安德鲁斯完全不是一个粗暴的人。"

莱昂的大脑在快速运转着，他们当初为什么要领养孩子呢？

这是不是因为威利斯有毛病，他们因而没有办法生育一个自己的孩子？在他做的一切调查中，莱昂对迪克的出生毫无头绪。会不会他也是领养的？

一阵兴奋感在他全身的血管中流淌。他需要更多的信息，远远不止这些。

他要知道迪克·安德鲁斯的真实身世。

.51.

演员确定下来了。

奥利弗·伊斯特恩电影公司出品；《街头路人》；主演：吉娜·杰曼、罗斯·康迪、新人巴蒂·哈德森饰演温尼。

制片人：奥利弗·伊斯特恩；导演：梦塔娜·格雷。

先在摄影棚内拍两周，随后在片场外面拍八周。

在开机三天之前，在西木侯爵酒店举办记者招待会向媒体介绍演员。

梦塔娜简直想勒死吉娜·杰曼。她一头金发蓬松，向后梳至分界点；白色的晚礼服凸显她的曲线，勉强包裹住她那对有名的奶子。

"我是想，"梦塔娜尖刻地告诉她，"让媒体知道这个角色是你的一大转型。你看上去就像要在拉斯维加斯开场表演一样，你让他们怎么把这当真？"

"别生气，亲爱的。"吉娜轻声细语地说，"只怕你会发现我永远都是万众瞩目的中心，不管我穿什么都不一样。"

很显然，这个女人是个彻头彻尾的傻瓜，她们之前开会时讲的话她一个字都没听进去。

"听着。"梦塔娜忙说，"我想我们应该谈谈。"

"现在不行，亲爱的。"吉娜轻蔑地低声说道，她指向在一旁等候的媒体，舌头舔了舔闪亮的嘴唇。

"明天早上怎么样？"梦塔娜追问。

"我不工作的时候，没到 12 点我是绝不会起来的。"吉娜斥责着，好像大家都应该知道一样。

"那就午餐时见面了。"

她不情愿地叹了一声："唉，好吧！"

然后梦塔娜看见了罗斯，他看上去英俊潇洒。跟她一起在芭堤雅酒店吃午餐的那个沧桑演员都下了哪些功夫？

在日光浴灯下面待了整整三个小时；精细地给头上的白发染色；做了一次美容、一次按摩；节食两天；滴了特殊的眼药水让眼睛里的红肿退去。

"哦，糟糕！"她小声抱怨。她在这儿看到的是一对努力让自己看上去光彩夺目，将会搞砸电影的好莱坞电影明星。但是他们打交道的对象是她，她可不能容忍他们为所欲为。

只有巴蒂看上去不错，什么都掩盖不了他的那股野兽般的性感。毫无疑问，不管她有没有成功引导他在这部戏里面出色演出，他都会凭着这部电影平步青云。

吉娜见到他时愣了好一会儿，她就像一个专家鉴定优质精子一样打量着他。

当吉娜审视着巴蒂时，罗斯则专注地盯着她看。他好久都没有见过像她那样的一对巨乳了。为什么他找不到一个同时拥有吉娜的奶子、凯伦的乳头、莎蒂的商业头脑并且像伊莱恩一样很会照顾自己的女人呢？

他在派对上避免跟莎蒂见面，他绝不会原谅她那样对待自己。

但是……还是他笑到了最后。他出演《街头路人》，虽然他看到新剧本时气得七窍生烟，他的戏份被减得所剩无几。

"不要担心。"梦塔娜安慰他，"不要管删减版，我们会按原版拍，先不要跟奥利弗讲。"

莎蒂既懊悔又满意地观察着罗斯，她知道她伤了他的心——至少是伤了他的自尊心。

跟他对她的所作所为比起来，她的报复根本算不上什么。她应该提出更多要求才对。

现在太迟了——他在回避她。真遗憾。她可以帮他拿到接片钱的两倍。

巴蒂光彩夺目。他天生就应该生活在聚光灯下。他是颗耀眼的明星。可能还算不上明星，但是他已经进入正轨了，不是吗？他就差一炮而红。

一个塌鼻子的漂亮黑人姑娘说："我是青年话题的弗吉。"她笨手笨脚地拿着一台录音机，"我能问你一些问题吗？"

他微微一笑："我很乐意。"谈论自己对他来说已经司空见惯。5 天内 23 场开机前采访，基本上抽不出时间去洗手间，更不要说追踪安琪儿的下落了。他只给她打过一次电话，让她重新回来需要一点时间和空间。

弗吉的录音机"嘀嗒"一声开始转动了："你是在哪里出生的？"她问。

微弱的喘息声，上嘴唇汗珠连连。她是在紧张吗？跟他讲话？

"纽约。"他撒谎，"盗贼出没地，日子很艰难，但是我度过来了。"

"你是什么时候来好莱坞的？"

"去年。我从纽约一路搭便车过来。来这儿后，我试了几份工作，当过救生员、儿童体育教练、出租车司机之类的。"他顿了顿，营造戏剧效果，"有一天莎蒂·莎乐坐上了我的出租车，然后哇塞！她问我：'你是演员吗？''是。'我回答。'那我想让你立即去见奥利弗·伊斯特恩。'她说。"

弗吉瞪大眼睛："天哪！"

"嗨——这就跟做梦一样。第二周我就去试镜。你能相信吗？"

她一字不差地录下他的话。

"一切还好吧，巴蒂？"帮他编造简历的公关总监普斯金斯·马龙问道。

巴蒂用拇指跟食指做了个表示肯定的手势。

"他们想要你跟吉娜合拍，我们失陪了，亲爱的。"

那女孩点点头："谢谢你。"她感激地说道，"我一定会去看你的电影的。等电影上映后，我们也许可以再做一次访谈。"

"当然可以，为什么不呢？"他现在是一名风度翩翩的明星，他喜欢这种感觉。

"你有没有拿宣传资料袋啊，亲爱的？"普斯金斯问道，"照片啊，简历啊——它们就在门旁。如果你需要别的什么，给我打个电话。"

"我会的。"

"真是个小可爱。"他说道，匆忙带着巴蒂赶往吉娜的方向，吉娜现在被狂热的摄影师团团围住，"你有没有见过那个'女人'？"

"还没有这个荣幸。"

普斯金斯冷笑了一声："简直就是有奶子的野人。"

"不是我喜欢的类型。"

"不要紧，你是她喜欢的类型吗？如果是的话——赶紧逃得远远的。"

"谢谢，但是我已经听说过尼尔·格雷的事了。"

"他算是幸运了。"

吉娜向他打招呼，双眼饥渴，笑容做作，摇晃着她的澎胸。

"他是不是很性感啊，亲爱的？"她轻声对一群摄影师说。

"亲他，吉娜。"

"抱他，吉娜。"

"乳沟再多露一点儿，吉娜。"

她抓着巴蒂，摆出各种正确姿势。

他注意到在她的浓妆、发型跟轻浮的戏谑之下，她其实冷若冰霜。

当她指示他怎么做时，摄影师们不停地拍照。"笑。""性感点儿。""看在上帝的分上，移开点儿，你挡住我了。""你一会儿要做什么？"

奥利弗大步走过去，满面春风："多登对啊！激动人心的演员。"

梦塔娜正在跟合众国际社的斯科特·维农进行访谈，她远远地观察着这个情景，感到局促不安。这完全跟电影背离了。

弗吉发现了罗斯，她紧张兮兮地拿着录音机对着他的脸。

当巴蒂跟吉娜在摆姿势拍照时，莎蒂观看着他们俩。如果现在罗斯是她的客户，他绝对会和他们一起站在台上。明天这些照片会在全国各地传开，到时候只会提到《街头路人》、吉娜·杰曼跟巴蒂·哈德森。可怜的罗斯只能再一次被报纸遗漏。

她为他感到遗憾。但接着她想起过往，她的表情变硬了。去他个罗斯·康迪！这一切都是他自作自受。

她转身离开。就在这时，普斯金斯拽住罗斯，拉着他匆匆走向拍照人群。

"你欠我两周的钱。460美元，夫人。"莉娜纹丝不动地站在后门旁。

"460美元。"伊莱恩呆呆地重复道。

"这两周的。还有米格尔每周六200美元。"

"我会付给你钱的。"她慷慨地说。

怎么莉娜跟她谈到钱的时候，英语就讲得这么好？

"什么时候？"莉娜责问。

"很快。"

"很快是什么时候？"

"哦，别烦我，你这个蠢女人！"

她跑进卧室，重重地摔上门。忠诚？这简直是个笑话。莉娜为她工作了整整八年了。伊莱恩一直按期付钱给她，不管她是生病或者放假。但是现在你想都别想她会再等上一两天。才不稀罕她的帮忙，她会炒了她，自己来打理房子。

你应该要孩子，伊莱恩。就算没有钱，他也绝不会丢下你。

别来烦我，埃塔。你以为我不知道吗？

她很孤独，一个人在大房子里走来走去。去他妈的钱！也许有孩子在身边做伴也不错。最好是生几个。她还不至于会愿意跟尿布、玩具和所有婴儿用品打交道。

这是不可能的事情，为什么她竟然会考虑这件事呢？而且罗斯并不介意没有孩子。事实上，他非常满意。典型的男演员，不喜欢跟孩子争风吃醋。

伊莱恩镇静下来，鼓起勇气走出房间。最好去跟莉娜讲和，有个愚蠢的女仆总比没有女仆好。

小圣·士提兹开车经过康迪家三次，他在犹豫要不要进去。他从未见过康迪太太，一般妻子在收到自己的丈夫和其他女人上床这种照片时都会怒火中烧。在罗斯·康迪放了他鸽子之后，他决定最好上门来找她。

一辆巡逻警车缓慢开过，条子草草看了他一眼。小圣·士提兹匆忙驶入康迪家的车道，把车停在那儿。他已经从报纸上知道康迪夫妇分居了。如果康迪太太想要离婚的证据，毫无疑问，他就有现成的。如果她想花钱买的话，这些证据就归她了。

他下了车，朝前门走近。他一边按响门铃一边贪婪地咬着自己的拇指指甲。

一个粗暴的西班牙女仆给他开门，她的脸上乌云密布："你是谁？"她无礼地厉声问道。

他拉直他 5.5 英尺的身板，递给她一张皱巴巴的名片。

"把这个给康迪太太。"他尽量让自己摆出一副权威的样子，"告诉她我是为她丈夫的事情而来的。"

"康迪先生不在这里。他走了，你下次再来。"她试图当着他的面关上大门。

他用脚顶住了。这是他看了大量的米奇·斯皮兰①小说之后学到的。

"把你该死的脚拿开！"莉娜大喊。

"我想见康迪太太，康迪太太。"他坚持说，"把我的名片给她。"

莉娜狐疑地盯着他："你最先为什么不说是找太太的？"

"我有。"

"你等着。"

她用一股狂力将门关上，移开他的脚，还差点儿让他下辈子成为一个跛子。他上蹿下跳，感到既疼又恼怒。伊莱恩·康迪不管是什么样子，她最好要比她的女仆温柔一点。

"啊，莉娜，你在这儿啊。"伊莱恩甜甜地说道，"我想为我前面的无礼行为向

---

① 美国著名冷硬派作家。

你道歉。"

莉娜阴沉着一张脸，用力将名片挥到她面前。

"这是什么？"

"门口的男人。"她咕哝抱怨着，朝房间走去，喃喃自语。

伊莱恩瞥了一眼名片。她不认识这个人，名片上的字被几处污点弄模糊了。她跟随莉娜走进厨房："这个男人想要干什么？"

莉娜事不关己地耸耸肩："不知道。"她埋头在水槽忙起来。

哦，上帝啊。他是债主。罗斯没有付账单。

"莉娜，"伊莱恩甜言蜜语地哄她，"你能不能告诉他我不在家？"

莉娜噼里啪啦地洗着盘子，不理她。

"莉娜，亲爱的，求你了。"

女仆转过来盯着她："是个很粗鲁的男人。我应付不了。"

伊莱恩跺了跺脚："我付钱让你去应付他。"

"你没钱付给我。"莉娜露出一副胜利的样子得意扬扬地说。

伊莱恩大步走出厨房。上帝！她自己当然应付得了一个蹩脚债主。她没有必要恳求一个该死的女仆。莉娜怎么敢这个样子！

她朝前门走去，猛然打开大门："什么事？"她尖叫，"你想干什么？"

小圣·士提兹还没看清穿着桃色睡衣、圆目怒睁的伊莱恩·康迪，往后退了两步，立刻绊倒在地，差点儿闪了脖子。

伊莱恩扶起他，更加小心谨慎，他现在在她的地盘上，如果摔伤了，他可以上诉。

"我是小圣·士提兹。"他喘着气说，"私家侦探。我儿这有一些照片，你可能会感兴趣。"

"你一会儿要做什么？"吉娜对着巴蒂的耳朵轻声低语。

记者招待会就要接近尾声了。刚刚宣布结束工作，通常这意味着大家集体外出。

"我不知道你要干什么，但是我要练台词。"他说。

她舔了舔丰满的亮唇，微笑着邀请他："要不要一起练习台词呢？想不想跟一个电影明星上床？"

他装出一副吃惊的样子："嘿——你真的觉得罗斯·康迪会肯吗？"

她皱起了眉头："如果你是同性恋，亲爱的，那我就是莎蒂·莎乐她妈！"

"你说的。"他后退，趁着还有人匆忙逃离。有谁会想到有一天他会拒绝一个货真价实的电影明星呢？哈哈，随着年龄的增长，他确实越来越聪明了。他看她一眼就知道她心里在想什么。但是他对她不来电，保罗·纽曼那句著名的话怎么说来着？吃着碗里的干吗还要看着锅里的？

但是他家里什么都没有。他应该要让安琪儿在家里等他。

他得出动了。他越是等着，只怕这事会变得越困难。他下定决心出去寻找电话亭。现在过了6点了，也许她还在那儿。

接电话的还是那个男声："克克美发沙龙。"

"我找安琪儿。"巴蒂说道。

"大家都找安琪儿。"他哼唱着说道。

巴蒂渐渐发起火来："她在，还是不在？"

"对不起，她不在。我能不能给她捎个信儿？"

"我要在哪里才能联系上她？"

"你联系不上她。"

"但是我需要跟她谈谈。"

"对不起，你到底有没有什么要对她说的？"

他极不情愿地留下自己的名字和号码："一定要给她。有急事。"

克克写下信息，盘算着要不要把信息给她。她现在生活很安定，很快乐。她真的需要这个丈夫重返她的生活吗？

他想也许不需要，所以他把纸张折起来，放进他的衬衫口袋。他打算晚一点再跟艾德里安商量商量，看看他是怎么想的。艾德里安的决定总是正确的。

吉娜·杰曼因为巴蒂对自己不感兴趣而闷闷不乐，就把注意力转移到了奥利弗身上，这让奥利弗惊慌失措。

"你的大明星——我，今天晚上有空去奇森餐厅吃饭。"她柔声说，"或者你也可以选择比较舒适一点的，我们可以回我那儿，叫中国外卖。"

"就去奇森餐厅。"他匆忙说，"我约了罗斯了。"这是他撒的谎，但是他很快就弥补了这个谎言，"我正准备邀请你呢。"

罗斯已经约了普斯金斯·马龙吃饭。这两个男人在一起回忆往昔，交流辉煌的过往故事，非常开心。

"你可以把普斯金斯带去。"奥利弗不情愿地说。从来没有人会主动花一大笔钱埋单请客。

罗斯想要拒绝。但是游戏规则是要对制片人友好，所以他说道："好的，我们会去。"

他不知道奥利弗打算邀请莎蒂·莎乐。如果他知道的话，就算九头牛拉他，他也决不会去。

奥利弗决定也叫上梦塔娜跟巴蒂，他不想让有的人觉得受到冷落。而且，如果他要埋单，还是把大家一起叫上比较好。不管怎么说，反正要用掉一笔开支。

从西木侯爵酒店大厅走向等候的豪华车的路上，地点由奇森餐厅改到了莫尔顿餐厅。在罗斯看来这是个错误，因为他一走进凉爽休闲的莫尔顿餐厅，凯伦就出现在他面前。

"为什么我最近看不到你？"她嘶喊道，她的乳头透过一件白色的丝质衬衫明显地凸现出来，"如果你是在担心伊莱恩，我不介意在你们的离婚事件中承担骂名。"

他想都没想就伸手去摸她挺立的乳头。她发出野兽一般的呻吟声。有几个感兴趣的用餐者转过来盯着他们看。他意识到自己做了什么，赶紧收回手。

普斯金斯从后面走上来："凯伦，我的小可爱，你好吗？"

"很好，谢谢你。普斯。"她的绿眼睛转向正走进来的吉娜·杰曼"上帝啊！"她轻蔑地哼了一声，盯着罗斯看，"你跟这个货色一起来的？"

"这只是奥利弗安排的一顿饭局。"他解释说，"你跟谁一起来的？"

"跟一个无聊的人。只要你一甩了那伙人，我就摆脱他，跟你在停车场碰面。到时给我个信号，我们就这么说定了？"

他的目光落在她的乳头上，"就这么说定了。"

她走开了，白色真丝紧身裤下什么都没穿。

"她也是一支装满弹药的大炮。"普斯金斯抱怨道，"有些家伙可真是艳福不浅啊。"

吉娜挤到他们俩中间，挽着他们的手臂："你们好！"她咯咯大笑，知道整个餐厅的人都在看她走进来，"我要饿死了，有没有谁要吃饭？"

餐桌是圆的，座位也是按圆形分布的。

奥利弗跟吉娜坐在一边，莎蒂坐在另一边。吉娜旁边是充满敌意的罗斯，罗斯另一边坐着普斯金斯。然后是梦塔娜。巴蒂坐在莎蒂跟梦塔娜中间，吉娜隔着桌子如饥似渴地盯着他看。

谈话过程可以说是极不自然。普斯金斯是唯一一个谈天说地的人，他讲了几个搞笑的故事取悦这群紧张不安的人，他讲到了戛纳电影节、讲到了一个著名演员跟比他更负盛名的假发，还讲到了一些梦露的趣闻。

吉娜挺着她庞大的胸脯，决定主导整场谈话："当我在越南的时候，有一些家伙竟然把 12 岁的妓女当宠物一样养。你们可以想象吗？"她顿了顿，然后急忙补充道，"当然，我自己那时候只有十几岁。"

罗斯匆匆瞥了一眼莎蒂。她刚毅的黑眸子与他的相交汇，却并没有闪躲。他想瞪着她，直到她不敢对视为止，但却没有办法做到。这个贱人！

巴蒂不安地环顾餐厅四周。虽然他很享受坐在这群人中龙凤当中，但是他更想在家里等安琪儿来电。他婉言低语："我要去打个电话。"借此离开桌子。然后他检查了自己刚拿到手不久的传呼机，"有没有什么留言？"

"请稍等片刻，哈德森先生。"

安琪儿给他回电话了！他竟然不在家！他希望她留下了她的电话号码。

"雪莉给你打电话。"留言服务的小姐说道，"她想要你马上给她回电话。她说有非常要紧的事情。"他记下号码，觉得大失所望。他本来可以不理雪莉的，但是这也许跟安琪儿有关，于是他又投了一块硬币。

电话铃响两声之后，雪莉接了电话。她的声音听起来低沉、恍惚而且还受到了惊吓。

"你快点儿过来，巴蒂。"她咕哝道，"我觉得兰迪死了。"

.52.

"妮塔·卡罗尔夫人在吗？"迪克彬彬有礼地问。

"谁要找她？"一个老女人怀疑地大叫道，盯着迪克。他站在她家门前台阶上，光头在清晨的阳光下闪闪发光。

"她的一个巴斯顿的朋友嘱咐我过来拜访她。"

"巴斯顿！"她咯咯大笑，"我在巴斯顿没有朋友，小伙子。"

"你是不是妮塔·卡罗尔夫人呢？"

"难道我还是爱娃·嘉德纳不成！"她娇羞地用一只肥嘟嘟的手捂住嘴巴，"谁让你来的？肯定是查理·那宣，他谈不上是我的朋友，只是个该死的狗娘养的。"

她放声大笑起来。

"我是查理的儿子。"

"查理的儿子！"她尖叫，"天杀的，进来，小伙子。告诉我这个混蛋的一切。他是不是还老跑步？"

妮塔·卡罗尔的房子有两头狂吠不止的狮子狗，里面装扮着很多荷叶花边，要进入轻而易举。

妮塔·卡罗尔很胖，她的手臂肥嘟嘟的，腿也肥嘟嘟的。她的双下巴看上去摇摇欲坠，掩藏在宽大的长袖衣服下面的脂肪就更多了。

她也非常老了，不是七旬就是八旬了，这很难讲。她坚韧的皮肤上化着怪诞的妆容，唇上涂着朱红色的唇彩，睫毛膏黏成一团团，满是皱纹的眼睑上，绿眼影就像是含铅的颜料涂在上面一样。染成黄色的头发乱糟糟地盘在她的头上。她颈上戴着珍珠项链，耳朵上挂着钻石耳坠，两个胖嘟嘟的手腕上各戴着一副叮当作响的手镯，手指上还戴着各式各样花哨的戒指。

她带他朝一张可爱的天鹅绒填充座椅走去，热情地询问道："那个混蛋还好吗？我好多年没见到查理了。"

"他去世了。"迪克不动声色地说道。

她骤然沉下脸。"去世了？"她茫然地重复着，"老查理？小伙子，这个世界上没有比他更好的混蛋了。"她从衣服的褶皱处抽出了一块蕾丝手帕，擤了擤鼻子。"但是我确信这个混蛋现在在那边应该也过得不错。"她恢复情绪时说道。

"是的。"他回答。

"你一定很伤心吧？"她同情地问，又擤了擤鼻子。

他点了点头。

她振作起来："那么，你给我带来了什么？他老是承诺我等他走时会把他的钻石小戒指给我。你带来了没有？你是不是就是为这个而来的？"

"你是不是一个人住？"他有礼貌地问道。

"只有我和狗狗们。怎么啦？"

"因为我想暂时住在这儿。"

"你爱住多久就住多久。"她悲痛地摇摇头，"你爸爸过去老是跟我提起你，还有你姐姐——她叫什么来着？"

"我不知道。"

"啊？"

他盯着她，苍白的脸上一双眼睛木无表情，光头给他增添了一分赤裸裸的阴险。

她从咽喉里发出一声轻柔的杂音，这对一个这么胖的人来说算是非常小的声音了："你不是查理的儿子，对不对？"

"对。"他平静地回答。

她聚集所有的勇气跟力量："那你到底是谁？"

他轻轻一动，拿出他的刀，在指尖上试了试刀刃，指尖涌出了一滴血。

"这要由你来告诉我。"他平静地说道。

.53.

"我得走了。"巴蒂在莎蒂的耳边轻声说道。

"你在说什么？"她小声责问，"这顿饭可能很无聊，但很重要。"

"这我知道。"他继续轻声说，"但是我的一个朋友有麻烦，我必须去帮忙。"

"在这一行，你唯一的朋友就是你自己。"

他耸耸肩："他们不会因为我没有留下来吃饭就不让我演这部电影的。"

他抱歉了几句，迅速大踏步离开了餐厅。

莎蒂皱了皱眉。他的事业还没有起步，已经不好搞定了。

吉娜绷着脸。他不习惯被人拒绝。巴蒂激起了她的兴趣。

罗斯很生气。巴蒂提前退席，意味着他得困在这里更久一些。

梦塔娜希望是她先行离去。

普斯金斯毫不在意。只要有酒喝，他就很高兴。

伊莱恩打开电视，盯着莫夫·格里芬看。她喜欢莫夫，他多么令人舒心，多么热情，说东道西，幽默风趣。有时候她觉得在这个世上莫夫是她最亲的人。他总是不离不弃，每晚同一时间出现，值得信赖、可靠又友好。

虽然她很喜欢莫夫，但是今晚他也对她没有吸引力了。她还能闻到小圣·士提兹的气味，廉价的须后水味、汗臭味还有穷酸味。这个小男人的可怕样子在她眼前晃动，她靠在床上，伸手去拿一大瓶伏特加酒。

哈！这种甘冽强烈的味道，又苦又甜，让她精神大振。她往嘴里塞了一块冰块，含了一会儿，非常享受这种冰爽的感觉。

小圣·士提兹的确是手握证据。亲爱的罗斯的这些照片绝不会登上《生活》或《妇女家庭》杂志的雅面，甚至《花花女郎》也会对这些照片退避三舍。"下面的点露太多了。"他们会这么说。嗯……伊莱恩带着一个醉意的坏笑想着他那个东西……

她非常不淑女地打了个嗝。一个人住的好处就是你不用总是摆出自己最优雅的一面。你可以从头到脚都涂抹上蜂蜜，也不会有人抱怨。她又涂抹了一些罗斯讨厌的面霜。

小圣·士提兹想要 1 万美元。

她连付女佣的现金都不够。

"我这周周末之前要得到答复。"他说，"我会再来的。"

伊莱恩想到她可以叫警察，勒索是违法的，警察可以把这个恶心混蛋关起来。

可她还不笨，她知道这样行不通。某个卑鄙的律师会保释他出来，这些照片就会闹得满城风雨，大家都会知道罗斯·康迪跟凯伦·兰开斯特的事了。她会成为整个贝弗利山庄甚至全世界的笑柄了。

她抓起电话。

"我是玛瑞丽·格雷。"她的朋友用悦耳的语调说。

伊莱恩深吸了一口气："亲爱的玛瑞丽，你能不能借我 1 万美元？"

巴蒂不停地按门铃，雪莉把门开了一个小口，透过缝隙窥视外面。

他把门推开，越过她走向沉闷的公寓。

"我真高兴你能来。"她兴奋地说，"我要走了。"

"喂——"他拽住她的胳膊，"你哪儿都不能去。"他看见兰迪一动不动地趴在床上，扭着她的胳膊，直到她面朝自己，"你要做的就是坐下来，闭嘴。"

她没有争辩，只是瘫在地上，双手抱头："我跟他说过他吸太多了。我提醒过这个疯子的，但是他就是不听。我了解毒品。上帝啊，我知道的。我老娘就是瘾君子。"

他没有理会她，朝一丝不挂的兰迪走去。他的一只手无力地垂在床边。巴蒂小心翼翼地抬起他的手腕，给他把脉。他的脉搏已经停止跳动了。他把兰迪翻过身来，让他背朝下，凝视着死亡。

有那么一瞬，他回到了圣迭戈。太平间、托尼，还有一股甲醛的味道。

他的喉咙涌起了一阵恶心。他想要逃离这个地方。

雪莉开始啼哭："这不是我的错。是他自己要的。如果他想要就应该有能力应付它。对不对？"

"你给了他什么？"

她绝望地举起双臂："我们在一起什么都做，随便玩玩，很开心。"

"还说玩得很开心。"他一脸严峻地说。

她为自己辩解："自从那个有钱的臭婊子甩了他之后，兰迪很沮丧。你来访给我们送来了钱，我们就得意忘形了。我吸了一些可卡因，兰迪想要吸食混合毒品……"她的声音逐渐变弱，"他就是吸太多了。"

"你有没有叫医生？"

"你开什么玩笑？我要走了，哥们儿。我可不想跟条子费尽口舌。"

巴蒂突然意识到他也不能叫医生。他可以想象如果自己卷入毒品案件，莎蒂脸上会是什么表情。现在，他什么都不能为兰迪做。

"我们走吧。"他最终说，"我们可以在电话亭打电话给医生。"

"我能不能跟着你啊？"她恳求道。

"这不行。"

"求求你了，巴蒂，拜托了。"她央求着，"我现在不能自己一个人。这整件事把我吓个半死。就今晚，没别的了。"

他想起她之前借钱给自己，当他有需要的时候，她总会把床给他睡。

"好吧。"他不情愿地说道。

她拽住他的胳膊："你真好。"

"是啊。"他冷笑着回答，"一个真正的王子。"

"把号码给她吧！"艾德里安说道。

"不是那么简单的。"克克争辩说，"她根本就涉世未深，这个巴蒂是个瘾君子。依她的情况，最好还是不让她联系上他。"

艾德里安推着轮椅在厨房里转来转去："她能处理好的，她没有你想象的那么幼稚。"

"她很脆弱。"

艾德里安苦涩地笑了笑："我们不是也一样吗？"

"哦，亲爱的！"克克尖叫道，"你很喜欢她，是不是？我把她带过来跟我们一起住，你没有一点儿不高兴？"

艾德里安摇摇头："我爱她。你知道的。"

"这就好。"克克叹了一声，松了一口气。

"但是把号码给她。"艾德里安补充道,"她有她自己要过的生活。"

晚餐过后,克克照做了:"对不起,宝贝,我忘记跟你说了。"

安琪儿试图隐藏她的欣喜,但是她发现她做不到。

克克想要给她些警告。但是艾德里安盯着他,他只好闭嘴。

几分钟之后,她问她能不能打个电话。

"去我们的卧室打吧。"艾德里安说道,"那儿更私密些。"

她脸上一片红晕:"谢谢。"

克克担心地长叹了一口气。

"别这样。"艾德里安责备道,"你就跟一只老母鸡一样。"

"你可以只称呼我'母亲',亲爱的。"克克尖酸地反驳说,"'老'跟'鸡'我就不要了。"

他们在一间电话亭停了下来,打电话叫医生。然后巴蒂就稀里糊涂地把雪莉带到他的新公寓。

她很吃惊。"上……帝啊!"她尖叫道,"是哪个富婆在帮你付房租的?"

他现在心情太差了,懒得回答她的话。没有人说过兰迪是这个世界上最好的人,但是他是个很好的朋友。巴蒂觉得非常伤心,不仅仅是为兰迪的死,还为他死去的方式感到悲哀。如果命运跟梦塔娜·格雷没有眷顾他的话……可能今天死去的会是他……巴蒂帅哥……

他扔了一床毯子跟一个枕头在客厅的沙发上:"你就在这儿睡吧!"

"我要跟你睡。"

"那我们就把话说清楚。我不想要你。"

他注意到她瞳孔扩张,动作紧张兮兮,行色匆匆。她也服了让兰迪丧命的混合毒品,药效还没退,仍然很亢奋。

"你为什么不去睡觉呢?"他说。

"你是在开玩笑吗?现在是晚上 10 点,我还有好几个小时才能睡着。除非你给我一些东西。"

"什么东西?"

"只要一些安眠药就可以了。"

"我没有。"

"你还真的变成个超级正经的好好先生了?"

"我正在努力中。"

她在钱包里寻摸了一阵，"我这有张药方，你能不能帮我去药房取一下药？"

"这是假的吗？"

"如假包换，哥们儿。"

他从她那儿接过药方，盘算着这是他们俩都能睡个安稳觉的唯一办法。

"我很快就回来。"他说，"不要接电话，让它转到电话服务去。"

他一离开，她的手就伸入钱包拿大麻烟，然后点上，让烟慢慢地充满她的肺。她立马觉得好了一点，开始环顾这套公寓，想着巴蒂肯定是傍到哪个款婆，给他置办了这么一个地方。

电话响起来。她不理会他的指示，伸手去接。

她随意说："你好？"

安琪儿喘着气甜美地说道："我能跟巴蒂·哈德森通电话吗？"

她快速吸了一口大麻："你是谁？"

"安琪儿。"

"你好，安琪儿。我是你的老朋友，雪莉。你混得怎么样啊？"

安琪儿颤抖着声音："很好，谢谢。"为什么雪莉会在？

"你还没有回你肯塔基州甜蜜的乡下老家吗？"雪莉问。

"巴蒂在吗？"安琪儿问道，声音听起来比她自己感觉的要大些。

"巴蒂出去了，出去了。他回来的时候，我会跟他说你有打电话过来。如果你肯听我的建议，就不要再打电话过来。"她停顿了一会儿，让对方完全理解她的话，"你们之间结束了，安琪儿小甜心，结束了。我可非常不乐意跟别人分享巴蒂。听懂我的意思了吗？"

无奈跟愤怒吞噬着安琪儿。她不明白为什么巴蒂要跟她玩这么残忍的游戏。先是在派对上跟她说他会很快回来，然后却又不见踪影。现在又叫自己打电话，接电话的却又是雪莉。如果他想要雪莉，他完全可以拥有她，因为她已经受够了。她以惊人之力放下话筒。

在另一个房间里的克克跟安德里艾相互交换了个眼神。

"也许你是对的。"艾德里安轻声说，"她也许不该打电话给他。"

克克理智地点点头："我想说该请个律师。"

巴蒂走了后不久，梦塔娜就离开了餐厅。她不得不跟这伙人一起共事，但她当然不必跟他们一起吃饭。

她开着尼尔的玛莎拉蒂回家。一辆快车似乎更适合她的心情。大众已经是过去式了，以后她都开玛莎拉蒂。这车速度又快，造型又美，能把一切抛在车后。她觉得非常棒。虽然她很忧虑，但最终她还是会掌控全局的。她迫不及待地想让电影开拍。吉娜会一直给她惹麻烦，她今晚的行为就已经表明了。尼尔究竟是怎么想的，会跟那个货色上床？

吉娜·杰曼，这头金色的大奶牛。她痛恨尼尔竟然这么没品位。在海滩的时候，她没有办法坦然地跟他讲话。可怕的是实际上她已经不在乎了。等这部电影结束时，他们的婚姻也该结束了。

她暗暗希望他没有康复到能够接手导演这部电影的地步。这部电影现在是她的孩子。她喜欢手握大权，掌控全局。奥利弗暂时是绊住了她的手脚……但是只要他们一开机——等着瞧吧，混蛋！给我滚得远远的，笨蛋！

她想到了巴蒂以及跟他的一夜情。他们俩都小心翼翼地对这件事避而不谈。他已经把车停放在她家门外，车洗过，油箱装满了油，钥匙在邮箱里。她很高兴他是那种懂得"有时朋友也会共度良宵"的男人。在那晚之后，他们还可以做回好朋友，什么都不问起。她很期待跟他一起工作。

吉娜就是另外一回事了。她必须在跟她吃午饭的时候澄清一两件事。这个女人可能以为她就算跟自己丈夫上床却也能轻松逃过惩罚，但是她可别想把自己的电影也搞砸了。

她一回到家，就脱掉衣服，穿上一件旧衬衫，寻找她的有色阅读眼镜，坐下来看拍摄剧本。现在她的心中只有这部电影。

看着吉娜跟罗斯两人关系升温，莎蒂不知是心痛还是头痛。反正总有其中之一。她表示歉意，然后离开了。

她一离开，普斯金斯·马龙立刻紧跟其后。他约了一个夜总会歌手。这个歌手既会轻哼布鲁斯，又是个口活大师。虽然不能同时进行，但是已经非常不错了。

然后就剩三个人了。奥利弗急切地想要退席。但是吉娜跟罗斯似乎相互非常来电，两个都没有要走的意思。

罗斯说："我想再来一杯爱尔兰咖啡。"

吉娜说："我想再要一杯亚历山大白兰地。"

奥利弗说："我要回家了，请你们两个见谅。我已经埋过单了。"

他们没往他那儿看一眼。他匆忙赶到停车场，把小票给服务员。当他等车时，凯伦从阴暗处走出来。

"那个卑鄙的混蛋到底在哪里？"她责问。

奥利弗脑子里冒出很多这类人。

"谁啊？"他温和地问。

"算了。"她用力踩了一下法拉利的油门，气冲冲地在一阵尾气中绝尘而去。

餐厅内，吉娜粗哑地说道："去我那儿还是你那儿？"

罗斯很难想象自己能把活生生的杰曼小姐偷偷带回贝弗利山庄酒店。只要看她一眼，那些深夜的游客可能就会引起一阵骚乱！

"你那儿。"他说。

"好。"她说。

巴蒂递给雪莉一瓶药方上开的安眠药，问："什么医生会给你提供这些的？"

"他们靠开处方药维持生活，哥们儿。什么抗抑郁药啊，轻松剂啊，抗压药啊这些。"

她伸展了一下身子，她身上的短背心也跟着掀了起来，露出了坚硬的古铜色肚子："有一个医生觉得我真的很沮丧。还有一个，我要在他面前脱裤子，他才会给我海洛因。"她满不在乎地耸耸肩，"第三个只认钱。"她睿智地点点头，"我总会交一大堆医生朋友，这样日子才会过得舒服些。"

他想到了兰迪。当毒品……不，是当可卡因、大麻跟海洛因这些混合物直接把他送往天堂或者地狱时，他是不是觉得很舒服？

电话铃响了，他急忙跑向电话，响第二声的时候接起了电话。"安琪儿？"他脱口而出，肯定就是她。

"谁是安琪儿？"传来了莎蒂尖刻的声音。

"只是我认识的一个人。"他镇定自若地回答。

"我非常生气。"她愤怒地说道，"我生气的时候就没办法入睡。与其一整晚没法休息，我还不如让你知道我是怎么想的。"

"嘿——莎蒂，如果——"

"你只要安静听我说。你来找我做你的经纪人。你是带着你那性感的跨姿还有八字还没一撇的电影角色找到我的。"

"嘿——"

"我接受了你。帮你拿到那部电影、帮你争取到特殊的宣传台词和高片酬。我还资助你的广告。我选择了你，巴蒂。你要知道我也可以为无数其他演员做同样的事情。"

"你的意思是不是我不懂得感激？"他激动地打断道。

"我的意思是说我不喜欢你今晚的所作所为。你怎么敢饭吃到一半就走人？你不能那样对人，特别是对我、雇用你的制片人还有导演。有朝一日你成了艾尔·帕西诺那样的大腕才有资格这么做。但是我想告诉你——如果我现在丢弃你，取消广告牌宣传，你的路会很难走。你想这样吗？趁着还来得及，最好现在就告诉我。"

"对不起，莎蒂。"他说道，适当地表示自己的谦逊，"这次是有紧急状况，下不为例。"

"只要我们双方都清楚自己的位置就好。"她尖刻地说道，然后挂断电话。

"跟我多讲讲莎蒂。"雪莉大笑，"莎蒂·莎乐是不是个有夫之妇？是不是就是她帮你安置在这儿的？"

"求你了，吃点药去睡觉吧。"他朝卧室走去。

她看见他走，并不着急："你确定不想去迷失酒吧？我觉得好伤心。"

"睡觉吧，雪莉。"

他关上门，坐在床尾，想着整件事情的来龙去脉。如果莎蒂因为他离开一场无聊的饭局而发怒，那她怎么会受得了自己凭空冒出一个妻子呢？

还有更糟的。如果他的母亲出现，又该怎么办？

他从未想起过她。她只是悄无声息地潜入他的噩梦中。

乱伦。

这是个多么污秽的词。

他每次情不自禁想起来时，全身都会起鸡皮疙瘩。他的整个过去简直一团糟。一大堆名字在他面前跳动：马克辛·索尔托、乔伊·拜伦、格来朱赖格斯，还有无数记不清脸孔的女人。她们到时候会在屏幕上看到他，说："这不是我花钱上过的那个帅哥吗？"

如果他一个不小心，这整件事情就会在他面前变成幻影。但是现在要他怎么小心？覆水难收了。

他讨厌背负着谎言生活。他现在最重要的不是要真诚吗？也许可以跟安琪儿说实话，跟她重新开始。如果他们要一起生活，他至少欠她一个解释。他越想越觉得这是对的。

一个全新的开始。

他突然想起一个讨厌的念头。他应该先跟他母亲重归于好。他必须这样做，而且是在她过来对他大喊大叫，把他打回原形之前就做。当他现在的宣传公开后，这不是不可能发生。只要他的行程允许，他会抽出一天跑一趟圣迭戈。

做了这个决定之后，他觉得好受了一些。然后他检查电话服务，看看安琪儿有没有打电话过来。她没有。

他立马又觉得很沮丧。为什么当一切终于步入正轨时，他会觉得如此糟糕。

他做俯卧撑，直到筋疲力尽。

然后他睡觉去了。

两个在床上的人很少会方方面面都天衣无缝，或他们想象会。

吉娜·杰曼和罗斯·康迪就是这样一对。

她，头发淡黄、嘴唇性感、胸部丰满。

他，皮肤坚韧黝黑、一双眼睛碧蓝碧蓝的，男根硕大无比。

"你以前怎么就没出现在我的生命里？"他喘息着，马上就要驶入高潮了。

"我不知道。"她喘息着，同样也即将欲仙欲死。

两人干柴烈火，情投意合。

.54.

82 岁的艾美露·约瑟丝当女佣已经当了六十年了。她前后曾在新奥尔良、圣路易斯跟圣弗朗西斯科的妓院工作过，也算是见过世面了。她目睹过打架斗殴、持刀伤人、堕胎和自杀。她充当女孩们的闺中密友，给嫖客们当参谋。等到她来到拉斯维加斯时，她觉得自己什么惊涛骇浪都见过了。

艾美露·约瑟丝是个硬朗的小老太，嘴唇黝黑干瘪、头皮边装缀着几小撮漂白的头发。她大部分时间都是自己一个人絮絮叨叨、断断续续、漫无边际地讲过去的惊险生活。雇用她的太太们并不介意。只要她能打扫、除尘、遛狗、把猫放出去或找回来、削土豆皮和清理一大堆狗屎，她们有什么好介意的呢？

她一边用自己的钥匙打开妮塔·卡罗尔夫人精致小巧的房子走进去，一边高兴地嘀咕着。妮塔·卡罗尔夫人是她最喜欢的雇主之一，她信任艾美露·约瑟丝。艾美露·约瑟丝来她家时，她不会把酒给锁起来。

房子里臭烘烘的。艾美露嗅了一阵，四处寻找狗，它们通常会跑过来问候她。"狗狗们。"她大喊道，"臭狗狗们。"

她挠了一下腋窝，脱掉褪色的羊毛上衣，上面满是被蛾子咬的洞。卡罗尔夫人答应过她要给她买件新的，也许是圣诞节的时候，或者是她生日那天。她蹙起眉头，不记得自己的生日是哪一天。现在很多事情她都记不清了。

她又抓了抓腋下，嗅着弥漫整间屋子的古怪味道，走入厨房。两只狗在房子中央的桌子上，喉咙被人割断了。

艾美露盯着愣了片刻。白色胶木桌子沾满血迹，她知道自己不得不清理它。她不喜欢血。你的衣服和手只要一沾上血，上面的气味就久久难以散去……

她静静地在胸前画了个十字架。卡罗尔夫人不该这样做的，这样实在是太残忍了。艾美露受不了残忍的行为。她毅然开始动手清理乱糟糟的房间。

她把狗装入黑色塑料垃圾袋中，用力擦洗血迹斑斑的胶木桌，然后拖洗地板，整个过程她都是在恶狠狠地自言自语。

等这些做完之后，她给自己冲了一杯热甜茶，坐在桌旁边喝茶边沉思。

终于，她拿着扫帚、拖把还有吸尘器走进客厅。也许卡罗尔夫人这样做也不是什么坏事，也许没有那么可怕。"再也没有狗屎了。"她咯咯大笑。

这句话定格在她的唇边，她确定她永远都不会拿到卡罗尔夫人承诺她的羊毛上衣了。

.55.

尼尔·格雷烦躁地在租来的海滩房子内跺脚。米勒护士坐在她常坐的位子上织毛衣。她是一个瘦削、寡言的苏格兰女人。尼尔对她无聊的陪伴感到十分厌倦。

医生给他下了一大堆命令：不能喝酒、不能过度运动、不能抽烟、不能吃油腻食物、不要有太大压力、不能过性生活。其实在生活中他一点儿都不喜欢这些。他觉得很好，实际上是好极了。为什么他要像个废人一样继续过下去？他已经忘却心脏病发作时的恐慌，每天都吃药。他真的觉得自己的身体比以往任何时候都健康强壮。

"今天晚上吃一人块可口的大牛排，再来一瓶葡萄酒，怎么样啊？"他向米勒护士建议道。她已经停止织毛衣，正准备去市场，她每天都会去一次。

"好了，尼尔先生。"她就像是对小孩说话一样，"这样的话，以后别再说了。"

"哈，但是我会的，米勒护士。我喜欢牛排跟葡萄酒。兴许再来上一根雪茄，如果那儿有烟抽的话。"

"绝对不行，医生不会同意的。"

"那个该死的医生又不在，对吧？"

她噘起嘴唇："我是被雇来照顾你的，就要竭尽全力照顾好你。"

她开着她的车去市场了，这是唯一的交通工具。她是被司机跟梦塔娜送过来的，那是她仅有的一次过来。他倒是没有要责备她，毕竟他深陷那种梦魇般的场景。问题是：现在该怎么办？他可不打算安静地坐在海滩边，失去他的妻子、电影和正常心智。

他不耐烦地在房间踱来踱去，往外眺望大海。他讨厌该死的大海。单单它发出的噪声就足以把他逼疯了。

没过多久，米勒护士就回来了。她给他买了报纸和吃的，他贪婪地狼吞虎咽下美食。

《先驱考察报》里刊登着一大张吉娜·杰曼和巴蒂·哈德森的照片，还有一段简短的电影报道。照片上的人虽然是吉娜跟巴蒂，但是整篇报道却都是关于梦塔娜的，只有一两句提到他。他似乎已经从家中的名人蜕变成为病恹恹的丈夫。

他把整篇报道通读了两遍，非常恼怒。

然后他盯着照片上的吉娜——那个让他倒霉的罪魁祸首。

"米勒护士！"他突然大喊道，"把你的车钥匙给我。我要去镇上一两个小时。不要担心，我不会抽烟、喝酒或者是跟女人鬼混。你可以完全放心，我会老实本分。"

她立即反对，薄薄的嘴唇不赞同地绷紧："我不会允许你这样做的，格雷先生。"

他大步走进厨房，从她的钱包里扯出钥匙："亲爱的女士。选择权在我手上，而不是在你手上。"

她声音提高了："格雷先生，如果你坚持这样，我只好叫医生了。"她匆忙跑到他前头，用令人生畏的身躯挡住了大门。

他极其粗野地推开她："坦白说，米勒护士，我一点儿都不在乎。"

雪莉可不是那么好摆脱掉的。即使巴蒂连推带搡地赶她走，她也不离开。所以巴蒂没奈何只好让她待在公寓，而他自己则去跟普斯金斯·马龙吃午餐讨论公事。

他在两部电话上面都贴了张大字条，上面写着：不要接电话。

在贝弗利山庄酒店的大厅，普斯金斯扔给他两份报纸。

吉娜·杰曼跟新星巴蒂·哈德森。

他们叫他新星，他什么事情都还没做！

"我能不能各要 6 份？"他急切地问。

"就算你渴盼癌症你都能患上。"普斯金斯令人煞是费解地回答道。

午餐是定在马可·波罗酒廊。一个头发油光发亮，身材好比世界小姐的漂亮墨西哥记者等候在那里要采访他。

这对他来讲已经是轻车熟路了。一样的问题，一样的回答。微笑，施展无限魅力。他至今还没有和什么显赫人物见面，虽然普斯金斯确保过会有的。

当他按旧的一套回答问题时，女孩飞快地做着速写笔记，他思绪游移。他在想报纸上有没有讲到兰迪？应该是不太可能。

真是罪孽。一名不文地死在好莱坞。

葬礼会怎么安排？谁会去打理这一切？

今天的另一桩罪孽。死无葬身之地。

普斯金斯捏响手指："老哥，快回答问题啊。"他命令道，"刚刚米歇尔就一个问题问了你两遍，你有没有想好怎么回答她？"

巴蒂立刻回过神来。他当然知道怎么回答，一切问题的答案他都了然于胸。

有这么一个人渣叫大鼠·索伦森，还真是人如其名。他是靠一张 20 美分兜售她妹妹的裸照发家，开始他漫长、臭名昭著的事业的。那是 40 年代，女人的裸照还是能引起一片哗然。意识到自己很有商业头脑，大鼠不久就开始进而转到贩卖自己和妹妹的照片。到了 50 年代，生意非常兴盛，他开始搞出版、印刷和发行（当然是私下非法进行的），还试创办一份刊名非常微妙的杂志《阴道报》。他发了横财，然后迅速制作了一系列也很赚钱的色情电影。60 年代，他决定走合法路线。他创办了一份关于花园的精美图片杂志。这份杂志只发行了三期，花光他所有的钱。这个时候他娶了个 16 岁的妓女，等到他钱没了，她人也随着钱走了。他在一家汽车旅馆找到她，她跟一个 70 岁的有妇之夫混在一起，他开枪射中了那个老头双眼正中心。为此，他被判了 25 年。因为表现良好，所以刑期缩短（他马上成为狱长的宠儿，原因不明，只有他自己跟他的狱友——一个叫小圣·士提兹敲诈勒索者知晓）。十五年之后，他刑满释放，毫无预警地重新踏入社会。大鼠很快就重拾他最了解的旧业，又一次发了横财。《阴道报》重现江湖——这次出现在报亭里重新命名为《硬茎报》。这份杂志在久候多时的公众中引起了强烈反响。

但是，大鼠自然不会仅仅满足于此。他娶了一个 17 岁的歌舞①舞女，每周陪同她去一趟超市。在那里，他发现结账台处有一种报纸独占鳌头。这类报纸以《全国探询报》为首，很快便有了各式各样的竞相模仿者。

大鼠也想加入。他决定创办一份相同模式的报纸，但是还得添加一剂猛料：让名人们身败名裂的大尺度照片，尺度越大越好。当然超市是不会买他杂志的账，但是他并不担心这个，人们会去报亭买他的杂志。

他和他的老伙计小圣·士提兹不期而遇，结果证明这对双方都是一次幸运的邂逅。他们是在位于贝弗利山庄深处的西式猪肋排餐厅外碰上对方的。

交谈之后才知道，原来近来炙手可热、臭名昭著的报纸《事实与真相》正是归大鼠所有，并由他一手印刷和编辑。

"我这儿可以给你提供些照片……"小圣·士提兹吹嘘道，"价钱不便宜，但是绝对物有所值。"

第二天他们就成交。大鼠买下了凯伦·兰开斯特跟罗斯·康迪的整套底片，而且选了一张罗斯正要吸吮奶头的照片当封面，看上去趣味相当高雅。他打算把真正下流肮脏的照片留到中间跨页版面。

"我打算下期再曝光这些照片。"大鼠说。

"也许可以注上图片来源是我。"小圣·士提兹试探地建议道。他脑子从来都不特别灵光。

玛瑞丽拒绝了伊莱恩借 1 万美元的请求。事实上，伊莱恩能鼓起勇气向她开口借钱让她颇为惊讶。她打电话给凯伦抱怨，但是凯伦冷若冰霜，控诉她站在伊莱恩一边，不给自己打电话。

"我最近太关注尼尔了，都没有心思联系任何人。"玛瑞丽解释说。

"但是你恨那个混蛋。"凯伦疑惑不解地说道。

"我的字典里面再也不会出现'恨'这个字。"玛瑞丽虔诚地回答，"尼尔已经变了，我觉得他会离开那个某某某，回到我身边。"

"你不是认真的吧？"

---

① 起源于华盛顿黑人社区的流行音乐，以连续不断的乡土爵士乐节拍为特点。

"我非常认真。"

她们俩都在思考玛瑞丽性情大变这件事，出现了一阵短暂的沉默。然后凯伦想起她在《洛杉矶时报》哪个版面读到的一则短篇报道。

"你的朋友兰迪姓什么？"

"菲利克斯。我帮你介绍过很多次了，你至少也应该记住他的名字。我知道他不出名，但是——"

"他死了。"凯伦打断她。

"什么？"

"报纸上有一篇报道，有人打电话报警，他们发现他因服毒过量，死在好莱坞某个寒酸的单间公寓里。"

玛瑞丽感到极为震惊。她是跟兰迪分手了，但是……怎么会发生这种事？他在那种烂地方干什么？据他说他住在一间很不错的公寓里面——"只有三间卧室，但是我觉得很舒适。"他是这样告诉她的。她当然从未去过那儿……还好没去过……

"我得去找他。"她决定。

"你在说什么？他死了。"凯伦哼着鼻子说，"警察已经介入这件事。好像他们推断他死的时候是跟一个女人在一起，他们想要审问她。"她突然想到一件事情，"你该不会跟他一起吸毒了吧？"

"简直就是荒谬。"玛瑞丽厉声说道，"我连大麻都不抽。"

"嗯……"凯伦叹了一声，"你不知道你自己错过多么美妙的东西。"

玛瑞丽结束谈话后走进卫生间盯看着镜中金发碧眼、容貌秀丽的自己。

为什么她总是看上失败的男人？她到底哪一点吸引住那些贪慕钱财者和蹩脚货的？

她想到了尼尔：一个老男人，来自英国、是一个备受尊敬的好导演。

他曾经是她的丈夫，她却放走他。该是赢回他的时候了。

尼尔开着米勒护士纯白的雪佛兰疾速行驶在太平洋海岸高速公路上。他之前是想冲到奥利弗的办公室，重获电影的掌控权。但他出来后改变了主意。比起那部破电影，他更想要梦塔娜，而且她肯定不喜欢自己中途闯入，接手电影。他决定停下车，喝一杯酒，然后回到海滩打电话给她。如果他提出见面，而她又没有拒绝的话，那他们一切就都好商量了。两个人早就该见面把话说清楚了。

他发现了一家熟悉的酒吧，把车停到那儿的停车场。

两杯上好的白兰地应该不碍事，也许对他来说利大于弊。众所周知，白兰地可是有药物辅助作用的。

第一杯就像是蜜水一样。第二杯亦是如此，他的酒量大得惊人，在巴黎时，每晚一瓶酒根本不在话下。当然这都是陈年旧事了。

他呆呆地笑了笑，又要了一杯酒。

"搬进来吧。"销魂一夜之后，吉娜第二天早上建议道。她正赶着去赴梦塔娜的午餐之约。

罗斯躺在床上看着她，他慵懒地咧嘴笑着。有一件事是确定的，他不需要吉娜开口第二次。她的房子太棒了，奶子也完美——此外，贝弗利山庄酒店的开销实在是太昂贵了。

梦塔娜准时抵达贝弗利威尔榭酒店内的教父餐厅。她环望四周，订了一杯加冰的波诺得酒。她知道吉娜必定要让自己久等。

三十五分钟之后，吉娜一如既往摆着明星架子走进餐厅。她穿着一条黄色丝质宽松裤，一件半透明的衬衫，戴着一副白色太阳镜，还穿着一件毛茸茸的红狐皮上衣，尽管狐皮上衣早已半新不旧。

"真该死！"她扑通一声瘫坐在椅子上，大声说道，"昨晚真是太爽了。罗斯·康迪真如他们所传的那样——有过之而无不及。"她逮住一个路过的服务员，"来杯伏特加马提尼，加冰，加多点儿。"她摘掉太阳镜凝视着梦塔娜，"有什么事情要见面说？我本来能多睡两个小时。"

梦塔娜摇着头，尽量压制住自己内心的盛怒。"吉娜，"她缓慢地说道，好像在跟一个桀骜不驯的孩子讲话一样，"我告诉过你要减掉二十磅，换个发型，不要卖弄性感。你是不明白我的话吗？"

吉娜重新戴上太阳镜，焦虑不安地环顾着灯光幽暗的餐厅。

"梦塔娜，亲爱的。你要知道我也要保持我自己的形象。我的影迷们期待看到我……风姿绰约的样子。"

"我才不管你的影迷们期待什么。我作为你的导演，期待的东西远不止这些。如果我得不到自己想要的，你就要出局了。"

"我出局？"她难以置信地大笑，"亲爱的，我们不要忘记谁才是这部电影的'主角'。"

服务员端来她的酒，她几乎是一口气灌下肚。

梦塔娜抿着她的波诺得酒，想着该如何处理目前情况最好。她异常平静，因为她知道她才是最终的胜利者。吉娜会对她言听计从的。她不知道她将如何做到这点，但是她就是知道她会做到。

她冷静地盯着这个金发女郎。"好，"她说。"好，你爱怎么样就怎么样，巴蒂一个人就够我忙的了。而且我知道罗斯会表现抢眼。我想他的表现会让所有人大吃一惊。"

吉娜没有想到她会这么快就撤退，这让她不知所措。她扭身脱掉身上的狐皮上衣，这让周围的几个男人被酒呛到，"我也会让很多人大吃一惊。"她任性地说。

"你当然会的。"梦塔娜表示同意，"吉娜·杰曼再次以性感撩人的形象出镜。靠着丰乳肥臀获得年度最烂演技奖。"

"我讨厌这种话！"吉娜厉声说道，"不要以为我跟你老公上床，你就可以随便拿我开涮。"

梦塔娜的眼睛里闪过了一丝危险的光芒，但是她压制住自己的脾气。

天啊！尼尔！跟这种货色？她根本配不上你。

"你跟尼尔之间的事情是他自己的事，也是你的事情。我从来不会让这束缚住自己。"她安静地说。

吉娜摘掉眼镜，眯起她暴突的蓝眼睛："你真的很奇怪，你知道吗？"

梦塔娜耸耸肩："我相信每个人都有自己的自由。尼尔想要你，于是拥有了你。这没什么大不了的，看看他落得什么下场。"

"上帝！这件事情提起来真是不太好。"

"为什么不？这是事实。"她召来服务员，"埋单！"

"我们还没有吃午餐呢。"吉娜抗议道。

"没有必要了。"梦塔娜明确地说道，"我本来想要跟你谈谈角色，想要帮你塑造好这个角色。但是我觉得我是在浪费时间。你只想跟我耍大牌。我不吃这一套。我是个职业女性，吉娜，不是好莱坞主妇。"

"你真是厉害。"吉娜语气中带着一丝勉强的钦佩之意。

"不会。我只是一个想要把这部电影做到最好的专业导演。第一次见面的时候，我就告诉过你——我以为我们目标一致。但是很显然，我错了。"她接过服务员的账单，在她的钱包里面找信用卡，"如果你不想配合的话，我当然不会勉强你，那我就把注意力集中到巴蒂跟罗斯身上。他们将会非常棒，没有人注意到吉娜小姐。

这真遗憾，因为你本来可以赢得满堂喝彩。你有这个能力的，吉娜，只是被你的发型、胸部和浓妆掩盖了。"她停了片刻，"你只是需要个人跟你合作———个真正关心你正在做什么的人。我可以帮你做到，你知道的。"

"我跟女人一起工作就不能做好。"

"胡说八道。你什么时候试过？你可能会发现你很喜欢跟女人工作。"

笑容慢慢地在吉娜脸上浮现："你知道吗？你让我想起了最真的自我。"

千万不要这样！梦塔娜想。

"没错。"吉娜津津乐道，"你快人快语，而且一针见血，老姐。你可以做到的——我打赌你肯定行。"

"这是不是说你将会对我言听计从？"

"为什么不呢？"吉娜坚定地说，"对。有何不可呢？我一直都听从那些想要讨好我的混蛋——谁知道呢？跟你共事可能会有所不同。"她倾身向前，推心置腹地说，"我跟你说吧，梦塔娜。尼尔跟我——并不是认真的——只是一种交易。"

"那是一定的。"

"你能这样想就对了，我告诉你，男人都是不忠不义的王八蛋，所有男人都一样，亲爱的。要对他们嗤之以鼻，绝对不要相信他们。"她睿智地点点头，"我全都知道。我十五岁就一个人出来闯。让我告诉你——这个过程可不总是那么甜蜜，你要不要听听我是怎样走到今天的？"

当吉娜高谈论阔时，她也随声附和。两个小时之后，她还意犹未尽。梦塔娜只是静静着听着。

这些男演员跟女演员都是一路货色，只要对他们表示一点同情和理解，他们就是你的人了。

电影开拍时，吉娜就会完全听命于她。她会让她在这部戏里有出彩的表现，这将是她那些欲火中烧的影迷们始料未及的。

如果尼尔能做到的话，她也能做到。

.56.

莱昂马上开始工作。他随便找个借口搪塞米莉，回到了巴斯顿。在那里，他仔细调查警方文件、新闻报道还有领养机构。

一天时间搞不定一切。所以，他住进"沙漠旅馆"的一个房间，给米莉打了个电话。她不高兴。"这是我们的假期。"她平静地提醒他，"你不应该工作的。"

"我知道。但是这很重要。我会补偿你的——我向你保证。"

"拉科斯特警长打过电话，他想要你联系他。"

他太专注自己的事情，没有注意到她话语中的愠怒："谢谢，我可能明天回来。"

"不要急。"她冷漠地喃喃道。但他已经挂断电话了。

警长有让莱昂毛骨悚然的消息。迪克·安德鲁斯又作案了，这次是在拉斯维加斯，受害者是一个在市中心酒吧跟赌场游荡的妓女。"他留下很多蛛丝马迹，让我们知道就是他。指纹、口水还有精液。一处明显的刀伤。还有他的衬衫。拉斯维加斯的警方已经找到一对目击证人，他们可能有也可能没有见到他离开现场。我们现在已经用电报把他的照片发送过去了。你要不要过去？"

莱昂毫不犹豫："当然了。我要取消假期，正式接手这个案子。"

"我正希望你会这么说。我会联系拉斯维加斯警方，让他们知道你在路上了。他们承诺会全力配合。"

莱昂大脑已经在快速运转。为什么是拉斯维加斯呢？他原本还以为他会前往巴斯顿。突然他灵光一闪……巴斯顿有什么人或是什么事情发生……但如果迪克已经去过巴斯顿了呢？

他一放下电话就决定查看过去四周内所有的杀人案。然后他会赶往拉斯维加斯——火速前往。

.57.

"他在哪儿？"玛瑞丽责问道，蓝色的眼睛里满是焦虑跟担忧。

"他偷走了我的车，"米勒护士面无笑意地说道，"还攻击我，用恶毒的语言骂我。"

"别傻了，"玛瑞丽茫然说道，"他不能开车。"

"我知道，格雷太太。但是我阻止不了他。他跟疯了似的。"

玛瑞丽无法控制她的失望之情。她差点儿跺起脚来："我要他在这里，这很重要。你怎么可以让他走掉？"

"我想要拿到两星期的薪资当解雇费。我个打算起诉他对我人身攻击，你应该感到万幸。如果我的车在一个小时之内没有回这儿的话，我就要向警察报案说车被偷了。”

没过多久，两三杯酒就变成四五杯酒，他的心脏开始在胸腔里震动。但是这并没有干扰到他，没有什么事情能够干扰到他。

他要去跟梦塔娜把话说清楚，告诉她这整件事情。有个词说得真好——"开诚布公"。他会一五一十地跟她说，好好忏悔，祈求她的原谅。

只是梦塔娜不会买他的账。梦塔娜是多么理智冷静的人。"滚开，尼尔！"她会这么说，"我不需要你那些狗屁借口。"她是对的，因为这些用来解释他毫无缘由犯下的欲孽的借口……愚蠢之极。

他打算再来一杯酒，转念一想又放弃了这个念头，步履不稳地走了出去。

巴蒂回来时雪莉还在。她舒展着身子躺在沙发上给脚指甲涂上亮红色。

"嗨呀，大明星。"她捡起一本《洛杉矶时报》，朝他挥舞，"你为什么不告诉我？"

他耸耸肩，她没有在他不在时悄然离去，这让他很恼怒："我们当时心里有其他事情。我本来打算告诉你的。"

"你跟吉娜·杰曼。哇！看起来混得不错，哥们儿。"

"喂——听我说。我有很多事情要做。要不我开车载你回你原来的地方怎么样？"他本来想说在你住进来之前我有很多事情要做，但是他控制住了自己。

"我不一定得回去。"她说，"我上周辞职了，而且兰迪也不在了……"她把一条腿伸到半空，欣赏她刚刚涂好的脚趾头，"而且，我还能帮上你。陪你一起练剧本，也许我们还可以去迷失酒吧，让那里的人都开开眼界。"

"我还是送你回家比较好。"他直截了当地说道。

"对你来说是比较好——"她恶狠狠地盯着他看，"为什么我不能待在这里？"

"因为我在等安琪儿。"

"说得好像真的似的。"

"你怎么会觉得我不是认真的？"

她从沙发上一跃而起："好吧，送我回家吧，大人物。没有你，我照样能活。"

"你为什么会觉得我不是在等安琪儿？"他重复问道。

"忘了这件事吧。"她嘟囔道。

"我不想就此作罢。"

"那么我建议你忘了。"她抓起她的钱包，粗鲁地将它甩到肩上，"我坐计程车去——大明星。我可不想麻烦你。"

"安琪儿有没有打电话过来？你是不是接了我的电话？"他愤怒地问道。

她走到前门，转过身来，一只手贴在臀部，嘴唇上浮出一丝讥笑："这只有我知道了，你自己去查吧。"

她出去时嘭地摔上门。

他已经在找电话了。

玛瑞丽拒绝借 1 万美元给伊莱恩，这倒也无妨，因为小圣·士提兹没有再来找她。这刚好，因为不管怎么说，伊莱恩是绝不会提出离婚的。如果罗斯想要离婚，让他先出手。

莉娜辞职不干了。但伊莱恩还可以在罗恩·哥迪诺的健身房将支票兑换成现金。这些支票会遭到银行拒付被退回——但那又如何？她用额外的津贴贿赂莉娜回来。

一个穿着短裤和优尔卡 T 恤的电视演员在贝弗利大道上休斯市场的结账台领走了她。她莽撞地把他带回了家。他一嗅到奢华的气味就朝她猛扑过来。

她挣脱他，打发他走。

但是他并没有悄然离开。

莉娜又不干了。她是个天主教徒，她只能忍受这么多。

伊莱恩连喝了四瓶伏特加酒，在她亲爱的奔驰前面晕了过去。

她错过了席卷洛杉矶的最新新闻：尼尔·格雷的心脏病再一次强烈发作，晕倒并死在一家圣塔莫尼卡的酒吧。

.58.

拉斯维加斯在他身后，当他开着货车加速驶向洛杉矶时，这座沙漠中繁华璀璨的城市渐渐消失在远方。他想要飞起来——飞过这条沙漠中的路，他知道他的货车也可以做到这一点。但是他并没有这样做。他把车速控制在规定范围内。必须得多加小心。

他脑子里装满了丑陋的画面。仇恨在他的血液中流淌。但是他知道乔伊在天上看着他，善良、可爱的乔伊……

这个妓女在哪儿？

有一刻他想不起来，愤怒吞噬了他。

这个妓女跟别的男人在一起。

货车尖叫着停了下来。他什么都看不见，心中红色的火舌吞噬着他。红色的……血液……妮塔·卡罗尔的血……乔伊的血……

没有关系，她安全了。他已经拯救她脱离了罪恶……

在离开拉斯维加斯之前，他在一家大酒店停了停，买了一副黑色的全罩式墨镜。镜片那么黑，别人无法透过这层保护镜片看到他的眼睛。

他很喜欢它们。它们是他通往外界的窗口，而他自己则安然地躲在它们后面，没有人知道他是谁。

乔伊会说他看起来真帅。她经常称赞他。她是唯一知道真实的迪克·安德鲁斯的人。

一想到自己的名字，他就怒火中烧。

"我不是迪克·安德鲁斯！"他大声尖叫。

然后他又发动货车，飞速穿过空荡荡的高速公路。

她知道他的母亲是谁了。

他要去洛杉矶把她给杀了。

.59.

尼尔·格雷的死亡引起了轩然大波。但是巴蒂确定这不会对《街头路人》造成负面影响，大家都知道梦塔娜已经接手这部电影了。只是有传言说开机日期会推迟一周。

他意识到是时候跑一趟圣迭戈摆平他跟他母亲之间的事了。但是他想先找回安琪儿，他已经等得够久了。但是要联系上她并非易事。他打电活过去，她从来都不在。他再打回去，她还是不在。他想知道她家的电话号码，却又被拒绝。最终他坐上车，缓慢地徘徊在发廊附近，希望能发现她。一个头上罩着怪鬈发的男人坐在前台玻璃接待桌那儿。

巴蒂停下野马车，从容不迫地走进发廊。"你好——"他随口说，"安琪儿在吗？"

克克确定这个肯定就是巴蒂，那模样长得令人神魂颠倒。"她不在这儿工作了。"他拨弄着橘红色连身工作服上的拉链说道。他没有撒谎。他决定安琪儿在生孩子之前应该待在家里。当然，她抗议过，但是他最终劝服她说艾德里安需要她陪伴。

"我要去哪里才能找到她？"

"我不知道。"克克从来都不擅长说谎。他紧张地扳动指关节。

巴蒂把手伸到桌上，随手丢下一张折起的20美元在桌上。

克克把钱推离他："我是说真的！你是不是电影看太多了？"

雷蒙多偏偏这个时候出现了，他闪亮的棕眼睛看到了这一幕。"克克，你这个坏家伙。你竟然在这边勾搭客人。这可是在店里面啊，哥们儿！"

"滚开！"克克冷冰冰地说道。

雷蒙多吹着口哨，嘘声连连地走开了。但是他临走前说了句——"等我去告诉漂亮的安琪儿。她不会喜欢的。"

"废话少说。"巴蒂倾身靠向桌子，愤怒地说道，"我是他的丈夫，她在哪儿？"

"她想要离婚。"

巴蒂伸手探向克克工作服上的拉链，猛地将它往上拉，直到它扣进他脖子下面的肉中："她……在……哪里！"

克克不是一个生性勇敢的人，他痛得尖声大叫起来："她不想见你！你为什么就不能放过这个可怜的姑娘呢？"

"那你为什么就不能直接告诉我呢？"

"安琪儿是我的朋友。上帝知道在你那样对待她之后，她需要朋友。"他把自己的身体挣脱出来，"如果你不立马离开发廊的话，我就打电话叫警察。"

巴蒂拿起电话，把它往桌子上砸："你尽管去。我完全有权利寻找我的妻子。另外——我每天都会到这里来，直到你告诉我她在哪里为止。你听清楚我说的话了吗？"

克克听得很清楚。但是在跟安琪儿商量之前他是不会透露她的行踪的。"那好吧，"他愤怒地说，"我会联系安琪儿，看看她怎么说。"

"除非她亲口告诉我。"

"那就明天，同一时间。"

"今晚6点。我的朋友。我会再来的。"他大步走出发廊。

克克挣扎了几分钟，接着打电话给了安琪儿，告诉她这件事。"你想让我怎么做？"他焦急地问道。

"我会跟他通电话，告诉他我再也不想见到他。"她坚定地说。

"还有离婚的事情。"克克提醒她。

"对。"她说。当时她是说真的。但是一到 6 点巴蒂接起电话时，单单他的声音就让她的意志动摇了。

"情况不一样了。"他告诉她，"我现在一切都很顺利。我想要我们在一起——你知道的——就是重新开始。你怎么说？"

她犹豫了："巴蒂，我们俩之间绝不可能跟过去一样了。我变了。我不想再过我们以前过的那种生活。"

"嘿——你有没有听我说啊？过去的已经过去了。我们都做了一些我们不该做的事情。让我们重新试试吧，宝贝。"他蜷缩在电话旁，声音低沉沙哑。而克克交叉着双手站在桌子对面，装作自己没有在听。

"你为什么不跟雪莉在一起？"安琪儿绝望地问道，"她是你喜欢的那类女孩。我可不像她。"

他大笑起来："如果你像她的话，我就开枪自杀。"

"我走了之后，你一直跟她住在一起。"她指控道，"她跟我说过两次要离你远点。我只是不明白，你想从我这里得到什么？"

"雪莉跟你说要离我远点？"他难以置信地问道，"她是那样跟你说的？"

"我从不撒谎。"

"她鬼话连篇。自从你离开之后，我一直都在寻找你。"

"你搬进去跟她一起住了。"

"没有。"

安琪儿轻轻地舒了一口气。她想要相信他的话，但是她可不再是那个刚刚从路易斯维尔飞机下来、初来乍到的女孩了。

"我要见你。"他敦促道，"我们有必要谈谈。"他往电话那儿蜷缩得更紧了，"我爱你，宝贝。我只爱你！从现在开始你要知道这一点。"

"我很困惑。巴蒂。"

"我会替你解惑。"

"我需要时间好好想想。"

"好好想想什么？我有一间大公寓，一辆新车，在一部电影里面当主演。"

"我知道，我在报纸上看到你的照片了。我很为你感到高兴，巴蒂。"

"是为我们感到高兴。发生了这么多事情，我需要跟你一起分享。没有你，这一切都没有意义。你明白吗？"

他意识到她说的是实话，一切都朝着对自己有利的方向发展。但是没有安琪儿，就是不完整的。等她回到他身边，他不打算保守秘密。他会告诉全世界。如果莎蒂不喜欢——那就太糟了。安琪儿是他的妻子，他引以为傲。他们会重新开始，这一次可以的。

"给我几天时间。"她最后说道。

"你要几天时间干什么？"

"我要确定你是说真的，明天不会改变主意。"

"你是在开玩笑吗？"

"我非常认真。"她严肃地说，然后又补充道，"你是不是还在吸毒？"

"我现在洁身自好，连大麻烟都不抽了。"他停顿了一下，"能不能至少让我知道你在哪里？"

"我跟朋友住在一起。"

"在哪里？"

"这不重要。为什么我们不明天这个时候再谈呢？"

"没问题。"

"但是请你保证在我没答应前不要试着找我。"

"我以童子军的名义向你保证。"

她柔声笑了："你从来就不是童子军，巴蒂。"

"我现在是了。"

她把电话号码告诉了他，在他们道别前，他已经牢牢记下了。

克克凝视着他，空气中弥漫着敌对情绪。

巴蒂一句话都没说。他没有回头看一眼，径直走出了发廊。

就他所知，让安琪儿回到他身边只是时间的问题。

"《街头路人》被取消了。"奥利弗毫不客气地说道，"不拍了，结束了，成为过去了。"

梦塔娜盯着他，不太明白他在说什么。他们在他的办公室里，办公室里的一切都闪闪发光，精致优雅。尼尔·格雷一个小时前被安葬了。这是一个庄严的葬礼，到场的人很多。

梦塔娜举止端庄优雅。

玛瑞丽趴在棺木上歇斯底里地大声尖叫。

"什么？"她最终说道，无法相信她刚刚所听到的。

"这部电影结束了。"他很享受这一时刻，即使她刚新寡，"这个电影的各项开支还有延期花了我一大笔钱。现在，尼尔……意外死去……我可以拿到保险费，补贴我的损失。"

"你可以什么？"

"别担心，你会拿到钱的。"

她竭力控制声音，但是内心里她在发抖："让我把这件事弄个明白。你取消这部电影是因为你可以赚取保险金？"

"这就是商业头脑。如果你想在这个镇上生存，就必须拥有商业头脑。"

她所有憋在心里的情绪化成愤怒的谩骂倾泻而出："你这个笨蛋、马屁精、卑鄙狡诈的小人！你怎么可以这样做！"

"你不用压制自己的情绪，梦塔娜。释放出来吧。说出你想说的。"他暗自窃笑，觉得很享受。他拥有绝对的权利，他很喜欢这样。

她很快就恢复了镇定，不想让他看到自己崩溃而暗自高兴。"奥利弗。"她理智地说，"你肯定知道这部电影对我来说有多重要。这是一部很重要、也很好的电影。它会赚钱的，会赚得远远比你那该死的保险金多。"

"每一部电影都是一次冒险。"他耐心地说道，"一部电影可能会请到雷德福和简·方达主演，但没有人知道观众会不会去观看。通过这种方法我就能大获全胜——这不需要冒任何风险。"

"你是说真的？"

"电影取消了。"

她太累了，懒得回击他："你是不是只对赚钱感兴趣？"

"让我这么跟你说吧，我在这一行混可不是为了跟女人上床。"

"你还真是有魅力。"

"我也爱你。"

她高昂着头走出了他的办公室，但是斗志全无。有些时刻她非常需要尼尔，现在就是这样。她冲进办公室，重重地关上大门。然后她深吸一口气，努力忍住夺眶而出的泪水。

她不需要尼尔。她已经学会没有他也要继续前进。压力大的时候，大哭大叫是没有用的。她必须坚强起来，独自处理事情。

尼尔死了，她想。这都是他咎由自取。有那么一瞬间，愤怒吞噬着她。曾经他们爱得死去活来……但是随着时间的流逝，一切都变了。

他抛弃了她。

但是她熬了过来。

终于她簌簌落下眼泪。

这种感觉真好。

莎蒂接到这个消息时显得很冷静。这不是她第一次也绝非最后一次遇到这种情况。可以毫不夸张地说，娱乐圈真是变幻莫测。

奥利弗约她去贝弗利威尔榭酒店喝点东西。他还告诉她他已经另外请了个导演拍尼尔正在筹划的另一部电影——由吉娜·杰曼出演。

"我们可以马上着手前期制作。"他说，"吉娜会很高兴的，这个角色更适合她。"

"我甚至不知道剧本有没有写完。"莎蒂吃惊地回答。

"几周之前还没有。但是自从我们签了这部电影，我就一直督促。现在有个非常棒的剧本——当然还需要稍微润色……"

"我得读剧本。"她简短地说，"这部电影签的是由尼尔当导演。现在情况不一样了。"

"但是我们可以解决这个问题，哈，莎蒂？"

她拒不发表意见："再说吧，里面有没有适合巴蒂·哈德森的角色？他会成为大明星的。你一开始就搭上他也无妨。"

"我想我们可以随便给他找个角色。"

"不能是随便的角色，一定要是适合他的。"

"我会看剧本，多留意留意。"

"这就由我来做吧。"

"请尽快。"

"你真是个赶死鬼，奥利弗。"

"你也一样，莎蒂。"

她无法跟他争论这一点。

克克拖着疲累的身子比平时晚到家。安琪儿正在厨房里做南方炸鸡，而艾德里安则坐在电视前观看舞蹈演员跳歌歌舞。

"哈……多么温馨的家居生活啊。"他厉声说道，"而我却累死累活的。"

艾德里安按了一下遥控器，关上电视屏幕："有什么事情让你不开心了？"

"没什么。我只不过今天遭到安琪儿彪悍的老公的人身攻击。姑娘在哪里？"

"在厨房。"

"哈！她怎么还没有扑到他久候多时的怀抱？"

"发生了什么事？"艾德里安小心翼翼地问道。

"你应该知道的。你跟她一起坐在这里。"

"我们不可能一辈子都管着她。"艾德里安温声细语地说道。

"看在上帝的分上，你不要对我说教了。我知道她已经够大了，能够照顾好自己。但是艾德里安，"他泪眼模糊，"我要怎么说清楚呢？她这么甜蜜可爱。我想让她跟我们住在一起，这样我们就可以保护她了。"

他没有听到安琪儿走进了房间。她安静地站在门边："谢谢你，克克。"她温柔地说，"但是别担心。无论发生什么，我们还是会见到对方的。我们永远都是朋友。我绝不会忘记你对我的帮助。"

"你是不是打算回到他身边？"

她轻抚着隆起的肚子："我得再给他一次机会。"

"哈！"他喷了声鼻息轻蔑地说，"你会后悔的。"

躺在吉娜的意大利瓷砖游泳池里观看两个日本花匠修剪奇花异木，一名女佣给他端来冰茶，罗斯觉得这才是他应该过的生活。所有这些奢华跟消遣都没有耗费他一分一毫。他以前怎么就没想到呢？给自己找个职业女性，然后坐享其成。毕竟，这些年女人已经从他这边拿走很多了——他应该要得到一点回报。

今天是他的生日。他终于迈入五十高龄的门槛，但是却没有他原以为的一半忧伤。他一醒来就告诉吉娜——他本来不想的——但是管它呢——你又不是每天都迈入人生的里程碑。而且他根本就藏不住他的年龄——他经常出现在那些电影年鉴里面。五十岁绝对算不上年迈。年过半百对纽曼和布朗森这样的家伙来说简直就是小菜一碟。

"你之前为什么不告诉我呢？"她惊叫道，"我们可以举办个盛大的派对。"

他并不想要什么"盛大派对"。他刚刚才挨过一个。虽然别人来付账，他心里可能会觉得好受一点。

吉娜送了他几个肉体上的生日礼物，这让他筋疲力尽却又心满意足。然后她穿上衣服，出发去跟莎蒂吃午餐。

他坐起来，抿了一口冰茶，伸手拿剧本。他的台词下面都用红色的粗铅笔画了线。他能倒背如流。这还是第一次——通常他在片场都是优哉游哉的，然后见机行事。现在情况不一样了。他有一个绝好的机会，他不想把它搞砸了。

吉娜·杰曼从来都不是一个生性多愁善感的人。她快乐地过着日子，只关心什么有利于自己的公众形象。当尼尔·格雷死的时候，她没有这么想——"可怜的尼尔——这太可怕了，而是这样想——"谢天谢地，他不是跟我在床上的时候死的——要不然，我永远都忘不了这件事。"

她身着黑色蕾丝衣参加他的葬礼，是葬礼上一道亮丽的风景。她高兴地摆着姿势给摄像师拍照，罗斯·康迪站在她的身旁。她跟罗斯之间互生的情愫好像引起了观众们强烈的兴趣。

哈！他们私下在她闺房里面也很情投意合。就他的年龄而言，他算得上是表现不错了。

她跟莎蒂在小酒馆花园吃午餐。当莎蒂告诉她《街头路人》被取消时，她张口哇哇大叫。

莎蒂接下来说的消息立马让她安静下来。她跟尼尔筹划的另外一部电影剧本写完了，更换了个新导演，由奥利弗·伊斯特恩掌控，已经蓄势待拍了。

"我昨天晚上读过剧本。"莎蒂轻快地说道，"这个角色更适合你，相信我，亲爱的。"

吉娜从来都是信任莎蒂的，莎蒂的判断力素来一流。她咬了一口生菜叶，然后说了一句与她的性格大相径庭的话，莎蒂差点把杯子里的水都洒了出来。

"如果有个角色给罗斯，我就演。"

"什么？"莎蒂吃惊地说。

"我们在一起很好。"吉娜泰然自若地说道，"媒体会很喜欢我们的。我们在荧屏上会很火爆。改动一下吧，你有这个权利。"

"这部电影里面没有罗斯演的角色。"莎蒂咬牙切齿地说道。

"那就让他们把他写进去。"

莎蒂盯着这个正在大口咀嚼生菜的客户。罗斯怎么会搬进去跟这个工于心计的金发女人住在一起？她自己想要他，现在吉娜却拥有了他。更糟糕的是……吉娜自己自身难保，却还想要帮助他。"你知不知道你在说什么？"她说。

"我当然知道。"

"你最好仔细想想。把罗斯写进去会花几周甚至几个月的时间，电影就会被延期，而你要马上开始工作，我确信你明白这一点。"

吉娜若有所思地盯着她的经纪人。莎蒂有一个优点，那就是她总是很在理——也许这个主意并不是太好。"你说得对，我猜我不应该等了，把剧本送过来给我。"

莎蒂轻拍她的路易威登大提包："我带着呢。"

"顺便提一下。"吉娜说，"今天是罗斯的生日，我准备今天晚上在小酒馆花园给他举办一个惊喜派对。你要来啊。哦，对了，叫上巴蒂。"

莎蒂最不愿做的事情就是庆祝罗斯的生日。但是生意还是要做，吉娜是个有价值的客户。

"一定不会错过的，亲爱的。"

4点钟，吉娜满载着礼物回到家。一份意大利杂志的摄影师跟她一起回来的。她把一半古奇牌礼物堆到罗斯手上，摄影师则捕捉住每一个柔情蜜意的瞬间。

罗斯不知道为了获得独家照片，所有这些昂贵礼物全归这家杂志社埋单。

他喜欢所有一切，虽然他很厌恶那个摄影师——一个穿着白色紧身裤、神志不清的二流子，他一直在摸吉娜的屁股。

"今天晚上我们去小酒馆花园吃晚餐。"她宣布道，"就和几位朋友。"

"谁啊？"

她神秘地笑了笑："你就等着瞧吧。我喜欢惊喜，你也是吧？"

"啊？"巴蒂的脸上满是难以置信的震惊表情。

莎蒂说："在电影这个行业，没有什么是百分之百确定的。"

"但是那里有我的角色。"他茫然地说道。

"你当然有。"

"他们不能这样对我！"他大喊道。

"制片人就是上帝。他们爱怎么样就怎么样。"

"操他娘的！"他尖叫道。

弗尔迪将头探进大门："里面都还好吧？"

"非常好，谢谢。"莎蒂回答。

巴蒂没有注意到有人来打岔。他瘫坐在椅子上，自言自语。

莎蒂拾起一支金色的钢笔，不耐烦地在桌子上轻轻敲打。"控制一下自己的情绪。这只是一个小小的挫折。你会拿到所有钱，而且你从大量宣传中也获益良多。会有更好的电影等着你。"她不想告诉他已经有更好的电影在等着他了。跟客户打交道，最重要的就是要把握时机。

"上帝啊！"他悲叹道，"梦塔娜知道吗？"

"当然了，明天就会上娱乐报道。还有，巴蒂——我本来是不想告诉你，想到时候给你个惊喜。明天你的广告牌就会挂满全美国，所以振作起来，要重新感觉自己很棒。今天晚上吉娜要给罗斯举办个惊喜派对——我想要你也去。你不会知道，今天晚上我也许有好消息要告诉你。我这个美国西部最神速的经纪人可不是徒有虚名的。"

他努力打起精神点头同意，在想为什么每一次他要前进的时候总会有个傻瓜重击他的要害。

如果没有各种各样的人帮忙，吉娜绝不能在晚上整装出席。一个南美洲的专业化妆师每天6点准时到达她的豪宅。在他之前来的是一位匈牙利的女按摩师，在他后面来的是一个法国发型师。

日本的花匠、菲律宾的女佣、吉娜的英国秘书，这个地方简直就是一个活脱脱的联合国。七间大卧室、七间配套浴室、六间大客厅、职工宿舍还有一间酒店规模的厨房，但是罗斯无法为自己找到一片净土。

他们对待他的方式让他很不习惯，这让他很火大。他们把他当作"'巨星'的男朋友"对待，浑然不知他也是明星。

吉娜在化妆和做发型的间隙出现了："你今天有没有打电话给你的经纪人？"她脆声问道。

"我应该打吗？"

"亲爱的，每个人每天至少要跟经纪人讲两次电话。"

"为什么？"

"因为你要了解最新情况啊。"该死！她想。他还不知道电影已经被取消了，我无法告诉。为什么他那个蠢货经纪人还没有打电话给他？

"要不要了解我的最新情况啊？"他的目光挑逗着她。

"对一个老头儿来说，你确实算是性欲旺盛的。但是下次要在化妆前找我，哈？"她匆忙离开房间时脱口说了一句，"给你的经纪人打电话。"

他很无语。老头儿？她一定是在开玩笑，她自己也不是十几岁的妙龄女郎。

他喝了一瓶加冰的威士忌让自己冷静下来，在镜子做的酒柜前欣赏着自己。不管他有没有老——他还是可以征服观众。在他们判他出局之前，罗斯·康迪还有很长的路要走。

伊莱恩跟玛瑞丽恢复了友谊。两人互相打扰总比没有人可以打扰好。

两个女人看起来都不是太好，所以她们避免去芭堤雅酒店、小酒馆花园、吉米餐厅和其他时尚地方吃午餐。相反，她们待在彼此的泳池里，晒着会损伤皮肤的日光浴，大杯大杯地喝着各种奇特的含酒精饮料。她们小心翼翼地忘记伊莱恩之前想向她的朋友玛瑞丽借 1 万美元这件事。

伊莱恩只谈罗斯。

玛瑞丽只谈尼尔。

他们从来没有提起过罗恩·哥迪诺跟兰迪·菲利克斯。但是在这样一个只在乎你是谁，还有你有多少钱的城镇，这是预料之中的。

梦塔娜大发雷霆。她在山上风景迷人的房子里踱来踱去，想到什么难听的话就拿来骂奥利弗·伊斯特恩——当然还不止这些。她觉得很无助，这种感觉她不习惯，也不喜欢。

电影这个行业。

见鬼去吧！

她联系她纽约的律师，要求他拿回《街头路人》重新拍摄的权利。一小时之后，他给她回电话，告诉她这是不可能的。

"没有什么事情是不可能的！"她怒吼道。

"我会试试的，你究竟在操什么心？反正你拿到了钱。"

她一直觉得在他衣冠楚楚的外表之下其实潜藏着一个笨蛋。钱算得上什么？

要注意了，该换律师了。

她想通过整理尼尔的桌子让自己冷静下来。在一个抽屉里面，她发现《街头路人》的初稿——封面上潦草地写着她的字：致我亲爱的丈夫：让我们一起攻克难关。你亲爱的妻子。

当她真正需要尼尔的时候，他在哪里？

她脑子里生成了一个主意，她终于第一次绽放出了一丝笑意。她会送一件东西给奥利弗·伊斯特恩，让他记住这一遭。一件能让整个好莱坞都难忘的东西。

哦耶！

她记起尼尔曾经教她的一句话，笑得更灿烂了。不要生气——要想办法报复。

她有了一个计划。这很疯狂，但是哦……她很高兴！尼尔会喜欢她这么做的。

.60.

一旦事情开始发生，就进展迅速。过去这么多年，莱昂发现情况总是如此。一个突破点会决定整个方向。直觉告诉莱昂既然迪克·安德鲁斯重新出现了，他就很难再次失去踪迹。匹兹堡、得克萨斯，现在又是拉斯维加斯。一连串的死亡：两个妓女、一个皮条客、一个四海漂泊的搭便车者。模式已经开始显现了。迪克的目标是底层社会……女人是他的敌人……那些出卖身体的女人……

当莱昂开着他租来的车疾速穿过沙漠驶向拉斯维加斯时，莱昂的脑中闪现了这些想法。还有另外一个想法：迪克·安德鲁斯跟前两天刚刚发生在巴斯顿的那起谋杀纵火案会不会有什么关系？那里没有他留下的明显痕迹。整幢楼像打火匣一样被烧毁，毁坏了所有的证据。但是解剖秘书烧焦的尸体时发现她被反复捅了很多刀——迪克·安德鲁斯跟这个案子完全扯不上关系，但是莱昂有一种直觉，这么多年来，他的直觉在大多数情况下都很准。

当车朝着他的目的地疾速驶下高速公路时，他没有看见迎面而来往西开去的那辆车。即使他看见了，也不会注意这辆全速开往洛杉矶的破烂不堪的棕色货车。司机正是迪克·安德鲁斯，他戴着面具，还戴着一副黑色墨镜，遮住他死寂的眼神。

莱昂没来由地感到毛骨悚然。他伸手向前把冷气关小。

.61.

大家一般都不会理会临时邀请。但是吉娜的英国秘书声音甜美、脑子灵活而且还能言善辩。另外，罗斯生日那天晚上没有别的事，没有首映式，没有私人放映、派对或其他社交活动，这也帮了忙。所以到达位于佳能大道的小酒馆花园楼上的房间参加罗斯生日派对的人为数众多。

吉娜跟罗斯自然是比较晚进场的。外面的街上埋伏着一大群狗仔队,吉娜拽着罗斯的胳膊,为他们摆出漂亮的姿势。

他动作轻柔地试图让她松开手,她把他的上衣弄皱了。

他们走进餐厅,然后上楼,大家都在那儿等着。罗斯被出席的人数吓一大跳。他想可能会有十几号人,但来了至少六十个。

吉娜绽放出灿烂的微笑,转向他,一口皓齿炫目迷人:"还不错,对吧?都是临时安排好的。"

他打量着房间吹牛说:"我又成为大明星了,我随时都可以把他们召来。"

"你当然可以。我只是帮你打了几个电话而已。"

她希望他的经纪人已经告诉他《街头路人》被取消了。但是她有种可怕的感觉,那个笨蛋还没有告诉他。如果罗斯知道的话,他会从这里发牢骚发到海滩上去。

算了,这又不是她的问题。她才不要告诉他这个坏消息。让奥利弗或者其他谁告诉他去吧。然后,他肯定会问她——"你为什么不告诉我?"她会耸耸肩,随意地说,"我告诉过你去跟你的经纪人谈。"为了让他明白她多么关心体贴他,她会再补充一句,"而且,我不想毁了你的生日。"

巴蒂站在大门口审视着一切。他看到了名望、权力跟金钱轻易交织在一起。有那么一瞬间,他觉得他属于这里。

还没有,巴蒂帅哥,还没到时候。不要昏了头,要保持冷静。

他提出要去接莎蒂跟她一起去,但是她拒绝了。现在他在搜寻熟悉的脸孔。

凯伦·兰开斯特跟顶着刺猬头的英国摇滚歌手约翰·斯皮德、一个刻薄的喜剧演员还有三个各式各样的歌迷坐在一张桌子上。

喜剧演员乔希跟凯伦兴奋地交谈着,而那三个歌迷——全是头发蓬松、瘦骨嶙峋而且眼神饥渴——充满希望地倾听着。

巴蒂走了过去。他没有见到其他认识的人。

"嗨——凯伦,你好吗?"

她抬头盯看着他,全然没认出他是谁。

"巴蒂。"他提醒她,有点生气,"巴蒂·哈德森。"

约翰·斯皮德跟喜剧演员看着对方,打着三拍合唱:"巴蒂……巴蒂·哈德森。"然后他们忍不住哈哈大笑。

凯伦也跟他们一样神志恍惚，加入他们的大笑中，随后那三个歌迷也急忙放声大笑。

喜剧演员的脸突然晴转阴："你他妈的在笑什么？"他质问年龄最小的那个女孩。

她的表情僵住："没什么。"她低声说。

巴蒂退后走开了。他不知道自己到这儿来干什么。莎蒂说她可能会给他带来好消息，他相信她会把他重新从一文不名的境地中解救出来。

他侧身挤到吧台，点了一份橙汁。前面他跟安琪儿讲过电话。"我的电影被取消了。"他很遗憾地告诉她，"但是我有一个经纪人——莎蒂·莎乐，她是最棒的经纪人。她说她会给我找别的电影。钱还是付给我了的——我们是有钱人了，宝贝。"

他很自豪自己对她实话实说。她似乎很喜欢这样，因为她的声音里面饱含温情，他知道现在任何一天她都会同意回到他身边。

房间那头正在跟一个脱口秀制片人和他如洋娃娃般的妻子聊天的莎蒂注意到巴蒂到了。她认真地观看着他，他行为得体。当他走向吧台时，她发现好几个女人的目光追随着他。

"你觉得我这个新客户怎么样？"她指着巴蒂，向制片人的妻子问道。

这个女人至少要比她快乐的丈夫小三十岁。她眼巴巴地凝视着巴蒂。"帅呆了。"她最终说道，抚摸着压在她如天鹅般雪白的脖子上的红宝石和钻石项链。

"没错。"莎蒂同意道，"他会成为一个大明星的。"

"我们能请他上我们节目吗？"制片人问道。

"对不起。"莎蒂遗憾地说道，"我已经先答应了卡森。但是这之后，我可以让他上你的节目。"

"别这么说，莎蒂。别这么回答。我们想要最先请到他。你定个日子吧。"

"我们为什么不明天再说呢？"她说了声抱歉，匆忙走向巴蒂。

一旦你掌握了所有游戏规则，这个游戏玩起来就变得轻而易举，而且胜券在握。

她轻拍他的肩膀："准时到场、看上去很帅气而且还喝着橙汁。你看——我告诉过你这并不是世界末日。"

他懊恼地咧嘴一笑，耸了耸肩："我想我是已经懂得了要熬过伤痛。"

"我们会熬过去的。你拿到吉娜新电影中主角的机会非常大。"

他立马来了精神："你是在开玩笑吧？"

"莎蒂·莎乐从不开玩笑。"

呀！为什么他没有对吉娜友好一点儿？她也许会说他坏话。

"我什么时候会知道？这是一个怎么样的角色？我能不能看看剧本？"

"剧本还在修改之中。等它完成之后，你要跟吉娜一起试镜，如果反响不错的话……"

他就知道天上怎么会掉馅儿饼："我又要去试镜了？"

"你当然要去。我有信心你会非常棒的。难道不是吗？"

他郁闷地点点头。

"要微笑，亲爱的。展示你的魅力。今天晚上你要对奥利弗·伊斯特恩特别客气。我告诉你吧，他是这部新戏的制片人，还要对你的同事——吉娜·杰曼更为客气。"

"我尽量吧！"

"我要你做到最好。"

"我觉得吉娜不喜欢我。"

"那就让她喜欢你。这对你来说应该不难。"

"你想让我跟她上床！"他怒吼道，"我不会为了工作而跟人上床。"

"我从没有说过你得这么做。还有，别这样对我说话。"

他沉着脸："对不起。"

"走，让我们先从奥利弗那儿下手吧。"

"亲爱的，真遗憾听到你的电影泡汤了。他们请过亚当，但是被他拒绝了。不适合他，最适合你不过了。亲爱的，我感到非常遗憾。"

罗斯茫然地盯着碧碧·萨顿，全然不知她在讲什么。

"亲爱的，伊莱恩呢？她现在还好吗？我听说她酒喝得很凶。但是她现在应该好了吧？对吗？"

"你还是像往常一样那么明艳动人。"他倾身向前凑到她耳边低语，"过几天我会在床上逮住你，把你做到虚脱。"

她娇羞地笑了笑："淘气的东西！"

亚当·萨顿来到她的身旁，对罗斯略一点头，说道："拉泽夫妇跟怀尔德夫妇让我们过去跟他们一起坐。"

"是吗？"她环顾四周，看看有没有更好的去处，"等等，我马上就来。"

亚当退了下去，罗斯再次倾身向前："如果你跟我上床的话，你肯定会的。"

"罗斯！你这个坏蛋！"

"谁是坏蛋？"凯伦·兰开斯特挤进他们俩中间，她穿着一套米色缎衣，乳头坚挺。跟她一起的还有那个摇滚歌手，"这是约翰·斯皮德。他正在美国举办巡回演唱会，这是他第一次参加好莱坞派对，他觉得无聊死了，是不是啊，宝贝？"

他说着一口地道的伦敦腔："哼，得了吧，女人，我喜欢死这个派对了。"

"他的口音很像米克·贾格。"凯伦饶有见识地说道，"只是米克是装的，约翰是真的。"

"乔治怎么样，亲爱的？"碧碧问道。

凯伦没有回答。她恶狠狠地瞪着罗斯："我真高兴你的电影泡汤了。"她故意气他说。

"我压根儿就没想过要去拍电影。"约翰说道。

凯伦拽住他的手臂："你多大了？"

"22岁。"

碧碧厌倦了这场谈话，走开了。

"真的吗？你知道吗，罗斯今天50岁了。"她大笑起来，"他的年龄都够当你爷爷了。"

两人讥笑起来。

罗斯并不觉得好笑，竟然说他的年龄够当爷爷了，她简直就是荒谬可笑。她说自己的电影泡汤了是什么意思？

他还没来得及向她问清楚，她就跟约翰亲热地交头接耳起来。他可受不了站在那儿看着他们你侬我侬。他的目光四处搜寻着吉娜，却碰见在去卫生间路上的莎蒂。他们别扭地互相打了个招呼，然后匆忙分开了。

吉娜正在跟奥利弗聊得火热，罗斯大步走了过去。

"开心吗？"她笑容满面。

他的眼睛直勾勾地盯着她的大片乳沟。她完全可以跟多莉·帕顿①一争高低。"我想我待会儿会更开心。"他掐着她的后背说道。

"你不知道我感到多么抱歉。"奥利弗虚伪地说，"但是这种事时常发生。我没有必要对你这样说，罗斯。"

---

① 美国乡村音乐的常青树。

"失陪了。"吉娜匆匆说道，"我要去跟沃非打声招呼。"

"你抱歉什么？"罗斯质问道。

"你涉足电影行业也很久了，应该明白情况是怎样的。"奥利弗继续侃侃而谈，"只要能拿到钱走人就好，对不对？"

他脑海里闪现三种声音。

打电话给你的经纪人。

亲爱的，真遗憾听到你的电影没有了。

我真高兴你的电影泡汤了。

上帝啊！就算他不是天才也能想明白这整件事了。

"奥利弗。"他尖声说道，"究竟发生了什么事？"

巴蒂学得很快。对别人友好通常意味着要听他们高谈论阔，而且不打岔。他认真听每一个词，努力摆出一副兴致勃勃的样子，看着他们的眼睛在房间四处转动。当有更好的对象出现时，他们话讲到一半就抛下他，这种情况发生过两次。

亚当·萨顿从他宝贵的时间里抽空跟他交谈。

"我觉得你的前途一片光明。"亚当说，"你的经纪人是莎蒂而且——"

他这句话还没讲完，碧碧叫他，他就离开了。

巴蒂看到吉娜，深吸了一口气，走了过去。

她冷淡地跟他打招呼。

他使出浑身解数施展他的魅力。

她开始友善起来："改变主意想泡电影明星了？"她性感地柔声问。

这时，她的私人公关走过来，把他从这个问题中拯救出来。那个男人轻蔑地看了他一眼，拽着吉娜的手臂宣告她为自己所有，说道："阿米·阿切尔德想要跟你谈谈。"

巴蒂又在房间四处闲逛起来，嗅着金钱的味道，迫切地想要成为其中的一分子，想要被认可。然后他看到了沃非·斯戈威克，一下子就停下脚步。这个胖子显然是在说一个搞笑段子取悦那一小伙人，因为他们都笑得前俯后仰。

胖子。巴蒂的脑海中闪现出这一称呼。胖子……

再一次见到他，巴蒂确定他就是在那场性命攸关的派对上喂托尼吃可卡因的那个男人。

他继续盯着他看，黑色的眼睛冷若冰霜。

沃非感觉到他在看自己，打量了他一眼。他的胃因为一阵"性"起而抽痛。"那是谁？"他问碧碧。

她随意往巴蒂方向扫了一眼："莎蒂新挖掘的对象。不是什么大人物。亲爱的，怎么了？"

"我在乔治的派对上见过他。我只是好奇他是谁。"

"亲爱的，看吉娜的裙子。你觉得是不是她自己做的？"

沃非将目光从巴蒂身上移开，努力取悦碧碧。他审视吉娜的服装——一条垂到腰部的红裙子。"嗯……"他狡猾地说道，"时尚中透露着一丝性感。对吧？"

一个穿着毛茸茸的白色比基尼的红发少女从巨大的蛋糕里跳了出来。她跃到罗斯的膝盖上，而所有的人都在大声欢呼，发出阵阵嘘声。男人们停止生意上的谈话，看着旁边这个边唱生日快乐歌边在罗斯大腿上扭动的女孩。她的身材均匀丰满，但是还不至于能让商业会谈长时间停止。

罗斯非常配合。他懂得什么样的场合该摆什么样的表情。他咧嘴大笑，发出所有应该发出的声音，吹灭五十根蜡烛，一边试图将那个醉醺醺的蠢货从他腿上驱逐开。在这整个过程中，他的怒火在心中翻滚。

该死的吉娜·杰曼！她怎么敢跟他耍这种把戏？当她知道——肯定知道——这部电影不拍之后，她怎么可以这样对他？

为什么这个蠢娘儿们不告诉他？他迫不及待想和她独处。天啊！他怒火中烧。但是脸上还是挂着随和的微笑。一双蓝眼睛——眼眶周围虽有些皱纹，但是光彩依旧——在房间里四处放电。

他觉得受到羞辱。莎蒂是绝不会让这种事发生在他身上。

"我可能给你拿一些上好的大麻。"坐在他膝盖上的女孩说道。

"滚开！"他站起身来，把她放下。

"给我们来段致词吧。"有人大喊道，然后这个要求就在房间里炸开了。

见鬼了他才会给他们来段致辞。

见到胖子让巴蒂整个晚上都很难受。

他想要出去。

他想要安琪儿。

"我现在可以离开了吗？"他跟莎蒂商量道。

"可以。"她说，"我们周一再谈。我明天要去棕榈泉，但是我会及时赶回来，绝对下周早早地逼奥利弗给个话。别担心，一切都会很顺利的。"

"希望如此。"

他匆忙开车回家，拨打安琪儿的电话。

"你好？"是一个男人的声音。

她跟他说过她跟两个男同性恋住在一起。"安琪儿呢？"

"她在睡觉。"

他尽量掩饰声音里的急躁："帮我叫醒她，我有很重要的事情找她。"

"请问你是谁啊？"

"巴蒂。"

一个不友好的回答："等一下。"

等了很久之后，她终于接电话了。"我不能再这样下去了。"他急切地脱口而出，"我需要你跟我在一起。"

"你嗑药了吗？"她责备地问道。

"滴药不沾，宝贝。"

"我们之前说好了，你为什么还要半夜给我打电话？"

"因为我们决定要坦诚相见。如果让我实话实说，我一天都不能没有你。"

"巴蒂——"

"我爱你。我们应该在一起。"

"我不知道——"她迟疑地说道。

"不，你知道的。我现在告诉你发生了什么。"他深吸了一口气，"我从来没有跟你讲过我母亲——"

"可是你跟我说你的父母死于一场车祸。"她责备地打断他。

"我知道我是这样跟你说的。但是从现在开始我要跟你说实话，不是吗？"

"是。"

"我的母亲住在圣迭戈。我有十年都没有跟她通话了。"他沉默了片刻，"我想要解决我跟她之间的问题，所以我要明天一大早开车去看她。等我回来时，我需要你在我的，不，我们的公寓里等候着我。你能不能为我这样做，宝贝？因为你就是我的一切——我不希望我们之间还存在谎言。"他停下来，希望她同意，"听我的，安琪儿。你知道这次没问题的。"

电话那头的人喜欢他的转变。

"好的。"她轻声说。

他对她的爱火在熊熊燃烧。从现在开始一切以她为先。没有她，其他什么都不是，包括他仍然向往但却不想靠谎言而得到的事业。

"我会安排一辆车明天下午五点去接你。女佣会让你进屋，我大概六七点回来。如果我回来晚了，我会打电话。"

她把她的地址告诉了他。

"明天见。"他说，"你绝不会感到后悔的！"

"放你妈的狗屁！"罗斯尖叫道。

"要微笑。有摄影师在房子大门外。"吉娜若无其事地回答。

"谁他妈的还在意那些该死的摄影师！"他大吼道，他脖子上的青筋暴起，就跟电话线一样。

"我在意。"

他们自离开派对后就一直互相叫嚷。

"你知不知道电影泡汤了？"一剩他们俩时，他就问过她。

"是，我知道。但是我并没有义务要告诉你。我叫你给你的经纪人打电话。"

"你给我说这件事有那么麻烦吗？"

"你有一个蠢经纪人是我的错吗？"

他们先是相互谩骂，继而演化成动手动脚。罗斯从来没有这么生气过。

他们的轿车缓慢开近吉娜房子的大门。记者们蜂拥向前。她忘记跟罗斯说她的公关代理就在他们离开小酒馆花园半小时之前跟各大电讯社透气说吉娜小姐在今晚结束之前可能会跟罗斯·康迪求婚。媒体在焦急地等候着。

吉娜意识到她可能挑了一个错误的时刻来制造这个特殊的宣传噱头。

"哦，上帝啊！"她惊叫道，她摁了下按钮，打开她跟司机之间隔着的玻璃墙。"不要停下来！"她简短地指示道。

"我恐怕我们不得不停下来，杰曼小姐。大门的遥控器不在车上。"

"为什么会不在！"她愤怒地嘶叫道。

他耸耸肩，回答了一句："我怎么会知道，你们雇我来只是让我今晚给你们开车。"然后将白色的加长凯迪拉克轿车紧急刹车。

摄影师们蜂拥而上。罗斯怒目而视。

吉娜马上摆出一个微笑，打开窗户。"嗨，帅哥们！"她亲切地说，相信她的人格魅力跟罗斯的求生欲望会让他们通过大门，"我是因何而有此荣幸啊？"

他们都一同开口，都问同一个问题：她跟罗斯·康迪是不是准备结婚？

"结婚！"罗斯惊叫道，气不打一处来，"首先——我结婚了。其次——记下来——媒体朋友们，即使吉娜·杰曼是好莱坞最后一个臭娘儿们，我也不会娶她！"

.62.

夜晚，好莱坞大道。妓女、皮条客、毒贩、吸毒者还有抢劫犯都倾巢出动。

迪克缓慢地沿着街道开车，他冰冷的眼睛看到了这一幕。

红灯的时候，两个无聊的妓女走到了货车跟前。

"有没有兴趣玩三人性爱游戏啊？"她们异口同声地问道。

他否定地摇摇头，搓揉着他的黑色墨镜前方。妓女，这个世界到处都是妓女。

"来啊。"其中一个鼓励他，一只戴着6英寸假指甲、瘦巴巴的手搁在他的手臂上。

"这种肉体上的欲孽会让你送命的。"他警告道，用力把她的手从他的身上扇开，她的三个假指甲脱落，掉到了货车的地板上。

"该死！"她愤怒地尖叫道，想要掰开他的车门，拿回她珍贵的指甲。

他加大油门开动货车，妓女被抛在车后，大骂脏话。

好莱坞大道，一条通往天使之城的道路，充斥着坏蛋、充斥着世界上的人渣。作为**天行者**，他有义务处理这些乌合之众。他就是被指派来做这些的……但是首先……他必须先找到一个女人。他的妓女母亲……乔伊会希望他先对付她的……她跟他这么说过……她从未离开他的身旁……她是个好女孩……一个可爱的女孩……

洛杉矶。天使之城。

妓女的国度。美国。

"妈妈。"他大声说，"我知道你是谁。我很快就会找到你。我发誓。"

"真好，帅哥。"乔伊说。她光鲜靓丽地坐在他身旁，裙子盖过膝盖，一副端庄的样子。

熟悉的"汽车旅馆"闪灯吸引住了他的目光。

"你累了吗，乔伊？"他贴心地问道，"我们要不要停一下？"

她不见了。

这个妓女消失了。

他在靴子下摸索小刀。

他一路向下在靴子一侧摸索小刀。下次他见到她，一定要将她碎尸万段。

.63.

巴蒂没法入睡。在跟安琪儿通完电话后，他兴奋地在公寓里来回踱步。他已经做出了承诺，那现在他必须遵守。他一想到要跟他母亲见面，就觉得非常不自在……但是还是得尽早让这件事情过去、尽早解决它……

不能再有更多的谎言了。

一切都要如实相告。

但是莎蒂那儿怎么办呢？他想在星期一他的广告牌席卷全美之前告诉她实话。

一大早他醒了过来，已经有了答案。

他可没有这个胆量在星期六的早上 7 点钟吵醒莎蒂，向她大吐真相，但是他还是敢在前往圣迭戈之前跑一趟弗尔迪家。

弗尔迪已经起床了，并且穿戴整洁——一件红色的短上衣跟一条相配套的短裤。他皮肤黝黑光滑、肌肉发达，不像平日在办公室一副衣冠楚楚的模样。衣衫不整地被巴蒂撞见，他似乎颇为尴尬。令他更为尴尬的是一个满头乱发、十四五岁的年轻人出现在他身后，站在前门质问道："这是谁啊？"

这个男孩只在腰间围着一条浴巾，别的什么都没穿。

"回厨房去。"弗尔迪用一种容不得商量的语气命令道。

"真高兴你起床了。"巴蒂愉快地说道。

"如果我没有起床，又会怎么样呢？"

"我只有一个选择——吵醒你或者是莎蒂——我想我只能选你了。"

"你是怎么知道我住在这儿的？"

"我在电话簿里面找到的。"

"我想应该是有什么紧急情况吧？"

"十万火急。"

弗尔迪厌烦地叹了一声："我想你还是进来吧。"

"嘿——别让我觉得我这么不受欢迎。"

"早上 7 点钟你想让我怎么欢迎你？鲜花跟乐队？"

巴蒂尾随他走进一间宽敞的白色公寓。在老式的地毯上，一张出自安迪·沃霍尔丝之手的玛丽莲·梦露丝网印刷画独尊其位。画的下面摆放着两根烧尽的蜡烛。

他不请自坐，说道："我就待一会儿。"

弗尔迪用干巴巴的讽刺语气回答道："真是遗憾啊！"

这时，那个躲在厨房里面的青少年大声放出朋克音乐，想让大家知道他的存在。

"上帝啊！"弗尔迪惊叫，然后更大声地说道，"戴上耳塞，洛奇！"他转向巴蒂，"行，你快说。我倒是非常想知道是什么事情不能等到明天到办公室再说。"

"我要去圣迭戈。"

"你是要去去就回，还是要在那儿居留上一阵？"

"我得跟莎蒂坦诚相告。"

"啊哈……我明白了。"弗尔迪会意地傻笑，"你还真是个怪人，你就不能把这个秘密保持更久一点吗？这就是你令人兴奋的消息？"

"你不知道就不要自作聪明。这件事情很重要。"巴蒂站起来走向窗户，那儿可以看到一个游泳池，两个女孩在里面来回游泳，另一个在池边跳绳，"嗯……我有一些事情从未跟莎蒂讲过。"

"比如说？"弗尔迪终于提起了兴趣，问道。

"比如说我结婚了。我有个美丽的妻子——而且我再也不想隐瞒这个事实了。"

"哦，天啊！"

"她会不会发飙？"

"她决不可能会欣喜若狂地在桌面上跳舞的。"

巴蒂耸耸肩："那也只能这样了。"他凝视着窗外的景象，"我想……嗯……想让你帮我告诉她。"

"多谢了。你对我真好啊。但是我必须谢绝你的慷慨厚意了。星期一你自己去跟她说去。"

"我不行啊。"

"为什么不行？"

"因为今天她必须知道。广告牌星期一就要挂起来了。我不想再这样下去了，我得让她知道。"

弗尔迪看起来怒气冲冲。

"听着。"巴蒂从窗口转开，劝说道，"如果你帮了我这次，我就欠你一个很大的人情。对不对？"

"也许吧。"

"你我都知道在这个镇子没有什么能比得上旧人情了，我又说对了吧？"

弗尔迪不情愿地点点头。

"嘿——谁知道会有什么样的事情发生在我身上。"巴蒂继续高谈阔论，"我可能会成为大明星，也可能什么都不是。这些都是说不准的，对不对？"他轻拍弗尔迪的肩膀，"但是——如果我成为大明星了，从我这儿得到的帮助应该是有价值的，我说得对吧？"

弗尔迪叹了一声。他从来都对恩威并施这一绝招毫无招架之力。而且，他想要巴蒂离开他的公寓："好啦，好啦。我会替你做的。我就不介意牺牲一天的时间了。但是我究竟要跟莎蒂小姐怎么说呢？"

"跟她说我有一个妻子，她叫安琪儿，而且她很漂亮。"

"哦，真棒。是不是我替你找到的那个？"

"不要担心——在那之前，我们就已经结婚了。"

"那为什么——"他突然停了下来。那个青少年走进房间，耳朵里紧塞着耳塞，跟着节拍打着响指。

"弗尔迪，"那个男孩抱怨道，"我们什么时候去野餐啊？"

"当你穿好衣服的时候。"

男孩故意傲慢地轻轻解开他浴巾上的结。

"看在上帝的分上——"弗尔迪开始滔滔不绝，当发现男孩下面还穿着一条小白色比基尼短裤时，他才住了口。

巴蒂已经走到门边了："跟莎蒂说我星期一要做的第一件事就是去她办公室。"

弗尔迪跟他走出去："别担心，她会等着你的。"他降低音调，"拜托别跟任何人讲起我的私生活，尤其是莎蒂。"

巴蒂眨了眨眼："没问题。嘿——你知道吗，弗尔迪？说实话这是我这些年来做得最棒的事情！"

"是。"弗尔迪干巴巴地说，"特别还是我替你去说实话。"

.64.

一封特快专递信件，收信人是拉斯维加斯的莱昂·罗斯蒙特。

致我最亲爱的莱昂：

我们曾一起度过了一段美好时光，

但是有时候美好时光并不长久。

这真是令人伤感……

但情况就是如此……

我们的假期结束了，我打算回家——独自一人。

我会永远铭记我们在一起的幸福时光。

米　莉

他早先收到这封信，匆匆读了一遍，然后就把它塞进口袋里了。没有时间管它了……一切都进展得太快了……

到拉斯维加斯调查妓女谋杀案的他不料竟会被带到一间屋子，一间迪克·安德鲁斯确定无疑来过的屋子。

来这里杀人。

当他们给老女人的尸体拍照时，莱昂觉得胃里面一阵翻滚——她的脸上带着掺杂着恐惧和死亡的可怕表情。

残杀……血迹……截肢……

到处都有迪克·安德鲁斯的指纹。他并不想隐藏他的行踪。

浴室的镜子上用口红潦草地涂着一行字——**我是天行者。妓女妈妈，我会找到你的。**他好像觉得自己没有必要小心谨慎……

莱昂跟发现尸体的女佣了解情况。她歇斯底里，显得异常激动。她没有看到任何人，也没有见到任何事情发生。只是语无伦次地不停嘀咕着一件羊毛上衣。

谁是妮塔·卡罗尔？为什么迪克会打破他的杀人模式，闯进她的的房子杀了她？

这其中有着怎样的联系？

莱昂开始工作，仔细检查她的生前遗物。

他彻夜不停地翻看着，终于在星期六早上 7 点半有所发现。她发现地下室里一堆衣服下面藏着一本旧账本。他一页页地查看发黄的破烂页面——有一些已经不见了。他的第一直觉是正确的。迪克·安德鲁斯是领养来的，但不是通过合法的方式。

妮塔·卡罗尔跟她的姐姐诺林过去当过婴儿贩子。

终于整个谜团开始有了头绪。迪克是逃不出莱昂的手掌心的。但是还有很多事情要做。

.65.

炫目的阳光让伊莱恩醒了过来。她又一次忘记关窗帘，清晨的阳光洒进她的卧室。她一动不动地躺了一会儿，清楚地知道只要她一动，她的头就会开始抽痛，最近每天早上都是这样。

她动了一下，她的头开始抽痛。她发誓再也不喝酒了。但是她清楚地知道熬过一天的唯一方法就是在早餐喝的橙汁里头加一杯伏特加。

伊莱恩·康迪，你这个酒鬼。

我绝对不是酒鬼，埃塔。只要我想，我随时都可以戒酒。

你在开什么玩笑？你需要喝酒，它能帮你消愁。

我明天就不喝了。去你的，埃塔。让我清静一会儿。

她跟跟跄跄地走进浴室，努力回想她前一天晚上都十了些什么。但不管她如何绞尽脑汁，就是什么都记不起来。

她是不是跟玛瑞丽在一起？

不对。玛瑞丽两天前就跟她爸爸去欧洲了。还是更早之前？反正她记不清了。

你最好马上振作起来，伊莱恩。

你他妈的最好离我远点，埃塔。

她瞄都没瞄镜子一眼就走进了厨房。

伊莱恩·康迪卷曲的头发层次分明，这并非是因为抹了瓶装乳液，而全是太阳的功劳。她洁白无瑕的皮肤十年来第一次被晒黑。体形略显丰满——至少胖了十磅。她穿的不是蕾丝睡衣——贝弗利山庄女人们睡觉时必穿的衣服——她穿的是罗斯的旧睡衣上装，袖子卷得老高。换作他人肯定看上去很邋遢，但她看起来却很漂亮。虽然眼睛周围有些浮肿，但是要比平时那个挖空心思装扮自己的伊莱恩迷人得多。

她当然不知道这个事实。她铁定自己肯定看上去很糟糕。但既然她不会去见谁，也没有谁要来见她——这又有什么关系呢？甚至莉娜都抛弃了她。

冰箱里的橙汁看起来不能喝了，但是不管怎样，她倒掉半杯，往里面添了一杯新鲜的伏特加——仅仅是为了借酒消愁。然后坐下来，想她该如何度过这样一个漫长又孤单的周末。

就在伊莱恩起床后不久，罗斯也醒来了。只是他没有那么享受，有一张床可以睡。他睡在他的黄色英国劳斯莱斯险路后座上——这虽然不是世界上最舒适的地方，但是也要比跟吉娜·杰曼共用一张加利福尼亚东方大床来得好。上帝啊！怎样都比那来得好。

他踹开车后门，舒展身体，腰酸背痛地爬了出来，使劲地伸了一个长长的懒腰。

一只猫窜过车库地板。贝弗利山庄到处都是这些惊慌乱窜的动物，不是四条腿的动物，就是两条腿的人。

罗斯·康迪。堂堂一个电影明星，却露宿街头。

这完全不在他的计划之中。但是自从离开伊莱恩之后，没有什么是顺着他的意愿发展的，这也是他回巢的原因之一。不幸的是，已经太晚了，他无法进门。前一天晚上他按了十分钟的门铃，却没有人开门。他的钥匙扔在了吉娜家他的东西里。这实在是太糟糕了，但是他不打算回去拿钥匙。

当附近街坊的狗都开始吠叫时，他放弃了进自家门的打算，把险路开进房子后边的小巷里面。他在小巷那儿用遥控器打开车库，把车开进去，停在那里，然后在后车座上摆出睡觉的姿势。

上帝啊！现在他的后背痛得要命。在这一刻，撒泡尿才是头等大事。

他希望莉娜过来放他进去。他可不想打搅伊莱恩的美梦。他想要她心情舒畅地迎接回家的英雄。

.66.

迪克得到的信息远比他想要得到的多。这些信息充斥着他的头脑，就像是咀虫啃噬着母牛的死尸一样。这些信息吞噬着他的心智，让他发疯。

妮塔·卡罗尔。

她先是沉默不语。

直到他将刀刺进她的肥肉时……她的话就如鲜红的血液一样倾涌而出……

她知道很多。她年纪很大，但是记忆力惊人。当他提到温妮·弗德雷跟威利斯·安德鲁斯时，她支吾了一阵……但是她立刻就记起来了。她找到文件来证明。

他知道他的亲生母亲是谁了。

他知道她在哪儿了。

他立刻就想到乔伊。他们最终会见面的。乔伊……多么可爱的乔伊……她可以去当电影明星的……她要比那些在街上游荡的妓女漂亮多了。

下次见到她的时候，他一定要告诉她。听到他这么说，她一定爱死他，会亲他、抱他、再叫他帅哥……

他太想念她了。

如果他打理好一切，她会回到他身边吗？他下决心要问问她。

当然，天行者是绝不会哀求她的。

或付钱给她。

他有没有付钱给她过？他皱起了眉头，记不清了。

也许有一次。

她只是一个肮脏的妓女。

愤怒涌入他脑袋，他的脑袋已经装满那个把他带到这个肮脏世界的女人的名字。

妮塔·卡罗尔的话支离破碎。

"……我总是知道孩子的生母是谁……我的孩子都很特殊……如果可以的话我会追踪他们的生活……我从来不贱卖他们……都是一些惹上麻烦的好女孩……你的母亲表现得非常好……你的母亲……你的母亲。"

他的母亲该死。

她离开了他，她把他送人，她像扔一件垃圾一样抛弃了他。

这个贱人从来都没有想要过他。

她要为他每一年的生活付出代价。

用鲜血来偿还。

让她慢慢偿还。

.67.

"我今天就要离开了。"安琪儿静静地说。

"我想也是。"克克没好气地回答道，一边用勺子将麸皮跟葡萄干送入嘴，一边努力冲泡着咖啡。

她温柔地将杯子从他手上拿开。

他把它抢了回去："我完全可以给自己冲泡咖啡。多谢了。"

她叹了一声："你为什么生我的气？"

"生气？谁生气啊？我当然没有生气。"

"请你不要动怒。"她试探性地轻碰他的手臂，"是你教会了我要为自己奋斗。没有你的话，我绝对没有勇气再给巴蒂一次机会。"

"哈！"他鼻子哼了一声，"我只希望你知道自己在做什么。"

"我要重回我丈夫身边，希望可以解决一切问题，希望我的宝宝有个爸爸。"

"艾德里安跟我会是最好的父亲。"他轻蔑地说道。

"你们愿不愿意当我孩子的教父？"

"就像马里奥·普佐①那样的？"

"谁？"

"哦，天啊！你还是懂得不多，不是吗？"

"我知道的够多了，幸亏有你。我不再是那个哭着跑到你的发廊找工作的傻女孩了。"

"你从来都不傻，你只是太单纯了！"

他们俩都大笑起来，抱住对方。

"我讨厌说再见。"他粗声粗气地说道。

"要到 5 点才会有人来接我。"

"你知道我们星期六的时候最忙了。我那个时候可能还没回来。"

"我下一周能不能带巴蒂一起过来？"

"上帝啊！你有这个必要吗？"

"拜托了。"

"再说吧。"

---

① 马里奥·普佐（1920—1999），出生于纽约，第一代意大利裔美国人。第二次世界大战时加入美军赴欧洲作战，战后进入哥伦比亚大学学习社会学。1963 年成为自由撰稿人，着手创作有关西西里黑手党的小说。1969 年《教父》的出版，奠定了他在文坛的地位。他的其他作品，如《西西里人》和《拒绝作证》等也都登上了《纽约时报》畅销书排行榜。《家族》为其临终遗作。文中暗指的应该是他的代表作《教父》。

他们又抱了一下。他将头埋在她如丝的金发里，紧紧抱着她。"你要幸福哦，我的小甜心。"他轻声说。

"我会的。"她也轻声回了一句，"我知道我会。"

梦塔娜不想为尼尔感到悲伤。在他们婚姻生涯中，他曾经失去过两个好友。两次他都说了同样的话："不要回头看，直面一切发生在你身上的不幸，要做给那些混蛋们看。"然后他就喝得烂醉如泥。

她知道他不希望她傻坐着悲悯，所以她没有这样，而是开始实施报复奥利弗的计划。这需要做很多筹划工作，但是现在已经万事俱备，每一次一想起这个，她的脸上就会露出一个大大的笑容。星期一早上就是奥利弗·伊斯特恩出糗的日子，她迫不及待！

同时，她将尼尔的遗物打包，然后再开始着手打包她自己的东西。

星期六早上她打了个电话给斯蒂芬·夏皮罗，她认识的一个房地产经纪人。他过来看了房子。

"立刻把它放到市场上去。"她指示道，"我就把它交给你了，我星期一就要坐飞机去纽约了。"

斯蒂芬似乎觉得这房子有可能卖到两百万："只要我们找到适合的买家。"

她想着要不要打电话跟什么人告别。但是她突然意识到她真正的朋友都住在纽约，她在洛杉矶只有一些泛泛之交。他们会在乎她是留还是走吗？显然不太可能。

她想跟巴蒂·哈德森取得联系，但是打电话给他都转到留言箱里了。她想在离开之前再联系他一次看看。这部电影不拍了，他该得到一个合理的解释。他肯定是很焦急。

再见了，加利福尼亚……她会用自己的方式想念它的。她会想念这里的海洋和海滩、高山和公园还有生活在阳光下的诱惑。当然还有从他们的山顶上俯瞰到的美景。那种普照大地、令人如临仙境的别样光芒。

是的，她知道她会想念洛杉矶，但正如尼尔所说——"不要回头……"

巴蒂开车经过他的老房子三次。街道跟房子看上去跟以前没什么两样。他之前以为会怎样？他以为一切都会被层层叠叠的摩天大楼跟高速公路所取代，他母亲的夫向再也无迹可寻。

情况完全不是这样。他没有借口了。

可能她不住在那里了。

可能她去世了。

他希望如此。

他痛恨自己会这么希望。

他觉得非常难受。为什么他不直接走过去，按响门铃，解决这件事情，让它成为过去呢？

下定决心之后，他开始下车。但当他这样做时，他过去的家的前门开了，出现一个大概6岁的小男孩。小男孩跑向一架栗色旅行车，巴蒂顿了顿，用力打开车后门，爬进车内。房子的前门还是开着的，巴蒂等候在那里，确信她随时都有可能出现。

她确实出现了。

他躲进车内，就跟他离开那天一样觉得罪孽深重。他觉得自己又回到16岁。她看起来跟以前没有什么两样。

这真的吓坏了他。他本来，不，是希望十年的时间能改变一切。但甚至是隔着距离远远望去，他还是可以看到她几乎没什么变化。她的发型改变了，但仅此而已。她的头发不再是垂在腰间的浓密鬈发，而是剪成了齐肩长的褐色秀发，这让她比他记忆中的她显得更年轻了。

她几岁了？他记得他8岁的时候曾经问过她，她面色不悦地回答："女人是从不会透露自己年龄的。请永远记住这一点。"

他8岁时，他的母亲就不想把自己的年龄告诉他。

她坐进旅行车，朝相反的方向开去，留下他一个人在那儿无助、沮丧。

他觉得在房子外面闲晃着等她跟那个小孩回来实在是愚蠢。他在圣迭戈还有别的事情要做。而且他越早完成一切，赶回洛杉矶跟安琪儿见面就越好。

沃非·斯戈威克。

是不是该告诉警察了呢？

他们戒备地面对彼此。

伊莱恩想——天啊——我现在是一副什么模样啊？

罗斯想——天啊——她怎么看起来这副模样啊？

他们总是有很多相似之处。

"莉娜去哪儿了？"他问道。

"她辞职了。"伊莱恩回答道，这么久以来第一次觉得自己的指甲剥落、头发凌乱、外套不适合。

"这是我睡衣的上装。"他责备道。

"我知道。"她答道。她莫名其妙地觉得头昏眼花。

"我要进来吗？"

"你要吗？"

"这是我的家，不是吗？"

她点点头。他是个三心二意、谎话连篇的混蛋。她应该叫他滚得远远的。

他是个三心二意、谎话连篇的混蛋。但是他迷途知返了。

"进来吧。"她说。

他眨了一下那双有名的蓝眼睛："我还以为你永远都不会叫我进去呢。"

没有多少东西好打包的。只有一个行李箱跟一个手提包，她所有的东西都齐了。她再也不会这么轻易搬家了，很快就会有个孩子。

她望着浴室镜子里的自己，侧过身看着她凸起的肚子。巴蒂见到她时会说什么呢？他甚至都没有问问孩子怎么样……也没有关心她一声："你觉得怎么样？"

克克是不是说对了，回到他身边难道真是大错特错？

她坚定地摇了摇头。应该给他最后一次机会。他在电话上听起来大变样，对他们的未来如此肯定、确信。这次一定没问题的，她就是知道。

艾德里安敲了敲她的房门，"需不需要帮忙？"他热心地问道。

"我已经都准备好了。"她答道，"明天这个时候，你们可能都不记得我曾经在这儿住过。"

他把轮椅推进这间小客房："我希望不会这样。"

"我要谢谢你们为我所做的一切。"她脱口而出，"如果不是你和克克，我都不知道自己会怎么样——"

"记得要保持联系。克克因为你要走很不高兴，不要让他失望。"

话毕，两人哈哈大笑。

她梳着前额的一小撮淡淡的头发，因期待再次见到巴蒂而浑身战栗。他说过会叫辆车 5 点钟来接她。但是谁等得了呢？她现在就可以离开了。

"喂——听我说。哥们儿，我本来没必要上这儿来的。"巴蒂焦虑地说，"我只是想——嗯——帮你们一个忙。"

"一个晚了十年的忙。"那个大个子侦探厉声说道。面谈室有两名侦探。除了这个个子高大的之外，还有他的搭档——一个沉默寡言的黑人。他不动声色地咀嚼着口香糖，用一根牙签清理着指甲。

"你们打算怎么处理这件事？"巴蒂不耐烦地问道。他已经告诉他们消息了，而且完全是自愿的。

"那你想让我们怎么办？"大个子警察问道，"随便找个叫沃非的家伙，逮捕他，就因为你到这里跟我们说他十年前杀了你的伙伴？"

"你们为什么不查查这起案子呢？"巴蒂坚持道，"找出文件，你就会知道我在说什么了。"

"你是想要重审这个案子？"那个黑人警察第一次发话，疲倦地问道。

"嘿——听我说——我当然不是来这做指甲的！"巴蒂怒吼道，对他们的漠不关心感到很愤怒。

"这意味着要做很多书面工作。"黑人警察沉思着。

"还真是不容易啊。"巴蒂嘲讽地抱怨道。

大个子警察叹了一口气："留下你的姓名跟住址。我们会跟探长汇报的，我们需要得到批准。"

巴蒂惊奇地摇了摇头。要当一个好好市民还真不容易。然后他想到如果这个案子受审之后会产生的影响。他现在不需要这种宣传。他还天真地以为他只要走进当地警局，告诉他们沃非·斯戈威克的事，然后拍拍屁股走人就行了。你怎么会这么傻呢？

太傻了，巴蒂帅哥，实在是傻到家了。

"我改变主意了。"他突然说道，"我明天再来。"

两个侦探互相使了个无聊的眼色。又是一个只会浪费他们时间的怪人。

"好，你明天再来吧。"大个子警察畅快地打了个哈欠说道，"但是你要知道，我们已经抓获了高速公路杀人狂和慢跑杀手，所以再想一些新玩意儿来浪费我们的时间，好吗？"

巴蒂厌恶地离开警局，坐上车，往回朝他母亲的房子开去。

莎蒂本来计划好要去棕榈泉度过这个周末的，但是当她醒来时——时候不早了——她发现她没有力气走动了。看到罗斯跟吉娜在一起让她很沮丧。他难道一点品位都没有吗？吉娜·杰曼是一个电影明星，但她也是个荡妇。任何男人只要在某些方面能够帮助她的事业或生活，她都可以跟他们上床。很难猜出她图罗斯什么。

莎蒂还是猜到了，而且她立马知道她的猜测是正确的。

就是传说中的"小康迪"。睡在他旁边醒过来，哪个女人会不感到兴奋呢？

她沮丧地按铃传唤女佣，但是她想起她之前打算去棕榈泉，所以她给女佣跟她的丈夫这个周末放了个假。这不要紧。她就换换口味，好好享受自己一个人独处。没有派对，没有电影放映或是商业会议，只有不被打扰的安宁——这是她很少能够得到的。

罗斯。

她还是一直想着他。

罗斯。

她仍然爱着他。

尽管……

她伸手拿过电话，拨打吉娜的私人号码。

传来全美性感女神不悦的声音，"真该死，莎蒂。"吉娜抱怨说，"你有没有看报纸？"

而此刻，莎蒂还没有看过报纸："什么啊，亲爱的？"她安慰地问着，非常了解吉娜对那些写她的报道总是会有这样或那样的抱怨。

"罗斯·康迪这个家伙……"她愤怒地说道。

"他怎么了？"

"哈！"吉娜鼻子轻蔑地哼了一声，即使经过一晚上的深思熟虑，她还是很气愤，"你自己读去吧，我把那个混蛋扫地出门了。"

"真的？"

"千真万确。"

"他什么时候走的？"

"谁他妈的管他这个？"

"我现在要去棕榈泉了。"她匆忙说道，"我星期一再给你打电话。"她迫不及待想要挂电话。

"真遗憾了。"吉娜说道，声音中带着失望的抱怨，"我还想让你过来，有些事情，我想跟你聊聊。"

"你不会想让我放弃一个宁静安详的周末，对吧？"

"这有什么不行的？反正你随时都可以去棕榈泉。"

一如既往的自私："我恐怕得挂电话了。正如我刚才说的，我们星期一再谈。"
在吉娜往下发牢骚之前，她放下了电话。

这么说，罗斯甩了那个大电影明星了……这一点儿都不为时过早……

她想了一会儿，然后打电话给贝弗利山庄酒店、贝弗利威尔榭和贝尔艾尔。罗斯没有在任何一家登记入住过。他有没有可能已经回家了呢？回到他妻子久候多时的怀抱中？莎蒂可以肯定伊莱恩正在等他回家。在好莱坞，不管明星们做了什么，他们家的大门永远都会为他们敞开。好莱坞主妇们都是自私自利的物种，她们完美漂亮、手握开往前方的车票。这车票就是她们的名人丈夫。

她只踌躇了片刻，然后就拨通了他家的电话号码。

电话打断了他们的团聚。这是一次怎样的团聚啊！伊莱恩四仰八叉地躺在厚厚的绒毛地毯上，而罗斯则像一个饥渴的岸上水手趴在她上面不停地冲击。

他的出现让她大吃一惊，他就像从战场上凯旋的英雄一样大步走进房子。

"你看起来一团糟。"他说道，"房子看起来更是糟。"然后他放声大笑起来，"这里究竟发生了什么事情？"

让他撞见这样的情形实在是尴尬！他至少也应该提醒一下她他要回家，这样她就可以花一天时间去伊丽·莎白雅顿做美容，请专门的清洁工清理房子，再买些鲜花……

哦，管他呢。他看到她什么样子就什么样子吧。他自己看起来也好不到哪里去，而且他还满身臭汗味。

他们小心翼翼地避开对方。然后罗斯脱口而出："我想跟你说——你看上去性感极了。"然后他猛扑向她，让他们俩都吃了一惊。他们开始静静地在客厅的地板上完成他们的团聚。

然后电话响了，伊莱恩自动伸手抓电话。罗斯怒吼："别管它！"

太晚了。电话另一头的那个人缥缈的声音已经在房间回荡了："你好，你好……"
"你好？"伊莱恩不耐烦地说道。
"请帮我找罗斯·康迪。"
"你是哪位？"
"莎蒂·莎乐。"
"莎蒂！你好吗？我是伊莱恩。"
罗斯勃起的下身泄了气。他抓过电话，简短地说了几句，挂断电话，然后笑容满面地转向伊莱恩。

"我想我们又有戏了。"他说,"莎乐女士要求我去她家陪她。"

"什么时候?"

"现在。"

"你赶紧穿好衣服去。"

他又趴到她的身上,"等我们完事了再去。"

"罗斯!"

"让她等……"

.68.

他还要闲晃多久?有可能会待上一整天。不搞定这些事情,他就不会回洛杉矶。他要砍死人们口中的阴魂。是有个阴魂缠着他不放,那就是他的母亲。

巴蒂一根接一根地抽了半个小时的烟,终于那辆栗色旅行车又重新出现了。

不想再傻坐着等待时机出现。他掐灭了香烟,急忙从车里出来。等他走上车道时,旅行车已经停下来了,后门开着。那个小孩正在把棕色的超市购物袋从车上卸下来。他抬起头来:"我能帮你什么忙吗?"

"当然。"巴蒂回答,"我想见这栋房子的女主人。"

"找她有什么事情?"男孩问道,对他这个年纪的孩子来说显得太早熟。

"这跟你没关系。"

"妈妈。"他叫道,"这边有一个男人很没礼貌。"

他母亲从房间里冲出来时,巴蒂又看了一眼这个小家伙。他是不是自己的弟弟?

她的目光在他们两人之间穿梭,一开始没有认出巴蒂。但是再看一眼,她就认出来了,嘴里轻喘着:"巴蒂。我的天啊!"

她没有朝他走过来,只是盯着他看,就好像是撞见鬼了一样。

"谁是巴蒂啊?"男孩问道。

"回屋子去,布莱恩。"她命令道。

"我不要。"他抱怨道。

"去!"她的皮肤还是很油滑,头发油光发亮。她变胖了一些,但除此外她还是老样子。布莱恩不情愿地拖着身体走进屋子。

巴蒂敞开他的双臂，摆出一个豪迈的姿势，但是她却无动于衷。"喂——"他说，"我想该到我们讲和的时候了。"

洛杉矶，天气炎热晴朗。早上 10 点半天气就已经酷热无比，好多车都纷纷开往海滩。

高温让迪克很烦躁。他剪掉身上的工服衬衫袖子，把牛仔裤割到膝盖。光头、全罩式太阳镜、靴子和破烂不堪的衣服，他看起来怪里怪气。但是加利福尼亚无奇不有。他闲晃在好莱坞大道上自言自语，甚至都没有人会多看他一眼。

他的脑子里面都是蛇，它们裹着他，圈着他的脖子、手臂、大腿，甚至他的嘴巴里面也有。

他在人行道上吐了口痰，看着爬虫蜿蜒爬开。

一间破烂的门店有提供文身，他走了进去。短短半个小时之内，"**母亲**"已经成为他生命中永恒的一部分。

他准备好了。

他走向他停在道边上的棕色旧货车，出发去完成他必须完成的使命。

当门铃响起来时，莎蒂匆匆跑去开门。她甚至都懒得看一下是谁，因为她知道一定会是罗斯。这一次她要永远拥有他。

她满怀期待地用力推开巨大的橡树大门。

"你好，妈妈。"那个身着黑衣，看起来阴森森的人说，"我回家了。"

第二部

.69.

莎蒂·莎乐在20世纪50年代第一次从芝加哥来到好莱坞，那年她21岁。对一个莎蒂这样长相的女孩来说，这似乎是她最不可能会选择去的地方。通常都是美女们——那些肌肤光滑、体态轻盈的长发美人纷纷跑来这个"金丝镇"。莎蒂又矮又胖，皮肤奇黑无比，毛发卷曲浓密，而且不仅是长在头上，她全身都有。幸运的是她不想成为演员。她只是想摆脱令她窒息的母亲，过自己的生活。那时候，好莱坞看起来还是个不错的选择。

她是在一个星期一的早上搭灰狗巴士抵达好莱坞的。到星期二下午，她就找到了一间公寓跟一份工作。她曾经在芝加哥当过两年的秘书，这为她的简历增色不少。一家贝弗利山庄的合伙律师事务所立刻录用了她。她从打字员做起，但是马上就被提拔为事务所合伙人之一杰瑞米·梅德的私人秘书。他是一个高大笨拙的已婚男人，他的皮肤因常打高尔夫球而晒得黝黑，经常打乒乓球练就了他健硕的体形。长着棕色的小眼睛、鹰钩鼻，还有稀疏的棕色头发。没过多久，莎蒂就成为他的左膀右臂。

她的工作还挺顺利，但是私人生活却并不如意。男人们只有窥见她的波霸时才会多看她一眼，暂时对她流露出兴趣。如果她足够有幸受邀出去约会，也总是老套路。约在一家幽静的餐厅匆忙吃一顿晚餐，然后那些男人就猛扑向她。在经历过三次这样的遭遇后，她觉得这样的一顿饭不值得自己为之努力。她不再出去约会，而把时间花在看电影跟书本上。这两件事绝对都比约会有趣。

她非常喜欢读关于好莱坞和电影行业的书——为将来派上用场一点一点地积累知识。她最终想要从事与电影相关的工作——虽然她不太清楚自己具体要做什么。她一边在等待中探索答案，一边努力工作、吸收她碰到的所有知识。杰瑞米·梅德有一份她很感兴趣的客户名单，其中包括制片人、导演，还有几个著名演员。她认真研究他们各式各样的合同，找出利润百分比、毛利润跟净利润的差别，以及账款的错综复杂之处。她还学会敏锐地查看打印出的文字，好几次向杰瑞米·梅德指出他没有留意到的地方。

他盛情邀请她出去共进午餐。由于是公事，她同意了。

　　三杯酒就已经是她的极限了。布伦特伍德镇上的汽车旅馆当然不是同事的办公室，但这正是他说他们要去的地方。当然，他也扑向了她。每次都是她的巨乳惹的祸。

　　她允许他放纵，毕竟一个女孩不可能永守贞操。

　　他花了十分钟膜拜她的胸部，随后没有进行更深入的前戏，他就想要趴在她身上。她盯着他的小眼睛、鹰钩鼻、稀疏的棕色头发，她突然觉得她的贞洁太珍贵了，绝不能献给像杰瑞米·梅德这样的人。而且，他已经结婚了。

　　她推开了他，这可不是一件容易的事，因为此刻他正在全力发起进攻。

　　他怨声载道，但是不知怎么地，他的坚挺埋在她的巨乳中，突然来袭的高潮让他面红耳赤、非常满意。他高兴地舒了一口气，翻下身来，而她则把自己锁在浴室里哭泣。

　　他们一言不发地开车回办公室。激情已过，取而代之的是别扭的上下级关系。

　　两天之后，在施瓦布药店，她见到罗斯。她确信如果她要献出贞操，一定会是献给这个头发金黄、皮肤黝黑、有着蓝宝石颜色的眼睛跟能俘获所有少女芳心的笑容的美男子。

　　她不知道自己是怎么做到的，但是她决心要让他走到自己身边，没过多久他们就一边抿着咖啡一边聊天了。他除了帅得不可思议外，挥洒自如的迷人气质也让人无法抗拒。他邀请她共进晚餐（是她付的钱，但这无关紧要），当他最终不可避免要跨越界限时，她鼓起全身上下的意志力拒绝了他。她是想要罗斯·康迪，但是她要的不仅仅是一夜情。

　　他们成了朋友。

　　她为他煮饭，倾听他的烦恼，为他洗衣服。

　　他向她吐露心声，征求她的建议，跟她讨论他各式各样的女友。

　　她一边等待时机一边继续为杰瑞米·梅德工作。杰瑞米·梅德又两次都邀请她再出去吃饭，但是都被她拒绝了。

　　有一天，她遇见一个满脸愁容、名叫伯纳德·乐福特科威茨的会计。当罗斯在外面跟满城的女人鬼混时，她开始跟他约会。

　　罗斯习惯把什么都告诉她因而她，对他最新的艳情了如指掌——是一个喷艾佩芝香水的有夫之妇（穿的可能是 FOH 牌内衣）。这个女人的丈夫是个经常出差的音乐家。有一天晚上他在圣迭戈，罗斯就趁机去跟他的妻子过夜了。莎蒂决定采取行动，她很容易就查出了那位丈夫在那里潇洒，然后悄悄给他发条匿名短信。

一切都准备好了，她只要按兵不动就好了。

罗斯怒气冲冲闯进来时，伯纳德·乐福特科威茨正在她的公寓里吃烛光晚餐。罗斯举止恶劣，抱怨说自己差点被逮到，一直说个不停，还正如莎蒂所希望的那样对伯纳德怒目而视。倒霉的乐福特科威茨先生走后，他还赖着不走，然后他迸发出一股占有欲，拿下了他的战利品。

没错，罗斯·康迪完全值得她等待，他们之间的缠绵就是她一直梦寐以求的，她非常欣慰地献出了自己的贞操。

接下来的那几个月是她一生中最幸福的时光。她爱他，愿意为他做任何事情，她也确实做到了。

他们之间的关系是单向的，但是很适合他们两人。

"我会让你成为明星。"当罗斯对事业的腾飞丧失信心时，她对罗斯说，"我要当你的经纪人。"

他大笑，但是她是认真的。更重要的是，她知道她能做到。一时间，她一直不断努力的一切都有了意义。她辞去了工作，借到了钱，她想出了聪明的广告牌宣传策略，将罗斯推入星途。其他的就很容易了。

那些日子非常快乐。纽约"卡森今夜秀"。然后荣归洛杉矶，邀约不断。

然后是谈判。她天生就是个做生意的料。

莎蒂有生以来第一次觉得这么称心如意。

就在她打算告诉罗斯她怀孕这个消息的那天，罗斯离开了她。下午四点医生确认了她的猜疑，她直接从他的办公室冲到外面买香槟。

回家一路上她都在演练她要说的话。"我怀孕了，但是这不会改变任何事情，我会继续工作，直到孩子出生。你会是最棒的，罗斯，你永远都是。这难道不奇妙吗？"

她知道他一开始可能会不高兴。毕竟这意味着他们要结婚。

她停下车，急忙冲上他们的公寓。

他的衣柜空荡荡的，他的辛纳特拉唱片不见了，他的"肌肤喷黑"雾跟男用香水的瓶子还有牙刷都从浴室的架子上消失了。

她心底深处的空虚感让她隐隐作痛。罗斯走了。

她坐在窗边的椅子上，等着他跟自己联系。她彻夜枯坐，第二天她有半天纹丝未动。

终于电话响起来了，一个女人用公事公办的声音通知她康迪先生要求将他所有的合同跟商业文件转至雷蒙李斯经纪公司，以后由他们处理他的事务。

她麻木地跑了一趟办公室，搜集他所有的照片、合同、媒体简报以及信件。她没有想到要去抗争，她从未想过请一名厉害的律师，拿回她对罗斯事业的绝对掌控权。

罗斯·康迪走了，她也没有提出异议。

好几周下来，她除了像个活死人一样盯着电视和吃饭，其他什么都没做。然后账单开始纷至沓来，去了一趟银行之后，她发现罗斯取光了他们共同的账户里的钱，只给她留下几千美元。她也接受这个事实。她知道她已经一无所有，她想过自杀。

不知情的杰瑞米·梅德救了她。他之前借过钱给她（虽然并非情愿）来启动罗斯·康迪的广告牌宣传活动。虽然她后来把钱还给了他，他还是很恼火，因为她从来没有跟他发生关系。所以当罗斯跟温迪·沃伦的结婚消息一登报，他就立马打电话，自动登门。

他到时，发现她正打算服用大量安眠药。他劝她放弃了死的念头。一小时后，他们上床了。

除了他骨架的重量之外，她什么感觉都没有。他走之后，她长久哭泣，一直到深夜，将自罗斯离去后笼罩在她心头的麻木不仁释放了出来。

早上，她深深吸了一口气，决定继续过她的生活。没有人可以摧毁莎蒂·莎乐。没有罗斯·康迪，她也可以变得有钱有势、变得成功，她会给罗斯·康迪一点颜色瞧瞧。她不知道要怎么做到——但是不知为何，她知道她可以做到。

首当其冲的是要去做人流。她已经怀孕四个月了。但是因为她天生就壮硕，不容易被发现。她等了四个星期——然后杰瑞米·梅德打电话过来，要求见个面。他来到她的公寓，想着她应该不会再拒绝自己的魅力。

"我怀孕了。"她简单说道，"是你的。"

"我的？"他气急败坏地说道，"你怎么知道是我的？"

"因为自有你之后，我就没有别人了。"

他在黑暗中怒视着肥胖的莎蒂，然后咒骂自己没有去泡那些冷静聪明、做好防护措施的金发美女。

"真该死！"他生气地说，"你为什么不小心一点？"

"那你为什么不呢？"她反驳道，像恨罗斯一样恨他。

"你得去做人流。"他冷漠地说道。

"我没有钱。"

"钱我来付。"

"实在是太谢谢你了。"

两天后，他给她寄来一个信封，里面有医生的名字跟电话号码，还有一笔钱，让她料理好一切。那个医生在墨西哥的提华纳。

第二天她就乘旅游车到了那儿，住进一家廉价的酒店，然后打电话给那个医生。他同意五点半在他的诊所跟她见面。

结果发现他的诊所位于一家纪念品店后面的一间小屋子里。里面唯一的家具就是一张藤桌和一张破烂的皮革长椅。他是一个约摸50岁的男人，眼眶通红，口吃很严重。但是至少他是美国人。

"我怀孕了。"她静静地说，"别人告诉我你能帮助我。"

"怀……怀了……多久了？"

"三个月。"她撒谎道。

他点点头，告诉她价钱，要求她脱掉衣服，躺在长椅上。

她以为他要给她先做个检查，然后再告诉她第二天去他的医院或是其他处理这种事的地方。因此，她脱去衣服，躺下来，但还谨慎地穿着胸罩。

"把……它……脱了。"他命令道。

这间小房间既热又布满灰尘。一只苍蝇不停地嗡嗡叫。她咬紧牙关解开了胸罩。

医生眼眶红肿的眼睛暴凸出来，他边舔舌头边朝她迈进："把腿打开。"

她闭上眼睛，照他指示做了。

他的手指立刻探入她的身体，粗暴地探寻着。当她大声叫喊时，他厉声说道："安静点，我不会伤害你的。"

她想要起身，穿上衣服离开。但是这有什么用呢？罗斯的孩子长在她的身体里，必须要拿掉。

他完成了检查，粗暴地按压她的双峰，然后说道："我可以帮你做人流。"

"什么时候？"她坐起来，问道。

"就现在。"他说，"如果你有……钱……的话。"

她吓呆了："在这里？"

他哼了一声："你们这些……女孩……都一个德性。把肚子搞大了，想要做掉孩子，又想要……一流……的服务。要不要我提醒你一下堕胎是非法的。"

"我知道。但是……这里……"她绝望地示意这个布满尘土的房间。

"我已经在这里帮五百个女孩堕过胎了。"他轻蔑地说，"你到底……要……不要做？"

她很害怕，但是希望战胜了恐惧。她躺回去。"动手吧。"她木然说道。

"先给钱。"

她赤身裸体地站起来，从钱包里面拿出钱。他眼眶红肿的眼睛跟着她在房间里游动。

"你需要……减……减肥。"当她再次躺下时，他说。他的手指在她的乳房处流连，"这对东西长在身上……一定……很重吧。"

"你快点动手啊！"她愤怒地抱怨道。

一小时后，她蹒跚地走到大街上，几乎没办法走路。他在她那儿又是探寻，又是刺又是戳的，但是除了疼痛难耐的收缩和源源不绝的血液之外，其他什么都没有。

随着时间的流逝，他开始冒汗，手开始颤抖，口吃也加重了。他突然间扔下手上的不锈钢仪器。"可以回家了。"他说，"你的胎……要花比较长的……时间才能掉，我已经……给你起了……个头了，它会自然……掉……落的。别的……我也无能……为力了。"

"我不明白。"她虚弱地尖叫道，"我付钱给你了。"

他在她的大腿中间塞了一团棉花，迅速把她的衣服拿过来，帮她穿好。"孩子……会……掉的。"他把她推向大街，安慰她，"回……家……去，孩子……很快……就会掉。"

她不知是怎样踉踉跄跄地走回旅馆的，子宫收缩一直在不断加剧。她躺在床上，看着血液浸湿塞在大腿之间的棉花。

剧痛折磨着她。当血液开始浸湿床单时，她模模糊糊意识到她需要帮助。那个庸医不是帮她堕胎，他简直是在屠宰她。

她想要起来，然后短短一刹那，罗斯的样子在她眼前跳动。然后她失去意识，倒在了地上。

几天之后，她在现实世界中醒了过来，一点都不记得她晕倒后都发生了什么。她睁大眼睛，观看四周。她躺在床上，手臂上插着橡胶管。她口干舌燥，很想喝水。她的床四周围着一条白色的帘子，明亮得刺眼。她努力整理思绪。她这是在哪里？发生了什么事情？

她一定是又睡过去了，因为当她再次醒过来时，有一张脸正在俯视着她。一个中年女人温柔说道："感觉好点了吗？"

"我能不能喝点水？"她轻声说。

"当然了，亲爱的。"

她迷迷糊糊地想为什么这个女人没有穿护士的制服。她真的是在某家医院吗？然后她想起来了，当那个女人端着一纸杯水回来时，她喘着气问道："孩子呢？我是不是还怀着孩子？"

那个女人沉默地盯着她看了片刻，然后点点头。

"哦，不。"她呻吟道。

"这是上帝想告诉你还有别的方法……"她神秘地说道，"先休息，亲爱的。我们稍后再谈。"

稍后她们确实谈了。莎蒂发现这个女人名叫诺林·卡罗尔。她以前是名护士。有一天她陪一个需要做人流的同伴来到提华纳。"我既不赞同也不否定。"诺林说道，"这似乎是一个理智的决定。但是我的朋友被动物一样对待，那天晚上不久之后，她就去世了。"

莎蒂认真地听着诺林跟她讲从那以后，她是如何一步步地成为她声称的"召唤者"的。

"我知道我可能拯救其他命运相似的女孩。"她简单说道，"这也是此后我一直在做的。"

"你是怎么找到我的？"莎蒂好奇地问道。

"宾馆的人认识我。当有女孩单独入住时，他们就会通知我。你之前动作太快了，我都来不及跟你取得联系。但是还好我及时找到了你。更幸运的是你的孩子安然无恙。"

她闭上眼睛，想到罗斯的孩子还安然无恙地在她肚子里，她气得想要尖叫。

"别担心。"诺林轻声说，"我另有计划。当然，每个当事者都会对这个解决方案感到满意的。"她补充说，"我本来可以把你带到医院，但这会惊动警察，你的家人跟孩子的准父亲可能会受到牵连。有可能会吃官司。"她停了下来，观察莎蒂的反应，"通常女孩子都喜欢将这种事守口如瓶，我并不责备她们。"她会意地点点头，"你看，我明白这是怎么一回事。一夜情……事态失控了……没有时间考虑后果……"

莎蒂全神贯注地听着。她仔细描述起她的计划："你得留着你的孩子，亲爱的。不管怎么说，你再也经受不起再堕一次胎了。我会把你送到我巴斯图的妹妹那里，你在那里可以好好休息，恢复体力。等你分娩时，你的身体会比任何时候都健康，我们会把你的孩子抱走。有很多夫妻想要孩子……我们会跳过复杂又麻烦的领养程序。所有那些要填的文件……实在是没人性。你只要在一张简单的文件上签个名……"诺林朝她安抚地笑了笑,"我的妹妹妮塔会打理好一切的。"

.70.

"我听不懂你在说什么。"莎蒂一字一顿小心缓慢地说。

迪克盯着她看,他的眼睛冒着熊熊烈火。

他的眼睛和她的眼睛令人不安的相似。

她觉得脊背一阵发凉,不自觉地开始关门。

"别那样。"他用脚挡住门,"我回家了……母亲。是妮塔·卡罗尔让我来找你的。路途很遥远,但是我到了……"

妮塔·卡罗尔这个名字让莎蒂犹豫了片刻,"我听不懂……你的话……"她支支吾吾地说。

但是她听得懂。26年前她生过孩子,而现在过去的一部分就站在她面前。

"用力,亲爱的,使劲。"

"我在用力,我在,在。"

眼泪簌簌地从她脸上滚落。宫缩间的暂停,然后接着再一次向她袭来。她痛苦地尖叫,发出动物般的长长尖叫声,而她的手撕扯着发根。"救我,来人啊,救救我!"

"上帝啊!快让她闭嘴!"

一副麻醉面罩戴在了她脸上,深吸麻醉气体,感觉疼痛舒缓些。她的意识开始飘荡,游离出她的身体,不再感到疼痛。

她呆望着这个熟悉的陌生人:"你最好进来。"

她的脑袋已经在快速运转。为什么他会在这里?他想干什么?如果他想要扑到她身上,高兴地痛哭流涕,那他简直就是痴人做梦。她没有母爱,可以说一点儿都没有。哦,天啊!如果这个传出去的话……

也许他想要钱。他看上去阴阳怪气的。先什么都不要承认,看看他知道什么。

他怎么可能知道什么呢?那两个女人跟我承诺过,她们向我承诺说不会有人知道这件事的。

他跟随她走进屋子。她领着他走到厨房,很高兴用人这周末都不在。至少她可以单独对付他。

"请坐。"她恢复冷静，说道。她故意让自己听起来很随意，"嗯，我想你搞错了。你能不能告诉我是谁让你这么做的？"

"我认识一个妓女，她叫乔伊。"他斜斜戴着全罩式太阳镜说道，"她现在不在这里。但是我很爱她。你也会喜欢她的。"

她打了个寒战："什么？"

"妓女跟妓女会合得来的。"

她忍无可忍："你是谁？你想要干什么？"

"我是你的儿子。"他冷静地回答道，"你知道的。"

"噢，得了吧。这么荒谬可笑的事情你是从哪里听到的？"

"妮塔·卡罗尔告诉我的。"

"我连听都没听过这个名字。"

他突然转过身来，用力甩了她一巴掌，"你撒谎，你这个妓女，贱人！"他尖叫道，"我知道实情，还要你告诉我更多。"

这一巴掌力度很大，把她甩到了地上，她躺在那儿非常震惊，突然间意识到自己身处险境。

这哪里是她失散多年的儿子，这明明就是个疯子。**而她竟然放他进屋。**

伊莱恩活力十足地梳着头发。她能感觉到自己全身洋溢着兴奋。没有人能比得上罗斯……没有人比得上他。只要他想，他就可以是这个世界上最棒的爱人。

她安排好了下周的日程。美发店、美甲店、健身房——不再去罗恩·哥迪诺那家了——谁还需要罗恩·哥迪诺啊？也许她会试试简·方达健身中心或者是查德·西蒙斯的健身房。她轻声哼着歌，她会打电话给碧碧，约她吃午餐。碧碧会把罗斯回家的消息传得比《好莱坞报道》还快。

罗斯的事业该怎么办呢？莎蒂·莎乐打来的电话是一个好兆头，虽然她打断了他们这么多年来最棒的一次性交。这个电话并没有让罗斯乱了阵脚。他可以边讲话边做爱，这可不是每个演员都能做到的。

她觉得太棒了。罗斯领着她迈入激荡的高潮，然后他冲了个澡，笑容满面地前往莎蒂家。他很高兴回到家，她也很高兴能拥有他。他们会一起再登顶峰。

早上，安琪儿乘坐出租车来到巴蒂的公寓。她确定他不会在意。

"没有人跟我说过有人要来。"女佣咕哝说道。巴蒂常请的那个女佣生病不在，她忘记把巴蒂的话通知替代她的女佣了。

"但是我是哈德森夫人。"安琪儿抗议道,"而且巴蒂,嗯,哈德森先生确实跟我说过他给你留过话。"

女佣轻声嗤笑了一声:"如果你是他的妻子,那为什么不住在这里?"

"我想这跟你没关系吧。"安琪儿脸色通红,但是坚守阵地。

女佣看到她凸起来的肚子,"好吧。"她勉强说道,"你还是进来吧,你要是偷了什么东西,可不要算在我头上。"

安琪儿重新回到巴蒂的生活中。虽然回来的方式跟她之前想的不一样,但是她回来了,一想到马上就要见到巴蒂,她兴奋得透不过气。

弗尔迪知道莎蒂这个周末要去棕榈泉度假。他也知道不到 10 点半或 11 点,她是不会走的。他为自己对她的一举一动了如指掌感到非常自豪。巴蒂的事情是可以在电话上跟她说,但是他觉得应该当面告诉她。

他只犹豫了片刻。这意味着他要把他的沙滩服换成更加合适的服装,这意味着要跟洛奇解释说野餐要推后了,洛奇肯定会闹脾气……

弗尔迪跺了跺脚,突然感到非常烦恼。究竟为什么必须要让莎蒂立刻知道呢?上帝啊!如果她发现他知道这件事情却拖到星期一才跟她说的话……这可事关重大,还有广告牌跟所有的一切……

莎乐夫人是不会高兴的。

他脱掉红色的 T 恤衫跟短裤,匆忙跑到卧室换衣服。

罗斯觉得非常亢奋。情况总会好转。跟伊莱恩小别一段时间对他们两人都有好处,现在他觉得很和睦,他曾经以为永远都不会有这种感觉。伊莱恩是一架战斗机。她不是贝弗利山庄的蠢女人。她是爱花钱、出手挥霍,但是他确信——在他需要她的时候,她会永远陪伴在他身边。

莎蒂那通中断他们性交的电话让他们俩都很高兴。

"她改变主意了。"伊莱恩兴奋地说,"她肯定想要代理你。"

罗斯不得不同意伊莱恩的话,要不然她为什么要在星期六早上叫他去她家呢?

他兴奋地驱车行驶在日落大道上。50 岁的他身材健壮、皮肤黝黑。每个人的事业都不可能一帆风顺,他有种好的预感,他的事业正在迎头向上。

"妓女妈妈！"迪克愤恨地说道，"娼妓！脏女人！"

他把她紧紧绑在椅子上，一直用刀恐吓她。

她害怕被刀割到，没有挣扎。自从提华纳那个医生给她堕胎失败后，她就一直很害怕血。这么说来，这还是那个医生的错……如果真如他所说他是她儿子的话……

面罩被粗鲁地揭掉了，她又一次感到疼痛。她疼得撕心裂肺，还不如死掉算了。她只能靠大声尖叫来宣泄自己。周遭充斥着各式各样的声音。

"让她闭嘴。"

"你想让附近的街坊邻居们都听到吗？"

"怎么要这么久？"

"是臀位分娩，真该死！"

她又戴上面罩，耳朵、鼻子跟咽喉里都是甜腻的氯隆声，就好像是死亡在召唤她。

她的意识开始飘荡……飘荡……

尖锐的现实……

"是个男孩。"

"他没气了。"

"上帝啊！"

"趁还来得及，赶紧救他。"

啪。

没有反应。

"他不行了。"

"什么叫他不行了？我们需要钱。"

啪。

"你这个小鬼，快哭啊。"

接着孩子哭出声来。

这让她们暂时有了喘息的时间。

出乎意料的是又袭来一阵收缩。她知道这是在下胞衣，马上就会过去了。

她倒吸了一口气，使出全力尖叫，好像永远也停不下来。

一双手再次粗鲁地将面罩紧罩在她脸上，她又一次失去了意识。

当她醒过来时，一切都结束了。她躺在床上，身子清洗过了，很干净。只有腿间传来的隐隐阵痛让她想起刚刚经受过的磨难。诺林·卡罗尔站在她妹妹妮塔旁边，她们两个人都在微笑。两张脸……一张朴素亲切，另一张浓妆艳抹，显得粗俗。

"你担心的事过去了，亲爱的。"诺林说道。

"是啊，不必再受苦，身体状况也很好。"妮塔大笑道。

她又一次沉睡过去。

她努力让声音保持平静。她不知道在哪里读到过跟疯子打交道时，要尽力保持冷静。而且她可不是个胆小鬼，她可是莎蒂·莎乐，在她面前，堂堂七尺男儿也会瑟瑟发抖。

她想到了她精密的报警系统。不幸的是它没有开启。但是只要她能够着厨房门边的预警按钮，警察就会立刻收到她的求救信号。

迪克在厨房里自言自语地走来走去。

她在想是不是应该跟他谈谈，与他进行亲密接触，这是脱离险境的另一种方法。

如果她是他母亲，还会有什么比母子关系更亲密的呢？如果她真的是他的母亲，这就意味着罗斯是他父亲。现在罗斯就在来她家的路上。

迪克不再走来走去，他瘫坐在地板上，背靠着电冰箱。

"这房子真大。"他说。

他让她莫名其妙地想起一个人，但是她想不起来是谁。他有着跟她一样的眼睛。哦，上帝啊！这个恶心的怪陌生人让她想起了她自己。

"我说这个房子真大。"他重复道。

"对。"她迅速附和道。

"乔伊会喜欢这里的。"

"谁是乔伊？"

"我的未婚妻。"

她逼自己听起来尽量自然友好："那她在哪儿？我们是不是应该打电话给她，邀请她过来？"

他站起身来："她在跟男人上床，妓女们都这样。她就像你一样。"他木然地说着这些话，好像毫不在意。

莎蒂想要换个话题，虽然她口干舌燥，几乎说不出话来："你叫什么名字？"

他又开始踱步了："这不重要。"

"那也是，那乔伊叫你什么？"

"乔伊？"他停下来，一副吃惊的样子，"你怎么会知道乔伊？"

"你要不先把我松绑，我们再聊聊她？"

"聊谁？"

"乔伊啊。"

"那个贱人死了。"

"对不起。"

迪克继续踱步，陷入沉思。

她看到厨房门边的预警按钮，琢磨着有什么办法够得着按钮。

"这房子真大。"迪克第三次重复道，"我想我要四处看看。"

"对啊，你是应该四处看看。"她匆忙说。

他从厨房走出来，没有听到她的话。

她费力地朝后门徐徐移动椅子。这可不是一件易事。他用电线绑住她，现在电线都嵌入了她的手腕和脚踝中。但是她还是艰难地慢慢朝前移动。

.71.

周六一大早，莱昂·罗斯蒙特就搭飞机离开了拉斯维加斯。他觉得时间很紧迫，但同时他知道迪克·安德鲁斯是逃不出他的手掌心的……也许……

弗尔迪超速开着他敏捷的白色 E 型捷豹牌汽车。明年就会换成奔驰了，这是肯定的。后年——可能在两年内，要换成劳斯莱斯。

弗尔迪目标远大。他想要实现每一个目标。但他同时很喜欢这辆快速的英国跑车。这是他应该享受到的。而且，他的小男友也喜欢这辆车。

他在磁带录音机中放入一张洛奇的洛·史都华磁带，回想着这个男孩的傻举动。真是讨厌！他动不动就发脾气，发牢骚。跟小男生在一起就是这么麻烦，他们就跟小孩一样。

"我想要跟你一起去。"洛奇缠着他，"我想要见见了不起的莎蒂·莎乐。"

"下一次吧。"弗尔迪坚定地说。

又下一次，下一世纪还差不多。绝不要把玩乐跟工作搅在一起，陈词滥调，但却是实话。

然后洛奇又使出他的伎俩，大喊"你不爱我了"和"我要离开你"。

弗尔迪只好放下一切安抚他。结果他们搞到床上了。这支插曲持续了很长时间，他们俩欲仙欲死。

他焦急地看了一下他的黑色保时捷手表，这是夫人送给他的圣诞礼物。

已经将近 11 点了，他希望她还没有出发前往棕榈泉。

劳斯莱斯在佳能大道跟日落大道的拐角处熄火了，没有办法重新启动。罗斯非常生气。

当蓄电池耗得一丝不剩时，他从车上下来，重重地踢了它一脚。贝弗利山庄外的汽车站上一群墨西哥女仆跟孩子们跺脚欢呼。他嘲讽地向他们鞠了个躬，慢悠悠地穿过马路，沿着车道朝酒店走去。

"车子出故障了。"他将钥匙递给门卫，说，"还劳斯莱斯呢，真是想不到，就在佳能大道的拐角处。"

"就交给我处理吧，康迪先生。你是不是要去马可·波罗酒廊？"

在跟莎蒂见面之前来杯咖啡，抽根烟，这实在是诱人。"我会在咖啡店。"他决定道，"车子没什么大碍，我想可能就是引擎灭了。"

"别担心，康迪先生。修好了我会叫你。"

罗斯走进酒店。

迪克从这个房间走到那个房间，并不为房间的奢华所动。他木然地盯着昂贵的油画跟精美的艺术品。这些对他毫无意义。

他站在她卧室中的四柱床前，缓慢而谨慎地拉开了牛仔裤拉链。他闭上眼睛，想着乔伊，做了他该做的事情。

房间的角落处有一架庞大的松下电视机。他用小刀戳它的屏幕，有条不紊地将它切成碎片。

乔伊会喜欢这个地方的。他打算尽快把她叫来。

莎蒂在厨房里进展缓慢。她脚踝上的电线嵌进了肉里，每前进一点点，她都强忍着别喊出声。她想闭上眼睛，从这个可怕的噩梦中醒过来。

罗斯在哪里？这个闯入她房子里的人可能是他们的儿子，命运真是爱捉弄人。他们的"爱子"。她心里发酸。确实是他们的爱子，他让她想起来罗斯的冷漠跟背弃。

这个孩子本就不该留着，为什么当时没有流掉？

她动得太快了，椅子碰到了餐桌边沿，椅子摇晃了一下，倒在了地上——她也跟着倒在地上。

她大喊出声，然后紧咬下唇，希望他没听到。

她现在是被困住了。可以说是五花大绑。她喉咙哽咽，她这一生从未如此孤独恐惧过。

迪克继续在房间里游荡。在她浴室里，他将水槽上所有化妆品、香水和沐浴乳这些瓶瓶罐罐都移除。乔伊不需要这些胭脂俗粉。

他摘掉太阳镜，凝视着组合式盥洗盆上面的三垂面反射镜中的自己。他看到的样子让他大吃一惊。他靠近镜子，搓他的光头，先是慢慢搓，然后越来越快……

"乔伊。"他说。然后他开始狂叫起来：**"乔伊，你这个妓女，你在哪里？不要躲了，快出来。贱人。我要杀了你，骚货！"**

他捡起一个铜像，将它掷向镜子。

镜子支离破碎。

弗尔迪将车驶入莎蒂家的车道。这女人什么时候才会装上安全门？这条街就她家没装安全门。

他暗自"啧啧"了几声。等他有足够多的钱，他要立刻把自己锁在镀金的笼子里头。洛杉矶尽是怪胎跟变态，谁知道会发生什么。再怎么小心也不为过。

他匆忙从车上下来，按响前门的门铃，希望她还没走。

困在地板上的莎蒂听到铃声，她感到松了一口气。罗斯来了，她终于不再是孤军奋战了。

楼上的迪克也听到门铃声，他的思绪回到了现实。

他记起了他在哪里。

他记起了他的母亲，他的亲生母亲。

他不想要失去她。不想在苦苦寻觅她之后又失去她。

他放下手头上粗大的黑色眼线笔，快速大步跑下阶梯，冲进厨房。有那么一瞬间，他以为她逃走了，脑海一片空白，怒火中烧。然后他看到她在地板上，被捆绑着，不能动弹。

"是谁把你弄到地板上的？"他质问道。

她害怕地盯着他看。他眼眶发黑，就好像是上了妆一样。正在他额头高处，脏兮兮地写着"**杀光妓女**"。

"给我松绑。"她快速说，"我去看看是谁在门口。我能把他们打发走，快点。"

他弯下身来，按她说的做了。她屏住呼吸，怀着微弱的希望能逃走，罗斯会救她的。谢天谢地，他来了！也许他们可以坐上他的车，关上车门，然后开车逃之夭夭……

当门铃声再次响起时，他已经解开了一只脚踝。他停下动作，将头侧向一边。

"快点！"她催促道。

他脸上露出厌恶的表情："你觉得我很笨，是不是？"

"不……不……我——"

"如果你敢嘲笑我，我就杀了你。"

"我没有嘲笑你。"

他抢了她一拳，她的脑袋猛地往后甩。"你别想嘲笑我，你这个妓女！"

她尝到嘴里的血腥味。"没有。"她轻声说，"我从来都没有嘲笑过你。"

"给我安静地待在这里。"他命令道。

她沉默地点点头。

第一眼看到迪克，弗尔迪的第一反应是大步往后退。"你是谁？"他问道，非常震惊。

在迪克回答前，莎蒂开始尖叫。

非常不幸的是，弗尔迪的反应速度实在是太慢了。他一动不动。

迪克手里握着刀，动作流畅地走向前。他将刀刺向这个呆若木鸡的男人，刺穿了他的心脏。迪克拖着他穿过门口，把他扔到大厅地板上，弗尔迪瞪大的双眼里掺杂着悲伤和惊讶。他头还没碰到瓷砖，人就已经断气了。

迪克将门踹上，返回厨房。

当莎蒂见到他时，尖叫声变成抽噎声。他的衣服上鲜血淋淋。

"求求你。"她呻吟道，"别伤害我。"

"你太吵了。"他温和地说，"你不该这么做的。"

她开始狂叫起来："你把罗斯怎么样了？你对他做了什么？"

"上帝赐予过我们什么就会收回什么……母亲。你要知道我可是'天行者'，是一个品格高尚的人。"

她的声音变得更加歇斯底里："你杀了他，是不是？你这个该死的混蛋！"

"母亲……你说我是个混蛋？"

"如果我是你的母亲，"她尖叫道，"那么你刚刚杀死的就是你父亲。"她嘴里爆出一阵狂笑，"你感觉如何啊……你……你这个蠢货！"

他走向她，疯狂的眼睛中压抑着愤怒。

"嗨，罗斯。"在咖啡店，梦塔娜坐在他的邻座上。

罗斯正在读晨报上关于他跟梦塔娜的报道，他抬起眼睛："你好吗？"

她耸耸肩："我想还好吧。"

他放下报纸："我对尼尔的去世感到很痛心，我在葬礼上都没有机会跟你吊唁。"

"谢谢。"她轻轻碰了一下他的胳膊，"我对电影的事情感到很遗憾。"

"是啊，对此我比你更遗憾。你写的这个角色实在是太好了，这样一个角色本来可以让我卷土重来的。"

"这是一定的。"

他耸耸肩："当然，奥利弗是制片人，谁知道会发生这种事呢……"

她点头表示同意。

"你现在有什么打算？"他问道。

"我周一就要回纽约了。"她叹了一声，"我想我会想念这里的阳光。但是事实上我喜欢城市生活。我想，来贝弗利山庄酒店的咖啡店吃顿最后的午餐应该是个不错的告别方式。"她的目光顺着弧形柜台望去，然后笑起来，"我就在这个房间里有过非常愉快的谈话。"

他跟着她一起笑了。

"你呢？"她询问道，"接下来有什么打算？"

他狡黠地笑了笑，那双有名的蓝眼睛电力十足："也许会醉生梦死吧。"

"啊？"

"我开玩笑的。"

"哦。"她订了一份双人巧克力奶昔跟一份苹果丹麦酥。

"早餐真是丰盛。"他羡慕地说道。

"我一直都是个吃货。"

"我跟我妻子复合了。"他说。

"真好。"她兴奋地回答道，"我从来都不认为你是吉娜男伴中的一个。"

一个服务员过来通知他车已经修好了。他赏了他几美元小费，决定留下来再喝一点咖啡。跟梦塔娜聊天还挺轻松的。而且他要让莎蒂等他。并不是她一打电话，他就得飞奔而去，不是吗？再怎么说他还是个明星。

他脑海中的声音告诉他他做得对，但是他不确定……当他在这栋大房子里从这个房间走到那个房间时，他心中笼罩着重重疑虑。他不安地走来走去，自言自语。逻辑、时间跟理性，所有这些都中止了。他为了这个目标不断努力前进，然后他实现了……但是现在该怎么办？

他头疼欲裂，觉得晕头转向。他的太阳穴一阵刺痛，死亡的气息笼罩着他。

乔伊去哪里了？

肯定是出去卖淫了。**妓女……妓女……妓女……**

她觉得他很丑，她觉得他不名一文。

她再也不想要他了。

他怒声尖叫，踹开莎蒂书房的门。

他喉咙中的尖叫声戛然而止，他一动不动地站在那里，呆若木鸡。

哦，如果乔伊能看到他所看到的一切……哦……那就太好了……太好了……

他小心翼翼地走进房间，朝架在墙上的巨型纸板靠近。

他伸手摸它，感到大为惊叹。

这是他。

照片上的人是他。

.72.

巴蒂的母亲漠然地盯着他。"我以为你死了。"她说，"就跟你的朋友托尼一样。"

他空洞地大笑。他第一次站在她的立场看待事情，不管她对他做过什么，他知道他一定伤她很深。"我还能呼吸。"他说道，试图开个玩笑，缓解气氛。

她点点头。

他不安地拖动脚，觉得自己像个生涩的蠢货："我能进去吗？"

"不行。"她直言不讳地说。

"你看，"他说，"我回来是想跟你重归于好的。我们都做了我们不应该做的事。但是有句老话说得好——血浓于水。对吧？"

她紧张地四处张望，发现有一个邻居在给花园浇水，还有一个在跟邮递员聊天。"我想你还是进来吧。"她不情愿地说道，"但是在布莱恩面前什么都不许说。明白吗？"

他跟着她走进房子，深吸了一口气。房子还是那股大蒜、麝香味香水跟干净的亚麻制品混合的淡淡气味。他沉浸在往日情怀中。如果她愿意，他会原谅她，忘记过往。有一天，他可能会带安琪儿来这里。

她带他走进正厅，这是用来接待客人的。她说："坐。"

在一架黑色钢琴上放着她的一些旧银边相框。一张结婚照上外公跟外婆穿着棕褐色的意大利服，他们漂亮的女儿穿着一件白色的裙子，头发编成辫子垂至腰际，照片上的男人不是他的父亲。还有一张布莱恩小时候的照片。没有他的照片。巴蒂帅哥从未走进她的生命。

她注意到他正在看照片，说道："我再婚了。"

他很震惊。但他何必感到震惊呢？她也要过自己的生活。"嘿——这很好啊。"他讲话的语气并不真挚，"所以我猜你又给我生了个弟弟……同母异父的弟弟。这实在……嗯……是太好了。"

"不。"她冷淡地说道，"布莱恩跟你一点关系都没有。"

他又想到家庭跟身世背景了。"我知道你很生气。我应该跟你联系的——但是我得自己解决一些私人问题。你得承认发生在我们之间的事情是不正常的。"他顿了顿，然后坚持往下说，"嘿——你也要承担一部分过错。"

她的眼睛冷若冰霜："我要承担什么过错？"

他提高嗓门："你别逼我，你知道的。"

"如果我是你，我就不会担心这个。"

"我耿耿于怀了十年，现在我只想忘记这件事。"

"你是不是想说'乱伦'？"

她满不在乎地说出那个禁词，这让他很吃惊。他受够了。他想要出去。不知道为什么他想哭，他已经很多年都没有这种感觉了。"为什么？"他勉强问道。

"因为你不是我的亲生儿子，巴蒂。我们在你出生四天时收养了你。"

他不敢相信自己所听到的。

"是非法收养。"她冷静地继续说道，"我们……花了一大笔钱买了你，因为我们急于想要一个儿子。我被告知永远不能生育……"她停了下来，"但是我生了布莱恩——医生们错了。"

他不知道该做什么，说什么。有太多的想法了，内心五味杂陈。虽然他极为震惊，但是他还是感到如释重负。"我是谁？"他最终问道。

"我不知道。"她冷冷道，然后补充说，"我不需要对你负责，巴蒂。十年前你决定离开我。就让我们装作你从未回来过吧。"

伊莱恩冲了个澡，然后预约美发店。她想要清扫屋子，但是她并不擅长清洁工作，因此她打电话给莉娜，大方地要求她回来工作。

"我已经有工作了，夫人。"莉娜恬淡寡欲地说道。

"但是我需要你。"伊莱恩坚持说道，好像他们之间的关系并不一般，"康迪先生回来了，你知道如果你不在这里他会有多生气。"

"那我帮你另外找一个吧。"

"不行，莉娜。他只想要你。星期一一早就来，不要让他失望。"

她用力放回话筒，给她自己冲了一杯咖啡。有那么一瞬间，她想要往里面加点东西，但是她一想到她所处的新情况就打消了这个念头。罗斯回来了，她要维持准则。

她给碧碧打电话，"你猜猜发生了什么了？"她夸张地宣布道，不理会她们已经好几周没讲话了。

"什么啊，亲爱的？"碧碧问道，毫不掩饰她被伊莱恩逮到的怒气。

"罗斯跟我和好了。你是我第一个想通知的人。"

"什么？你们复合了？"她的语气满是惊讶，"昨天晚上他还跟吉娜在一起。对不起，亲爱的，你肯定是搞错了。"

"碧碧。"伊莱恩确定地说道，"我不是傻瓜，昨天晚上他可能是跟吉娜在一起，但是他今天早上回来找我了，打算长住下来。"

"你确定吗，亲爱的？"

"我当然十分肯定。"

碧碧的语气热情起来。独家八卦消息可是她的养料。"那吉娜怎么样了？"

"要不然我们星期一一起吃顿午餐，我再将事情的来龙去脉都告诉你？"

"我星期一很忙，但是我可以改变日程。对啊，亲爱的，我这可是为了你才变更日程的。"

"太棒了，一点钟，吉米餐厅怎么样？"

"吉米餐厅太无聊了，亲爱的。我发现一个新地方，非常好，是一家中餐馆。星期一一大早，我的秘书会告诉你地址。"

"太好了。"伊莱恩放下电话笑了起来。跟碧碧吃午餐，这是她重新步入正轨的最佳方式。

安琪儿一直等到女佣离开住所才开始行动起来，拿出消毒液、洗洁精跟清洗设备。她将金色的长发挽起，绑住，开始认真地打扫巴蒂的公寓，该要怎么洗，她就怎么洗，要洗得彻彻底底，纤尘不染。她想要巴蒂回来时看到一切都非常完美，而且将会是这样。

她轻哼着歌从浴室开始做起。

正当巴蒂要离开时，莱昂·罗斯蒙特抵达了圣选戈那栋房子。有时候真是"踏破铁鞋无觅处，得来全不费功夫"。虽然莱昂并不知道自己来对了地方，并且来对了时间。稍晚五分钟，他可能就碰不上巴蒂了。

他们在前门擦身而过。

"打扰一下，"莱昂尖声说道，"你是不是巴蒂·哈德森？"

巴蒂没有心情讲话。这个家伙浑身都散发着条子的架势。真该死！他们取出了资料，现在想要调查案子。"是啊，但是听着——今天早上是我糊涂了，我是在发泄怒气，知道吗？"

莱昂莫名其妙地看着他："什么？"

"我昨晚喝多了。"他继续说，"你们可以收起资料，我都不记得我说过什么。"

莱昂皱起眉头："你在说什么？"

"喂——你是警察吗？"

莱昂费力地出示他的证件。巴蒂快速地扫了一眼，他只想快点儿回到安琪儿身边，给自己的生活带来点关爱。

"我们能不能进去再说？"莱昂问道。

巴蒂指向房子："去里面？你简直在开玩笑。里面的人躲我还来不及呢。"

"我们必须谈谈。我想要你的母亲听到我要跟你说的话。"

"她不是我的母亲，哥们儿。"

"这就是我想说的事情之一。"

他脱去鲜血淋淋的衣服，把它们放进洗衣机里。

然后他擦掉前额上的黑字跟眼睛周围的黑眼圈。

他赤身裸体地跪在他的海报前，抚摸他感受到的坚挺。

他驶入高潮。

他在想为什么他的海报上会大煞风景地写着："**谁是巴蒂·哈德森？**"

"我要走了。"罗斯说道。

"我真高兴我们有机会聊天。"梦塔娜说，"谁知道会发生什么事情呢……如果我重新拿回《街头路人》……筹到资金……"

"你会想到我。"

"那是一定的。"

他从椅子上站起来，亲吻她的脸颊："你真是个好女人。"

她苦笑道："尼尔过去也是这么说的。"

事情很明显了。一个骗子的脸、外形跟表情都跟他一模一样，然后**装成是他**。

一股怒意向他袭来。

谁是巴蒂·哈德森？

他跑到她的书桌前，找到一本皮面装订的电话本。

谁是巴蒂·哈德森？

他快速浏览工整的打印字体页面，寻找字母"H"。

谁是巴蒂·哈德森？

不同城市下面列着一大串名字。他的手指滑下写着"洛杉矶"的那一面。

谁是巴蒂·哈德森？

他"啪"的一声合上电话本。

他知道要去哪里找他了。

"没什么大问题，康迪先生。如你所说——发动机熄火了。"

罗斯爬进他的劳斯莱斯，往门卫手中塞了一张 20 元的钞票。一个中年游客认出了他，用手肘轻捅了一下她的丈夫，他们都盯着罗斯看。

罗斯启动劳斯莱斯，驶出酒店的车道。这么多年过去了，他还是很高兴能被人认出来。他在后视镜中看到凯伦·兰开斯特跟她那位英国摇滚歌手开着凯伦的亮红色法拉利高速疾行。他觉得自己很幸运能逃离这个女人，当然还有吉娜·杰曼。他在选择女人方面从来都不慎重。但是他仍然很尽兴，反正有一阵子是这样的。

他怀疑莎蒂想要什么。她是不是要为她对自己的所作所为道歉？还是她想要把他抓上床，然后想再羞辱他一次？

他不愿多想了。他只需要从她那儿得到演出机会。如果她还有其他什么想法，那她只能作罢了。

衣服还是湿的。但并不碍事。

屋外停着一辆捷豹，上面插着钥匙。

他戴上黑色的墨镜，坐进驾驶座。

哦，母亲。

哦，乔伊。

要是你们现在能看到我就好了。

他启动点火器，加速转动引擎，直到它铆足了劲像一只咆哮的狮子一样猛冲出去。从四个扩音器中传来震耳欲聋的音乐。罗德·斯图尔特正应景地咆哮着。

他将车驶出漫长而曲折的车道，在街上停了下来。他把货车停在水沟旁，在树丛中若隐若现。他爬进车内拿他的提包，然后回到捷豹车内。他拿出一张洛杉矶的地图认真研读，直到他知道要往哪儿走，满意了为止。

捷豹的速度甚合他意。他们车人合一，飞速驶出安吉罗街。

"沃非，你起床了吗？"

"我永远都恭候着你，碧碧。虽然这在周六早上是有一点早……"

"亲爱的，这都快要 12 点了。你在干吗？"

"我在床上呢。亚当哪儿去啦？"

"哦，亚当。他太无趣了。有一天我会离开他的。"

"你老是这么说。"

"那又怎么样？我是说真的。"

但是他们俩心知肚明她并不会离开亚当。还有谁能受得了碧碧跟她的毒舌？

"亲爱的，你猜猜发生什么事情了？"

"直接告诉我吧，别让我遭罪了。"

"罗斯·康迪离开了吉娜，他跟伊莱恩和好了。"

"你是怎么知道的？"

"有什么事情不是我最先知道的啊，亲爱的。"

罗斯车技不差。但是他的思绪在神游。他占据马路中央，车开得飞快。当劳斯莱斯载着他驶上蜿蜒的安吉罗街时，他开得特别快。曲曲折折的安吉罗街蜿蜒通往小山，越往上开，路就越窄。

莎蒂房子靠近顶端。通常情况下，两个迎面开来的司机都会注意到路况危险，会减速，谨慎地把脚靠近刹车。

正在凶险的道路上疾速行驶的罗斯没有这样做。

正在全速下坡的迪克也没有这么做。

等他们看见对方朝自己开来时已经为时已晚。

巴蒂晕乎乎地驱车回到洛杉矶。在这短短时间里发生了太多的事情。他去圣迭戈时脑中只有一个目标，那就是找到他的母亲，跟她和解。

他找到了她，知道了真相。这就够他震惊的，但是接下来发生的事情太怪诞离奇了，他到现在还惊魂未定。

一个叫莱昂·罗斯蒙特的警察找上门来，但是并不是像他原以为的那样是为了确认沃非·斯戈威克而来的。

他们两人返回到房子，他的母亲（不，不是他的母亲，是埃斯特尔……从现在开始他必须这样想她）在莱昂出示了他的证件跟提到妮塔·卡罗尔这个名字之后让他们进去了。

他想起那些再次改变他生活的话："兄弟……双胞胎……杀人犯……会再次作案……正在寻找母亲……自称'天行者'……"

还真是天意弄人！正在寻找母亲。见鬼，这会成为一项全民运动。

他问了一些问题："谁是我的亲生母亲？她在哪里？她还活着吗？"

莱昂·罗斯蒙特茫然地摇摇头，然后拿出一张发黄的纸，上面写着日期。这张纸被分为两栏。一栏写着威利斯·安德鲁斯先生跟太太的名字和一个巴斯顿的地址；另一栏写着埃斯特尔跟理查德·哈德森以及他们圣迭戈的地址。在这两栏下用红色粗钢笔写着：**双胞胎兄弟**，每户一个。在适当的地方写着交易的价钱。似乎那时候，安德鲁斯家捡了大便宜。哈德森家付了 2000 美元，比他们多花了 1500 美元。

在纸张底部潦草地写着"见六十页"。

"六十页被撕掉了。"莱昂解释说，"所以唯一的线索就是你了，哈德森太太。我给你打过电话，但是没人接。我想我必须得亲自坐飞机跑这里一趟。"他停了下来，"他们的亲生母亲是谁？"

"我不知道。"她冷冷道，"我对这从来都不感兴趣。一切都处理得很好，甚至是写着我们名字的出生证明也都有。"

巴蒂猛踩油门，疾速驶向高速公路。他要怎么跟安琪儿讲他这整趟行程呢？

嘿，宝贝。你绝对猜不到。我有一个怪兄弟。他跟我……是……双胞胎，而且你知道吗？他在到处杀人。

安琪儿会瞪大她美丽的人眼睛，觉得他又嗑药了。真该死！真是在错误的时间去了错误的地方。如果莱昂·罗斯蒙特出现在她家阶梯时，他不在那儿，那他们就永远都不会找到他，他就不用听到那些关于从哪里冒出来的一个双胞胎兄弟的疯言疯语了。

但是他们会找到他的，因为他不想改名字。突然间他知道为什么了，他想要被找到，希望他的母亲对他足够关心，会过来找他。

但是她从来都没有。

现在他知道为什么了。

罗斯蒙特侦探说要在洛杉矶给他配一个护身警察，但是巴蒂拒绝了，然后迅速解释他的立场："我跟这整件事情一点儿关系都没有。"他最后冷漠地说道："而且我也不想跟它扯上任何关系。这个叫迪克的人是不可能找上我的。"

"看看这个。"罗斯蒙特侦探递给他一张照片，说道。

一个目光如炬的长发怪人。

一个跟他长得很像的长发怪人。

有些地方确实不一样……但是却令人毛骨悚然地相像。莱昂就是因此才认出他的。

这让他产生了非常不好的预感。他突然将照片推还给莱昂。"一点都不像我。"他粗声道，"现在我得回洛杉矶了。"

没过一会儿，他就离开了，非常不情愿地把照片递给了莱昂，并接受了一个电话号码。如果有需要，他可以打这个电话联系侦探。

再见了，圣迭戈。

他驱车驶在高速公路上，朝一个全新的开始，朝安琪儿开去……

他有个不知身在何处的母亲……

这无关紧要了，他现在很自由了。

在去机场的途中，坐在计程车上的莱昂非常沮丧。他之前希望哈德森家会是关键线索。但是理查德·哈德森过世了，埃斯特尔·哈德森不知道，也不在乎。哪种女人领养了个孩子却不想知道孩子的亲生母亲是谁呢？这跟买孩子没什么区别。他厌恶地摇摇头。

好多问题……好多问题……

但是去哪儿找答案呢？

他急需知道迪克亲生母亲的身份……迪克会回去找他的母亲……如果她还活着的话……直觉告诉莱昂她还活着。

在飞机场，他径直走向电话亭，给在费城的拉科斯特警长打了个电话："我正在回拉斯维加斯的途中。这边没什么发现。"

"等等！"警长大喊道，"我刚刚收到来自洛杉矶的消息，他们觉得他们发现他了，搭下班飞机去洛杉矶。"

.73.

这个撞击时刻是他始料未及的。一辆白色的车跟一张恶狠狠的脸一闪而过。现在做什么都太晚了，罗斯只能猛踩刹车，将劳斯莱斯的方向盘拐向右边。

两辆车相撞了。车身"嘎吱"了一声，裂了个粉碎。玻璃震碎了，发生可怕的声响。

接下来一片寂静，除了从捷豹车内的磁带机里传来罗德·斯图尔特刺耳粗鄙的歌声。

在酒吧，在咖啡店——激情

在大街小巷——激情
太多的伪装——激情
每个人都在寻觅——激情

安琪儿 1 点左右打扫完房间。从一个个房间走过，欣赏她的杰作。一切都闪光发亮，它们本来就该这么干净。她觉得肚子里面的孩子在踹她，停下来将双手捂在肚子上片刻。这是一种很奇妙的感觉。他想要一个男孩，一个小型的巴蒂。一想到这个，一阵兴奋感向她袭来。别人会叫他小巴蒂，他会长得跟他父亲一样。或许……可能不会完全一模一样……

她温柔地笑了笑，走进浴室，脱掉衣服，走到了淋浴喷头下。

迪克·安德鲁斯从废墟里爬了出来，除了额头上有一道伤口，右腿疼痛之外，他安然无恙。他不应该开走这辆白车的，他受到惩戒了。

但是天行者不是不会受到惩戒的吗？

他能听到乔伊的嘲笑声。

哦，你这个妓女中的妓女，在我都你闭上你的臭嘴之前，你给我闭嘴！

"我还以为你会开车。帅哥。"她讥笑道。

激情
即使是总统也需要激情
每一个我认识的人都需要激情
有人为激情而死，为激情开杀戒

他意识到他必须前进。他从两架破碎的车中挣脱出来，开始朝山庄走去。

他一眼都没朝另一辆车里看。

她穿上一件简单的白色宽松直筒连衣裙，便拖，她抖松头发，让它自然风干。克克之前想要减掉她的头发，或是至少给她做个发型。但她不允许他这么做。她知道巴蒂喜欢它自然的样子。

她在耳后根、胳膊以及胸部之间喷了点香水——雅诗兰黛的朝露。这是克克给她的。"亲爱的，你比发廊里面的那些老女人更适合这款香水。我的天啊！如果她们看到你这么朝气蓬勃，她们只会头上冒冷汗。"

她想要巴蒂跟克克见个面。和和气气地见个面，而不是作为敌人。当然还有艾德里安。可能她会举办一场小型晚宴。这里有一个舒服的小餐厅，足以让每个人都坐得舒舒服服了，她可以做所有巴蒂喜欢吃的食物。

她陷入深思，门铃响第一声的时候她没有听见。响第二声时，她才回过神来，跑过去开门，希望是巴蒂提早回家了。

"我去去就回。"弗尔迪说。

"我去去就回……不会很久……"三小时后，洛奇一边愤怒地模仿弗尔迪说话，一边在公寓里怒气冲冲地踱来踱去。他一直期待着这次海滩野餐，期待阳光、海浪，期待结交新朋友。他跑到好莱坞不是为了等待像弗尔迪这样的人的。这个小王子会做很多事情，但是他不会等人。该死的等待。

他收拾好东西，将它们塞进包，然后朝大门走去。

安琪儿瞪大眼睛惊恐地盯看了片刻。"巴蒂？"她不确定地问道，一边朝公寓方向退去，眼里满是震惊。"你的头发……你的脸色好苍白啊……我的天啊！巴蒂，发生什么事情了？"

谁是巴蒂·哈德森？她知道谁是。这个有着玉米穗丝般的头发跟天使脸孔的圣女知道。

迪克走进公寓，关上身后的门。

她是乔伊，她当然是。他一直知道他会找到她的。

还有她怀孕了，怀的是他的孩子。

.74.

在高速公路上行驶让巴蒂有时间思考。他越想越乱，最后他打开收音机，让自己沉浸在天气预报、摇滚音乐、商业广告跟新闻广播中。

今天气温 29.5℃。温度适宜。拿上你的冲浪板，向海滩出发吧……

对啊，这正是她所想的。

史提夫·汪达的《空中彩带》、热巧克力乐队的《机会》还有兰迪·克洛福德的《里约热内卢》。音乐抚慰着他。可能他有必要去看看心理医生，理一理思绪。

该死！你还不是电影明星呢。别想得天花乱坠。

如果跟安琪儿在一起都没有办法让他理清思路，那就没有什么可以了。他会没事的，他总能死里逃生。

只是他感到如此孤单……

在高速公路上，时间没有任何意义。车就像是在无休无止的传送带上驶向不知名的目的地。一辆黑色的保时捷疾速驶过，超过最高限速一倍。

他在想星期一会怎么样。莎蒂会给他带来好消息吗？

她当然会。要往好的方面想。他的星途势不可挡。他已经蛰伏够长时间了。特别是他的广告牌就要席卷美国。

他希望弗尔迪遵守诺言，已经把安琪儿的事告诉她了。不想再撒谎，不想再步入歧途。他会靠事实获得成功，一路走向巅峰。

对洛奇这样的人来说，圣塔莫尼卡大道太拥挤了，竞争也太激烈了。他闲晃了一小时，但是没有采取任何行动。他不想苦苦挣扎，让别人注意到自己。去他个游戏规则。17 岁的他看起来就像个 14 岁的可爱小孩，但是却像 35 岁的人一样精明。在洛杉矶短短待了 6 周后，他已经熟门熟路了，圣塔莫尼卡大道并不是镇上唯一好玩的地方。

他穿上 T 恤衫，拿起他的提包，走上达西尼大道，朝日落大道前进。

吉娜·杰曼冲进马可·波罗酒廊，她跟一家新闻周刊的女记者约好一起吃午餐，她迟到了半个小时。她觉得这个记者能见到自己已经非常有幸了。有多少明星为了赶宣传愿意放弃大好周六呢？没有太多。这就是为什么她能走到顶端，而其他人爬到一半就上不去了。

在马可·波罗酒廊，他们把她当成女王一样招待她。但当然，她就是女王，好莱坞的女王。

吉娜心情不好。她觉得被遗弃了。先是被罗斯·康迪遗弃，这个一无是处、过气的王八蛋。接下来又被她的朋友兼经纪人莎蒂·莎乐弃之不理。这个女人太自私了，她不愿意放弃去棕榈泉，陪自己一天。

她一边脑中盘旋着"背叛"这个词，一边笑着跟女记者打招呼，直奔话题，说道："我其实是个特别简单的人。生活中我只想要有一间小屋，一群孩子，跟一个真命天子。"

"那罗斯·康迪呢？"

她的脸冷若冰霜："谁？"

约翰·斯皮德穿着一件比基尼三角泳裤，无法给人留下遐想的余地。

"嗯……"凯伦说道，在走出更衣室之前跟他同抽一根大麻烟，"你肯定是想真空上阵了。"

"你说对了。我就是想让他们看到。我能召来 20 码外的歌迷！"他哄声大笑起来。

她微微一笑。约翰会在帕梅拉、乔治以及他们那伙"老古董"朋友之中引起一阵骚乱。

他们手牵着手走出更衣室。本能地停下脚步，知道游客们需要大饱眼福。然后约翰大喊："敢于为先的人都是爷们儿。"然后他手舞足蹈地猛跳进水池。

凯伦宽容地微笑着。跟一个知道怎么玩乐的人在一起真是个愉快的转变！她更加镇静地走向游泳池深水区，优雅地潜入水中。

"来这边，小妖精。"约翰大喊道，用瘦骨嶙峋的大腿钳住她的腰。"不如，"他轻声说，"让你尝尝我这个'大家伙'的滋味吧！"

"别在这里，约翰。"她沙哑地咯咯大笑。

"为什么不？"他质问道，"你还以为这群偷窥狂就没有见过'大家伙'吗？"

伊莱恩为了她在美容院两点钟的预约提早来到贝弗利山庄酒店。她穿着一件淡蓝色的丝质衬衫，一条白色的亚麻便裤，戴着一副太阳镜。

"康迪太太。"那个经常给她做头发的女孩惊叫道，"你看起来太棒了，你是不是度假去了？"

她含糊地点点头："差不多吧。"

"夏威夷？"

"不是。"

"不管你是去了哪里，这确实给你增色了不少。"

"如果你能帮我打理一下头发，我会更漂亮。"

奥利弗·伊斯特恩离开在一家熟食店举行的午餐会，匆忙赶去参加贝弗利山庄酒店的晚午餐会。

白天时间都不够用。但是奥利弗有自己的一套人生哲学。绝不放走任何一个潜在的投资商，即使自己累到半死。

沃非·斯戈威克没有把男孩带回家的习惯。他没有必要这样做。他的性欲并不旺盛，他跟他那群精挑细选的朋友一个月举办一次的特殊派对就已经足够满足他了。所以当他看见洛奇懒洋洋地倚在日落大道上的 RTD 站时，他根本没想过要停下来。

他手里开着的银色奔驰帮他做了决定。他减缓车速，这个金发男孩就迈着大步走了过来。他还来不及说要不要去玩玩，他就已经在车上了。

沃非不安地环顾四周，看看有没有被人发现。显然没有。他迅速开车离开。

我怎么可以带着个男孩回家呢？他想到。那些用人们会怎么想？他在自己的屋檐下还从未做过不检点的事情。

但是还能有什么办法呢？汽车旅馆？澡堂？他不经常去这类地方。

"我们要去哪儿？"当奔驰车开出日落大道，驶向山庄时，男孩问道。

"我家。"沃非干脆利落地说道。

他才不管那些用人呢。

消息像野火般迅速传播开来，坏消息比好消息传得更快。

贝弗利山庄酒店是传播谣言的最佳温床。安吉罗街上发生一起交通事故没什么大不了的。但涉及开着劳斯莱斯的罗斯·康迪，这可就是一件大事。

"他受了重伤。"

"他终身残废了。"

"他死了。"

消息从一个人口中传到另一个人口中，版本不一。修饰、扭曲事实是一件多么容易的事情啊！

是一个红脸公关人员把这个消息告诉吉娜·杰曼的。他像一只紧张兮兮的火烈鸟一样徘徊在她的桌旁。她听到的是"伤势严重"这个版本。

"太可怕了！"她的心扑通扑通地跳着，垂下目光，下唇抖得厉害。

"要不今天的采访就算了？"记者同情地问道。

古娜迅速恢复过来，抬起眼睛，唇上露出憔悴的微笑，"不。"她勇敢地说，"罗斯会想让我继续下去。我知道的。他是一个好男人。"她停顿了片刻，"好，我前面说到哪儿了？"

凯伦是从她父亲的一位制片人朋友那里听到这个消息的。当她从泳池里冒出来时，他把她带到一旁，谨慎地在她耳边轻声说罗斯·康迪死于一场车祸，"我想你应该给乔治打电话。"

他严肃地说道："他跟罗斯一直很亲密。"

对啊，但是罗斯跟我更亲密，凯伦想要这么说，但是她开始不由自主地颤抖。

奥利弗是在马可·波罗酒廊听到风声。罗斯在加护病房。他们说他命不久矣。谢天谢地，奥利弗想，还好我把电影取消了。然后他又转念一想，可能这不是个聪明的举动……想想他可能会到手的那笔保险费！

当这个消息传开时，梦塔娜还在咖啡店。她碰见一个来自纽约的记者朋友，他们正在叙旧。他听到的故事版本是"身受重伤"。"可怜的罗斯……"她轻声说，"我实在不敢相信……"

没有人告诉伊莱恩。反正刚开始是这样。一群人围在美容店门口，商量着谁该进去告诉她这个坏消息。最后她的造型师自告奋勇，小心翼翼地靠近她。她正坐在加热器下面看时尚杂志《Vogue》，她的头发裹着无数个锡箔卷发器。

"康迪太太。"她小声说，"安吉罗街好像发生了一起可怕的车祸。"

"你为什么要跟我讲这个？"伊莱恩厉声说道。

但是她知道原因。她推开头上的加热罩，摇摇晃晃地站起来，晒黑的皮肤下脸色苍白。"是罗斯，对不对？"她喘着气，"哦，不！是罗斯。"

.75.

当他碰她时，她就知道了。他用他的手——冰冷潮湿的手触摸她的脸颊，她躲开他，恐惧地瞪大了双眼。

这个男人不是巴蒂。

可怕和奇怪的是他长得很像巴蒂，只是比巴蒂苍白瘦弱，没有巴蒂英俊……但他当然不是巴蒂。她怎么会觉得他是巴蒂呢？

"你是谁？"她轻声问道。

"谁是巴蒂·哈德森？"他冷静地反问道。

"我的……我的丈夫。"她迅速说道，"他……马上……就回来了。真的，我跟你保证。"

迪克黑色的眼睛里酝酿着怒火："乔伊，你不要在跟我要花招了。这让我很心烦。"

"我……我不是乔伊。我是安琪儿。"

"我知道，我一直都知道。"他又伸手去摸她的脸。

"不要！"她尖叫道，将他的手推开。

他抓住她的手腕："我是一路杀到这儿的，我开了杀戒就不怕再多一桩。"

她用手捂住嘴。"求求你了，你想要什么？"

"我当然是想要你。我一直都想要你，乔伊。"

"我不是乔伊！"她尖叫道。

但是他不听。

在回洛杉矶的半路上，巴蒂发现之前从他身旁呼啸而过的黑色保时捷停靠到一边。很明显这是一辆警车，车灯在闪动。他自动减速，他这辈子最不想做的就是再跟警察纠缠不清。

他察看时间。现在是两点半，还有一个半小时他就会回到公寓。5 点时，就会去接安琪儿，把她接到他身边。他迫不及待。他们会聊天……然后做爱……然后再聊天……做爱……

他猛踩油门，让那些条子们见鬼去吧！

空姐带着欢乐的微笑从他身旁经过，问道："您要来杯饮料吗，先生？"

莱昂知道他看起来也许像是需要一杯的样子。他睡眼惺忪，胡子拉碴，衣服皱巴巴的，隐隐散发出汗臭。如果米莉看到他这样的话，估计会气得发抖。

他想起米莉，脸上浮出一丝懊悔的笑意。她要是真的发起飙来可不是盖的。

"要来杯饮料吗，先生？"那位空姐重复道，显得有些不耐烦。

"来杯苏打水。"他回答道。

他没有给她回信，他无意这么做。跟她解释有什么用呢？她是绝不会明白的。等这件事情结束后，他会回家，而她会接受他。就是这么简单。

也许这件事情会结束……很快就会结束。

苏打水还没上来，他就睡着了。当他醒来时，飞机正在着陆。

她看起来不一样，但是本来就应该这样。他已经改造好了乔伊，她的眼睛不再醉醺醺妖娆，嘴唇不再涂得黏糊糊的，身上的衣服也不再大胆出位。现在的她很完美，是"金色的黄金天使"，是"天行者"的真命天女。

但是她不好搞定，他没法容忍这种事。

困在他身下的她泪眼汪汪地奋力挣扎，因此他决定像他之前绑他母亲那样把她绑起来。他速度很快，绳子一绑住她们，她们变得多安静啊，多漂亮啊！

他把她捆绑着丢在地上，自己则去察看公寓的其他地方。他的海报在卧室里候着他，盖住了整面墙。他一点都不吃惊。

谁是巴蒂·哈德森？

他是巴蒂·哈德森吗？还是巴蒂·哈德森就是迪克·安德鲁斯？

困惑夹杂着盛怒在他体内酝酿。他从靴子的一侧取出小刀，割着这张讨厌的海报。乔伊这么做过。

一度为妓，终生为妓。

"你是不是还在当妓女？"他责问道，大步走回安琪儿躺着的地方，"还有没有，乔伊？有没有？"他倾身靠近她，眼露凶光。他感到她隆起的肚子抵着他的胸膛，他想着要不要将它切开，把孩子放出来。他很快就得这么做……但不是现在……待会儿再说……

"我从来没有当过……妓女。"她轻声说。

"你以前是我的妓女。"他神秘地回答道，"只有妓女才会像你那样对我。"

他摸她的胸部，她哭了起来。

为什么她要哭？她见到他难道就不高兴吗？他为她经历了那么多艰辛……

结婚。

他想到这个。

乔伊想要结婚。

他们之前谈过很多次……

我想要见你母亲。怎么了，帅哥，难道我不够好，不配见你母亲？

他突然停止了手上的动作，站起身来。"好吧。"他说，"我同意了，我们在一起的时间够长了，你应该去见我母亲，乔伊。"

"我不是乔伊。"她啜泣道。

他无视她的否认，任她哭泣，走回卧室。他在那儿捡起一支红色的粗马克笔，在破破烂烂的海报上写下一条留言。然后他后退，站在那里审视自己的杰作，之后又回到他的俘虏身边。

他朝她弯下腰，将刀尖轻轻抵向她的肚子，"我现在要给你松绑。"他安静地说，"不要给我惹什么麻烦。如果你把我惹火了，你就看不到我的母亲了。听明白了吗，乔伊？"他收起刀，开始给她松绑。

她止不住地抽泣："上帝啊，帮帮我。来人啊，救命！"

"上帝会帮助'天行者'的。"他虔诚地说道，"我就是'天行者'。"

.76.

伊莱恩不知道是怎么从美容院走到酒店前门的。她满头都是锡箔纸，看起来十分荒谬可笑。

造型师跟在她身后，"康迪太太，"她恳求道，"你不能开车，你不能……"

伊莱恩不理会这个担心她的女孩，叫喊着要取车。她才不在乎她自己出什么洋相，她唯一在意的是要找到罗斯。

"但你都不知道他们把他送到了哪家医院。"女孩恸哭道，"请等等，我们会打电话给警察，康迪太太，你不能这样匆匆离去，你心情太糟了。"

康迪太太可以随心所欲，而且她也这么做了。

失望，沮丧，各种消极情绪，还有更多。

莱昂站在晌午的烈日下看着急修车将劳斯莱斯和捷豹拖走，或者说是看着它们的残骸。

他厌恶地发出一声沉重的叹息，在人行道上吐了口痰。他之前希望一切可以就此结束，但是并没有。

这次的追捕让他很沮丧，特别是听到消息说"他们抓住他了"，结果捷豹车内仅留下迪克的旅行包，里面有他的驾驶证证明这是他的。这包总比什么都没有好，虽然它不能提供任何线索。莱昂已经彻底地翻看过了，唯一值得注意的物品就是精心保存在跑车杂志页面中费城谋杀案的新闻简报。

他很累，从一个城市赶到另一个城市，不吃不睡。

但是他没有累到无法继续。追捕行动只是刚刚开始而已。

伊莱恩在哈特福德路向左拐，意识到她不知道他们把罗斯带到哪儿了。所以她开车回家，想打电话查出来。

一辆警车不吉利地停在车道上。

她感到血色全无，白天的热气消失殆尽。如果罗斯死了，她会承受不住。她这么爱他，不能在失而复得后再次得而复失。

他要是残废了该怎么办，伊莱恩？

我宁愿他残废也不要他死。

如果他再也没法走路了呢？那你就不能赊账，不能去高级餐厅，不能去参加派对，不能再过贝弗利山庄的生活了。

别烦我，埃塔。我爱罗斯，其他的都不重要。

"康迪太太？"当她开车驶进车道时，一个警察从车上跳下来。

她的心跳停住了："有什么事吗？"

"康迪先生在里面。"

她跑进房子。

罗斯从吧台上冒出来，一手拿着一大杯白兰地，前额上贴着一小片绷带，左臂斜挂着一条绷带。另一名警察站在他身旁在本子上记笔录。

"罗斯！"她兴奋地大叫道。

"亲爱的！"他高兴地眯着他那对有名的蓝眼睛，然后开始放声大笑，"你在干什么？去《星球大战》试镜？"

她抬手摸了摸她包裹着锡箔纸的头。她看起来惊慌失措。

"你这算是哪一类好莱坞主妇啊？"他打趣道，"如果碧碧看到你这样子跑来跑去，她肯定会判你出局！"

微笑慢慢在她脸上荡漾开来："说实话，套一句我那好老公的话——放他妈个响屁！"

.77.

天气炎热、烟雾弥漫、大汗淋漓、疲惫不堪、全身酸痛，这真是糟糕的一天。

这种日子是巴蒂想要尽快忘记的。他疲惫地将车停在地下室专门留给他的一块地方上，走出车，舒展身体，打哈欠。他很难受，身体上跟精神上哪一方面都不好受。

现在是 4 点 15 分。不到 10 个小时，他将生活毁于一旦，或让生活走上了正轨。究竟是喜是悲，他还得想想。但是至少他摆脱了乱伦的噩梦。

他在凉爽的车库中待了片刻，发现也许他还是幸运的。没有过去了，没有那些乱七八糟的事情，什么都没有了。想想从前，这真有那么糟吗？

客运电梯太忙了，他搭货运电梯上楼。空气中弥漫着诱人的香味，不再有垃圾的气味。这幢楼并不疏于监管，这里有一个全天候值班的门卫。有一些女房客觉得这还不够，之前有人要求他签署一份居民请愿书，要求在地下停车场也配一名保安。他叹了一声气。管他呢，反正他是不会让安琪儿一个人下去的。

安琪儿。他急切地想见到她。既然他已经提前回来了，他可能会取消派车去接她的计划，自己亲自去。

这种香味一路伴随着他回到公寓，当他打开门时，那股气味还在。他的第一反应就是女佣喷了这种香水，但是他出于本能觉得安琪儿在这里，他心跳加速，就跟一个毛头小伙一样。

"安琪儿？"他喊道，"嘿——宝贝，你在哪儿？"

他推开卧室门，立即知道大事不妙。

安琪儿几乎喘不过气来，货车后面又脏又闷，热得让人难以忍受，窗户一片漆黑。

车子一路疾速颠簸，她拽住车的一边，偶尔一阵疼痛戳着她的五脏六腑，她很担心她肚子里的孩子。

她紧紧闭上眼睛想巴蒂，像念咒语一样一遍一遍重复着他的名字。

他的海报被撕成破破烂烂的碎片挂在那里。但是眼睛却完好无损，而且上面用马克笔重重地写着：

这张脸是我的

这个天使是我的

谁是巴蒂·哈德森？

这个人不复存在

480

天行者

跟莱昂·罗斯蒙特警探的谈话片段记忆可怕地向他涌来——兄弟……双胞胎……杀人犯……自称"天行者"……

巴蒂记得自己是这样想的——简直是胡扯，谁会管这个，跟我毫无关系。

他感到一种莫名的恐惧，他只要扫一眼公寓就确定安琪儿来过。床边的桌子上摆着她的闹钟，闹钟旁边有几张相框，都是他们俩的合照。他扳开衣橱的大门，她的衣服确实是整齐地挂在他的衣服旁边。浴室里有她的牙刷、头梳、各种各样的化妆品……

毫无疑问，她来过。如果是这样的话……她现在在哪里？

"哦，上帝！"他呻吟道，"哦，不！"

在贝弗利山庄警局、机动车监管所和综合电脑系统的帮助下，莱昂投入到工作中。捷豹的登记车主是弗尔迪·卡特莱特。他家里没人回应，一位邻居上报说她看见过他离开，独自开车走的，大概是在早上 11 点。

莱昂找那个女人谈话。他对付证人很有一套。人们相信他。

"你有没有看到卡特莱特跟这个男人在一起？"

他拿出两张迪克的照片。一张是他高中时候照的，另一张是一个艺术家印象中他今天的样子。一路上有几个目击证人帮助警察了解他的长相：光头、目光如炬、衣衫褴褛。

这个女人微微眯起双眼，仔细研究照片："卡特莱特确实有很多男性访客。"她将身体凑近，好像是在透露一个国家机密，"他是个男同性恋，但不要说是我告诉你们的。"

莱昂阴郁地点点头："那是一定的。"

"卡特莱特先生究竟怎么了？"

"他的车发生了车祸，我们正在努力寻找他。"

"他没事吧？"

莱昂耐着性子："我们就是在设法搞清楚这件事。请你看看照片。"

这个女人再一次认真研究起这两张照片，脸扭曲成一团，"我不喜欢那一张照片上的人的长相。"她指着那张艺术家对迪克的印象照说道。

"他来过这里吗？"莱昂追切问道。

"他？没有，否则我会有印象……"她的声音逐渐变弱，"另一个人倒是来过……"

"是吗？"

"我不确定……跟他不太像……"

"谁？"

"这个男人今天早上来过。长得非常帅。"她大笑，"这可能听起来很疯狂，但是他和照片上的人像一个模子刻出来的，就是比他大一点，更帅一些。"

她举起迪克那张年代久远的照片。

莱昂打了冷战。

是巴蒂。

"你记得他穿什么衣服吗？"

"黑裤子，白衬衫，还有一件好看的运动外套，也是黑色的。"

"这是肯定的。"莱昂同意道，他急着结束这次访谈，已经朝门走去了。

"我还记得我当时这样想来着，"女人喊道，"要是这个男人是同性恋的话，真是太可惜了！"

圣迭戈的那个警探在纸上写了一串号码给他。但他当时不感兴趣，确定它绝不会派上用场，不知道把纸塞哪儿了。

他焦急地翻口袋，一无所获。然后他模模糊糊记得在车上把那张纸扭成一团，然后扔到了地上。

他冲出公寓，跑进电梯，跑到车库下面，在车内地板上找。

他找不到那张该死的纸！

他掏出杂物箱，在座位四周探寻，沮丧地大声咒骂。然后他冲回楼上。

他离开时，没关公寓门。他匆忙跑进去，然后突然停下来。里面有人。

迪克正带着她去见他母亲。这种感觉很好。跟以前非常不一样。

这一次她们会处得很好，她们笑着跟对方说话。她们会高声赞扬他，而不是批评他、嘲笑他。

"上帝会为死者唱颂歌。"他大声说道，"因为只有死亡，人的灵魂才得以洗脱罪孽，邪恶才能得以释放。"

他认真地思考着。

杀。

杀死母亲。

杀死乔伊。

杀死自己。

谁是巴蒂·哈德森？

他不再关心这个问题，他想到了解决方法。

他完全知道该怎么做能让他心情愉快。

再没有人会嘲笑他了。

.78.

"你跟弗尔迪·卡特莱特是什么关系？"巴蒂还没来得及说上一句话，莱昂就厉声问道。

"喂——"巴蒂抓住他的胳膊，他一点都不好奇他为什么来这里，只是为他的到来感到如释重负，"迪克是不是抓了安琪儿？这个疯子是不是把我的妻子带走了？"

"你在说什么？"

"他来过这里。"

"你是怎么知道的？"

巴蒂把他拽进卧室，在那里他看到那张被撕裂的海报跟那条字迹潦草的留言。

"这些鬼话什么意思啊？"巴蒂质问道，"是不是说他带走了安琪儿？"

"谁是安琪儿？"

"我的妻子。真是该死！你打算怎么办？"

"你最好把知道的一切都告诉我。"

"安琪儿本来应该是 5 点钟在这里跟我见面的。不知什么原因，她提前来了，现在她不见了。我实在不明白，他怎么会找到我？你是唯一知道我联系方式的人。"

"还有谁有这张海报？"

"大半个美国都有。星期一它就要登上全美的广告牌。"

"可能这就是关键所在。"

"什么他妈的关键啊？安琪儿在哪里！"巴蒂尖叫道。

"我们会找到你妻子的。"莱昂说,他觉得更有信心了,"但是我需要一些信息。谁是弗尔迪·卡特莱特?"

"他跟这件事情有什么关系?"

"你听我说,"莱昂厉声说,"你今天一大早来找他,然后他的车出了车祸。警察赶到时车祸现场一个人都没有。但是在车内发现了迪克·安德鲁斯的包。"他顿了顿,"告诉我,巴蒂,将你所知道的全都告诉我。"

"弗尔迪是我的经纪人莎蒂·莎乐的助理,我今天早上去拜访他。我想要他去一趟莎蒂家帮我转达一条消息。"

"他有没有同意?"

"有。"

"还有别的什么人在场?"

"一个摇滚少年。"

"他叫什么名字?"

"我他妈的怎么会知道?"他爆发了,"这会帮我找到我妻子吗?"

"但愿如此。因为我们只有这一条线索了。"

他小心翼翼。你永远都不会知道什么力量会把你困住。即便是空气也很危险。酷暑难当,敌人无处不在。

这一次迪克直接将货车开到了莎蒂家的前门。

他四处走动,向窗户里面窥视。

傍晚时太阳躲到了低云层里,他希望会下雨。他想念雨水。水是一股积极的力量,而暑气则是来自地狱。

他能听到房子里电话在响,但是没有人接电话。

他用右手摸着光滑的头皮,然后他把他之前偷的钥匙从衬衫的口袋掏出来,打开前门。

他一直都知道他会再回到他母亲身边的。

四周寂静无声。

原本就该如此。

她蜷伏在货车后面,抑制住随时都可能喊出来的尖叫。疼痛平息了,她松开拳头,深呼吸。货车几乎不通风,她差点儿被厚重的灰尘噎住。她大汗淋漓,这一趟让她感到筋疲力尽。但是至少他们停下来了，也许他走开了……留下她……

如果她被困在这里……

她挣扎到车厢后面，开始虚弱地捶打着双扇门："救命啊……来人啊……快……救救我……"

她多漂亮啊——他的"金色希望天使"。这跟他第一次见到的乔伊太不一样了。

当他把她拉出货车时，她在哭泣。哭就哭吧，反正眼泪跟水没什么两样。

他把她半拖半抬进房子，知道自己在这世上从来没有这样想要一个女人。

那是因为她是真正属于他的。他指引她的生活，驱除她身上的罪恶，彻底净化了她。

"乔伊，我亲爱的乔伊。"他边把她弄上楼边嘀咕着。

"**我**……**不是**……**乔伊**。"她绝望地大喊道。

他立马变得生气了。为什么她要让他生气呢？

贱人。

妓女。

娼妓。

他粗鲁地将她拉进莎蒂的卧室，把她推向床。"住嘴！"他尖叫道，"不要否认自己的身份。"

他蹲伏在她身上，下身变硬。对乔伊变硬没什么好感到罪恶的，他们是夫妻。

有那么一瞬间，他不记得自己在哪里。突然电话再次响起，吓了他一大跳。让他发疯。他从床上一跃而起，抓起电话线，猛扯墙上的电话线。

母亲在哪里？

她会喜欢这个面色苍白、金发碧眼的漂亮乔伊。她是这么淑女。

但是也是个妓女，不能忘记这一点。

所有女人都是妓女。

他没有再往下想。

杀。

杀死母亲。

杀死乔伊。

杀死自己。

但是首先……这两个女人得见个面……这是他欠她们的。

　　他突然拉起床上的被单，把它撕成一条条的，再次绑住她，她四仰八叉地被捆在床上。

　　他是个疯子。她知道了。他的黑眼睛疯狂地怒视着整个世界。
　　他是谁？为什么他会跟巴蒂如此可怕的相似？
　　巴蒂很帅。
　　这个男人很丑，是个怪物。
　　孩子不再踢她了，她觉得肚子隐隐作痛。
　　他杀了我的孩子，她想道。他还会把我也杀了。
　　她毛骨悚然。她再也见不到巴蒂了。

　　"母亲，母亲。快醒醒。我有很重要的事。"
　　迪克的脸在她眼前浮现。他的眼睛非常像她自己的……一点也不像罗斯……
　　可怜的罗斯……
　　莎蒂试着忍痛讲话。她的下巴松垮地耷拉着，她能感觉到尖锐的破牙齿边缘，眼睛只能眯成一条缝。但是至少他还没有用小刀……她失去意识有多久了？似乎是有一段时间了。为什么他还在这儿？
　　可能她只是昏睡了几分钟……她觉得自己又要昏过去了，她努力撑着……但是实在是太痛了……
　　他把她从椅子上解开。也许他要放她走……也许是这样……
　　她又一次失去意识。
　　他说："母亲，你真是个笨蛋。"然后他尖叫起来："**母亲，快醒醒！**"
　　她没有醒来，他就踢她。乔伊还在等着。不能让她等着。

　　事情水落石出了。
　　弗尔迪·卡特莱特是莎蒂·莎乐的助理。
　　莎蒂·莎乐是巴蒂的经纪人。
　　弗尔迪去见莎蒂。
　　莎蒂住在安吉罗街。
　　莎蒂有海报。
　　弗尔迪失踪了。

莎蒂没有去她本该去的棕榈泉。

她家的电话没人接。

"我们跑一趟吧。"莱昂急迫地说道。

要把母亲拉上楼可不是件容易活。

她很沉，但是他坚持着。毕竟，君子一言，驷马难追，而且他不能让乔伊失望。

安琪儿听到他在靠近，"你放我走吧。"她无助地喊道，"我的孩子快要没了，求求你，求求你，让我走吧！"

当他走进房间时，她吓呆了，一股绝望感朝她的全身蔓延开来。他在拖着一个女人的身体。

她开始疯狂尖叫。

"母亲，这是乔伊。乔伊，快跟母亲打个招呼。"

乔伊没有照做，他感到很丢脸。他不得不塞住她的嘴，她真不应该逼他这么做。

他的头很痛。他想起了费城，很久以前的费城，遥远的费城。

他看了看靠在床边椅子上的母亲，然后再看了看五花大绑、嘴被堵住的乔伊。

他生命中的这两个女人。

这两个特殊的女人。

他花了这么长时间才安排了这次见面。她们会喜欢吗？

他们会喜欢吗？

他愤怒地脱掉衣服，最后脱掉靴子。

他拿出小刀，试了试刀尖，露出了一个死亡面具般的笑容。

欲望涌遍他的全身，汩汩流过他的血管，充斥着他的脑袋。他的头很疼，他的眼睛也很疼……

乔伊在等着，她的腿正张开着。

妓女。

乔伊在等他，她再也不会嘲笑他。

天使。

他掀开她的裙子，用他的小刀切开她的短裤。

妓女。

她的脸扭曲了，眼睛瞪得老大。她想要他。"金色的希望天使"想要跟"天行者"交融在一起。

他骑在她身上，准备进入，同时也举起他拿着小刀的手臂随时准备进攻。

他们应该要在一起的。

巴蒂从后面拽住了他。这绝命一击让他们俩都失去了平衡，摔倒到地上。他们纠缠了片刻，然后迪克从喉咙中发出一声奇异的声音，把小刀朝巴蒂脸上砍去。小刀划过他的手掌，血液喷涌而出。

巴蒂并不觉得痛，他只是觉得很愤怒，这种愤怒给予了他力量。他用右手拽住迪克持刀的手腕，把它往后扣住……慢慢地……慢慢地……用力推开它……

他们的目光交汇了片刻，黑眼睛对着黑眼睛，神态不一样但是长得很像。"**谁是巴蒂·哈德森？**"迪克尖叫道，他的手腕突然变得无力，小刀猛往下跌，切中了他自己的喉咙。

等莱昂缓缓走进房间时，这一切都结束了。

后 记

  莎蒂·莎乐家的非法入室事件、弗尔迪·卡特莱特的谋杀案以及之后发生的事情在好莱坞引起了轩然大波。当周日一大早沃非·斯戈威克被发现中枪死在自家卧室中时，这种反应更是强烈。人们惊恐万状。安全防卫措施升级了，警犬、私人保镖、装甲豪华轿车跟猎枪成为风潮。碧碧·萨顿是第一个将她的卧室改造成堡垒，包括装上电控不锈钢窗还有一个固若磐石的大门，这种做法风靡一时。

  莎蒂·莎乐跟安琪儿·哈德森两个人都被直接送往急症室。医生费尽心思保住了安琪儿的孩子。几天之后，医院允许她回家，医生指示她要放松心情，好好休息。

  莎蒂就没那么幸运了，她断了两根肋骨，一边脸颊骨骨折，鼻子受损，并且还有多个部位受伤。同时她还患上失忆症，一点儿都不记得发生过什么。

  当莱昂·罗斯蒙特讯问她时，他什么都问不出来。安琪儿也是这样，什么都没说。这两个女人没有提供任何线索……她们好像谋划好要保持缄默。

  莱昂心中还有怀疑，但是即使这些怀疑是对的，现在又有什么用呢？

  迪克·安德鲁斯死了，但是还是疑点重重……

  奥利弗·伊斯特恩在家中摆放的各式电视机上得知了这周末发生的事情。他周一大早就前往办公室，考虑着立刻请一个编剧写下这个故事。

  这要是拍成电影该多棒啊！如果他能签下巴蒂·哈德森亲自出演的话……

  早上7点整。一个热情的停车场服务员在大楼前等着帮他停车。奥利弗·伊斯特恩才不会把车停在地下室呢。

  他将闪闪发光的宾利交手后就匆忙跑进去，在报亭停了一下，买了早报跟三包口香糖，这是他早上的例行公事。

他像运动员一样慢慢地跑上楼梯——另一项晨间仪式。他没有时间锻炼或去健身房，跑步上楼梯是最好的心血管运动。这比每天做俯卧撑或跳绳好。等他到达顶楼时，他的心跳就是强烈运动的正常心率。

他冲到外间办公室，内心尽是诈骗各方人士之后的喜悦，他是骗了他们很多，但是生活不就是这样吗？

他的秘书9点才到。这很适合他，因为这给了他时间冲澡，不受干扰地打电话到纽约。他打开办公室大门，这是他的私人圣殿，在这里他可以坐在他特制的皮桌后，欣赏皮沙发无懈可击的亮度、精美的地毯还有雅致的古董。

他打开门，怀疑地嗅了嗅，然后痛苦地发出一声撕心裂肺的叫喊。他的桌子上高高地堆着一坨粪便。

他摇摇晃晃地向后退，内心支离破碎。

梦塔娜选择在这个时候慢悠悠地走进外间办公室。"早上好，奥利弗。我只是过来拿一些我桌子上的东西。"她顿了顿，"我的天啊！这是什么气味？"她朝他走去。他就像一尊石雕像一样立在办公室门口。她的目光越过他的肩膀。"奥利弗！"她尖叫道，"你的桌子上……满是……大便。哦……天……啊！"她忍不住大笑起来。"哦……奥利弗!!!谁会这样对你呢？"

他从来都不是一个体格强壮的男人。如果需要动手打架，他总是雇用别人来做。但是这次他太气愤了，控制不住自己。他转过身来朝她冲去。

这是个错误之举。

她随意地走向一边，将他绊倒在地。

他沮丧地高声喊叫。

"奥利弗。"她优雅地走出办公室，说道，"你知道吗？我觉得你终于有一辈子都享用不尽的大便了。"

到中午时，这件事就传遍了好莱坞。

在莎蒂·莎乐登上头版头条之后的一周，大鼠·索伦森出版的《事实和真相》杂志席卷报亭。

罗斯·康迪获得了巨大的成功。可能……也说不上成功，只是多了一项荣誉：自埃罗尔·弗林之后最大根的男人！他完全以本真的光彩活色生香地出现在封面，旁边还有个非常配合他并且一丝不挂的凯伦。

这份杂志像多年前《大都市》杂志的中心版面曾刊登布特·雷诺兹茨的照片一

样为罗斯做了宣传。

罗斯又一次迅速蹿红。

他被全力推回万众瞩目的中心，就像当年那样。

他脸上带着微笑、下身勃起照帮了他，几个愤怒地高呼管制淫秽作品法律的压力的集团要求杂志从报亭下架。当运送货车来收集这些非法杂志时，杂志已经卖光了。

罗斯·康迪非常叫座。

照片没有注明来源于小圣·士提兹，但是他领到了丰厚的报酬。

他在玛丽安德尔湾的一家单身酒吧庆祝，在那里他碰见一个娘娘腔的红发男人。这个男人把疱疹传染给了他，并偷了他的车。

伊莱恩开始当家作主。她成为年度主妇。哪种女人会受得了罗斯这种不检点的行为被公示于众，而且还能笑得出来？

记者们高度赞扬她的言语，《人物》杂志花了两页报道她，称她热情洋溢、诙谐睿智。大受欢迎的莫夫格里芬秀请她上节目谈出轨和善解人意的妻子。她自己本身就是个名人。康迪夫妇是镇上炙手可热的一对。碧碧·萨顿打电话约她。每一场开幕式、派对和活动他们都收到了邀请。

他们享受这样。十年之后他们情投意合，这才是真正重要的。

莱昂·罗斯蒙特回到费城。他回来时，米莉不在他们的公寓里。他等了几周后给她打电话，她跟他弟弟待在一块。

"回家吧。"他平淡地说，"案子结束了。"

"它永远都不会结束，莱昂。"她回答道，语气中带有悔恨之意，"总又会冒出另一宗案子……这比有另一个女人还糟糕。"

也许她是对的。他太疲惫了，无力与她抗争。也许他生而孤独。他常常会想起乔伊，想起她开朗的性格跟狡黠的微笑……

巴蒂·哈德森得到了他在生活中所想要的一切甚至更多。他营救安琪儿跟莎蒂的英勇事迹和他跟迪克·安德鲁斯之间异乎寻常的关系登上了全世界报纸的头版头条。

他的广告牌轰动一时。

安琪儿也重新回到他身边。

大家都想要他，包括大牌经纪人、最有名的制片人、网络电视台经理，外加美国的每一家杂志社、脱口秀栏目组跟报社。

大众的反应一方面是很兴奋，另一方面却又很害怕。

他转向安琪儿，他有孕在身的美丽妻子。她比以往任何时候都要美好温暖，但是多了一份温柔的坚强，这让他很欣慰。

"先什么都别做。"她简单说道，"等等莎蒂，毕竟她是你的……经纪人。"

她的建议很明智。莎蒂出院后加倍努力地重新开始工作。巴蒂是她的首要客户。她从没有提起过迪克·安德鲁斯、弗尔迪·卡特莱特以及在她家度过的那个灾难性的星期六。她也不允许别人提起。

吉娜·杰曼遭受了一连串毁灭性的报道。最初是出自罗斯出车祸之日跟她一起共进午餐的记者之手，那个女孩写了一篇惊心动魄的暗杀文章。吉娜为此郁闷了一星期。

然后是《询问报》曝光了她以前的生活。《电视报》的一篇封面故事简直要了她的命。还有几份在超市出售的垃圾报纸也开始抨击她。

吉娜飞到了巴黎，她在那儿进行了缩胸手术，为能让别人把她当成一名严肃的演员而做最后一搏。她在巴黎跟一个拍实况纪录片的法国电影导演坠入了爱河，他承诺给她真正需要演技的角色，并且让她主演一部关于一个愚蠢的美国金发女影星的黑色幽默低成本电影。她终于等到这一天了！她终于被人认真当成了演员。她给奥利弗·伊斯特恩发了一封电报，告诉他她没法履行承诺，不能回美国出演他的电影了。

他对她提起了诉讼。

她只寄去一个词作为回答。

牛屎！

凯伦·兰开斯特跟她的摇滚歌手离开了美国。爸爸因为她当众出丑感到无脸见人。约翰·斯皮德觉得这整件事好笑至极。

他跟着约翰举行观众爆满的欧洲巡回演唱会，她成为歌迷们关注的头号人物。有一阵子，她很享受新获的名气，然后她出入于机场、酒店、不同的体育场，还有除了派对还是派对、派对，这种一成不变的生活非常无聊。

她想念贝弗利山庄。她想念去乔治阿玛尼店和李丽娜服装店购物，她想念在芭堤雅酒店和小酒馆花园里面吃午餐，她想念在多米尼克餐厅和莫尔顿餐厅里面吃晚餐。

她想念碧碧举办的精彩奥斯卡晚会，还有莎蒂家厨房众星云集的非正式晚宴。

她想念代客泊车服务，想念炎炎烈日、网球、马可·波罗酒廊。她想念一切。

没过多久她就说服约翰，说他应该去拍摄电影，而她就是那个能为他拍电影疏通关系的女人。

他觉得这个主意很好。他很聪明，知道跟一个像凯伦这样的女人在一起有什么好处。几周后，她发现她怀孕了，他们决定结婚。

凯伦的眼睛熠熠发光，"我们要举办一场世纪婚礼！"她宣布道，"我们要在贝弗利山庄举办一场盛宴，一场让大家永远都津津乐道的婚宴！"

这消息在贝弗利山庄炸开了锅。如果你没被邀请参加凯伦·兰开斯特和约翰·斯皮德的婚礼，你还不如直接离开这座城镇。

地点：迪士尼乐园。

服装：不限。

莎蒂·莎乐决定穿一件米色的蕾丝套装。她清瘦了不少，新的苗条身材可以穿下她想穿的任何服饰。她在镜子前仔细地瞅着自己的脸，没有留下一丝迪克造成的伤害……外表上是没有……但是内心……

她想到了巴蒂，他是那么帅气、那么生气蓬勃。然后她想到了安琪儿。这个女孩正如一块美玉，甜美、善良，是个真正的好姑娘。莎蒂很喜欢她。这种喜欢的感觉是她们彼此共有的。

安琪儿现在随时都有可能生下孩子……莎蒂露出一个神秘的笑容。*我就要当奶奶了*，她想道，*这件事情只有我自己知道。要是罗斯知道的话，他定会大吃一惊。*

罗斯·康迪要当爷爷了。

只是他永远都不会知道这件事。因为她最终对他实施了报复。现在她可以忘记他了，其实她已经忘了他，另有别的事情要做……

巴蒂将他的故事讲给安琪儿听。她反过来告诉莎蒂。这两个女人现在非常亲密。她们共守着一个秘密……一个她们绝口不提的秘密……但是这个秘密以一种很特殊的方式将她们联系起来……

莎蒂决定，未来有一天，时机合适时，她会告诉巴蒂……

梦塔娜在八卦作家莉丝·史密斯的专栏里看到了这场即将举行的婚礼。看关于洛杉矶的报道让她想起了奥利弗·伊斯特恩。想到他她就咧嘴大笑。他办公室的那个精彩的周一早上是她一生中最得意的时刻。安排起来并不容易，但是，哈，这种持久的快乐！尼尔会为她感到自豪的。

她怀念洛杉矶的趣事。她过去在那里度过了很多美好时光，现在她要重新回去当《街头路人》的导演。奥利弗被迫放弃这部电影的所有权来换取尼尔的另一部电影项目——就是那部本来该由吉娜·杰曼主演的电影。他很不高兴，特别是吉娜退演这部电影。他只剩下一个空壳，没有导演，没有主演。

她对他没有一丝怜悯。

她出去筹集资金，重新开拍《街头路人》。现在由她掌控一切，自始至终都是。

她为自己感到骄傲。

帕梅拉·伦敦跟乔治·兰开斯特又从棕榈泉飞过来了。

"我讨厌这个俗气的小镇。"帕梅拉扯着嗓子对等候的媒体宣布道。

"少来，你这头口无遮拦的母牛。"乔治把她朝豪华轿车里面推，亲切地说道，"请把你的大屁股动一下。"

在偶尔一两句辱骂的调节之下，他们美满的婚姻得以保存。

碧碧·萨顿穿着一件白色貂皮边锦缎礼服，这花了亚当 4000 美元。她看上去就像圣诞树顶端的仙女。

没有沃非，她觉得手足无措。可怜的沃非、亲爱的沃非……他倾听她滔滔不绝地聊八卦，护送她去所有亚当不愿意去的地方，而且总是，不，是"但是总是"挑她衣服的刺。

玛瑞丽·格雷带着她的新宠参加了这场婚礼。他是一个上了年纪的宗教狂，穿着松垂的白袍，拖鞋，身材就跟获胜的种马一样庞大。

她很兴奋。一个人在兼得宗教跟性爱之后，还对生活有什么要求呢？

如果他还有钱的话那就太好了……但是这又如何……她正在习惯付账。

伊莱恩一身粉装。

罗斯一身白衣。

这是天作地设的一对！

巴蒂穿阿玛尼。安琪儿当然穿孕妇装，要不然还能怎么穿？

克克在她身旁忙得团团转，确保她的每一根头发都在适当的位置，确保她的妆容无可挑剔。

巴蒂咧嘴大笑："嘿——克克。你已经帮她整得够漂亮了。"

克克甩着他的鬈发，"我只是在锦上添花。"他亲了她一下，说道，"玩得开心，亲爱的。但是别忘了我要听完整版的，回来的时候给我打电话。"

安琪儿点点头，笑了笑："谢谢你能过来。替我问候艾德里安。"

楼下的莎蒂在闪闪发光的银色豪华轿车里面等着。她跟安琪儿互相拥抱，然后亲吻巴蒂的脸颊。巴蒂再一次惊叹一切都如此美好。莎蒂接受了安琪儿。没有任何麻烦，什么都没有。她们两人相处得非常融洽。

他往后靠在车上，闭目养神了一会儿。一切问题都解决了……现在那些可怕的记忆都过去了……即便是沃非也得到了应有的报应……不再会有噩梦了。

他拥有了成功和安琪儿。他觉得非常幸运。

在去阿纳海姆参加婚礼的半路上，安琪儿紧握住了他的手臂。"巴蒂，"她低声说道，"孩子……我觉得我快要生了……"

他没有乱了阵脚，他保持冷静，倾身向前轻拍将他们跟司机隔开的玻璃。毕竟他现在是明星了，言行举止要符合身份。

"把车开到医院，就像昨天那样！"他兴奋地大喊着。

莎蒂挺胸坐直，靠近安琪儿，握住她的手："你会没事的，亲爱的。别担心，我们马上就到。"

下午4点时，安琪儿生下了孩子。这次分娩并不顺利，没有人想到会是双胞胎。第一个是臀位分娩，当时情况非常危险。

当他们设法让孩子呼吸时，产房里焦急的巴蒂心跳加速。他觉得恐惧笼罩着他。

当第二个小孩来到这个世界时，安琪儿呻吟了一声。

双胞胎。

都是男孩。

就在那时，第一个孩子发出了洪亮的哭声。